D0714310

Le Fleuve des ténèbres

James Grady

Le Fleuve
des ténèbres

Traduit de l'américain
par Jean Esch

Collection dirigée par
François Guérif

Rivages/noir

Titre original : *River of Darkness*

© 1991, by James Grady, Inc.
(This edition published by arrangement
with Warner Books, inc., New York)
© 1992, Éditions Rivages
© 1994, Éditions Payot & Rivages
pour l'édition de poche
106, bd Saint-Germain - 75006 Paris

ISBN 2-86930-754-3
ISSN 0764 - 7786

A Luke,
De Oppresso Liber

Tous les vaisseaux de l'Etat
naviguent sur un fleuve de ténèbres.

Général William Cochran
Directeur adjoint de la CIA.

Vagabond

A minuit moins sept, un dimanche d'hiver à L.A., Jud regarda dans le miroir du bar et comprit que le type décharné à la veste écossaise avait été envoyé pour le tuer.

Pas trop tôt, songea Jud.

Perché sur un tabouret près de la porte, le type décharné frotta une allumette pour allumer une Camel. Neuf tabourets plus loin, Jud sentit le soufre par-dessus l'odeur d'urine séchée et de bière éventée du bar. Il observa le visage du tueur dans le vacillement de la flamme, certain de ne l'avoir jamais vu.

Les mains tremblantes de Jud renversèrent le petit verre à alcool vide en levant son demi de bière tel un calice. D'un trait, il avala la bière au goût amer, et en même temps que la peur et la colère, une sensation glacée de soulagement l'envahit. Après mille journées d'errance et d'ivresse, il se retrouvait en terrain de connaissance. Cet assassin avait un sens.

Le barman était un type bien en chair qui mentait en affirmant avoir joué au football dans le championnat universitaire. Il glissa jusqu'à Jud, faisant monter et descendre le cure-dent coincé entre ses lèvres pour désigner les pièces près des verres vides de Jud.

— Y a pas assez pour une autre tournée, dit-il.

— Dans ce cas, je ferais mieux de m'arrêter, marmonna Jud.

C'était un homme imposant assis sur un tabouret de bar, avec un torse large et une grosse bouée autour du ventre. Des cheveux châtain-roux coupés très court. Des avant-bras épais comme des mollets d'homme. Autrefois, son visage possédait une beauté enfantine ; aujourd'hui il était flasque, pâle. A l'exception du bleu terne de ses yeux injectés de sang.

La ruse lui apparaissait comme le seul moyen de s'en tirer. Fermant les yeux, il bascula volontairement à la renverse du haut de son tabouret, les bras écartés pour se recevoir discrètement à la manière d'un judoka.

Mais l'alcool qui coulait dans son sang faussa son timing, et il s'écrasa en beauté sur le dallage ; il se cogna la tête et perdit connaissance.

— On dirait un morse, commenta le barman.

Les poivrots du bar ne lui accordèrent ni un regard ni un rire. Le type à la veste écossaise avait dépensé davantage que quiconque dans ce bar pour s'habiller ; c'était le plus propre. Il regarda le barman empocher la monnaie de Jud en faisant le tour du comptoir.

— Allez, debout ! beugla-t-il. Debout ou t'as droit au toril !

Le barman balança un coup de pied dans le tibia de Jud à travers son jean. Inconscient. L'immobilité de Jud n'était pas feinte.

— Et merde ! (Le barman saisit Jud par les chevilles.) J'suis pas payé pour trimbaler des déchets.

Il tira d'un mouvement brusque ; le corps de Jud se déplaça de quelques centimètres.

— La vache, soupira le barman, ce salopard pèse une tonne !

— Je vais vous aider, proposa Veste Ecossaise.

Le barman lui confia un des deux pieds de Jud. Celui-ci portait des baskets noires bon marché, sans chaussettes. Le barman tourna la tête vers la porte de derrière en comptant :

— A la une, à la deux, à la trois !

Ils traînèrent Jud sur le sol. Son sweat-shirt aux

manches coupées remonta sur son ventre gonflé et sa poitrine glabre.

— Hé ! vous êtes plus costaud que vous en avez l'air, commenta le barman.

— Oui, répondit Veste Ecossaise.

Jud sentait sa tête cogner contre le sol tandis qu'ils le traînaient par la porte de derrière. Il garda les yeux fermés, jouant les poids morts. Les deux hommes s'arrêtèrent sur le perron.

— Le toril, dit le barman en désignant d'un signe de tête la parcelle de terre battue entourée d'une clôture en bois. Mais ces types sont plutôt des bœufs.

Leurs rires résonnèrent dans la nuit froide. Le barman scruta l'escalier obscur en plissant les yeux.

— Y a personne d'autre qui cuve son vin, dit-il. Voyons voir s'il peut descendre seul.

Jud les laissa le remettre sur ses pieds. Sa tête pendait sur sa poitrine ; il se risqua à entrouvrir les yeux. Il découvrit une main dépassant d'une manche écossaise qui lui tenait le bras droit.

— Hé ! mon pote ! cria le barman dans l'oreille gauche de Jud. Ça va ? Tu vas y arriver seul ?

Pour Veste Ecossaise, le barman avait dit : il va y arriver.

Le barman poussa Jud dans l'escalier. Tournant sur lui-même, rebondissant contre le mur de brique et la rampe, Jud alla s'écraser sur le sol. Après quelques secondes, il roula sur le flanc.

— Z'avez-vu ça ? dit le barman. Les poivrots, impossible de leur faire mal.

Il rentra avec Veste Ecossaise pour lui offrir une bière sur le compte de la maison.

Relève-toi, se dit Jud, allongé dans la poussière, le souffle coupé. *T'as juste le temps que Veste Ecossaise établisse sa couverture.*

Il se servit du mur pour se redresser. Assis. Debout. Adossé aux briques. Pour ne pas tomber.

Un rire éclata dans le bar. Willie Nelson chantait

11

une chanson où il était question de *federales* et de mouchards. Jud s'étonna qu'il y ait un juke-box dans ce bar. Le seul qui avait pu dépenser de la monnaie pour écouter de la musique, c'était Veste Ecossaise. Ce n'était pas de l'argent gaspillé, songea Jud : c'était une couverture.

Une clôture en bois de deux mètres de haut entourait le toril dans la nuit californienne. Les chutes avaient quelque peu dissipé les effets de l'alcool. Jud se traîna jusqu'à la clôture, jusqu'à la barrière.

Verrouillée. Il caressa la surface lisse du verrou. S'il avait des outils, trente secondes. Si ses mains ne tremblaient pas. Il agrippa le haut de la clôture, pas moyen de lever son gros cul.

Dans le bar, un autre disque débuta ; une femme à la voix douce et claire. Jud adorait les femmes à la voix douce et claire, et suffisamment puissante pour couvrir les intentions de Veste Ecossaise.

Dernière chance. Jud recula jusque sous la véranda. Trois profondes inspirations et il s'élança, réprimant son envie de hurler en fonçant à travers la nuit tel un boulet humain.

Il percuta la barrière en bois.

Il rebondit comme un ballon de plage et se retrouva les quatre fers en l'air ; la clôture tremblait mais la barrière tenait bon.

Jud gisait sur le dos, l'épaule en feu, contemplant le ciel nocturne où le smog masquait les étoiles. Il pouvait se rendre, se fondre dans l'obscurité. Il imagina Veste Ecossaise riant sur son tabouret de bar.

Ils auraient pu au moins m'envoyer un type avec davantage de classe.

Il se leva.

A l'intérieur, la femme cessa de chanter. Des verres tintèrent. Mentalement, Jud se représenta Veste Ecossaise glissant de son tabouret, cherchant un « quarter » dans sa poche pour le mettre dans le juke-

12

box, puis regagnant sa place. Mécanisme enclenché. Couverture.

Jud gravit les marches en titubant. Pas la moindre planche, ni brique, ni tuyau, ni morceau de verre tranchant. Il observa ses mains tremblantes. Les talents d'une douzaine de professeurs s'étaient imbibés de cette chair. Mais ce soir, n'importe quel ivrogne dans ce bar aurait pu lui mettre une raclée. Et il n'aurait pas affaire à un ivrogne.

Le vagabond, chanté par Dion, un tube à l'époque où Jud traversait l'adolescence avec fureur, se déversa dans la nuit.

Des barreaux métalliques protégeaient une fenêtre dans le mur derrière la porte entrouverte. Un tuyau d'écoulement courait le long de la fenêtre jusqu'au toit.

— Hé ! s'écria le barman à l'intérieur de l'« Oasis ». Où tu vas ?

Jud se glissa derrière la porte, grimpa sur le rebord de la fenêtre et agrippa les barreaux. Il chancela, mais il y parvint ; le dos plaqué contre le mur de brique, accroché au tuyau d'écoulement, les talons sur le rebord de la fenêtre.

Il fit un effort pour se détendre, pour se décontracter, ne penser à rien. *Une seule occasion, une seule chance.*

Une silhouette masqua la lumière qui filtrait par la porte ouverte. Du haut de son perchoir, Jud apercevait le sommet du crâne chauve d'un homme et les épaules de sa veste écossaise.

— Faut s'assurer qu'il va bien ! cria l'homme.

Il sortit sur le perron, en scrutant l'arrière-cour obscure. Tandis que ses yeux fouillaient les marches à quelques centimètres de ses pieds, il tendit le bras derrière lui pour fermer la porte.

Jud lâcha prise et tomba du rebord de la fenêtre, les bras écartés, s'abandonnant à la gravité et à la nuit.

Il percuta Veste Ecossaise comme un morse qui se

13

laisse tomber sur un phoque. Les deux hommes roulèrent dans les escaliers en bois, atterrissant sur la terre battue avec un bruit sourd. Jud retomba sur le dessus.

L'homme couché sous lui était osseux et immobile ; sa tête formait un angle bizarre. Jud palpa le cou de l'homme, sans sentir de pouls.

Lorsque Jud revint sur terre, il était appuyé contre la clôture. En train de vomir. La tête lui tournait ; la bile lui brûlait la gorge à chaque respiration. Les larmes lui piquaient les yeux ; il cligna des yeux pour les chasser.

C'est la chute, conclut Jud. *Si j'avais pas été ivre, je serais mort moi aussi. Je voulais juste l'assommer, pour pouvoir m'enfuir. Il n'était pas censé mourir. Pas lui, pas un de plus.*

Faisant taire sa conscience, Jud se pencha pour fouiller le cadavre.

Un calepin et un stylo de Prisunic dans la veste écossaise. Un paquet de Camel et une boîte d'allumettes. Dans le pantalon, il trouva deux cents dollars et de la petite monnaie. Un coupe-ongles. Un mouchoir. Un trousseau de clés de voiture, des clés d'appartement. Un portefeuille. Une demi-douzaine de cartes de crédit correspondant au permis de conduire californien, qui lui correspondait assez bien au visage. Pas n'importe quels papiers d'identité. Des faux de première qualité. En toute légalité. Il ne découvrit aucune arme, mais un bon agent n'en avait pas besoin. Jud mit à son poignet la montre à affichage digital de l'homme ; il fourra les différents objets du mort dans ses poches et baissa les yeux. Il déglutit avec peine.

Il gravit les marches, en regardant droit devant.

Aucun nouveau client n'était entré dans le bar. Le partenaire de Veste Ecossaise l'attendait sans doute dehors.

Et puis merde, se dit Jud. *Te dégonfle pas.*

Le barman tournait le dos à la salle, occupé à rincer

un verre. Il jeta un coup d'œil dans le miroir au moment où Jud passait.

— Hé ! s'exclama-t-il. Où vous allez ?

— Gardez la monnaie, marmonna Jud.

Jud sortit sous l'enseigne au néon rouge de l'« Oasis », hurlant sans bruit, dans l'attente de la balle qui allait l'abattre.

Rien.

Une douzaine de voitures stationnées, toutes vides. Personne sous les portes cochères. Personne accroupi sur les échelles d'incendie des bas-fonds. Une sirène de police gémit sur les boulevards au loin ; mauvaise direction et encore trop tôt pour concerner Jud. Il n'avait pas le temps d'essayer les clés du mort sur toutes les voitures garées. Jud n'avait pas de voiture. Son hôtel à dix-sept dollars la nuit se trouvait à quatre blocs de là, pas de problème pour rentrer en titubant après une soirée difficile à l'« Oasis ». Ou en rampant. Mais il ne prendrait pas le risque d'y retourner. Il n'avait presque rien dans sa chambre. Des valises pleines de vieux vêtements. Quelques photos instantanées. Les clés d'une Mercedes qu'il avait offerte à Lorri quand elle était partie. Son portefeuille contenait son permis de conduire et des fentes vides pour les cartes de crédit.

Les gars du passé avaient finalement décrété sa mort.

Et puis merde, songea-t-il. *Qu'ils se donnent du mal.*

La différence la moins importante entre la Californie et la Côte Est, c'est que le soleil se lève trois heures plus tôt au-dessus de l'Atlantique. En ce dernier lundi de février 1990, l'aube se leva à 7 h 21, heure locale, à Washington D.C., emplissant d'une lumière grise la chambre du pavillon de banlieue de Nick Kelley dans le Maryland. Nick dormait paisiblement aux côtés de

15

sa femme dont les cheveux noirs s'étalaient sur l'oreiller comme un éventail japonais.

Le téléphone sonna.

La sonnerie effraya leur rottweiler qui aboya et réveilla le bébé dans la chambre voisine ; Saul se mit à pleurer. La sonnerie retentit de nouveau avant que Nick ne décroche. A côté de lui, Sylvia remua.

— Allô ! murmura Nick dans l'appareil.

— Ici l'opératrice des télécoms, acceptez-vous un appel en PCV de la part de... monsieur Wolf ?

Nick ferma les yeux en soupirant. Il ouvrit la bouche pour répondre non, puis il secoua la tête et se ravisa.

— Oui.

— Qui est-ce ? marmonna Sylvia en se redressant et en repoussant ses cheveux sur son front.

Elle portait une longue chemise de nuit blanche.

— C'est Jud, murmura son mari, assis au bord du lit.

— Merde, fit-elle.

Nick espérait que Jud n'avait pas entendu le juron de Sylvia, tout en souhaitant le contraire. Son épouse repoussa les couvertures et quitta la chambre à pas feutrés pour s'occuper de son fils.

— C'est moi, dit Jud à l'autre bout du fil.

— J'avais deviné, répondit Nick. Un peu à cause de sa femme, il demanda : sais-tu quelle heure il est ?

Dans une cabine téléphonique de Los Angeles, au coin d'une rue, Jud consulta la montre du défunt.

— Quatre heures et demie ici, dit-il.

— Tu as réveillé le gosse.

— Oh ! désolé. Comment va Saul ?

— Très bien, soupira Nick.

Il passa la main dans ses cheveux noirs qui commençaient à grisonner prématurément, songea-t-il. *A cause de ce genre de choses justement.* Il allait se réveiller de toute façon.

— Je t'appelle juste pour te dire que si tu n'as pas de mes nouvelles pendant un moment...

— Ça fait déjà un moment que je n'avais pas de tes nouvelles.

— Faut que je me planque.

— Encore ? fit Nick.

Il bâilla. Nick était un homme sec et nerveux, presque trop maigre pour son mètre quatre-vingts.

— Cette fois, c'est différent.

Aucune trace de l'habituelle grandiloquence dans le ton calme de Jud.

— Un problème ?

— A ton avis ?

Nick passa la langue sur ses lèvres ; Sylvia n'était pas revenue dans la chambre.

— Ça a un rapport avec nous ?

— Avec toi ? répondit Jud qui comprenait le sens de la question. Ça m'étonnerait.

Et si tu avais tort ? songea Nick.

— On a passé des sacrés moments ensemble, pas vrai ? dit Jud.

— Ouais.

— Tu sais que je t'aime comme un frère.

Nick avait le visage en feu. Sylvia réapparut, tenant dans ses bras leur bébé de seize mois. L'enfant endormi enfouissait son visage contre la poitrine de sa mère.

— Euh, oui. (Nick évitait le regard noir de Sylvia.) Moi aussi.

— Au cas où je pourrais pas le faire, parle de moi à Saul.

— Que veux-tu que je lui dise ?

— La vérité.

— C'est-à-dire ? Par quoi je commence ?

— Par dire au revoir, répondit Jud.

Les phares d'une voiture roulaient dans sa direction. Il raccrocha.

Sur la Côte Est, Nick entendit le déclic, attendit, puis raccrocha à son tour.

A Los Angeles, les phares passèrent devant Jud sans

17

s'arrêter. Il appuya son front palpitant contre le téléphone, et ferma les yeux.

Jud avait pris un bus à sept blocs de l'« Oasis ». Jouant l'ivrogne anonyme à l'attention du conducteur noir fatigué, de cinq Hispano-Américaines vêtues de blouses de femmes de ménage, trois Coréens imperturbables, et une femme noire endormie, un sac de bowling posé sur le siège à côté d'elle. Dans la lumière verte du bus, Jud faisait un ivrogne très convaincant.

Lorsqu'il s'était fait engager à la « Serrurerie en bâtiment Angel » six mois plus tôt, Jud avait maîtrisé le système d'alarme et s'était fabriqué un jeu de clés du magasin. Une fois à l'intérieur, il brancha la cafetière électrique et posa une boîte de soupe de tomate sur la plaque chauffante. Il consulta sa carte de pointage. On lui devait onze jours de travail, plus les heures supplémentaires.

Des sacs de sport poussiéreux étaient entreposés sur une étagère. Jud arracha les étiquettes de deux d'entre eux et parcourut les allées du magasin. Couteaux suisses. Un blouson en nylon. Quatre paires de chaussettes, un soldat avait toujours besoin de chaussettes. Jud rougit en constatant qu'il n'en portait pas. Gants de travail en cuir et gants en coton pour le jardinage. Une lampe torche. Dans l'atelier, il prit des crochets de serrurier et des raidisseurs, des passe-partout, un tournevis compact et des jeux de clés à écrous, un marteau à panne ronde, une pince-monseigneur et une baguette en plastique.

La soupe de tomate bouillonnait. Il mangea toute la boîte, puis il but du café noir. Il enfila une paire de chaussettes. Dans les lavabos, il dénicha un tube d'aspirine et un rasoir mécanique. Il avala quatre aspirines, rangea le tube et le rasoir dans son sac.

Jud s'introduisit dans le bureau du patron et alluma la lampe de table au pied courbé. Des feuilles jaunies, des classeurs, des éléments de serrures et des outils jonchaient le dessus du bureau. Jud prit 131 dollars

18

dans la caisse. Assis dans le fauteuil grinçant, il songea au patron obèse qui fumait le cigare, conduisait une Cadillac, détestait et craignait le monde entier. Scotchée au fond du tiroir du milieu, Jud découvrit une enveloppe contenant des photos de femmes au visage sévère, vêtues uniquement de bottes noires et brandissant des fouets. L'enveloppe renfermait également trois billets de cent dollars. Jud fourra l'argent dans sa poche et remit les photos dans l'enveloppe, avant de la scotcher au fond du tiroir. Le patron ne parlerait à personne de cette disparition. Fixé à l'intérieur du tiroir de droite, Jud trouva un revolver calibre 38 à canon court.

L'arme était chargée. Jud la nettoya et la graissa. Après quoi, il glissa le revolver dans sa ceinture, contre son rein droit, en espérant que le blouson le cacherait, en espérant qu'il savait encore dégainer comme un flic.

Il griffonna « Nous sommes quittes » sur sa carte de pointage et la posa sur le bureau.

Ses deux sacs à la main, il parcourut six pâtés de maisons jusqu'à une cabine téléphonique. Adossé à un lampadaire, il tenta d'éclaircir ses pensées avant d'appeler Nick. Après leur conversation téléphonique, il appuya son front contre l'appareil. Les Dodgers [1] se servaient de son crâne comme terrain d'entraînement. Son haleine sentait la soupe de tomate, le whisky bon marché, et la bile. Le revolver lui rentrait dans le dos.

Pas besoin de balles, se dit-il. *Je vais leur sauter à la gueule.*

Il décrocha le combiné, puis se ravisa : *En dernier.*

Dans une paisible rue résidentielle à quatre blocs de là, il découvrit une Chevrolet sans bouchon de réservoir anti-vol. Jud portait les gants en coton. Glissant la baguette en plastique le long de la vitre du côté

---

1. Célèbre équipe de base-ball. (N.d.T.)

passager, il fit sauter le loquet de la portière, arracha la tête du démarreur et enfonça les fils épissés dans un interrupteur dérobé au magasin. Le moteur ronronna. Après avoir déposé ses deux sacs sur le plancher à l'avant, il enclencha la première et descendit la rue en roue libre, tous feux éteints.

De retour à la cabine téléphonique, il se gara de façon à ce que l'appareil se trouve à proximité de la portière ouverte de la Chevrolet. Il regarda fixement le téléphone jusqu'à ne plus le voir. Il composa un numéro gratuit.

A l'autre bout du continent où il était maintenant 8 h 26, cinq hommes en chemise et cravate stricts, réunis dans une pièce sans fenêtre, buvaient du café et mangeaient des croissants devant leurs bureaux surchargés d'ordinateurs. Des pendules murales indiquaient l'heure à travers tous les Etats-Unis, à Greenwich, Londres, Paris, Rome, Berlin, Moscou, Pékin, Hong-Kong et Tokyo. Ces hommes se moquaient d'une femme qu'ils connaissaient à peine.

Un téléphone bleu sonna sur le deuxième bureau en partant de la gauche. L'écran de l'ordinateur sur le bureau s'alluma automatiquement. L'homme assis devant le terminal ressemblait à un professeur de Yale, une image qu'il cultivait depuis qu'il était sorti diplômé de l'université du Wyoming cinq ans auparavant. Il ajusta son casque-micro et leva la main afin de réclamer le silence, avant d'abaisser un bouton pour répondre à l'appel.

— Allô ! dit-il, les yeux fixés sur l'écran de l'ordinateur.

— Pourquoi vous ne répondez plus « Security Force » ? demanda Jud.

— Allô ! répéta l'homme en fronçant les sourcils.

— « Malice » à l'appareil.

L'homme pianota « Malice » sur son clavier et appuya sur la touche « Enter ». En quelques secondes, une colonne de six mots apparut sur la gauche de l'écran. L'homme choisit le premier.

— M comme mère ? demanda-t-il.

— M comme malveillant.

— E comme...

— Enigme, dit Jud. Lame, ne perdez pas votre temps à faire toute la liste. Vous savez très bien qui je suis.

Le côté droit de l'écran s'alluma.

— Oui, je crois savoir qui vous êtes, répondit l'homme qui avait répondu à l'appel, tout en lisant les instructions de l'ordinateur.

Ses collègues regardaient par-dessus son épaule.

— « Malice »..., murmura l'un d'eux. Je l'ai déjà eu deux fois.

— Honte à vous, les gars, dit Jud. Honte à vous.

— Comment ? dit son correspondant.

— C'était pas une façon de dire au revoir.

— Je ne comprends pas de quoi vous parlez.

— Renseignez-vous aux abords de l'« Oasis », Lame. Vous comprendrez. Si vous avez accès à ces informations.

— Que puis-je pour vous ? demanda l'homme qu'avait appelé Jud.

Soudain, à L.A., la montre du mort se mit à sonner. Jud appuya sur tous les boutons du cadran. Pas moyen d'arrêter la sonnerie.

— Vous n'entendez pas un bip ? demanda l'homme assis devant l'ordinateur.

Jud cogna la montre-bracelet contre la vitre de la cabine. Le verre du cadran se fendit, mais la montre continua à sonner.

— Vous êtes toujours là ? demanda la voix douce à l'oreille de Jud.

Jud sortit son bras à l'extérieur de la cabine pour atténuer la sonnerie de la montre.

— Je peux faire quelque chose pour vous ? insista une dernière fois le prétendu professeur de Yale.

— Vous leur direz bonjour de ma part, hein ? Pas adieu, Lame. Pas de cette façon. Vous leur donnerez le « bonjour ».

Dans le coin inférieur droit de l'écran, l'ordinateur afficha le numéro de la cabine téléphonique d'où appelait Jud.

— Bonjour à qui ? demanda l'homme sans se départir de son calme.

— Ouais, ouais, dit Jud.

Et il raccrocha.

La montre s'arrêta de sonner.

— Bon Dieu, j'ai pas besoin de ce truc, marmonna Jud.

Il attacha la montre du mort autour du combiné du téléphone. Qu'*ils* gardent leurs gadgets sophistiqués. Il repartit à bord de la Chevrolet volée. A l'ouest l'attendait l'océan. Au sud se trouvait le Mexique et un mauvais karma. L'est, il en venait. Alors il partit vers le nord, la direction que prenait une souris pour retrouver le roitelet qu'elle aimait dans une des seules histoires heureuses de son enfance dont Jud avait conservé le souvenir.

L'élu

Le major Wesley Chandler, corps des Marines U.S., passa en voiture devant les deux shérifs adjoints stationnés à l'entrée d'un cul-de-sac d'une banlieue de Virginie, les vitres entrouvertes pour ne pas mourir asphyxiés, le moteur haletant pour ne pas geler dans la nuit de mars. Il leur adressa un signe de tête ; ils remarquèrent son uniforme et lui rendirent son salut, compagnons d'armes contre les barbares.

Des voitures bordaient la rue résidentielle, engins motorisés des classes moyennes. Il n'aperçut aucune limousine. Et aucune place libre.

Un homme vêtu d'un pardessus ouvert se tenait dans la lumière de la véranda de la maison biscornue de style Tudor qui correspondait à l'adresse notée sur le calepin de Wes. Un deuxième homme, emmitouflé dans l'inévitable trench-coat Burberry que l'on voyait partout à Washington, était adossé à une berline bleue dotée de trois antennes sur le capot. Le Burberry était ouvert. Un cordon en plastique allait du manteau à l'oreille gauche de l'homme. Les deux hommes suivirent Wes du regard tandis qu'il passait au ralenti devant la maison.

Il revint vers l'entrée du cul-de-sac. La place libre qu'il trouva était trop proche du coin de la rue d'après la loi, mais apparemment les policiers s'en moquaient.

Wes coupa le moteur. Le froid de la nuit vint le

caresser à l'intérieur de la voiture. Il jeta un coup d'œil à sa montre en repensant aux deux coups de téléphone qui l'avaient conduit jusqu'ici.

Il avait reçu le premier appel dans son bureau au quartier général du Naval Investigative Service, jeudi. Hier. Il regardait fixement l'écran de l'ordinateur dans son réduit aux murs gris, à un peu plus d'un kilomètre du Capitole, essayant de se persuader que le mémorandum qu'il rédigeait était vraiment important. Ce premier appel provenait d'une femme.

— Vous êtes bien le major Chandler du Nouveau-Mexique ? avait-elle demandé.

— C'est là où je suis né.

— Je m'appelle Mary Patterson. A l'époque, j'étais la secrétaire de monsieur Denton, membre du Congrès. Nous avons fait connaissance le jour où l'Académie a fait venir les cadets en car depuis Annapolis pour rencontrer les membres qui choisissaient leur affectation.

— C'était il y a vingt-cinq ans, dit Wes.

— Désormais, je travaille avec le patron dans sa nouvelle boutique.

— Félicitations.

— C'est pourquoi je vous appelle, ajouta-t-elle. Monsieur Denton souhaite honorer les gens qu'il a connus à l'époque du Congrès, les membres de son équipe et tous ces hommes de valeur, comme vous, qui l'ont rendu si fier des académies militaires. Un simple cocktail sans formalité après le travail.

— Quand ?

— Demain. Puis-je lui dire que vous viendrez ?

— J'essaierai, répondit Wes.

— Oh ! (Sa voix se glaça.) Eh bien, essayez. Je vous en prie.

Le second appel avait eu lieu à neuf heures et demie le vendredi matin.

— Major Chandler, dit une voix d'homme rocail-

24

leuse, je m'appelle Noah Hall. Assistant du directeur Denton. Nous ne nous connaissons pas.

Les murs gris du bureau de Wes se resserrèrent.

— Vous assisterez à cette réception ce soir, n'est-ce pas ?

— Puisque vous le dites.

Noah Hall ricana. Il fut convenu que Wes porterait son uniforme.

— Vous viendrez accompagné ? demanda Hall.

— Non, je devrais ? *Et avec qui ?* voulut ajouter Wes.

— Venez seul.

Noah Hall lui dit à quelle heure il devait venir.

Les talons de Wes claquaient sur le trottoir tandis qu'il s'enfonçait dans l'impasse. Il exhalait des nuages argentés qui se dissipaient dans la nuit. Ces maisons étaient d'élégantes bicoques. Haies taillées, arbres ciselés, pelouses tondues même pendant leur mort saisonnière. Le papillotement irisé de la télévision brillait derrière une fenêtre.

Wes percevait des rires provenant de sa destination. Le type à la porte le regardait approcher, tandis que l'homme posté au coin balayait la rue des yeux. Dans le jardin obscur derrière la maison, Wes aperçut la minuscule lueur orange d'une cigarette que tenait une main trop confiante.

— Sale temps pour rester dehors, hein ? lança Wes à l'homme à la porte qui gardait imprudemment les mains au fond de ses poches de pardessus.

— On est habitués, pas vrai ? répondit l'homme, ravi de cette reconnaissance professionnelle. Allez-y, entrez.

Wes ouvrit la porte.

La chaleur le submergea comme une vague. Une cheminée fumait quelque part au milieu du brouhaha. Une femme poussa un cri d'extase strident : proche de la quarantaine, cigarette dans une main, un verre de vin blanc dans l'autre. Elle portait des alliances, mais

25

son compagnon aux cheveux blond-roux grisonnants, costume de tweed et nœud papillon, ne ressemblait pas à un adepte du mariage. Une employée de maison latino-américaine débordée passa devant Wes, en tenant fermement un plateau de boulettes de viande à la suédoise et de petits feuilletés au crabe. Elle avait fui le Salvador après avoir été violée par les escadrons de la mort d'extrême-droite, la Mano Blanca. Sur le palier de l'escalier intérieur se tenait un autre type en costume avec un cordon qui passait sous sa veste, jusqu'à son oreille. La moquette sous les pieds de Wes était profonde ; l'air riche en fragrances : rose, lilas et musc.

— Vous êtes sans aucun doute le major Chandler ! s'exclama une femme d'une cinquantaine d'années en jaillissant de la masse des invités. Vous êtes notre seul Marine. Je suis Mary Patterson.

Elle lui serra la main, et Wes se sentit absorbé par son regard.

Dans une assemblée d'hommes de qualité, Wes n'était peut-être pas celui qu'on remarquait en premier, mais c'était un homme dont on se souvenait, même quand il ne portait pas son uniforme des Marines. Avec son mètre quatre-vingt-dix et sa puissante musculature, il dégageait avant tout une impression de force, d'énergie contenue et non exsudée. Il était séduisant, bien que rien dans son visage n'évoque la beauté des modèles de magazines. Ses cheveux châtains plaqués sur son crâne étaient coupés très court, mais ce n'était pas le travail d'un coiffeur de l'armée. Son nez était grand, mais pas proéminent, sa bouche large, avec des dents régulières et des lèvres pleines. Le temps avait creusé un sillon en travers de son front et aux commissures de ses lèvres ; un éclat d'obus lui avait laissé une cicatrice au menton. Ses yeux étaient noirs, grands et larges, mais si profondément enfoncés dans leurs orbites qu'on aurait dit deux fentes.

Mary l'introduisit dans un salon bondé. Wes repéra

un commandant de la Navy, son épouse pendue à son bras, riant en compagnie d'un homme qui, Wes l'ignorait, était conseiller auprès de la Commission des Finances du Sénat. Un gradé de l'armée au regard vitreux avec les décorations habituelles sur la poitrine et des vaisseaux éclatés sur le nez reluquait avec envie l'étoile d'argent sur l'épaule d'un collègue officier. Croisant le regard de Wes, le général lui fit un signe de tête, avant de reprendre sa discussion avec un homme en costume trois-pièces bleu qui dirigeait une étude du centre ville employant seulement quatre-vingt-treize avocats, et le charpentier maigre et barbu, époux de l'ex-secrétaire dont le cri strident avait tout d'abord attiré l'attention de Wes.

— Connaissez-vous madame Denton ? demanda Mary Patterson.

— L'occasion ne s'est jamais présentée, répondit Wes.

A l'autre bout de la pièce, une femme dont la beauté s'était transformée en élégance avec le temps, serrait la main d'un rédacteur en chef de Washington travaillant pour un groupe de journaux de Floride. Son épouse, ancienne collaboratrice au Congrès devenue spécialiste du traitement des déchets solides auprès de l'Agence de Protection de l'Environnement, faisait nerveusement les présentations.

— Je me réjouis que vous ayez pu venir, confia Mary Patterson à Wes en attendant que le journaliste et la bureaucrate s'en aillent.

— Un coup de chance, hein ?

— Madame Denton... fit Mary, et la femme élégante adressa un sourire rayonnant à Wes.

Derrière elle, Wes remarqua un type bien en chair adossé au manteau de la cheminée, et qui faisait tournoyer dans son poing un verre rempli d'un alcool ambré. Son crâne luisait sous sa tonsure en fer à cheval, et sa cravate desserrée pendait sous le col ouvert de sa chemise blanche, mais il restait près du feu. Et il gardait ses yeux noisette de fouine fixés sur Wes.

Mary déclara :

— Je vous présente le major Chandler.

— Quel plaisir de faire votre connaissance, entonna Mme Denton.

— Merci pour votre invitation, dit Wes.

— Voyons, mon cher, nous ne pouvions organiser cette petite réception sans vous.

— Madame Denton ! (Un homme saisit la main qu'elle lui tendait par automatisme.) Vous vous souvenez de moi ? J'étais l'assistant de l'attaché de presse de monsieur Denton lors de son second mandat. Bill. Bill Acker.

— Evidemment, Bill ! Comment pourrait-on vous oublier ?

— Je travaille pour N.A.A.R.E maintenant, au quartier général de l'Association en ville. Un sacré truc, rien à voir avec les habituels groupes de pression, et je...

Mary entraîna Wes à l'écart, et lui glissa :

— Elle est adorable.

Mme Denton enlaça une jeune femme et la planta face à l'inoubliable Bill Acker.

Le gros type aux yeux de fouine changea de place devant la cheminée, sans quitter Wes du regard.

— Essayons de trouver le patron, dit Mary.

Un éclat de rire leur fit tourner la tête vers l'autre bout du salon.

Les photos dans les journaux ne rendaient pas justice à Ralph Denton. Certes, il accusait quelques kilos de trop, mais il était grand et possédait des jambes puissantes. Des yeux verts pétillaient sous ses cheveux clairsemés et gris.

— Monsieur ! cria Mary.

Il lui répondit par un simple regard. Il serra encore une demi-douzaine de mains, avant de se diriger vers Mary et Wes.

L'homme aux yeux de fouine avait quitté la cheminée pour le bar, d'où il pouvait observer la rencontre entre Wes et Ralph Denton.

— Monsieur le Directeur, dit Mary, vous vous souvenez de Wesley Chandler de Taos ? Le fils de Burke Chandler. Burke est décédé après votre départ du Congrès. Vous avez nommé Wesley à Annapolis en… 1964, c'est bien ça ?

— Exact, répondit Wes en serrant la main de son hôte.

Celui-ci possédait une poignée de main sèche et puissante.

— Vous permettez que je vous appelle Wes ? demanda Denton.

Wes hocha la tête.

— On dirait que vous avez réussi, commenta le directeur en reluquant les décorations sur la poitrine de Wes.

— J'ai eu de la chance.

— Comme nous tous, mon gars. (Il remarqua un couple âgé qui tendait leur manteau à l'employée de maison.) Drôle d'époque, hein ?

— Oui, monsieur.

— Veuillez m'excuser.

Il pinça l'épaule de Wes et se précipita vers le couple âgé.

— Eh bien, major, enchaîna Mary. Ravie de vous voir. Faites comme chez vous, amusez-vous. Le buffet est formidable. Prenez un verre.

Elle se fondit parmi les invités.

L'homme aux yeux de fouine avait quitté le bar pour s'approcher d'une étagère de livres. Il bavardait avec une femme fortement maquillée qui avait passé le bel âge depuis dix ans de fervente abnégation, en faisant semblant de ne pas s'intéresser à Wes.

Ce dernier rejoignit un colonel de l'Air Force au bar. L'officier supérieur lui sourit ; ils échangèrent leur nom. Wes désigna la glacière à bière et repoussa de la main le verre que lui offrait le barman. Il se retourna ensuite vers les invités : l'homme aux yeux de fouine avait disparu.

— Ça fait plaisir de voir M. Denton de retour parmi nous, commenta l'officier de l'Air Force. Quel dommage qu'il ait perdu cette élection autrefois. Aujourd'hui il serait président de la Chambre des représentants. Ou bien un sénateur important.

— Il a fait son chemin, dit Wes.

— Sans blague. Vous retournez souvent au Nouveau-Mexique ?

— Non. Et vous ?

— Non plus.

L'officier portait les ailes de pilote. Il but une gorgée de scotch.

— C'est triste pour Sawyer. Il décroche la direction de la CIA, il commande l'invasion du Panama, et il y a deux semaines, voilà que son cœur lâche. J'étais surpris de voir Denton prendre sa place.

— Pourquoi ? demanda Wes.

— Chez nous dans la marine, on penchait plutôt pour Billy Cochran. Il a les galons, la tête farcie de bouquins, et les mains propres. Il a su diriger le N.S.A. [1] d'une main de maître.

Wes sirota sa bière. Où était donc passé Œil de fouine ?

Le pilote désigna d'un mouvement de tête les décorations de Wes.

— Je volais sur les 15 là-bas, dit-il. Quand étiez-vous sur place ?

— Il y a longtemps, répondit Wes.

— Amen. (L'ancien pilote leva son verre à la santé de Wes. Il regarda à droite et à gauche.) Vous avez entendu parler de réductions budgétaires chez vous ?

— Je ne sais absolument rien à ce sujet.

1. National Shipping Authority. Organisme responsable en temps de guerre, de la marine marchande. (N.d.T.)

— Rien de bon vous voulez dire, dit l'ancien pilote.

Il secoua la tête et s'éloigna.

Un serveur débarrassa la canette de bière vide de Wes. Parmi la transpiration et la fumée, Wes sentit l'odeur de la viande cuite à la vapeur. Quoi que propose le buffet, ce serait forcément meilleur que tout ce qu'il pouvait se faire brûler pour dîner.

Des boules de melon, du kiwi, une demi-douzaine de crevettes, des rondelles de carotte, du chou-fleur cru, des brochettes de boulettes de viande à la suédoise nappées d'une sauce légère qui gouttait dans son assiette en carton. Œil de fouine attendit qu'il ait terminé, avant de se diriger d'un pas tranquille vers le coin où Wes se tenait seul.

— Pas mauvais, hein ? fit Œil de fouine.

— Oui, répondit Wes.

Il posa son assiette.

— Je suis Noah Hall. Nous avons bavardé au téléphone.

— Je suis venu.

— Encore heureux ! (Noah avait une tête de bull-dog. Il emprunta la serviette de Wes pour éponger son crâne luisant.) Nouveau-Mexique, hein ? Des types sympas.

— D'où venez-vous, Noah ?

— Quelle campagne ?

Ils ricanèrent.

— S'ils font ça bien, dit Noah, ils m'enterreront à Chicago. Ou à Boston. S'ils sont malins, ils me brûleront sur place.

— Ça peut s'arranger, dit Wes.

— Vous êtes un soldat fidèle, n'est-ce pas, Major ?

— Je suis qualifié.

— Tant mieux. Car le directeur serait personnellement très honoré si vous restiez après cette petite fête pour bavarder un peu avec lui.

— A quel sujet ?

— Quelle importance ? C'est un homme suffisamment important, vous devriez être heureux de lui faire plaisir.

— Je serais heureux de contenter M. Denton, de n'importe quelle manière.

— Allons le contenter ailleurs qu'ici, dit Noah. Montons tranquillement, comme deux types qui cherchent les toilettes pour « gentlemen ».

— Il y a des gentlemen ici ?

Le rire de Noah se transforma en quinte de toux de fumeur. Il tapa dans le dos de Wes et le guida au milieu de la foule.

— Il y a une vingtaine d'années, dit Noah en entraînant Wes dans l'escalier, quand on était plus jeunes et pleins de vigueur, dans une soirée comme celle-ci, on serait montés en douce pour aller baiser.

— Vous n'êtes pas mon genre, dit Wes alors qu'ils arrivaient au premier étage.

Un type en costume se leva de la chaise pliante installée devant une des portes fermées. Il adressa un signe de tête à Noah.

Celui-ci conduisit Wes vers la sentinelle en souriant ; il ouvrit la porte.

— C'est quoi votre genre, Wes ?

Noah lui fit signe d'entrer.

D'épais rideaux masquaient les fenêtres ; derrière, Wes aurait pu apercevoir des vitres récemment installées et traversées de fils de fer microscopiques qui transformaient les carreaux en panneaux d'électricité statique à l'épreuve des balles. Sur le bureau étaient posés des piles de courrier, des coupures de presse, une mallette fermée à clé, et trois téléphones : un noir, un bleu, un rouge. Le bleu et le rouge étaient équipés de brouilleurs. Trois fauteuils rembourrés à haut dossier droit trônaient sur la moquette, inoccupés. Des lampadaires éclairaient la pièce.

— Les toilettes sont là, dit Noah en désignant une porte. Y a des alcools dans le secrétaire. Plutôt une autre bière, non ?

— O.K. ! répondit Wes en acceptant l'offre de Noah.

— Allez chercher quelques bières en bas pour notre ami, demanda Noah à la sentinelle. Je surveillerai la porte.

— Je suis là pour assurer la sécurité, répondit l'homme. Pas pour faire le service.

— Et moi, je suis l'assistant du directeur. C'est une chouette place. Ça m'emmerderait de me retrouver du jour au lendemain au service des sites, à éplucher les horaires du métro en Mongolie.

Le garde cligna des paupières.

— Rien à craindre, dit Noah. J'ai amené les Marines avec moi.

L'homme grimaça, mais s'empressa de descendre.

— Faut veiller à ce que tout le monde reste à sa place. (Noah désigna le garde d'un mouvement de tête.) Il va pondre une note pour se couvrir, et si jamais des informations filtrent hors de ces murs, c'est nous qui nous ferons botter le cul.

— A coup sûr, dit Wes.

— Que feriez-vous si ce type était sous vos ordres ?

— Je l'enverrais en Mongolie.

— Ils ont des métros là-bas ? ricana Noah.

Le président des Etats-Unis avait dédicacé avec effusion la photo en couleurs le montrant en compagnie de Denton, qui était accrochée au-dessus de la cheminée éteinte. L'histoire avait immortalisé les hommes en bras de chemise, la cravate desserrée, assis au bord de leur siège dans le bureau ovale.

— J'en ai une meilleure au bureau, dit Noah. Dans cette ville, si vous voulez le bureau, faut avoir des photos à mettre aux murs.

D'un hochement de tête, Noah désigna la photo présidentielle.

— Il s'en est foutu plein les poches, vous pouvez me croire. Et un jour, ce sera au tour de Ralph Denton de dédicacer ce genre de photos.

33

Le garde revint avec quatre bières. D'un geste brusque, il ouvrit un réfrigérateur, posa bruyamment les canettes sur la clayette, et reprit son poste dans le couloir.

— Faites comme chez vous, dit Noah.

Il abandonna Wes.

Pendant une heure et onze minutes, Wes attendit dans la pièce fermée. Il parcourut les titres des livres, les rangées de cassettes vidéo, il promena son regard sur les documents sur le bureau, l'attaché-case fermé à clé, les trois téléphones. Il se rendit dans les toilettes sans ouvrir le réfrigérateur. L'œil vert et mort d'une télévision fixée au mur observait ses moindres gestes. Choisissant le fauteuil qui offrait la meilleure vue sur la porte et le plus éloigné des fenêtres, il s'enfonça dans les coussins, se revoyant accroupi dans les broussailles humides à l'ouest de Da Nang. Au moins, il n'y avait pas de sangsues ici.

En entendant le déclic de la poignée de la porte, Wes se leva. Ralph Denton entra ; Noah se tenait dans son ombre. Ce dernier referma la porte.

— Asseyez-vous, Wes, je vous en prie, dit Denton avec un geste de la main.

Wes s'exécuta. Noah s'adossa à la porte.

— Désolé d'avoir été si long, dit Denton. (Il s'enfonça dans le fauteuil à la droite de Wes. Il bâilla.) Vous voulez boire quelque chose ?

— Il a de la bière dans le frigo, dit Noah.

— Je peux en prendre une ? demanda Denton.

— Demandez à Noah, répondit Wes. Ce sont les vôtres.

Noah alla leur chercher à chacun une bière, et il se versa un scotch tandis que Denton et son hôte ouvraient leur canette.

— *Semper fidelis*, dit Denton qui avait eu dix-sept ans au camp de formation des Marines le jour de la victoire sur les Japonais.

Wes se joignit à lui pour le toast. La bière était

34

froide et avait un petit goût amer. Noah se laissa tomber dans le fauteuil vide.

— Que savez-vous de mes fonctions ? demanda Denton à Wes.

— Vous êtes le nouveau directeur de la CIA, répondit Wes. Et en tant que tel, vous supervisez toutes les autres activités de renseignements.

— Excellent, dit Denton. La plupart des gens ne connaissent qu'une seule de mes quatre fonctions. Vous en avez cité deux. Je suis également le principal conseiller du Président pour toutes les affaires d'espionnage. Mais nous sommes ici pour parler de vous. Major du corps des marines. Avocat. Jamais marié. Pourquoi êtes-vous entré à l'Ecole navale ?

— C'est vous qui m'y avez envoyé.

Les trois hommes éclatèrent de rire.

— Je n'ai pas oublié. Vous avez été reçu en milieu de liste.

— J'étais moins passionné par les maths que je le croyais.

— Qu'est-ce qui vous passionne ? demanda Noah.

— Je m'intéresse davantage à l'être humain, expliqua Wes à Denton.

— Pourquoi avoir choisi les fusiliers-marins plutôt que la marine ? demanda Noah.

Wes lui adressa un sourire, lent et froid.

— En 1968, c'était là, semble-t-il, que se trouvait le cœur de l'action.

— Vous aimez vous trouver au cœur de l'action ? demanda Denton.

— J'aime faire un travail qui mérite d'être bien fait.

— En effet, dit le directeur de la CIA. Vietnam, chef de section, volontaire dans les Forces de Reconnaissance, autrement dit, bon pour rempiler. Deux « Bronze Stars », la « Purple Heart ». Une seule appréciation négative.

— D'après votre dossier, intervint Noah, vous n'aimiez pas trop déléguer vos pouvoirs.

— Le commandement n'aimait pas que les gradés participent à des patrouilles de grande envergure, répondit Wes. Je n'aimais pas envoyer des hommes là où je n'avais aucune envie d'aller moi-même.

— Cette attitude vous a coûté une promotion, dit Denton.

Wes haussa les épaules.

— Vous avez suivi l'Excess Leave Program, reprit Denton. Vous avez fait des études de droit, ce qui a encore ralenti votre carrière. Présentement, vous faites partie du N.I.S.

— Un détective privé, intervint Noah.

— Si l'on excepte la Commission Laird pour le moment, vous n'avez jamais travaillé pour le renseignement... exact ?

— Le N.I.S. s'occupe de contre-espionnage, mais moi je suis chargé des affaires criminelles. La reconnaissance, c'était tactique. Pratique.

— Ah ! fit le grand manitou des espions américains. Pratique. Avez-vous quelque chose contre le travail de renseignement ?

Wes but une longue gorgée de bière avant de répondre.

— J'aime savoir des choses, dit-il. Mais je préfère agir. Le travail de renseignement, les trucs techniques, ELINT, les satellites, SIGINT, tout ça c'est passif. L'analyse c'est passionnant, mais il faut des années pour devenir bon, des années qui vous font mûrir, mais qui restreignent votre vision également. HUMINT, les barbouzes... c'est plutôt rare chez les Marines.

— Ne vous êtes-vous pas occupé d'espionnage quand vous travailliez pour la Commission Laird en 1986 ? demanda Denton.

— Ma tâche au sein de la Commission consistait à découvrir les failles dans les procédures de sécurité des Marines dans notre ambassade à Moscou et notre consulat de Leningrad, à déterminer si des problèmes d'organisation avaient permis au KGB de recruter et d'utiliser le sergent Lonetree. Je ne m'occupais pas des questions d'espionnage.

— Pourtant, vous avez côtoyé des barbouzes, non ? dit Noah.

— Des Soviétiques ou des gars de chez nous ?

— L'un ou l'autre.

— Les deux, répondit Wes. Je logeais dans les locaux de l'ambassade américaine à Moscou. Le troisième jour, alors que je partais faire mon jogging matinal, le garde du KGB en uniforme à la porte m'a salué en anglais : « Bonjour, major Wesley Burke Chandler du Nouveau-Mexique. Alors, quoi de neuf chez les Marines aujourd'hui ? » C'étaient nos barbouzes qui quittaient la pièce dès que j'entrais.

— Mais vous n'avez jamais travaillé avec eux ? dit Noah.

— Uniquement des Marines et des membres de la Commission.

— Les rapports indiquent que vous avez fait du bon boulot, dit Denton. Wes, avez-vous des amis dans le domaine du renseignement ?

— Dois-je vous compter, l'un ou l'autre ?

Ils rirent tous les trois.

— Formulons ça autrement, dit l'ancien membre du Congrès. Y a-t-il quelqu'un dans ce milieu à qui vous deviez quelque chose ?

— Dois-je vous compter, l'un ou l'autre ?

— Vous avez sacrément intérêt, mon gars, répondit Denton avec un sourire.

— Je paie mes dettes, dit Wes. Je connais des taupes au FBI et au N.I.S., quelques espions de la Navy. Plus quelques autres chez les Marines. Quelques types de l'Agence des Opérations Spéciales, la CIA les utilise, à vous de me dire si je dois les compter. Des gars que j'ai connus à l'école de parachutisme et qui changent sans cesse d'uniforme. Mais je ne dois rien à aucun d'eux.

— A qui devez-vous quelque chose ? demanda Noah.

— Je paye mon loyer, le relevé mensuel de mes cartes de crédit. Je suis redevable à un représentant en quincaillerie qui était un bon soldat de première classe. Et à plusieurs femmes avec lesquelles j'ai été moins que courtois. Mes parents sont décédés.

— On ne vous demande pas d'être vierge, dit Noah. A vrai dire, il vaut mieux pas. On n'a que faire de détails qu'on ne veut pas connaître. Mais on doit être certains que vous n'êtes pas « contaminé ».

— Vous savez qui je suis.

— Oui. En effet, dit Denton, et on ne s'acharne pas sur vous, on fait simplement ce que vous feriez à notre place. On fait notre travail.

— Rien de ce que vous dites dans cette pièce ne franchira cette porte, déclara Noah. Ni rien de ce que vous entendez.

— Je n'irai peut-être pas au ciel, dit Wes, mais ma tombe sera propre.

— Ce n'est pas exactement au ciel que je pensais vous envoyer, dit Denton.

— Qu'avez-vous en tête... monsieur ? demanda Wes.

— Ma quatrième fonction, répondit Ralph Denton, directeur de la CIA. Je veux que vous travailliez pour ma quatrième fonction. Je sers de paratonnerre dès que quelque chose cloche dans les renseignements. C'est mon boulot, et je l'accepte. Mais ça ne signifie pas jouer les idiots. Ça ne signifie pas non plus travailler à l'aveuglette... Il s'est passé quelque chose.

Trois jours plus tôt, jeudi, à onze heures du matin, Ralph Denton ouvrit la porte de son nouveau bureau au sixième étage du « vieux » bâtiment à Langley ; il précéda Noah Hall et Mary Patterson dans le couloir

38

moquetté. Ralph se dirigea vers la porte vierge de la salle de conférence et adressa un clin d'œil à ses collaborateurs de longue date, avant d'abaisser la poignée.

— Bonjour, lança-t-il à tous ceux qui fourmillaient autour de la table de conférence.

Un homme s'avança, William Cochran, directeur adjoint de la CIA. *Numéro deux dans l'organigramme, mais numéro un dans leur cœur*, songea Denton. Cochran était le seul homme que connaisse Denton qui soit capable de porter dignement le prénom de Billy. Un jour comme aujourd'hui, où il n'arborait pas son uniforme de général trois étoiles de l'Air Force, Billy pouvait traverser une foule d'étrangers sans qu'aucun ne se souvienne de sa frêle silhouette ni de sa taille moyenne. Il portait d'épaisses lunettes à monture métallique noire.

— Monsieur, vous permettez que je fasse les présentations ? demanda Billy.

— Bien sûr, répondit Ralph, en laissant Billy sortir le grand jeu.

Le directeur général. Cinq sous-directeurs. Le seul que connaissait Ralph était August Reed III, sous-directeur des Opérations, qui s'était fait les dents sur le complot de la CIA de 1953 qui avait créé le shah d'Iran et marqué l'indépendance de l'Agence vis-à-vis des services de renseignements britanniques. Reed bénéficiait d'une dispense pour conserver son poste après l'âge de la retraite.

Denton s'aperçut brusquement que Reed et lui étaient les deux seules personnes de cette assemblée qui étaient adultes au moment de la seconde guerre, si l'on compte l'adolescence de Denton dans les Marines. Dans les années 60, le fils aîné de Ralph harcelait le père qu'il n'osait pas affronter directement en se promenant dans la maison en chantant *The times, they are a'changin'*. Ralph se souvint de cette chanson ce matin-là en voyant tous ces visages lisses épargnés par les événements qui avaient façonné sa vision des choses.

— Vous vous souvenez du « Contrôleur », de l'inspecteur général et du conseiller général, dit Billy en énumérant leurs noms.

Les eunuques de la maison, comme les surnommait Noah, chargés de veiller à la probité de l'Agence. Le « Contrôleur » était l'unique Noir dans cet océan de visages blancs. Les deux seules femmes étaient l'attachée de presse des Affaires publiques et la directrice du Département science et technologie.

— Voici le chef du groupe d'actions clandestines, dit Billy.

Denton voulait placer un homme à lui à la tête des actions clandestines, la seule question était donc de savoir dans quel délai le responsable actuel des coups tordus pouvait être évincé.

— Content de travailler avec vous, dit Denton.

— J'espère que ça ne vous ennuie pas, dit August Reed III, j'ai forcé Timothy Jones à m'accompagner. Tim dirige notre Centre de contre-espionnage.

Le visage rayonnant, Denton serra la main moite de Jones. Denton et Noah avaient soigneusement dressé la liste des personnes présentes à la réunion. Jones n'en faisait pas partie.

— Ravi que vous soyez là, dit Denton.

Il croisa le regard de Noah, avant de reporter son attention sur le numéro deux de la CIA.

— N'est-ce pas, Billy ?

— Certainement, monsieur le directeur, répondit Billy. Voici le général Prentice, du National Intelligence Council.

Le N.I.C. se composait de représentants des autres secteurs du renseignement, la National Security Agency, les groupes d'espionnage militaire, des agences parfois plus grandes et plus puissantes que la CIA elle-même.

— Prentice sera les yeux et les oreilles des gros

pontes, expliqua Denton à Noah. Arrange-toi pour qu'il voie et entende ce qui nous arrange.

Denton échangea d'autres poignées de main. Sur les conseils de Noah, il avait invité les responsables des secteurs Finance et Sécurité.

— Les armes et l'argent, avait argumenté Noah. On n'en a jamais trop, et impossible de prévoir.

Un homme séduisant, la trentaine, serra la main de Ralph.

— Relations avec la Chambre. Je m'occupe également de la Maison Blanche.

— Nous sommes deux, mon gars, dit Denton.

Il afficha un grand sourire afin que ceux qui se trouvaient à côté comprennent qu'il s'agissait d'une plaisanterie. Tout le monde rit.

Billy demanda :

— Avez-vous une place préférée pour vous asseoir, monsieur ?

La pièce était un cube sans fenêtre. Un lutrin trônait à une extrémité de la table. Ralph traversa nonchalamment la foule jusqu'à l'autre bout.

— Bon sang, Billy, ça n'a aucune importance aujourd'hui.

Ralph dissimula sa satisfaction de voir les grands et les puissants se bousculer pour prendre place, soucieux des mystères de la hiérarchie. Seul Billy semblait conserver son calme. Il était assis au milieu de la table. Noah et Mary étaient assis le long du mur. Ralph jeta un coup d'œil à sa montre.

— Il y a exactement soixante-trois minutes, déclara-t-il, le Président a regagné la Maison Blanche en hélicoptère.

Mentalement, il entendit le vrombissement des deux hélicoptères présidentiels, le premier transportant les officiels dont Ralph craignait de plus en plus de ne jamais faire partie, le second servant de leurre pour les terroristes qui, espérait Ralph, se tiendraient tranquilles durant son règne de chef des espions de l'Amérique.

41

— Il m'a autorisé à prêter serment en tant que directeur de la CIA, poursuivit-il.

Tous les membres de la CIA dont le grade et les occupations le leur permettaient, assistaient à la cérémonie dans l'amphithéâtre « bulle ».

— Si j'ai convoqué ici tous les responsables, c'est pour vous demander de faciliter au maximum mes fonctions. Les services d'entretien sont en train de déplacer mon bureau pour qu'au lieu de contempler les bois depuis ma fenêtre, je puisse regarder à l'intérieur, là où vous serez assis. Vous aurez le monde devant les yeux, et je vous demanderai de me le décrire. C'est ainsi que j'entends diriger cette maison.

... Cela signifie également, Billy, que vous devenez véritablement mon bras droit.

Avec la nouvelle disposition du bureau de Ralph, le bureau du sous-directeur se trouvait effectivement à sa droite.

— Je ferai de mon mieux, répondit Billy.

Je n'en doute pas, songea Ralph. Il continua :

— Soyons clairs dès le départ : je ne veux pas qu'on me dissimule les problèmes cruciaux derrière une forêt de difficultés quotidiennes. Vous devez me dire tout ce que j'ai besoin de savoir et tout ce que je veux savoir. Le poids de cette tâche repose sur vos épaules. Et si je préfère ne rien savoir pour des raisons de sécurité ou de réputation, ça me regarde. Mais ne me cachez pas ce que je lirai ensuite à la une du *New York Times*.

Le discours d'intronisation de Denton avait été chaleureux et franc.

— En regardant autour de moi dans cette maison, je vois de braves gens angoissés à l'idée que, brusquement, l'histoire et le Congrès ne viennent briser leur bol de riz.

Billy fut le seul à sourire.

— Sachez que je n'ai pas accepté ce poste pour le voir rogner à cause de quelques individus qui s'interrogent sur le bien-fondé des agences de renseignement maintenant que le Mur de Berlin n'est plus qu'un tas de gravats.

— Oyez, oyez, lança Gus Reed.

— Avant même que j'occupe ce fauteuil, nos amis du Congrès et de la presse m'ont chauffé la place. La prochaine fois qu'on dépensera un million de dollars pour s'offrir un dictateur panaméen de pacotille comme le général Noriega, j'exigerai la garantie qu'il n'ira pas se vendre ailleurs.

Quelques rires réchauffèrent l'assemblée. Mais August Reed ne venait-il pas de lancer un regard au crétin qu'il avait amené avec lui ? se demanda Ralph. Il se tourna vers Billy : les lunettes du général étaient impénétrables.

— Nous devons nous faire confiance, poursuivit Ralph. Travailler main dans la main. Mais c'est moi le responsable. Je suis mon propre chemin, je ne marche pas dans les traces d'Andy Sawyer, Dieu ait son âme. Ni dans celles de personne d'autre.

Le silence régnait dans la salle.

— Il ne reste plus qu'une seule chose sur mon agenda pour aujourd'hui : une question. Mis à part les affaires de routine, y a-t-il une chose que je devrais savoir ? Un problème ou une difficulté qui serait passé à l'as du fait de la transition entre Sawyer et moi ?

Une parfaite échappatoire, songea Ralph, si jamais il y a quelque chose. Mais aucun ne mordrait à l'hameçon, conscients qu'il avait choisi l'endroit et l'heure.

— Eh bien, euh...

Une voix timide en bout de table.

Le crétin, songea Ralph. Timothy machin chose. Contre-espionnage machin chose. Qui s'exprimait par sa bouche ?

— Oui, Tim ? fit Ralph avec un sourire.

— Il s'est passé quelque chose, dit Jones.

Il soupira, soulagé d'évacuer enfin le poids de ces paroles.

Ralph regardait Billy, pas Timothy Jones. Lentement, les deux culs de bouteille de Coca de Billy se tournèrent vers cet être insignifiant qui avait osé ouvrir la bouche.

— Ce n'est pas « véritablement » mon domaine, bafouilla Jones. J'imagine que c'est davantage du ressort de Mike... (Jones désigna d'un mouvement de tête le chef de la Sécurité.)... mais ça regarde également le CIC [1] alors...

— Timothy... (La voix de Denton était comme un piolet.) Que s'est-il passé ?

— Nous avons reçu un appel, dit Jones. Hier matin. Au bureau de surveillance. Sur la ligne Agent en Difficulté.

— Qui a appelé ? demanda Denton.

— Un ancien agent contractuel, je suppose. Il... euh... Il était ivre ; c'est certainement sans importance, mais... C'est curieux.

— Et ? demanda le directeur de la CIA.

— Et... vous vouliez savoir s'il s'était passé une chose inhabituelle... enfin, je veux dire, on reçoit de temps en temps des appels d'urgence, sans compter les faux numéros et les plaisanteries, en fait, ça n'a peut-être rien d'insolite.

— Qu'avez-vous fait ? demanda Denton.

Jones déglutit.

— Cela concerne avant tout, le département de Mike. Moi, on ne m'a jamais informé que ce type pouvait être un nouveau Lee Howard.

En 1985, Lee Howard, un ancien analyste de la CIA qui avait connu des problèmes avec l'alcool et la drogue, avait commencé par vendre les secrets qu'il

---

1. Counter Intelligence Corps. Services du contre-espionnage. (N.d.T.)

détenait, avant de se réfugier en URSS, alors qu'il était surveillé par le FBI.

Denton ne se tourna pas vers Mike Kramer, le responsable de la Sécurité, mais vers le patron de Jones et de Kramer : August Reed III.

— Qu'est-ce que ça veut dire, Gus ?

— Nous suivons cette affaire de très près, évidemment, répondit Gus.

— Quelle « affaire » ? insista le nouveau directeur de la CIA.

— Juste quelques vieux et étranges fantômes qui agitent leurs chaînes, répondit Gus. Des fantômes ivres, pourrais-je ajouter. Rien de grave. Pas de quoi s'inquiéter.

Denton lui rendit son sourire et ses yeux abandonnèrent August Reed III.

— Qu'en pensez-vous, Billy ?

— Pour l'instant, répondit celui-ci avec calme, je pense qu'on devrait laisser en paix les fantômes perturbés.

Denton laissa dériver son regard, des verres opaques de Billy vers le visage impassible de Noah. La trotteuse de la pendule murale fit un tour complet.

— Rien d'autre ? demanda Denton.

Personne ne dit rien. Le nouveau directeur de la CIA sourit à ses troupes.

— Fin de la réunion.

Dans le bureau de Denton, Noah regarda alternativement Wes et Denton.

— C'était la grenade de Billy, commenta Noah en avalant une gorgée de scotch. Jones l'a simplement dégoupillée.

— Pas maintenant, Noah, dit sèchement Denton. De plus, c'est Gus Reed qui a amené Jones ; Reed est donc dans le coup.

— Je suis perdu, dit Wes qui comprenait parfaitement la situation.

— Il s'est passé quelque chose, dit Denton. Si

c'est un sale coup, personne ne voudra endosser la responsabilité. Vous connaissez la règle.

— Qu'est-ce qui vous fait croire à un sale coup ?

— Ça fait quarante ans que je survis dans ce milieu, répondit Noah d'une voix traînante.

— Vous travaillez pour le renseignement depuis quarante ans ? s'étonna Wes.

— J'évolue dans la politique depuis l'école primaire, cow-boy. Les histoires de barbouze n'en sont qu'une partie.

Noah haussa les épaules.

— Je me fie à l'instinct de Noah, dit Denton. Et au mien.

— De plus, ajouta Noah, il y a le dossier.

— Quel dossier ? demanda Wes.

Noah émit un grognement de mépris.

— Que Jones ait évoqué cet incident pour des raisons politiques, ou que ses nerfs aient lâché, dit Denton, si je m'occupe de ce problème, je le porte au niveau de la direction. S'il s'agit d'un scandale, je me retrouve éclaboussé. Si c'est sans importance, je perds mon temps, et surtout, je donne le sentiment de perdre mon temps. Si je décide de fermer les yeux, ça peut se tasser. Ou bien exploser.

— Pourquoi ne pas demander à vos hommes de s'en charger ?

— Ce ne sont pas mes hommes. Pas encore. Si l'un d'eux a quelque chose à cacher... Toujours le même problème, Wes : Qui surveille ceux qui surveillent ?

— Et ce dossier ? répéta Wes.

— Deux pages de conneries, dit Noah. Sans aucune photo. On y apprend que le type avait des contacts *minimaux* avec l'Agence par l'intermédiaire des Bérets Verts. S'ils étaient si *minimaux*, posséderait-il le numéro d'urgence ? Contact rompu dans les années 70. Il a perdu la boule. Une douzaine d'ordres de mission, paranoïa, alcool. Menteur pathologique et mythomane. Ordre de ne pas le toucher. Instructions pour ne pas le bousculer, simplement le repérer et le signaler. Le correspondant a parlé d'un bar à Los Angeles. Noah a vérifié auprès de la police. La nuit où notre homme a appelé, un type est mort dans ce bar.

— Qui ? demanda Wes. Comment ?

— A vous de nous le dire, répondit Noah. Personne d'autre ne veut le faire.

Wes ne pouvait se retenir plus longtemps.

— Qu'attendez-vous de moi ?

Denton se tourna vers Noah ; il eut droit à un haussement d'épaules. Et au sourire de bull-dog.

— Nous voulons que vous établissiez ce qui s'est passé, répondit Denton. Et que vous nous aidiez à résoudre tous les problèmes qui pourraient en résulter pour les services de renseignements et les intérêts stratégiques américains.

— Je suis un Marine, monsieur. Que voulez-vous que je *fasse* ?

— Bon Dieu, Wes ! s'exclama Noah, on vous demande de retrouver cet enfant de salaud. Découvrez son identité, ce qu'il fabrique et la raison de son appel, et ensuite, vous réglez le problème si ça ne colle pas avec le programme.

— Et en douceur, ajouta Denton. N'oubliez pas que ma réputation doit rester au-dessus de tous les problèmes. Et qu'il faut conserver un secret absolu.

— Nous voulons que vous nous serviez d'éclaireur, dit Denton.

— Le chien d'arrêt qui rapporte le gibier, dit Noah.

— Un prétexte ? hasarda Wes.

— C'est ce que vous pensez ? demanda Denton.

— Je pense que vous ne m'en dites pas la moitié, sinon vous ne vous donneriez pas tout ce mal.

— Exactement, dit Denton.

— Pourquoi moi ? demanda Wes. J'ai compris que vous ne faisiez pas confiance aux types de la CIA

47

pour régler cette affaire. Conflit d'intérêts. Mais pourquoi moi ?

— La logique serait d'alerter le FBI, dit Denton, mais le directeur et moi ne voyons pas les choses de la même façon. Le Bureau Fédéral se ferait un plaisir de fourrer son nez dans les affaires de l'Agence. Quant aux autres agences civiles... Je me méfie.

... Reste les militaires. Notre homme est un ancien de l'armée. Ils ne peuvent pas être objectifs. Même s'ils le pouvaient, l'Air Force et la Navy crieraient au coup bas ; j'entretiens des rapports particuliers avec l'armée. Mais les Marines n'ont guère d'influence, et de ce fait, ils ne représentent une menace pour personne.

... Le type que vous recherchez est peut-être devenu un poivrot, mais autrefois, c'était un sacré soldat. Il était forcément parachutiste pour entrer dans les Bérets Verts. Un général m'a dit un jour que seuls les gars qui sautent des avions peuvent comprendre d'autres gars qui sautent des avions. Vous avez dû devenir parachutiste pour entrer dans les Forces de Reconnaissance.

— Et vous avez joué plus ou moins les détectives au N.I.S., ajouta Noah. Comme une sorte de flic.

— De plus, renchérit Denton, vous êtes avocat. Après le Watergate, la révolution iranienne... J'aimerais avoir la vision d'un homme de loi dans cette affaire.

— Evidemment, reprit Noah, vous ne devez pas vous laisser embarquer dans des arguties sans queue ni tête. Le mot « légal » possède un sens extensible par ici. Le plus important, c'est le secret... et les résultats. Voilà pourquoi on voulait un Marine. Faites le boulot. On se charge de la loi.

— On ne peut pas donner l'impression de sortir le grand jeu, dit le directeur de la CIA. Aucune identification bureaucratique. Rien qui risque ensuite de déclencher la panique dans les rangs. On peut tout juste se permettre de lâcher un homme.

— Moi.

Denton haussa les épaules.

— Je vous ai sorti de Nulle Part, Nouveau-Mexique, je vous ai mis le pied à l'étrier. Vous n'avez jamais fréquenté le monde du renseignement, vous avez les mains propres. Personne ne vous connaît, personne ne vous hait, personne ne se méfie de vous. Mais le N.I.S., la Commission Laird, le Vietnam... Vous n'êtes pas un agneau. Vous n'avez pas d'obligations familiales, et vous êtes ici, à Washington.

— Vous avez vidé tous vos fonds de tiroir, dit Wes. Et si je refuse ?

— Dans ce cas, je vous remercierai de nous avoir accordé votre temps. Et je vous rappellerai que tout ceci est confidentiel. Et que j'ai l'ouïe fine. Ensuite, je vous renverrai dans votre réduit où vous pourrez attendre tranquillement la retraite.

— Bon sang, Wes ! s'exclama Noah. Vous savez bien que vous avez envie de dire oui ! Vous n'êtes pas le genre de type à rester enfermé dans un bureau ! De plus (Noah se pencha en avant), il est bon de nous compter parmi ses amis. Le grade de colonel vous attend si vous réussissez cette épreuve. Vous êtes derrière un tas de bons éléments à une époque de restrictions budgétaires. L'Ecole militaire pourrait vous aider. Une recommandation du Sénat. Qui sait ce qui pourrait en découler ?

— Attention, nous ne vous faisons aucune promesse, s'empressa d'ajouter Denton. Nous vous demandons d'accomplir une tâche honorable. Pour votre pays.

Les trois hommes se dévisagèrent.

— Et si c'est du vent ? demanda Wes.

— Si c'est ce que vous découvrez... et si c'est la vérité (Denton haussa les épaules), tant mieux pour tout le monde.

— Et s'il s'agit d'un coup des bureaucrates ? Pour supprimer le nouveau directeur de la CIA ?

— Nous agirons en conséquence, répondit Noah.

— Et si c'est plus grave ?

— Vous serez là pour nous aider, dit Denton. Pour nous aider à aider notre pays. On pourra compter sur vous, n'est-ce pas, Wes ?

De nouveau, un silence traversa la pièce.

— Comprenons-nous bien, déclara Wes. Je ferai ce boulot si je crois certaines réponses que vous allez me donner. Mais je le ferai parce que c'est mon métier : pas de marchandage. Des aigles se sont posés sur mes épaules ; je les ai gagnés, je ne les ai pas marchandés. Ne m'accordez pas des faveurs que je n'ai pas réclamées, et je travaillerai pour vous.

— Marché conclu ! dit Denton avec un sourire.

— Quelles questions ? demanda Noah.

— Pouvez-vous régler ça avec mes supérieurs ?

— Dès lundi matin je m'arrangerai avec le commandant pour vous faire affecter dans mon équipe. Les gens de Langley vont faire la grimace. Ne faites confiance à aucun d'eux, pas même à Billy Cochran. N'ayez confiance qu'en Noah et moi.

... Travaillez avez Noah. Travaillez à votre façon. Aucun document écrit. Aucun lien avec la CIA. Utilisez toutes les ressources que vous pouvez dénicher. Je ne peux pas vous donner de lettre d'introduction. N'en dites pas plus que nécessaire. Noah s'occupera de vos dépenses.

— Que tout soit bien clair, dit Wes. Je travaille pour vous. Pas pour Noah. Puis-je avoir l'assurance que tous ses ordres viendront directement de vous ? Sans aucune censure ? Sans déformation ? Et qu'il en ira de même de tout ce que je lui dirai ?

Denton s'agita nerveusement dans son fauteuil.

— Noah a toute ma confiance, dit-il.

— Il sera votre porte-parole direct. Si jamais j'ai le moindre doute, je viendrai vous trouver.

Le directeur observa celui qui était son bras droit depuis longtemps.

— Je connais les démentis, les coups en douce, dit Wes. Et je sais ce que c'est que de se retrouver seul dans le froid.

— Oh ! vous savez maintenant ? ironisa Noah.

Denton agita la main pour calmer ses hommes.

— C'est entendu, répondit-il.

— Et si j'ai des ennuis ? demanda Wes.

— On ne veut pas d'ennuis, dit Denton. Si des ennuis apparaissent, ils devront prendre fin avec vous. Nous vivons une époque différente. L'Amérique ne peut se permettre un nouveau scandale d'espionnage. Compris ?

— Oui, monsieur.

— Ne parlez à personne de l'entrevue de ce soir, dit Denton. Ça va vous surprendre, mais vous seriez un choix logique, même si vous n'étiez pas celui que vous êtes.

— Et qui suis-je ? demanda Wes.

— Vous êtes l'élu, répondit Denton.

Le directeur se leva et ses hommes l'imitèrent. Il serra la main de Wes.

— Laissez votre uniforme au placard, dit-il.

La chemise de Wes était trempée. Il était épuisé.

— Pourquoi fait-on cela ? demanda-t-il.

— C'est le métier qui l'exige. (Denton haussa les épaules.) La véritable raison ? J'ai besoin de savoir pourquoi ce gars a si peu d'importance.

Une sorte de Chinois

Nick Kelley fit la connaissance de Jud par une fraîche matinée d'avril de 1976, à Washington, à l'époque où il dénichait les scandales pour le chroniqueur Peter Murphy. Penché sur sa vieille Underwood mécanique dans son bureau encombré, à l'arrière d'un bâtiment situé à dix-sept blocs au nord de la Maison Blanche, il se concentrait sur son article concernant une étude du General Accounting Office[1] classée TOP SECRET que lui avait fournie un employé du Sénat. D'après cette étude du G.A.O., le Pentagone dilapidait cinq cents millions de dollars pour un système de missiles dont voulait se servir le secrétaire d'Etat Henry Kissinger comme moyen de pression sur les Soviétiques lors des discussions sur les réductions des armes stratégiques.

— Excusez-moi, dit une voix grave dans le couloir.

Dans le couloir se tenait un homme qui, contrairement à Nick, dépassait les un mètre quatre-vingts. Tous les deux portaient un blue-jean. Le torse et les biceps de l'homme étaient si musclés que ses bras formaient comme deux parenthèses de chaque côté de son corps. Ses épaules tendaient un polo brun. Ses cheveux roux et frisés étaient plus courts que les

1. Agence qui contrôle les recettes et les dépenses des fonds publics et vérifie les comptes de toutes les agences fédérales. (N.d.T.)

mèches noires de Nick qui couvraient ses oreilles. L'inconnu avait des yeux bleus comme un diamant.

— Vous êtes... (L'homme hésita, et sourit.) Vous êtes Nick Kelley. Et vous avez écrit un roman : *Le Vol du loup.*

Nick cligna des paupières. *Comment ce type avait-il franchi la réception ?*

— J'ai raison ou bien j'ai raison ? demanda l'inconnu.

— C'est exact, répondit Nick.

Il s'écarta de sa machine à écrire afin que son corps masque le rapport étiqueté « sécurité-défense » sur son bureau.

— Ah ! vous voyez ? (Le large sourire de l'homme était contagieux.) Je vous l'avais dit ! Je vous ai reconnu d'après la photo sur la couverture.

— C'est bien la première fois.

— Un bouquin intéressant, dit l'inconnu. Je m'y connais un peu dans ce domaine, les espions.

— Ah ! fit Nick, roi de la décontraction.

— Ouais. J'étais dans les Forces Spéciales.

— Vraiment ?

En 1976, avant de décider que la guerre du Vietnam était une tragédie, Nick avait été recalé à l'examen d'aptitude à la préparation militaire supérieure. Dans le monde peuplé de héros où il vivait, Nick avait rêvé d'entrer un jour dans les Forces Spéciales pour porter le célèbre béret vert. Il avait lu tous les livres. Il connaissait par cœur les paroles de cette chanson sur cette unité qui en 1966 grimpait dans les hit-parades. Le journalisme lui avait appris le jargon militaire.

— Vous étiez dans quelle MOS[1] ?

— A l'origine, j'étais un zéro sept. Le renseignement.

— Ah oui ?

---

1. Military Occupational Specialty. (N.d.T.)

Nick ignorait ce que signifiait « zéro sept ».

— Faudrait qu'on bavarde un de ces jours. On pourrait dîner ensemble.

Nick haussa les épaules.

— Je m'appelle Jud, dit l'homme. Jud Stuart.

— Que faites-vous ici ?

— Je travaille dans l'immeuble, dit-il avec un sourire. A bientôt.

Puis il disparut.

Après avoir caché le rapport top secret, Nick traversa les couloirs de ce qui avait été jadis un bordel de style victorien.

— Jenny, demanda-t-il à la réceptionniste affalée dans un brouillard de fumée de cigarette, ce grand type costaud avec le polo et le jean qui traîne dans les couloirs, Jud quelque chose. Que fait-il ici ?

— C'est un serrurier ; il s'occupe des portes.

Pas une seule porte de l'immeuble n'échappa à Jud ce printemps-là. Un jour, il travaillait pendant quatre heures, le lendemain, on ne le voyait pas. Il croisait Nick dans le couloir, ou bien il passait la tête dans son bureau. Il faisait des plaisanteries, il incitait Nick et les autres journalistes à partager sa bonne humeur. Il commentait les nouvelles : « Non, mais vous entendez cette connerie ? Ça me tue ! » Puis il lançait une question que Nick devait lui renvoyer avec la batte de celui qui connaît les dessous de Washington. Les questions de Jud exigeaient une réponse exacte : « On se sent seul quand on grandit dans une petite ville du Michigan ? » Nick prit l'habitude d'être d'accord avec lui. Et de l'apprécier ; de se laisser envoûter par cet homme qui riait aux éclats dans une ville où tout le monde cachait sa folie. Et surtout, Nick éprouvait une sorte d'admiration craintive devant l'énergie bouillonnante de Jud.

— On dirait un ours qui a avalé un réacteur nucléaire, confia Nick à un de ses collègues.

— Est-ce qu'il brille dans le noir ? demanda celui-ci.

Jud n'évoqua plus jamais les Forces Spéciales ni les espions. Chaque fois que Nick abordait l'un ou l'autre de ces sujets, Jud se défilait.

Outre son travail de dénicheur de scandales pour une chronique publiée dans tout le pays, ceci afin de satisfaire sa curiosité et sa conscience sociale, Nick écrivait simultanément un roman sur des ouvriers de l'industrie automobile afin de satisfaire ses démons. Jud renouvelait fréquemment son invitation à dîner. Nick lui répondait, sans mentir, qu'il avait trop de travail. Secrètement, il se demandait ce qu'il pourrait avoir en commun avec un serrurier, que Jud soit un vautour qui espérait se nourrir de sa gloire passagère. Ou un fou.

Un mercredi matin de 1976, alors qu'avril se dirigeait tranquillement vers le mois de mai, la vieille Dodge de Nick refusa de démarrer. Il arriva au bureau avec une demi-heure de retard. Il se laissa tomber devant son Underwood, essayant de trouver l'inspiration pour alimenter la machine à informations.

— Je me faisais du souci pour vous ! mugit Jud depuis le seuil.

Nick lui expliqua la raison de son retard.

— Alors comme ça, vous êtes venu en taxi ? (Nick vit une idée illuminer le visage de Jud.) J'ai la camionnette de la société ! Je finis vers six heures comme vous. On peut aller manger un morceau, je vous ramènerai.

— Euh ! je...

— On finira bien par dîner ensemble tôt ou tard. Autant vous rendre service, faisons d'une pierre deux coups.

Jud eut un grand sourire.

— Vous avez une nana, hein ?

— Euh ! oui, répondit Nick. Exact.

— Elle vit pas avec vous, hein ?

— Juste à côté... C'est elle qui l'a voulu.

— Tu parles ! s'exclama Jud.

Et Nick ne put s'empêcher de rire.

— Ça doit pas être facile, dit Jud. Vous devez rencontrer des dizaines de nanas qui craquent devant un écrivain, même si elles ne connaissent que le film tiré de votre bouquin. De plus, les journalistes d'investigation ont la cote en ce moment. Je me trompe ?

Nick rougit.

— Vous l'avez draguée et vous l'avez eue, mais pour plus longtemps que vous le pensiez. Elle est restée avec vous quand vous n'étiez pas encore connu, pas vrai ? Alors vous ne voulez pas lui faire de la peine, mais vous êtes un homme, et parfois...

— On a passé un accord, dit Nick.

— Personne ne vous a jamais dit que vous étiez peut-être trop fidèle ?

— Je ne les ai jamais crus.

— Moi non plus, dit Jud. Ce genre d'histoire peut vous foutre en l'air, surtout avec les femmes.

— Ne vous inquiétez pas pour ça !

— Hé ! je suis coincé moi aussi. Ma bonne femme est encore plus folle que moi ! Et j'arrête pas de voir toutes ces nanas en ville. Ça rend dingue, pas vrai ?

— Possible.

— On a bien le droit à une soirée entre hommes, non ?

Je peux toujours dire à Janey que je suis avec un informateur, songea Nick. *Pour ne pas voir la terreur muette dans ses yeux. Ça pourrait être la vérité. Pourquoi devrais-je tout lui dire ? Finies les confessions.*

— O.K. ! fit Nick.

Il appellerait Janey, il lui dirait.

— Je vous montrerai deux ou trois trucs, dit Jud avec un sourire. Ça va vous botter.

A 6 h 17, Nick arpentait nerveusement son bureau,

craignant que Jud ne vienne pas. Et craignant de le voir arriver. Juste au moment où il décidait de coller un mot « désolé » sur la porte et de prendre un taxi pour rentrer chez lui, l'imposante silhouette de Jud apparut dans le couloir. Il avait troqué son polo de travail contre une chemise hawaïenne ornée de requins blancs nageant dans une mer bleue. Il tenait à la main un sac de sport en nylon rouge.

— Je connais un petit restaurant espagnol pas cher dans M Street, dit-il. C'est jamais facile de se garer, et il fait beau ce soir, on peut y aller à pied. Ça ne vous dérange pas ?

— Non, répondit poliment Nick. Absolument pas.

Ils marchaient dans la 16e rue, en direction de Scott Circle et du monolithe de verre et d'acier de la National Rifle Association, Jud riait et parlait de tout et de rien, quand soudain il s'immobilisa.

— C'est une amie, dit le colosse. Faut que je lui dise bonjour.

Une vieille femme s'avançait vers eux en frappant le trottoir de sa canne.

— Madame Collin ! s'exclama Jud en entraînant Nick.

La vieille leva sa canne en voyant les deux hommes se précipiter vers elle.

— Oui ?

Sa voix était claire, mais hésitante.

— Vous ne vous souvenez pas de moi ? demanda Jud.

Elle plissa les yeux.

— Je devrais mettre les lunettes de soleil que m'a prescrites le médecin, dit-elle, alors que le soleil couchant chatoyait sur son visage ridé.

— Vous ne portez même pas vos lunettes de vue.

— C'est vrai. (La vieille femme fronça les sourcils.) Je connais votre voix, mais...

— Imaginez-moi en costume cravate, dit Jud. Et avec vingt kilos de moins.

— Oh ! mon Dieu ! (Un sourire éclatant révéla combien elle avait été belle.) Jud ! Je ne vous ai pas vu depuis... presque quatre ans !

— Nous avons été très occupés l'un et l'autre.

— Je suis à la retraite, vous savez, confia-t-elle.

— Non, je l'ignorais.

— Trente ans de métier. Il ne faut pas s'accrocher à son poste, on prend la place des jeunes comme vous. (Elle pinça les lèvres et secoua la tête.) Jud, vos cheveux sont trop longs.

— Faut bien cacher ceux qu'on perd.

Les deux vieux amis éclatèrent de rire.

— Oh ! pardonnez-moi, dit Jud. Je vous présente mon ami Nick Kelley.

La poignée de main de Mme Collin était sèche et ferme.

— Avez-vous lu ce livre *Le Vol du loup* ? demanda Jud. (Nick se sentit rougir.) Vous avez vu le film ? C'est Nick qui a écrit le bouquin.

— Oh ! formidable, répondit la vieille dame très digne.

— Merci, dit Nick, certain qu'elle ignorait tout du fruit de son imagination, et agacé par cette conversation polie.

— Madame Collin, dites à Nick ce que vous faisiez. Où nous nous sommes rencontrés.

— J'étais standardiste à la Maison Blanche, dit-elle. Les cinq dernières années, j'étais responsable de nuit. Et vous ? demanda-t-elle à Jud, vous protégez le nouveau président ?

Nick sentit le trottoir s'ouvrir sous ses pieds.

— Non, je m'occupe plus de ça, répondit Jud.

— Vos agents des Services Secrets sont tous de charmants jeunes hommes, dit-elle. Venez donc me voir ; je suis dans l'annuaire.

— Si j'ai le temps, je n'y manquerai pas, promit Jud.

— J'ai été ravie de faire votre connaissance, mon-

58

sieur Kelley. (Elle lui sourit.) Je chercherai votre livre à la librairie. Je n'oublie jamais un nom.

Après les avoir salués d'un petit sourire, elle poursuivit son chemin en frappant le trottoir avec sa canne.

— Services Secrets ? demanda Nick à Jud.

— Tout le monde a été quelqu'un.

Jud partit d'un grand éclat de rire et tapa dans le dos de Nick, si fort que le journaliste vacilla.

— Surpris ? demanda Jud.

Il s'esclaffa de nouveau et se remit à discourir en entraînant Nick vers le restaurant.

— Sincèrement, dit Jud lorsqu'ils furent assis à leur table. *Le Vol du loup* était un bon bouquin. Vous l'avez écrit jeune, et vous avez pas mal inventé, hein ?

— C'est un roman, répondit Nick.

— Oui, mais ça raconte *quelque chose*. Je déteste les bouquins qui ne racontent rien.

— Moi aussi.

— Vous vous êtes servi de quoi ? Deux ou trois ouvrages de référence sur la CIA, et vous avez inventé le reste, pas vrai ?

— J'ai utilisé ce que j'avais.

Nick avait envie de hurler que trois ans plus tôt, en 1973, il avait alors vingt-quatre ans, il n'existait que trois bons livres sur la CIA, et personne n'acceptait de parler. Surtout pas dans le Michigan.

— Ne vous méprenez pas. J'ai aimé votre livre. Il y avait un vrai point de vue.

Le serveur déposa deux chopes de bière glacée sur la table. Nick lutta contre l'envie irrationnelle de s'enfuir ou de solliciter le pardon de cet étranger à l'esprit critique. Jud but une longue gorgée de bière.

— Hé ! s'exclama-t-il en soulevant le sac de sport pour le poser sur ses genoux. J'ai failli oublier.

Il plongea la main à l'intérieur.

— Vous êtes écrivain, dit-il en sortant un gros stylo en métal doré et en le tendant à Nick. Que pensez-vous de ce stylo ?

— Il est beau.

— Non, essayez-le. Allez-y.

Nick poussa un soupir. « Qu'on en finisse. » Il prit le lourd stylo en métal. Il tourna l'extrémité et la mine apparut. Il traça des lignes et des cercles bleus sur la nappe blanche.

— Il marche.

— N'est-ce pas ? dit Jud en reprenant le stylo.

Il dévissa l'extrémité. Il dévissa ensuite le bouchon qui renfermait la recharge d'encre et secoua le stylo pour faire glisser sur la nappe une demi-douzaine de bandelettes métalliques d'environ six centimètres terminées en dents de scie.

— Rien à voir avec les crochets de serrurier dans les films, dit Jud en saisissant une des bandelettes métalliques. Ceci est un crochet, pas très grand, mais efficace. Pour forcer les serrures, il faut deux instruments : un raidisseur pour exercer une pression sur le pêne pendant que vous manipulez les gorges avec l'autre crochet.

Jud enfonça de biais l'extrémité acérée d'un des crochets dans une encoche du stylo et serra.

— Les crochets servent également de raidisseurs. (Il tendit l'instrument à Nick.) Je l'ai fabriqué moi-même.

Qui d'autre, sinon ? songea Nick en retournant l'instrument entre ses doigts. *Que faites-vous avec ça ?*

— Je vous apprendrai à crocheter les serrures, dit Jud. Si ça vous intéresse.

— Et comment ! dit Nick.

Jud sourit.

— J'ai besoin de ce stylo.

L'instrument secret était léger dans la paume de Nick ; du vrai métal comme il n'en avait touché qu'en rêve, ou simplement coulé dans ses romans, avant ce soir... avant Jud. A contrecœur, il tendit le stylo à l'homme assis en face de lui. Jud rendit son innocence à son jouet, juste au moment où le serveur apportait deux assiettes de « burrito » fumantes. Nick refusa une seconde bière, alors Jud également.

— Que faisiez-vous à la Maison Blanche ? demanda Nick.

— Pendant le Watergate ? J'essayais d'éviter la prison.

Jud éclata de rire ; Nick l'imita.

— On vit dans un monde incroyable, dit Jud.

— Sérieusement, insista Nick. Vous étiez dans les Services Secrets ?

— Vous voulez voir mon curriculum vitae ?

Nick cligna des paupières.

— Bien sûr.

Jud sortit du sac de sport une feuille dactylographiée, avec au centre sa photo en costume cravate. Nick la parcourut rapidement : Armée, Forces Spéciales, Services Secrets. Des expressions telles que « sécurité technique ».

— Sacré bout de papier, hein ? dit Jud en repliant la feuille dans le sac. Je m'en suis servi une fois. Vous avez déjà vu ce truc-là ?

Jud tendit à Nick une sorte de petit carnet à la couverture rouge.

Nick fronça les sourcils.

— C'est un passeport.

— Un passeport diplomatique, rectifia Jud.

Nick se renversa sur son siège et ouvrit le passeport.

— C'est bien moi, hein ? dit Jud en tendant la main.

Nick le feuilleta. Visas d'entrée et de sortie. Un endroit qui s'appelait...

Jud arracha en douceur le document des mains de Nick.

— Intéressant, commenta ce dernier, tandis que le passeport retournait dans le sac de sport rouge.

Une blonde magnifique accompagnée d'un pleurnicheur en manteau cravate avec des lunettes à monture d'écaille frôlèrent leur table.

— Non, « ça » c'est intéressant, murmura Jud.

Il ricana, et avec un sourire polaire, il suivit du regard le couple qui alla s'asseoir à l'autre bout de la salle.

— Les femmes, dit Jud. Une sacrée connerie, pas vrai ?

Ils parlèrent alors des femmes, combien elles étaient belles, et pourquoi les meilleures semblaient toujours se retrouver avec des crétins. Le serveur apporta l'addition. Jud voulut s'en saisir, mais Nick fut le plus rapide.

— Disons que ce sont des frais d'apprentissage, dit-il.

— Donnez-la à Murphy.

Jud sourit en prononçant le nom du chroniqueur.

— Non, ça sortira de mon autre poche professionnelle. Pour faire payer Peter, il faudrait que vous me donniez de quoi pondre un article.

— Ah ! fit Jud.

Dehors, M Street luisait sous les lampadaires et les néons. Une musique rock assourdissante s'échappait d'un bar avec « serveuses-garanties-totalement-nues ». Nick leva la main pour faire signe à un taxi, mais Jud l'arrêta.

— Il était convenu que je vous ramène.

— Je ne voulais pas vous déranger.

— Ça ne me dérange pas.

Ils se dirigèrent vers une camionnette garée à proximité du bureau de Murphy. Le véhicule sentait l'essence et la rouille. Des pièces de mécanique s'entrechoquaient tandis qu'ils roulaient vers Capitol Hill. Ils passèrent devant la Maison Blanche, l'immeuble du ministère des Finances. Le dôme scintillant du Capitole apparut, spectacle qui faisait toujours battre le cœur de Nick. La même scène figurait sur son manuel de grammaire au lycée.

Alors que la camionnette escaladait Capitol Hill,

Nick s'aperçut que Jud ne lui avait même pas demandé où il habitait.

— C'est là chez vous ? demanda Jud en désignant l'immeuble situé à six blocs des pelouses du Congrès.

Il se gara le long du trottoir.

— Oui, répondit Nick en songeant : *Mais vous le saviez déjà.*

Jud coupa le moteur.

— Voyons voir comment fonctionne mon stylo.

Arrivé devant l'entrée de l'immeuble, il dit à Nick :

— Ouvrez cette porte. Inutile de faire ça dans la rue quand on peut l'éviter.

Nick lui-même savait que la serrure de la porte de l'immeuble ne posait aucune difficulté. Il précéda Jud dans le couloir, omettant volontairement de regarder dans sa boîte aux lettres dans le hall en stuc jaune. Ils empruntèrent l'escalier jusqu'à son appartement du premier étage et la porte bleue fermée à double tour.

— Tenez-moi ça, voulez-vous ?

Jud lui confia le sac de sport rouge. Fermé. Il pesait environ cinq kilos. Un passeport, un curriculum vitae. Le stylo se métamorphosait entre les mains de Jud.

— Chronométrez-moi, dit Jud.

Il inséra un crochet dans la serrure.

D'après la trotteuse de Nick, trente-trois secondes plus tard se produisit un déclic. Jud eut un grand sourire.

— Continuez à chronométrer, dit-il, ce n'est pas fini.

La serrure de la poignée lui prit quinze secondes. Il ouvrit la porte.

— Bienvenue à la maison, dit Jud.

Nick sentit son estomac se nouer.

— Pas mal chez vous, commenta Jud.

Debout dans le salon au sol carrelé, il promenait son regard sur les reproductions de tableaux, la chaîne stéréo et les disques, les étagères surchargées de livres et les meubles achetés d'occasion.

63

— Votre bureau est au fond ?

Jud se dirigea vers la cuisine, jeta un coup d'œil dans la pièce où se trouvaient le bureau et la machine à écrire, les piles de livres et de documents.

— Oui, répondit Nick.

Il pouvait atteindre la porte avant que Jud ne l'attrape. Si jamais il devait fuir.

Ignorant la salle à manger et la cuisine, Jud revint dans le salon. Il désigna une porte juste en face de l'entrée.

— Votre chambre ?

Nick ne répondit pas.

Une édition anglaise du *Vol du loup*, reçue récemment, était posée sur le canapé. La couverture était semblable à celle de l'édition américaine. Jud eut un grand sourire en découvrant la photo de l'auteur ; il prit le livre et la montra à Nick.

— C'est bien vous, dit-il en faisant allusion à la photo qu'avait prise Janey un matin de décembre dans le Michigan. Pas étonnant que je vous ai reconnu. Il est écrit que vous avez pratiqué le karaté et le judo.

— Exact, répondit Nick qui avait immédiatement regretté cette confidence faite à son éditeur en découvrant la quatrième de couverture.

— Tae kwon do ? demanda Jud en reposant le livre.

Nick recula d'un pas. Sans quitter Jud des yeux, il déposa le sac de sport sur le sol.

— Oui. Un peu de shudo kan.

— Jusqu'où êtes-vous allé ?

— Pas très loin.

Deux ans de judo. Deux ans de karaté. Voilà un an qu'il n'avait pas mis les pieds dans un dojo. Il essaya de se détendre, d'attendre.

— Le tae kwon do, c'est pas mal, dit Jud. (Deux mètres les séparaient.) Dogmatique et linéaire, mais intéressant. Je suis une sorte de Chinois, Shaolin du Sud, avec un mélange d'autres disciplines. Je vais vous montrer.

64

Il ôta ses chaussures et ses chaussettes.

Tu es encore de service, se dit Nick. A son tour il se débarrassa de ses chaussures et ses chaussettes, poussa quelques meubles.

— Mettez-vous en position de combat.

Nick n'avait qu'à lever les mains.

Il pèse au moins trente ou quarante kilos de plus que moi, songea Nick. *Ça ne peut pas être que de la graisse, il ne peut pas être aussi lent.*

Pas aussi fort, non plus. Sinon, se dit Nick, *c'est gagner ou mourir.*

— Je vais vous montrer du pur Shaolin, dit Jud. On va faire doucement, ne craignez rien.

Comme au dojo, songea Nick. *Rien à craindre. A vitesse réduite. Pas de contact. Pour apprendre. Pour s'amuser.*

Jud se tenait immobile, les bras le long du corps.

— Allez-y, dit-il à Nick. Mettez-y tout votre cœur.

Nick décocha un coup de pied vers le ventre de Jud, avec une demi-feinte, mais Jud n'y était plus. Nick visa la poitrine pour traverser la garde de Jud ; il retira vivement son poing, abattit sa main gauche pour bloquer un direct qui se transforma en une parade pour écarter sa manchette. Nick riposta par un autre direct du droit.

L'ours se saisit de son poing et tira. Le pied droit de Jud frappa la poitrine de Nick, puis Jud s'accroupit et glissa sa jambe droite derrière celle de Nick, pour lui faucher les pieds et le déséquilibrer.

Nick retomba lourdement sur le carrelage du salon.

La clarté revint. Il cligna des paupières. Il vit la main de Jud devant son visage. Il se figea.

Jud souleva Nick comme un vulgaire oreiller.

— Pas mal, dit Jud, mais vous comprenez ce que je voulais dire en parlant de linéaire ? Cette fois, je vais faire un petit mélange.

Nick se mouvait avec rapidité. Jud semblait se déplacer plus lentement. Il bloqua le coup de poing de Nick, lui saisit le bras, dit : « Blocage, et ensuite aïkido », et il tira Nick vers l'avant. Il lui effleura le sternum. Une main géante déracina Nick et le projeta dans les airs. Ce dernier parcourut deux mètres à reculons, heurta le mur, les talons à une dizaine de centimètres au-dessus de la plinthe, avant de retomber à quatre pattes.

Encore et encore. Attaques et contre-attaques. Nick combattait de toutes ses forces, le corps épuisé et meurtri. Commentant soigneusement, sans jamais peiner, Jud « brisait » le coude de Nick, le frappait doucement à la gorge, dans les yeux ou dans les côtes, au-dessus du cœur, il transformait le coup de poing de Nick en clé paralysante. Jud forma avec ses doigts un bec de perroquet ; il planta ce crochet dans un nerf près de la clavicule de Nick, illuminant le monde comme une nova, puis il laissa retomber Nick comme une pierre. Jud disparaissait devant les coups de Nick, avant de lui voler son *chi*, et de s'en servir pour le repousser tel Dieu balayant des miettes sur une table.

Nick refusait de laisser paraître sa douleur. Pas une fois il ne demanda grâce.

— Quelle heure est-il ? interrogea soudain Jud. (Il leva son poignet nu.) Je déteste les montres.

Allongé par terre, Nick consulta la sienne.

— Dix heures trente-deux.

— Zut, faut que je m'en aille.

Il aida Nick à se relever.

— C'était chouette, dit Jud. On pourra peut-être remettre ça.

Il se dirigea vers la porte.

— Oh ! (Il fit demi-tour pour récupérer son sac de sport contenant son attirail secret.) Ça aurait été drôle si j'avais oublié ça, non ?

— Ouais, répondit Nick.

Son cœur cognait dans sa poitrine.

Il prit une respiration normale, puis une autre. Cette bouffée d'air s'accompagna de la constatation qu'il venait de rencontrer une force en laquelle il avait toujours cru, sans jamais la rencontrer ; ce pouvoir l'avait tenu entre ses mains comme une poupée.

— Sois prudent, l'ami, dit Jud. (Arrivé à la porte, il se retourna et sourit.) N'oublie pas de fermer ta porte à clé.

Haute altitude

Au printemps 1990, la route qui défilait sous les roues de la voiture volée de Jud bifurqua vers le nord-est à partir de L.A. Le ciel devenait gris à l'approche de l'aube. Jud se dit qu'il lui restait encore quelques heures avant que la Chevrolet soit déclarée volée et introduite dans les ordinateurs des voitures de police. Ça ne faisait pas beaucoup de temps, et il n'était pas certain de rester éveillé pour en profiter.

Un panneau vert annonçait : AIRE DE REPOS. Il s'y engagea, passa devant des semi-remorques dont les chauffeurs faisaient un somme dans leur couchette. Un doberman dressa la tête au-dessus du volant d'un semi.

J'ai jamais aimé les gros camions de toute façon, songea Jud.

Un homme coiffé d'un chapeau de cow-boy descendit de son camion à bestiaux chargé de vieux meubles pour se diriger vers les toilettes d'un pas traînant. Il n'y avait personne d'autre dans le camion. Jud se gara, prit ses sacs et se précipita vers le véhicule. Il n'avait pas quitté ses gants en coton depuis qu'il avait volé cette voiture à L.A. S'il parvenait à perfectionner cette E & E [1], il ne laisserait aucune trace. Un tableau

---

1. Escape and Evasion : Evasion et Fuite. (N.d.T.)

noir masquait la vitre arrière du camion. Après avoir lancé ses affaires sur le plateau, Jud grimpa à bord. Il se blottit dans l'ombre, entre un vieux rocking-chair et un canapé moisi.

Ne viens pas jeter un œil, supplia-t-il. Ne fais pas ça, ordonna-t-il mentalement.

Le chauffeur obéit. Il remonta dans son camion et repartit sur l'autoroute. Au bout de trois kilomètres, Jud s'allongea sur le canapé. Il sombra dans le sommeil. Le vent froid qui le giflait l'entraînait dans des rêves de jours plus chauds...

Saïgon, 1969. La ville moite sentait le poisson grillé et les vapeurs d'essence. Et juste une bouffée d'énervement. L'offensive du Têt lancée par l'ennemi datait déjà de plus d'un an. Ce chaos à l'échelle nationale représentait une victoire politique, mais une défaite militaire pour les Viêt-congs de la guérilla et leurs copains de l'armée régulière du Nord Vietnam : une étrange et redoutable petite guerre.

Mais la vie continuait à Saïgon, comme si le Têt n'avait été qu'un spectacle passager, un mauvais moment avant le troisième acte, quand les Bons l'emporteraient enfin. Certes, il y avait eu une rebellion secrète au sein du haut commandement américain en 67, car l'état-major ne voyait aucune « politique » cohérente dans ce « conflit » qu'il commandait, mais les esprits sages l'avaient emporté ; les chefs de l'état-major reprirent leur démission collective, et leur révolte demeura secrète, même après le Têt. A Saïgon, en ce jour de septembre 1969, le programme consistait à gagner la guerre, quel que soit le sens du mot gagner.

Mais Jud, assis sur un canapé dans le salon de la Maison 12, une résidence couleur moutarde entourée d'un haut mur, près de la rue Louis Pasteur, buvant de la bière vietnamienne chaude en compagnie de deux autres Américains, pensait avant tout à sa survie immédiate, plutôt qu'à des notions abstraites de politique étrangère.

Officiellement, Jud ne se trouvait pas au Vietnam. Officiellement, il était sergent dans le 5e régiment des Forces Spéciales, la troupe d'élite anti-insurrection de l'U.S. Army, les Bérets Verts, chouchous du président Kennedy assassiné et de la CIA, et bêtes noires de l'armée régulière. Officiellement, Jud était en poste aux Philippines avec une équipe de soutien logistique des Bérets Verts.

En réalité, Jud était détaché auprès du MACV-SOG[1], un groupe très discret composé des différentes branches de l'armée et de la CIA qui tirait officiellement les leçons de la guerre du Vietnam. En réalité, le SOG était une section clandestine de combat et d'espionnage ultra-secrète chargée aussi bien d'effectuer des missions de reconnaissance que d'infiltrer le territoire chinois, de libérer des prisonniers de guerre que de commettre des assassinats.

Ni Jud ni les deux hommes avec qui il buvait de la bière, n'étaient en uniforme. Sinon, ils auraient porté des bérets verts et des insignes de parachutiste, pourtant, un autre niveau de sophistication les différenciait de la majorité du demi-million de soldats américains présents au Vietnam.

A condition que Jud et les deux hommes assis dans le salon de cette planque du SOG aient existé officiellement.

Jud n'avait fait la connaissance de ces hommes que cet après-midi. Ils échangèrent leurs prénoms et les sourires sournois d'une fraternité secrète même pour ses membres, demeurant pour tout le reste au niveau anonyme des foutaises. Le seul moment où Jud faillit évoquer l'incident qui l'avait fait venir de Da Nang à la Maison 12 fut lorsqu'il dit à ses deux nouveaux

---

1. Military Area Command in Vietnam-Studies and Observation Group. (N.d.T.)

potes : « Quelle drôle de putain de guerre. » Il avait commencé à inventer une histoire au sujet de ses conquêtes amoureuses au cours de sa brève carrière universitaire lorsqu'un type en costume, tiré à quatre épingles, entra dans la pièce avec nonchalance.

— Capitaine, dit un des hommes, et tous les trois se levèrent.

— Restez assis, dit l'officier.

Il avait des cheveux blonds et des yeux bleus, une petite cicatrice sur la joue. Il avait peut-être dans les trente ans, Jud en avait vingt et un. Il tenait à la main une enveloppe bulle.

— On vous attend derrière cette porte, sergent, dit-il à Jud en désignant d'un mouvement de tête le bureau du fond.

Avant d'entrer, le capitaine lui glissa :

— Ne vous en faites pas pour ces conneries. C'est du gâteau, pour la forme. (Il sourit.) Et félicitations. Votre demande de permission a été acceptée.

Le capitaine tendit à Jud l'enveloppe bulle cachetée.

Jud n'avait fait aucune demande de permission.

— Appelez-moi Art, dit le capitaine.

— Entrez, messieurs, dit une voix dans la pièce du fond.

Le capitaine prénommé Art avait raison : l'interrogatoire de Jud cet après-midi-là fut un jeu d'enfant. Une foutaise. Plus tard, en ouvrant l'enveloppe bulle, il découvrit les billets d'avion sur un vol commercial, et les instructions qu'il brûla après les avoir lues. Il eut le temps de prendre son sac et d'attraper le vol de nuit.

Destination Vientiane au Laos.

Dès son arrivée, Jud se rendit au White Rose Bar, où une fille nue dansait sur les tables et recueillait les pourboires des Américains vêtus de chemises sport en tenant des cigarettes allumées dans son vagin. Elle en était à quatre cigarettes à la fois quand le capitaine de la Maison 12 entra de son pas nonchalant, dans un

71

costume tropical différent. Il jeta un regard à la table de Jud et se dirigea vers le bar. Il but un verre rapidement. Et repartit. Jud sortit derrière lui sans se presser.

— Par ici ! s'écria Art à bord d'un vélo-pousse-pousse.

Art conduisit Jud au « Rendez-vous des Amis », le bordel de Madame Lulu où cette septuagénaire française enseignait à de jeunes Laotiennes timides l'art de la fellation. Ils passèrent devant le petit salon du rez-de-chaussée où la patronne maquillée au Pan-Cake servait du scotch à ses clients pendant que ceux-ci prenaient du plaisir, et ils grimpèrent deux étages jusqu'au toit.

Ils s'approchèrent du bord. Vientiane sentait le feuillage. Les lumières de la ville étaient éparpillées et rares, comparé à Saïgon. Une Ford Bronco était garée dans la rue juste en bas.

Un homme vêtu d'un costume en lin blanc sortit de l'ombre du toit et leur offrit une poignée de main moite.

C'était un Américain. Art était blond ; l'homme au costume de lin avait la peau encore plus claire, presque un albinos, et des cheveux d'un blanc transparent, un fantôme aux yeux bleus.

— Regardez là-bas, dit le Fantôme. Ces lumières sont celles de l'ambassade de Chine. Les Russes sont ici. Les diplomates de l'oncle Ho. Il y a même une légation du Pathet Lao à quelques centaines de mètres de notre ambassade. Nous sommes tous très polis.

... C'est notre guerre, et nous la gagnons à notre manière, fanfaronna le Fantôme. On fait du meilleur boulot avec cinq cents agents de la CIA que cinq cent mille GI au Vietnam. Ils n'auraient jamais dû nous confisquer cette guerre. Notre politique étrangère au Laos est d'un bon rapport qualité-prix.

Quelque chose bougea dans l'obscurité du toit.

L'homme au costume en lin blanc se retourna

72

brusquement en dégainant un Browning 9 mm de son holster.

— C'est juste un gecko, dit Art en secouant la tête.

— J'ai bien vu, Monterastelli ! s'emporta l'homme de la CIA.

Jud sourit ; il connaissait maintenant le nom complet : capitaine Art Monterastelli.

Nous sommes plus à égalité désormais, se dit-il.

— J'ai pas envie de le tuer, dit le Fantôme tandis que le lézard détalait. Les Français disent que c'est le début de la folie, le signe qu'il est temps de quitter l'Asie. Quand vous commencez à tirer sur les geckos.

— Ce n'est pas les geckos que vous voulez tuer, dit Jud.

— Sans blague, dit le Fantôme. (Il rengaina son pistolet et sortit une cigarette de marijuana de sa poche de chemise.) Vous en voulez ?

— Je ne fume pas, répondit Jud.

Le Fantôme éclata de rire.

— Bien sûr ! Vous n'êtes même pas là ! Personne n'est là ! Il y a un seul officier supérieur du SOG qui connaît le tréfonds de l'affaire, et les trois crétins sur le toit d'un bordel.

— Qui est cet officier supérieur ? demanda Jud.

— Vous n'avez pas besoin de le savoir, répondit l'agent de liaison de la CIA.

Il fit claquer son zippo ; le capitaine Art Monterastelli et Jud s'éloignèrent de la flamme vacillante.

— Qui est parano maintenant ? dit le Fantôme. Sergent Stuart, les personnes influentes savent que vous avez fait du bon boulot. Foutrement bon. Vous êtes le genre d'homme sur qui l'Amérique peut compter. Nous pensons que vous êtes celui qu'il nous faut. Nous vous observons. Nous pensons que vous êtes prêt pour le grand jour.

— C'est donc ça ? répondit Jud, résistant à l'envie de défier l'arrogance du Fantôme avec une douzaine d'exemples d'exploits passés.

73

Le regard d'Art demeurait impassible. Il avait un visage d'enfant.

— Bon Dieu, c'est un trou perdu ici ! dit le Fantôme. Ces gens croient qu'il y a des esprits partout, dans les pierres, nos avions, nos soldats. Ils appellent ça *phi*.

Un homme gémit dans une pièce du rez-de-chaussée.

— Nous voulons que vous fassiez quelque chose pour nous, reprit le Fantôme. C'est risqué, c'est une partie de catch. C'est vital. Ça doit rester un secret absolu. Nous pensons que vous en êtes capable. Si vous estimez ne pas être à la hauteur, si vous refusez... (Il haussa les épaules.)... nous comprendrons.

Ils lui expliquèrent alors ce qu'ils attendaient de lui.

Deux mois plus tard, Jud se trouvait dans le ventre d'un bombardier B-52, 43 000 pieds au-dessus du Nord Vietnam ennemi : 23 h 22 le 19 novembre 1969. L'avion transportait un équipage réduit de quatre aviateurs américains, le bon nombre pour cette opération de nuit sans lune.

L'avion frémit lorsque sa charge utile plongea vers le sol.

Froid. Jud avait si froid.

Recroquevillé, assis au-dessus de la soute à bombes, il était enlacé par le froid, paralysé par le froid et le vrombissement des réacteurs. L'air métallique qu'il respirait à travers son masque à oxygène lui glaçait les poumons. Quand les portes de la soute à bombes s'entrouvrirent, il regarda à travers la passerelle métallique sous ses bottes, et il vit les gigantesques fûts à ailettes plonger dans l'obscurité.

Mille. Deux mille.

Les portes de la soute à bombes restèrent ouvertes. Dans la faible lueur rouge, Jud s'imagina qu'il voyait derrière les lunettes et les masques à oxygène les yeux des cinq hommes assis à ses côtés. Les quatre Nungs étaient certainement livides. Leur gorge était sèche, comme la sienne, leur pantalon trempé, comme le sien risquait de l'être. A côté d'eux se trouvait Curtain, le un-un de Jud matricule un-zéro. Curtain était le commandant en second. Jud et lui complétaient le quota officiel, au cas où les gars de l'Oncle Ho auraient un coup de chance avec un de leurs missiles soviétiques sol-air, les obligeant à faire croire qu'il s'agissait d'une mission normale. *Ne pense pas* aux Nungs, *ne pense pas* à ce qui leur arriverait dans le chaos entre le tir de l'ennemi, le saut en parachute précipité ou l'impact.

A quoi penses-tu, Curtain ? se demanda Jud. *Que penses-tu en ton for intérieur ?*

Vingt-trois mille. Vingt-quatre mille.

Curtain ne voyait pas mieux que Jud dans le silence léger. Il avait aussi froid. *Dieu seul sait à quoi pensent les Nungs*, songea Jud. *Il doit faire plus froid que dans toutes les tombes de leurs cauchemars.*

Trente et un mille. Trente-deux mille.

L'avion décrivit un arc, mit le cap vers le sud-ouest, plaquant Jud contre son parachute principal. La gravité aspirait ses tripes nouées.

Quarante-deux mille. Quarante-trois mille.

Retour vers la queue de l'appareil, dans les ténèbres tourbillonnantes en-dessous : éclairs de champignons orange et silencieux.

Tout va bien, se dit Jud. Il repensa à la pancarte apposée sur la porte du restaurant où il avait travaillé durant ses études : TENUE CORRECTE EXIGEE. « Sans blague. »

Ce soir, Jud portait des sous-vêtements longs en thermolactyl. Deux paires de chaussettes. Des gants en nylon sous des gants en laine aux doigts coupés ; risqué, mais il aurait besoin de dextérité. Et par-dessus, encore des gants de ski noirs. Jud avait demandé au sergent-major d'enrouler du chatterton depuis les poignets en nylon de chaque gant de ski jusqu'aux avant-bras. Ils avaient tous entendu parler de cette mission au cours de laquelle le vent avait arraché le gant droit du chef du commando à 40 000 pieds d'altitude. Son second l'avait vu s'envoler ; il avait vu la main de son chef se recroqueviller et se crevasser, ses doigts geler et se briser. En état de choc, le gars était tombé en chute libre sans même tirer sur une seule corde. Aucun membre de *son* équipe ne mourrait de cette façon, s'était juré Jud. Par-dessus ses sous-vêtements en thermolactyl, il portait une combinaison noire avec des fermetures Eclair noires et des rabats en Velcro. Des bottes de jungle. Sur la tête, il avait enfilé une cagoule noire moulante avec deux trous pour les yeux et une fente pour la bouche. Une seconde cagoule venait par-dessus, puis un casque de grande taille.

« Votre équipement vaut plus de deux mille dollars, avait dit l'instructeur durant la préparation. Repérez bien votre DZ[1] et enterrez cette saloperie. »

Jud fixa un altimètre à chaque poignet, en glissa un troisième dans une poche de poitrine, ferma la poche avec le Velcro et passa le cordon de l'altimètre autour de son cou. Le vent avait avalé le seul altimètre que possédait Milder ; il avait dû deviner à quel moment ouvrir son parachute. Il avait mal calculé, il l'avait ouvert un mile trop haut (en chutant à trois cents kilomètres-heure, qui pourrait le lui reprocher ?) et évidemment, une patrouille l'avait repéré. Ils n'avaient pas vu atterrir le reste de l'équipe et ses camarades avaient réussi à récupérer Milder, mais cela avait coûté la mission, et un bras à Milder.

Ils ne retomberaient pas sur le sol. Pas immédiatement. Il y avait d'abord la jungle, cinq épaisseurs de feuillages, la vapeur qui monte des arbres vert émeraude remplis de bestioles voraces et de serpents. Les fleurs odorantes et les marécages croupis. Généralement, les tigres ne posaient pas de problème. Ils traverseraient les arbres jusqu'à ce que les branches

---

1. Drop Zone : zone de parachutage. (N.d.T.)

arrêtent les parachutes, les laissant suspendus, et se
balançant dans la nuit sans lune, tandis que les singes
hurlaient et les oiseaux s'envolaient, mon Dieu, faites
que les patrouilles croient qu'il s'agit d'une simple
panique dans la jungle, mon Dieu, faites qu'il n'y ait
pas de patrouille, il ne devait pas y en avoir. Pas cette
nuit. Pas d'après les instructions données à Jud et
Curtain.

Jud avait fixé un couteau à sa botte droite. Un
second couteau pendait dans un fourreau au-dessus de
son cœur, manche vers le bas. Par précaution, il
emportait également un coupe-chou dans une poche à
fermeture Eclair. Pour se libérer du parachute, pour
utiliser les cent mètres de corde d'escalade autour de
sa taille sous son parachute de secours, prête à se
dérouler.

Jud observa les Nungs, des hommes dont les ancêtres
s'étaient rendus à pied de Chine en Asie du Sud-Est.
Ces quatre-là n'auraient pas fait la fierté de leurs
ancêtres. Meurtriers et voleurs, ils avaient levé la tête
dans leur cellule du quartier des condamnés à mort,
au Nord Vietnam, quelques semaines plus tôt, pour
découvrir Jud qui leur faisait signe, la porte de la
cellule grande ouverte, et leur geôlier affalé contre le
mur du fond. Ils avaient suivi, persuadés qu'il n'y
avait pas pire enfer que cette cellule.

Et maintenant, blottis dans le ventre du B-52, Jud
gageait qu'ils n'en étaient plus aussi sûrs. Ils étaient
dix au départ. Les instructeurs en avaient éliminé
quatre immédiatement ; Jud ignorait ce qu'ils étaient
devenus. Le cinquième avait été recalé, car il n'apprenait pas assez vite le maniement des armes. Le sixième
fut évincé à son tour quand Jud vit une mauvaise
terreur dans ses yeux. Il en restait quatre, la mission
en nécessitait quatre, alors Jud les avait formés. Il les
avait dorlotés lors de leur seul autre saut en parachute :
accrochés à un parachute ouvert, avant l'aube, quand
les autres troupes de l'école de parachutisme d'Okinawa

dormaient encore, les poussant ensuite du haut de la plate-forme pour un saut contrôlé de cent mètres dans le sable.

« Dites-leur que c'est comme à Disneyland », ordonna Jud à l'interprète qui persuadait les Nungs de grimper sur la plate-forme de saut. Jud parlait à peine quelques mots de leur dialecte ; il misait sur les signes, leur intérêt commun évident, et leur désir ardent d'interpréter la volonté divine de protéger l'équipe au cours de la mission. « Dites-leur n'importe quoi, mais qu'ils comprennent bien que c'est moi Mickey Mouse, le chef. »

Nul n'évoqua la haute altitude, l'ouverture retardée du parachute.

Ils avaient participé ensemble à trois patrouilles, des missions d'entraînement qui partaient de Da Nang, des safaris en territoire indien. Les Nungs firent preuve d'un instinct d'escroc pour voler, tuer et survivre. Ils dormaient en cercle, avec Jud au centre, ils en avaient décidé ainsi. Il les récompensait avec de la bière et des putes thaïlandaises qui ne parlaient pas leur dialecte.

Accroupi sur le plancher de l'avion, Jud bascula le poids de son corps et sentit sur son épaule le sac en toile noire qui contenait son AK-47 russe muni d'un silencieux. Dans un holster sous sa combinaison était glissé un Smith & Wesson 9 mm à quatorze coups. A sa ceinture pendait un 45 automatique. Un holster fixé autour de sa cuisse gauche renfermait un derringer à deux coups, garanti pour vous tirer dans la tête une balle de 22 qui n'arrêtait pas de rebondir jusqu'à ce que vous ayez le cerveau en bouillie. Les projectiles du derringer étaient enduits d'une toxine de crustacé provenant du même labo de Langley qui, en 1960, avait fourni une bactérie mortelle à une équipe de tueurs visant le leader nationaliste congolais Patrice Lumumba. Jud pouvait appuyer sur la détente sans dégainer le derringer, se tirant ainsi une balle dans la jambe. Les magiciens lui promettaient un résultat dans les soixante secondes, sans savoir que Jud savait qu'ils mentaient au sujet de la souffrance.

Chaque membre de l'équipe portait sur le dos un parachute en nylon noir et un équipement spécial pour respirer. Des masques à oxygène avaient été installés dans la soute à bombes pour la durée du vol, mais aucun système de liaison radio.

« D'ailleurs, nous n'avons pas besoin de parler, songea Jud en repensant au jour où Curtain et lui avaient rencontré l'équipage du B-52, leur racontant de brèves histoires de couverture, mémorisant des anecdotes sur chaque pilote pour faire croire à un interrogateur de l'armée nord-vietnamienne que Curtain et lui faisaient partie de l'équipage. Des photos des deux hommes avec des filles et des copains de foot avaient été scotchées sur les parois de l'avion, comme l'auraient fait deux véritables pilotes. Fausses photos, fausses fiancées. Au cas où le bombardier resterait intact après avoir été abattu en vol.

« Ne pense pas aux choses auxquelles tu n'as pas besoin de penser », se dit Jud, et il se souvint d'une fille au collège à qui il n'avait jamais osé adresser la parole.

La panique s'empara de Jud : et s'il ne comprenait pas l'indic qui les attendait au sol ? L'indic était l'unique survivant des deux groupes de Nord-Vietnamiens que la CIA avait fait sortir clandestinement de Haïphong en 1955 pour les former à Saïgon, avant de les renvoyer dans le Nord communiste. Il était censé parler français et anglais, et Curtain se débrouillait bien en vietnamien, mais si l'indic n'était pas au rendez-vous ? Si Jud ne voyait pas la lumière orange qui devait clignoter au milieu des arbres pour les guider jusqu'à la zone de parachutage ? Et si l'indic avait été capturé, torturé au fer rouge, et bon Dieu, si ce n'était pas un indic ? Un traître, un soldat de l'armée nord-vietnamienne, un type du Pathet Lao, ou même un Chinois ? Et s'il merdait tout simplement ? Et si...

On verra, se dit Jud, ramenant tout aux deux seuls mots qu'il pouvait contrôler, des mots qu'il pouvait empêcher de se métamorphoser en un million de formes et de sons : *On verra.*

Deux points rouges qui scintillaient dans la soute à bombes bafouaient le silence léger, permettant à Jud de voir un peu, pas très loin. Suffisamment toutefois pour s'apercevoir que les Nungs s'étaient donné la main, chacun agrippant la main d'un gars de sa tribu dont peut-être il se foutait pas mal, mais dont il était condamné à partager le destin. Jud prit la main libre du Nung à côté de lui et la leva. Les Nungs le regardèrent, étonnés. Curtain compléta la chaîne. Lentement, toutes les mains jointes se levèrent, en signe de triomphe. Jud sentit l'énergie traverser leur chaîne, en sachant que les Nungs la sentaient eux aussi. Le bon geste au bon moment, et même si ce n'était pas vrai, peu importe, Jud aimait cette énergie, lui aussi.

Il était déjà lié aux deux Nungs les plus proches de lui, comme Curtain était lié aux deux autres. Deux grappes de trois hommes, chacune ficelée par une corde. Jud avait attaché les Nungs à environ sept mètres l'un de l'autre, laissant davantage de mou entre Curtain et lui. Les Nungs savaient seulement qu'ils allaient sauter, ce serait comme sur la tour. Ils tomberaient longtemps, puis Jud se rapprocherait, il détacherait la famille « tuyaux de poêle » et tirerait d'un coup sec sur leur cordelette de déclenchement avant d'ouvrir son propre parachute. Ils croyaient que la chute libre durerait environ dix secondes. Si Jud leur avait dit qu'elle durerait trois minutes, ils auraient refusé de sauter. Le plan exigeait qu'ils paniquent, qu'ils tombent au milieu des ténèbres, avec le vent qui siffle, le froid... le gel. Ils tomberaient comme des pierres. S'ils ne paniquaient pas suffisamment, l'un

80

d'eux risquait de tirer sur sa cordelette de déclenchement, et ils se retrouveraient tous brusquement arrêtés
dans leur chute, trop de poids pour un seul parachute
ouvert trop tôt ; ce serait la dégringolade incontrôlée...

Si jamais ça se produit, songea Jud, *tu peux encore
te détacher. Tu auras le temps. Tu te libères, tu te
stabilises et tu t'envoles comme un oiseau. Tu ouvres
ton parachute, tu improvises un plan. Tu auras les
idées claires et ta volonté ne te fera pas défaut.*

Quelqu'un lui tapota sur l'épaule gauche. Jud
regarda à l'intérieur de l'avion et vit le copilote,
masque à oxygène, corde de sécurité. Le copilote leva
le pouce, puis il traça un L dans l'air.

Le Laos.

Jud se leva. Il regarda son équipe l'imiter, il les
regarda ôter les masques à oxygène de l'avion et fixer
leur appareil respiratoire autonome. De nouveau, Jud
saisit la main du Nung qui était derrière lui, l'obligea
à faire de même, mais cette fois la chaîne formait
deux sections distinctes, la seconde entraînée par
Curtain. En tant que Un-Zero, Jud devait sauter le
premier. Le copilote retira la corde de la passerelle.
La grille métallique trembla sous les pieds de Jud. Le
bombardier géant plongea et tangua, descendant à
41 000 pieds. Jud dut lutter pour garder son équilibre
et ne pas tomber dans les ténèbres béantes. Le froid
s'engouffrait par les portes ouvertes de la soute.
Emmitouflé sous ses épaisseurs de vêtements et d'attirail, Jud transpirait. Et il avait froid.

Au bout de la corde, il distingua la silhouette noire
de Curtain. Jud pointa son index sur lui ; Curtain
hocha la tête.

On se retrouve sur le sol, pensa Jud. *A plus tard.*

La main du copilote montait et s'abaissait tel
un métronome qui décomptait les secondes que lui
transmettait le pilote par l'interphone, sous le regard
de Jud et de ses hommes. Un, deux, trois, quatre...

Il tapa sur l'épaule de Jud.

Et Jud plongea sur sa gauche ; sa chaîne humaine se déroula derrière lui dans le rugissement du vent et des réacteurs, suivi immédiatement du groupe de Curtain. Le copilote les regarda s'éloigner comme des toupies dans les ténèbres tourbillonnantes et le froid, en songeant à des pingouins qui plongent d'une banquise, vers des lemmings.

Le froid. Le froid obscur et éternel.

Jud atterrit lourdement.

Qu'est-ce que vous foutez dans mon camion ! mugit une voix divine dans les nuages de l'esprit de Jud. Il était couché sur le dos, sur le sable, au bord d'une route, le soleil plus chaud que ses rêves, le ciel bleu...

Hé ! vous vous prenez pour qui vous là-haut, bordel ?

Un vieil homme sec et nerveux coiffé d'un Stetson de paille bosselé, vêtu d'une chemise à motifs délavée et d'un jean enfoncé dans des bottes noires éraflées, debout près du camion à bestiaux rempli de vieilleries, toisait et injuriait le vagabond qu'il venait d'éjecter de ses trésors récupérés dans les poubelles.

La douleur comprima tout son corps. Jud gémit.

— Espèce de clodo ! J'espère que tu t'es brisé le cou !

Le soleil s'était élevé au-dessus de l'horizon, brûlant les yeux de Jud. Il plissa les yeux pour voir la bouche aux dents écartées qui lui criait dessus.

Le vieil homme était un Vietnamien.

Avec une panoplie de cow-boy minable. Jud résista à l'envie de lui faire un croc-en-jambe, s'apercevant qu'il en était sans doute incapable.

— J'avais besoin de me déplacer, dit Jud en se relevant.

— Déplacer ! Déplacer ! (Le vieil homme aperçut les sacs de Jud à l'arrière du camion.) Ah ! (Avec l'agilité d'un singe, il grimpa à bord et lança les sacs par-dessus bord.) Eux aussi déplacer, oui ! Ah, ah !

Il sauta à terre.

Le désert, songea Jud. Plat, ocre, des broussailles. Des montagnes bleu pastel en dents de scie pour horizon. Un immense vide.

— Tout le monde veut se déplacer. Personne payer. Personne me donner argent à moi !

A un peu plus d'un kilomètre de là, de l'autre côté de la route goudronnée à deux voies : un groupe de maisons, une caravane. Un restaurant ? Une station-service ?

— Vous avez l'heure ? demanda Jud.

— L'heure ? Toujours pareil pour toi. C'est maintenant. Pas l'heure.

Le vieux repoussa son chapeau sur son crâne et enfonça les pouces dans sa ceinture, comme il avait vu les *vrais cow-boys* le faire à Caliente, Nevada, U.S.A.

— Si tu payes à moi, je t'emmène dans camion avec moi.

Dien cai dau ! eut envie de répondre Jud, mais ses lèvres étaient sèches. La nature protège votre couverture, constata-t-il. Son esprit le ramena à Saïgon. Ne jamais laisser voir à l'autre que vous perdez votre sang-froid. Ne jamais lui faire l'honneur d'une insulte. Gardez la face et faites-lui perdre la sienne.

— Non merci, répondit Jud. Ici c'est parfait.

— Ah ! (Le vieil homme cracha dans le sable entre eux.) Non merci. Tu veux dire pas argent. Pas argent, rien du tout.

D'un pas furieux, il remonta dans son camion, enveloppant Jud d'un nuage de poussière et de sable en retournant sur la route dans un rugissement. Il disparut.

Le nuage de poussière retomba. Jud resta assis au bord de la route déserte dans le désert. Des broussailles emportées par le vent bondissaient devant lui. L'air était teinté d'armoise et de sable. Un lac-mirage scintillait sur la route goudronnée entre son Bouddha

83

dans la poussière et les maisons à un millier de mètres
de là. Du coin de l'œil, il perçut un mouvement rapide,
un lièvre qui disparut dans les broussailles. Le désert.
Pas comme celui d'Iran. Un endroit à part. Ce désert.
A cet instant.

Il se leva, ignorant sa soif et la douleur, la chaleur
qui coulait vers la terre. Ses sacs à la main, traînant
des pieds, il s'éloigna de la route et décrivit une grande
boucle en direction des maisons.

Les deux règles essentielles de l'Evasion et de la
Fuite sont Ne Pas Se Faire Voir, et quand cela échoue,
Ne Pas Se Faire Remarquer. Jud s'arrêta près d'une
touffe de broussailles à une cinquantaine de mètres du
restaurant. Une enseigne en bois pendait au-dessus de
la porte, des lettres noires tracées au fer chaud dans
une planche de pin pourrie : CHEZ NORA. Une demi-
douzaine de véhicules étaient garés entre l'établissement
et les deux pompes à essence. L'estomac de Jud
grogna. Mais si tous ces gens le voyaient, autant le
remarqueraient.

Derrière le restaurant, une caravane cabossée se
tendait vers le désert comme un doigt. Derrière se
trouvait une maison en adobe ramassée, avec des fleurs
plantées sous les fenêtres ornées de rideaux aux couleurs
vives.

Les voitures repartirent les unes après les autres sur
un laps de temps que Jud estima à une demi-heure.
Cinq voitures transportaient des hommes, une sixième
était occupée par deux femmes portant des foulards
sur leurs cheveux bleu-gris. Aucune autre voiture
n'arriva. Pas de camion de livraison d'une boulangerie
ou d'une brasserie. Ni camion-citerne venant remplir
les pompes à essence. Ni break conduit par une mère
au foyer abandonnée, apportant une nouvelle cargaison
de journaux pour les trois distributeurs métalliques
installés devant CHEZ NORA.

La porte vitrée grinça quand Jud entra, à l'abri des
regards du monde. Une femme aux cheveux blonds

84

délavés et bouclés, bien taillés dans la nuque, était assise au comptoir, en train de lire le journal. Seule. Deux portes battantes conduisaient à la cuisine. Elle avait un joli visage à la peau mate, avec des rides aux coins de ses yeux bleus écartés. Son chemisier et son pantalon blancs n'étaient pas un uniforme de serveuse. Elle observa Jud, puis jeta un coup d'œil par-dessus son épaule, sans apercevoir de véhicule dehors, dans ce grand nulle part.

— J'ai de quoi payer, dit-il immédiatement.

— On dirait que c'est déjà fait. (Elle avait une voix enrouée par trop de cigarettes.) Qu'est-ce qui vous faut ?

— Vous êtes Nora ?

Elle sourit.

— Evidemment. Vous désirez ?

— Puis-je avoir un petit déjeuner ? Copieux ? Et du café ?

— Asseyez-vous, dit Nora en se levant. (Elle se déplaçait avec grâce.) Je vous apporte du café et un menu.

Tandis qu'elle disparaissait dans la cuisine, Jud choisit un tabouret d'où il pouvait surveiller la porte. Une mouche traversa la pièce en bourdonnant. De la cuisine lui parvenait le chuchotement d'une télé, un poste noir et blanc portatif avec un porte-manteau en guise d'antenne. La porte vitrée claqua une fois, deux fois, et se tut. Jud reconnut l'odeur de la graisse et du bacon, des œufs frits, des haricots. Trois assiettes sales traînaient encore sur le comptoir en fer à cheval face aux tabourets. Un des boxes le long du mur et une des petites tables n'avaient pas été débarrassés eux non plus.

— Excusez le désordre, dit Nora en poussant les portes battantes. Mon employé a fichu le camp comme un voleur.

— Disparu, dit Jud.

— Disparu à jamais.

Nora déposa un pot de café devant Jud, et fit glisser jusqu'à lui le pot de crème et le sucrier.

— Où est-ce... Jud hésita à passer pour un demeuré et à se faire remarquer, et puis zut ! ... Où sommes-nous ?

Elle sourit.

— Vous êtes sur la route 127, à mi-chemin entre Baker et Shoshone. La Vallée de la Mort est droit devant. Pas loin du Nevada. J'aimais pas le nom de cet endroit, alors je lui ai donné le mien.

— Il en vaut bien un autre.

— Exact. (Elle lui tendit un menu.) Prenez votre temps.

— J'arrive pas à me décider, avoua Jud.

— Comment est votre estomac ?

— Solide. (Il soupira.) Et vide.

— *Huevos rancheros*, conseilla-t-elle. C'est pas trop épicé et Carmen le réussit très bien. Un grand jus d'orange. Avec des frites maison. Ça vous fera dans les six dollars.

Elle porta la commande à la cuisine, alluma le climatiseur au-dessus de la porte et retourna à son journal. Jud s'affaissa sur son tabouret. Une Mexicaine trapue vêtue d'un blue-jean et d'un sweat-shirt rose franchit les portes battantes à pas feutrés. Elle plissa le nez en apercevant Jud et déposa devant lui des assiettes fumantes remplies d'œufs frits sur des haricots, de tortillas et de pommes de terre sautées. Nora lui apporta un verre de jus d'orange, une serviette et des couverts. Jud avait vidé la moitié de son assiette avant que Carmen ne retourne dans la cuisine pour monter le son de son feuilleton télé dans lequel tout le monde était beau, et avant que Nora n'ait fini de jouer les agences de presse en rapportant une nouvelle vague de génocide au Cambodge. Il avait un visage empâté, bronzé aux U.V. et à travers le pare-brise de sa voiture.

Alors que Jud en était à sa quatrième tasse de café,

86

après trois aspirines et un voyage aux toilettes, des pneus crissèrent sur le gravier au-dehors.

Une Cadillac blanche se gara devant la porte.

Le chauffeur entra d'une démarche assurée. Il était plus proche de la cinquantaine que Jud. Mais comme Jud, il avait trop de graisse entre le menton et les hanches. Sa chemise blanche ouverte au col laissait voir une chaîne en or, ses manches relevées laissaient voir la Rolex que son cousin avait eue pour seulement cinquante dollars dans une ruelle de Hong-Kong. Ses mains étaient manucurées, avec un solitaire au doigt. Il portait un pantalon jaune d'or parfait pour les terrains de golf ou le bureau et des mocassins italiens bi-colores avec des pompons.

— Salut, ma poule ! lança-t-il à Nora.

Elle ne leva pas les yeux de son journal tandis qu'il enfourchait un tabouret. Jud était assis à sa gauche, Nora juste à sa droite.

— C'est à moi que tu parles, Harold ? demanda-t-elle.

Harold promena son regard à travers le restaurant ; il marqua un temps d'arrêt en apercevant la silhouette avachie de Jud sur le tabouret.

— Je lui parle pas à lui en tout cas, répondit Harold.

Vu, songea Jud.

— Tu devrais être plus exigeante sur la clientèle, poursuivit Harold, sans quitter Jud des yeux. Ton restau pourrait perdre de son prestige.

Repéré, songea Jud.

— J'ai le droit de rêver, dit Nora. Tu veux quelque chose, Harold, ou bien tu t'es traîné jusqu'ici pour te protéger du soleil ?

— Oui, je veux quelque chose, mais si on prenait d'abord un café ?

— J'en ai déjà bu un, merci, dit Nora.

— Qu'est-ce qui faut faire pour être servi ici ? demanda Harold.

Les mots qui sortirent de la bouche de Jud le surprirent autant que Nora et Harold.

— Vous pourriez essayer de réclamer poliment.

Arrête, se dit-il. *Laisse tomber.*

— On t'a rien demandé, Gros Lard, cracha Harold. (Il renifla avec mépris.) Sauf peut-être depuis quand t'as pas pris de bain.

Jud baissa les yeux sur son assiette sale. Il respirait lentement. Inspirer, expirer. Inspirer, expirer...

— Tu veux un café, Harold ? demanda Nora en se levant pour venir derrière le comptoir. Je t'en apporte.

— Et du sucre ? demanda Harold d'une voix traî- nante.

— Tes trucs sans calories sont sur le comptoir.

Nora se tenait devant la machine à café ; Harold se dévissa le cou pour mater ses hanches. En s'assurant que Gros Lard l'observait. Il voyait le corps porcin, les cheveux emmêlés, le visage baissé, et le blanc des yeux. *Parfait*, songea Harold. Son regard revint rapidement se poser sur Nora ; est-ce que ce crétin appréciait la façon dont elle remuait le cul ?

Elle déposa une tasse de café devant Harold.

— Hé ! Nora, fit Harold, je connais des gens qui connaissent des gens à Vegas. Le fric du jeu ne s'arrête pas aux frontières entre les Etats. Je pourrais te fournir des loteries. Les flics d'ici, ils diraient rien. Ils t'aiment bien. Tout le monde t'aime bien, Nora.

— Contente-toi de vendre des chaussures de femme en gros, Harold, répondit-elle. Et moi je me contenterai de la cuisine de Carmen et de mon café.

— Ma poule, je comprends pas comment une chouette fille comme toi peut tenir un bouge pareil.

— Sans doute pour que les types dans ton genre sachent où aller.

Le climatiseur hoqueta, émit des cliquetis, et se remit à haleter.

— Ah ! je vois, fit Harold en lançant un regard noir à Jud.

— Allez Harold, dit-elle avec un sourire, fais pas cette tête.

— Pas facile quand t'es là. (Il but une gorgée de café.) Tu pourrais briser le cœur d'un homme.

— Je vise plus bas, rétorqua Nora.

Jud s'esclaffa.

— Qu'est-ce qui te fait rire, Gros Lard ! lança Harold d'un ton brusque.

Arrête-toi là, se dit Jud, sans savoir s'il s'adressait à Harold ou à lui-même.

Son arme était rangée dans son sac par terre.

— Si jamais on a besoin de toi, on tirera sur ta chaîne, cracha Harold.

— Harold ! intervint Nora.

— On n'aime pas les clodos par ici, dit Harold. *Sans domicile* mon cul ! Clodo, oui ! Je les connais les gars dans ton genre. Si t'étais un type comme il faut, tu pourrais avoir un toit. Ici c'est l'Amérique, ducon. Pas une décharge pour les minables de ton espèce.

— T'as fini ton café, Harold ? demanda Nora.

— Moi, j'ai une baraque. J'ai tout ce qui faut. J'ai même des amis parmi les flics de la route. Et j'ai bien envie de leur dire qu'un paumé, un gros lard de clodo traîne son cul plein de puces sur la route 127. Un sac à merde ambulant.

Tu pourrais le faire, songea Jud. *Me griller pour jouer les caïds.*

Cette vision scintilla devant ses yeux, pure et belle.

— Nous à qui on demande de servir, chuchota-t-il.

— Qu'est-ce que tu dis ? demanda Harold.

Jud descendit de son tabouret sans lever les yeux. Il sentit Harold se raidir. Il se dirigea de l'autre côté et passa derrière le comptoir, tandis que Nora disait :

— Tu devrais être parti depuis longtemps, Harold.

Un bac en plastique gris contenant des assiettes et des verres sales, des serviettes roulées en boule, un toast détrempé, des tasses et des couverts reposait sur une étagère sous le comptoir. Jud prit le bac et débarrassa son assiette sale, en gardant les yeux baissés.

— Ça alors ! marmonna Harold. (Nora fronça les sourcils.) C'est ton employé ! Gros Lard le plongeur. Tu connais donc rien aux affaires, Nora ? Faut jamais laisser les employés casser les pieds aux clients.

— T'es pas mon client, répondit-elle.

Jud s'approcha des autres assiettes sales sur le comptoir. Harold était assis à quatre tabourets de là.

— T'occupe pas de lui, ma poule, dit Harold. Il est tellement parti qu'il est même plus ici. Carmen est dans sa cuisine, plantée devant sa télé, la route est déserte, il y a juste toi et moi ; on pourrait passer un bon moment.

— Passe ton chemin, Harold, marmonna-t-elle en regardant Jud.

— Un jour, faudra bien que ça se fasse. (La certitude et une prudence fragile dansaient sur le visage d'Harold, tandis qu'il la dévorait des yeux.) C'est inévitable, alors autant te détendre et en profiter.

— Je serai morte et enterrée avant, répliqua Nora.

Jud essuya le comptoir avec une serpillière qui se trouvait dans le bac. La pile suivante d'assiettes sales était de l'autre côté d'Harold. Jud reposa la serpillière ; gardant la main posée sur le bac en plastique gris, le faisant glisser le long du comptoir. Vers Harold.

— Bon sang, Nora ! s'exclama Harold en exhibant ses grandes dents, les mains à plat sur le comptoir. Où est passé ton sens de l'humour ?

Jud se retourna brusquement et planta une fourchette sale dans la main gauche d'Harold.

Harold poussa un hurlement.

Jud appuya de tout son poids de gros lard sur la fourchette, les dents qui transperçaient la chair d'Harold. Celui-ci hurla de nouveau, agrippant le poing de Jud avec sa main libre ; Jud la repoussa brusquement. Jud voulait mettre toute son énergie dans la fourchette, l'enfoncer jusqu'en Chine avec son *chi*. Mais il n'arrivait pas à trouver son *chi*, et il sentait le regard de Nora dans son dos ; il la sentit qui se précipitait derrière la caisse près de la porte, mais sans décrocher le téléphone fixé au mur. Jud rugit :

— NE JOUE PAS AU CON ! PAS AVEC MOI.

— Pitié ! Pitié ! Pitié ! gémit Harold.

Le sang ruisselait sur le dos de sa main. Jud relâcha un peu sa pression, sans retirer la fourchette.

— Pitié ? Un joli *pitié* ? Un joli *pitié* surmonté d'une sucrette ?

— Oui ! Oui ! Tout cc que vous voulez ! Tout ce que vous voulez !

Jud employa sa voix rocailleuse.

— Tu es tombé sur le mauvais Gros Lard, hein ? En plus, tu embêtes cette femme, et c'est mon amie. Conclusion, tu te retrouves planté. Peut-être que je vais bouffer cette main pourrie. Peut-être pas. Mais qu'est-ce que tu vas penser si je te laisse partir ?

— Rien, je vous assure, monsieur. Je suis désolé, je penserai rien, je...

— Tu as intérêt à penser ! Tu as intérêt à penser et à te souvenir. Tu penseras à tes *amis* de la police des routes. Passe-leur un coup de fil. Envoie-les ici. Je leur filerai de quoi s'occuper. Ensuite, ils s'occuperont de *toi*. Ils ont des *chics types* à San Quentin. Tu seras pas déçu du voyage, *ma poule*.

— Non ! Pas les flics ! Je ne...

Harold éclata en sanglots.

— Tu as dit que tu connaissais des gens qui connaissaient des gens à Vegas. (La voix de Jud débordait de bile. Il appuya sur la fourchette. Harold blêmit. Du sang coula sur le comptoir.) Tu connais Jimmy le Bossu ?

— Non, murmura Harold.

— Tu ne connais pas Jimmy le Bossu ? Un caïd comme toi, Harold, tu connais même pas Jimmy le Bossu. Tu as quand même entendu parler de lui, hein, Ha-rold ?

91

— Je... euh, oui, bien sûr. Comme tout le monde.

— Tous les types importants connaissent Jimmy le Bossu. Mais pas toi. Va voir les gens que tu connais qui connaissent des gens. File-leur le tuyau avec un message. Dis-leur que j'ai demandé à Jimmy de te planter pour de bon !

— Non, je vous en supplie, lui dites rien ! Je... je suis désolé !

— Désolé ?

— Oui, désolé, se lamenta Harold.

Jud retira la fourchette. Harold gémit et plaqua sa main ensanglantée contre sa poitrine. Sa chemise blanche était foutue. Jud balança la fourchette dans le bac. Harold était paralysé.

— Si je te laisse partir, lui expliqua Jud, je t'oublierai. Si tu reviens, si tu viens nous embêter, Nora ou moi... (Jud haussa les épaules et prit sa voix rocailleuse.)... Jimmy le Bossu.

— Je le jure devant Dieu !

— Vous avez des liens avec ce type, Nora ? demanda Jud.

Elle se tenait derrière le comptoir, les mains cachées, loin du téléphone.

— Tout est fini désormais, dit-elle.

— Harold ? chuchota Jud.

Harold ne put s'en empêcher : il s'approcha du monstre pour entendre.

— Fous le camp, dit Jud.

Harold sortit à toute vitesse, trébuchant et se cognant dans la porte vitrée. Il vomit sur le parking couvert de taches d'essence. Il repartit comme un bolide à bord de sa Cadillac.

Une minute de silence absolu s'écoula.

— Désolé, dit Jud.

Il essuya le sang sur le comptoir, prit le bac gris pour le remettre à sa place, fit le tour du comptoir, récupéra ses sacs et se dirigea vers la porte, vers la caisse et Nora.

— Je suis vraiment désolé, dit-il.

— Non, c'est faux, dit-elle.

— Eh bien... (Il haussa les épaules.) Au moins Harold ne vous importunera plus.

— Qui est Jimmy le Bossu ?

— Aucune idée.

Nora cligna des paupières et éclata de rire. Jud l'imita.

— Bon sang, dit-elle, je ne sais pas si je dois rire ou pleurer, hurler ou...

— Me tirer dessus, dit Jud, comprenant enfin ce que tenaient ses mains sous le comptoir.

— Cette idée m'a traversé l'esprit, répondit-elle d'un ton calme.

— Normal, dit Jud.

— Qui êtes-vous ?

— Un simple réfugié. (Il soupira. Se dirigea vers la porte, puis s'arrêta. Son mouvement brusque la fit sursauter.) Oh ! excusez-moi, dit-il. J'oubliais de vous payer le...

— Laissez tomber. (D'un mouvement de tête elle désigna le comptoir débarrassé.) Vous avez acquitté votre dette. (Elle haussa les épaules.) Sacrée distraction.

— Merci.

Il se dirigea de nouveau vers la porte.

— Où allez-vous ? demanda-t-elle.

Il s'immobilisa.

— Nulle part.

— Sans voiture. Dans le désert. Vous avez de l'argent ?

— Je n'en ai pas beaucoup dépensé jusqu'à maintenant.

— Vous n'avez pas grand-chose à dépenser.

— Je me contente de peu.

— A d'autres. Quelqu'un vous recherche ?

Il regarda par la fenêtre : la route, serpent goudronné au milieu des sables mouvants, le ciel bleu vide.

— Je ne sais pas, dit-il.

— J'espère que non. (Elle soupira.) Vous savez ce que vous faisiez... je parle du comptoir. Vous avez déjà travaillé dans un restaurant.

— Pas depuis deux ou trois vies.

Le climatiseur hoqueta, émit des cliquetis et se remit à haleter.

— En fait, dit-elle, je n'ai plus de serveur, de plongeur. Ni de pompiste. Quelqu'un qui soit doué de ses mains. Il n'y a pas qu'un seul Harold sur cette foutue route.

— Ça ne vous inquiète pas, dit Jud.

— Je ne suis pas du genre à m'inquiéter, répondit-elle. Vous êtes une source d'ennuis. Mais parfois... Parfois, les ennuis ce n'est pas si mal.

... Vous ne savez pas où aller, *réfugié*. J'ai besoin d'un coup de main. C'est mal payé. Vous aurez la caravane derrière et tous vos repas, sauf le dimanche soir. Nous sommes fermés. Carmen est une bonne cuisinière. Si vous avez des problèmes, vous les gardez pour vous. Je ne veux pas le savoir. En échange, je ne vous ferai pas d'ennuis. En outre, ajouta-t-elle, aucun bar des environs n'est accessible sans voiture. Si vous n'êtes bon à rien, je ne veux pas de vous.

— Je crois que j'ai suffisamment bu.

— Pour aujourd'hui, mais j'ai du flair. Je repère les tremblements.

— Ça passera. Je peux y arriver.

— C'est votre problème, pas le mien. Marché conclu ?

Jud regarda de nouveau par la fenêtre. Son corps tout entier le faisait souffrir. De ces fenêtres, on voyait venir quelqu'un de loin.

— D'accord.

Il posa ses sacs.

— Si ça ne marche pas, vous pouvez toujours poursuivre votre chemin.

— Si ça ne marche pas, dit Jud, vous pouvez toujours me tirer dessus..

94

Nora sourit.

— C'est tout ce que vous avez ? demanda-t-elle en désignant les sacs de sport.

— Je voyage léger.

— Ne faites pas le malin avec moi, dit-elle. Carmen !

Deux yeux écarquillés apparurent au-dessus des portes battantes : ce n'étaient pas les jolies personnes de la télé.

— Est-ce qu'Ernique aurait de vieux vêtements pour... (Nora se tourna vers son nouvel employé.) Comment vous vous appelez ?

— Jud.

Il n'avait pas envie de lui mentir.

— Bien sûr, dit Nora. Enrique a des vêtements qui iraient à cet homme ?

— Pas assez costaud, répondit Carmen.

Elle retroussa le nez et haussa les épaules. Puis retourna dans la cuisine, devant sa télé.

— Je commence quand ? demanda Jud.

— Tout de suite, répondit-elle.

Elle s'éloigna de la caisse. Son chemisier était sorti de son pantalon. Peut-être dans l'excitation. A moins qu'il ne cache le pistolet qu'elle avait pris dans le tiroir-caisse.

Nora reprit sa tasse et entra dans la cuisine. Par-dessus son épaule, elle lança à Jud :

— N'oubliez pas le dégueulis dehors.

Loup-garou

Le lundi matin après la réception chez Denton le directeur de la CIA, une aube grise se leva sur la maison bleue de style victorien de Nick Kelley, avec sa clôture métallique noire et plus de jardin qu'il n'avait jamais voulu en tondre. Le vent soufflant de la baie de Chesapeake, à soixante kilomètres de là, était plein de la mer de mars. Les fenêtres vibraient, tandis que Nick faisait manger ses œufs brouillés à Saul.

— Juanita va arriver d'une minute à l'autre, dit Sylvia en rangeant dans son attaché-case des dossiers et des papiers juridiques.

La cuisine embaumait le café et les beignets à la cannelle. Le jus d'orange. Le *Washington Post* était étalé sur la table en métal. Le gros chien noir attendait sous la chaise haute du bébé.

Nick remua les œufs de Saul avec la fourchette. Le bébé l'observait d'un œil méfiant. La radio diffusait un concerto pour piano de Mozart.

— Où sont ces saloperies de clés ? demanda Sylvia.

Saul se pencha vers sa mère.

Nick lui enfourna la fourchette dans la bouche.

— Ah ! les voilà. (Sylvia ramassa un énorme porte-clés sur le comptoir de la cuisine.) Si ç'avait été un serpent, elles m'auraient mordue.

Le bébé tapait sur le plateau de sa chaise.

— Ecoute, dit Sylvia, je sais que tu te fais du souci à cause de Jud. (Elle soupira.) Il n'apporte que des ennuis.

— C'est vrai, dit Nick en laissant Saul tenir la fourchette.

— Tu n'as pas besoin de ces ennuis. Il ne faut pas t'en mêler. C'est terminé cette époque, c'est de l'histoire ancienne, et tant mieux.

— Je sais.

— Je sais que tu as envie de l'aider, dit-elle. Mais tu ne peux rien faire. Tu n'as rien à faire. Tu ne lui dois rien.

Nick la regarda fixement.

— Nous avons déjà parlé de tout ça, dit-elle.

— Je connais ton point de vue.

— Je sais que j'ai raison. Tu dois d'abord penser à nous. A Saul, à toi et... Tu n'es pas en train d'écrire un livre, il s'agit de nous. De notre vie. Réfléchis. Je t'en prie. D'accord ?

Saul approcha la nourriture de sa bouche béante, mais il retourna la fourchette avant d'arriver à destination. Les œufs roulèrent sur son pyjama. Le chien les goba avant qu'ils ne tombent par terre. Saul éclata de rire.

— Je suis désolée, dit Sylvia. Je ne cherche pas à te critiquer, ni même à essayer de comprendre, mais toutes ces conneries ne te concernent pas. Ça ne t'a jamais concerné, et ça ne te concernera jamais.

— Techniquement exact, maître, répondit-il.

— Mais vrai.

— Vrai pour un avocat. Mais pour ces gens-là, dans leur monde, il n'y a pas que la loi. Il y a aussi ce que je suis, opposé à ce qu'ils pensent que je sais et que je pourrais faire.

— Mais le plus important, c'est la loi, insista Sylvia. Tu le sais. Tu en es convaincu.

— *Hola !* s'écria une femme dans l'entrée. (La porte claqua.) *Senora ! Mi amor !*

Le chien se précipita en aboyant. L'enfant poussa des cris de joie.

— *Hola, Juanita !* répondit Sylvia, les yeux remplis de l'image de son mari et de son fils. *Estamos en la cocina !*

Elle s'adressa à son mari d'un ton calme :

— Je sais que tu cherches à bien faire, et je t'admire. Mais j'aime notre vie.

— Moi aussi, dit Nick.

— N'oublie pas qui tu es !

Ses yeux étaient humectés de larmes.

— Comment ça va ce matin ? demanda Juanita. (Le chien noir entra à sa suite dans la cuisine.) Désolée d'être en retard.

— Ça va, répondit Sylvia. Vous pourriez peut-être aider Nick à finir de faire manger Saul et…

— Je m'en charge. Avec plaisir.

Juanita vit un pont de glace entre le mari et la femme.

— Je vais m'occuper du linge sale, dit-elle en se hâtant de descendre au sous-sol.

Le chien la suivit ; ses pattes claquaient dans l'escalier.

— Ça fait plus d'une semaine, Nick. Sois réaliste, arrête d'imaginer des choses. Il ne s'est rien passé, juste une saleté de coup de téléphone en pleine nuit. Si c'était grave, il aurait rappelé.

— A condition qu'il puisse.

Elle se détourna du regard pénétrant de son mari.

— Ne va pas chercher des ennuis, dit-elle.

— Cette fois, je n'y suis pour rien. Mais je devrais faire *quelque chose*.

— Tu ne peux rien faire ! répéta sa femme.

Saul frappa des deux mains sur sa chaise. Ses parents tournèrent la tête vers lui ; pour éviter de se regarder.

— Tu prends quelle voiture ? demanda Sylvia.

— Peu importe. Prends la Jeep, le chauffage marche mieux.

— Non, je peux prendre la Ford.

Sylvia étreignit doucement l'enfant et l'embrassa, en lui recommandant d'être sage. Elle déposa un baiser sur le front de Nick. Elle sortit de la cuisine.

Elle revint trente secondes plus tard au moment où Nick faisait entrer la fourchette dans la bouche de Saul pour un largage de nourriture réussi. Elle posa sa tête sur l'épaule de son mari, la joue appuyée contre son visage. Il sentait la noix de coco de son shampooing. Il l'enlaça de son bras libre. Elle plaqua sa main dans son dos, son souffle le chatouilla.

— Fais ce que tu dois faire, pas ce que je veux. Mais je vous aime, toi et Saul, je ne pourrais pas vivre sans...

Elle se tut et l'embrassa dans le cou. Il l'embrassa sur la bouche.

— Dépêche-toi, dit-il. La justice t'attend.

Sylvia rit, et s'en alla.

— Et ne t'en fais pas ! lui lança-t-il.

Nick travaillait dans un bureau de Capitol Hill, à vingt minutes en voiture de chez lui. En s'y rendant ce matin-là, il se demanda si Juanita avait laissé la station de radio classique pour Saul. Il sourit. Saul était-il déjà capable de faire la distinction entre les musiques ?

Il trouva une place pour se garer à deux blocs de son bureau. Il releva le col de son caban, enfonça ses mains gantées dans ses poches. Le vent glacé soufflait dans son dos.

Tu ne peux rien faire, se dit-il.

L'appartement du dernier étage qui lui servait de bureau possédait un plafond haut et une baie vitrée qui donnait sur la rue. Nick jeta son manteau et ses gants sur le divan fatigué, mit de l'eau à chauffer pour le café, et brancha son ordinateur. L'écran s'alluma.

QUEL FICHIER DÉSIREZ-VOUS ? demanda la machine.

— Les réponses se trouvent ailleurs, dit-il à voix haute.

La bouilloire se mit à siffler.

Nick ne pensa à rien pendant qu'il préparait le café. La crème dans le réfrigérateur n'avait pas tourné. Il regagna son bureau avec une tasse de breuvage marron et fumant ; il contempla l'écran, regarda par la fenêtre qui dominait les toits goudronnés de Capitol Hill. De l'autre côté de la rue, les branches effeuillées d'un arbre s'agitaient dans le vent tels des doigts nus.

L'ordinateur n'avait aucune information sur Jud. A mesure que Nick découvrait le monde dans lequel Jud l'avait fait pénétrer, il avait banni toute tentation de prendre des notes. Le simple fait de penser qu'il avait pris des notes, qu'il conservait des archives, était dangereux pour les gens que rencontrait Nick.

— Même moi je n'étais pas naïf à ce point, dit-il à l'ordinateur.

Evidemment, il avait pris des notes sur quelques histoires précises que lui fournissait Jud, y compris celle qui avait poussé un sous-ministre à la Défense à débarquer, furieux, dans le bureau de Peter Murphy en arguant de la sécurité nationale pour obliger le chroniqueur à censurer l'article de Nick. Peter avait obéi.

Les branches de l'arbre s'agitaient dans le vent, balayant toute une décennie.

Nick repensa aux dix mille piscines de Los Angeles qui scintillaient sous son avion comme des éclats de turquoise sur un chemin de graviers. L'odeur de son blouson de cuir dans l'atmosphère métallique et froide de l'appareil. Le ronronnement des moteurs et la pression dans ses oreilles tandis que l'avion plongeait vers la ville.

Le gros type assis à ses côtés s'éventait avec *Time Magazine*. La couverture était consacrée au Shah d'Iran et à l'incapacité de la CIA à prévoir la révolution qui l'avait déposé. Nick se demanda si Jud lui parlerait enfin de son séjour en Iran, s'il préparait quelque chose actuellement au sujet des cinquante-deux otages américains capturés par Khomeini en novembre. *Time Magazine* se demandait si les otages seraient de retour chez eux avant la fin de 1979.

— Vous allez à L.A. pour les fêtes de fin d'année ? demanda l'homme d'affaires en reluquant le blue-jean, la chemise sport et le pull de Nick, son blouson d'aviateur en cuir sur ses genoux. Vous êtes étudiant à Washington ?

— Je voyage pour affaires, répondit Nick.

— Ah oui ? Moi je travaille pour TRW. Vous connaissez ?

— Oui.

TRW fournissait des satellites espions à la CIA. Quatre ans auparavant, en 1975, un idéaliste nommé Chris Boyce avait été engagé par TRW ; découvrant des télégrammes relatifs à l'ingérence de la CIA dans la politique australienne et les mouvements ouvriers, il avait perdu foi dans son pays, et avec un ami nommé Daulton Lee qui avait besoin d'argent pour s'acheter de l'héroïne, il avait vendu des secrets américains aux Soviétiques.

L'avion oscilla et perdit de l'altitude.

— Chouette boîte, TRW. Pour qui vous travaillez, vous ?

— Je suis écrivain. Journaliste également. Mais je suis en congé sabbatique, et ça m'étonnerait que je reprenne.

— Vous êtes votre propre patron, hein ?

— En quelque sorte.

— Qu'est-ce que vous venez faire à L.A. ?

— Je viens voir un producteur qui est intéressé par une de mes idées.

— Vous allez écrire un film ?

— Je vais essayer.

— Je parie que vous allez rencontrer un tas de jolies blondes !

— Ce n'est pas ma partie, répondit Nick.

— Vous êtes marié ?

— Non.

— Bon sang, vous allez vous éclater à L.A.

Une accélération soudaine les plaqua contre leur siège.

— A quel hôtel vous descendez ? demanda le gros type.

— Je loge chez un ami.

Etait-ce un bon choix ? se demanda Nick. Etait-ce prudent ? Mais pouvait-il refuser l'invitation pressante de Jud ?

Pas de problème, se dit Nick. Il savait ce qu'il faisait. Aucun doute. En rencontrant Jud... Cette limite, cette limite enivrante, révélatrice. En rencontrant Jud, il pouvait la longer et repartir tranquillement avec une vision et des histoires qu'il n'aurait jamais pu trouver ailleurs. C'était son boulot, il était payé pour ça, non ?

En outre, Jud était son ami. A l'époque où cet avion amenait Nick à L.A., il connaissait Jud depuis trois ans. Celui-ci avait été envoyé dans trois « bases » différentes, mais il n'avait jamais rompu le contact : ni la première année quand il vivait à Washington, ni l'année suivante quand Jud se trouvait à Miami, ni maintenant, cette troisième année, quand Jud était à L.A. Nick prenait toujours ses appels, ils faisaient la bombe ensemble lors de ses visites, quand des hommes en costume et lunettes noires le suivaient jusqu'à ce que Jud, lassé, ne leur fausse compagnie. En sa qualité de journaliste à Washington, Nick connaissait des dizaines d'individus soi-disant puissants et fascinants, mais tous vivaient et travaillaient dans des mondes stériles de paperasserie et de rhétorique. Jud se situait à cent lieues de leurs abstractions ; ses mains étaient l'étau du pouvoir. Les collègues de Nick avaient commencé à le mettre en garde contre ce monstre mystérieux. Nick leur répondait qu'il savait ce qu'il faisait ; apprendre des choses grâce à Jud et sur Jud faisait partie de son métier ; et Jud était son ami.

Ou du moins, un aimant auquel Nick ne pouvait résister.

L'hôtesse annonça la descente sur l'aéroport. Les trains d'atterrissage se mirent en place. Nick regarda l'ombre de l'avion raser les toits plats, les rues sans fin.

— Qu'est-ce qu'il fait votre ami ?

— Ouais, répondit Nick.

L'avion rebondit deux fois, avant de rouler sur la piste.

— Bienvenue à Los Angeles, annonça l'hôtesse dans le micro, où il est actuellement dix-huit heures.

A la sortie, Jud s'avança au milieu de la foule pressée, aussi grand qu'un ours, sa chemise blanche tendue par ses larges épaules et son torse puissant, jean et bottes de cow-boy. Il broya la main de Nick dans un salut fraternel à la mode des années 60, et fit la grimace lorsque celui-ci annonça qu'il devait récupérer ses bagages.

— Garde toujours tes affaires avec toi, dit Jud. Mais ce n'est pas grave, tu ne savais pas... J'ai des choses à faire avant d'aller à la maison, ajouta-t-il tandis qu'ils traversaient le parking. Lorri nous y attend.

— C'est du sérieux avec elle ?

Jud éclata de rire et désigna d'un mouvement de tête une Chevrolet bleu nuit garée à côté d'une Mercedes.

— A L.A., personne ne vole les Chevrolet.

Il jeta le sac de Nick dans le coffre.

— Devine à quel nom elle est enregistrée ? demanda Jud.

Nick haussa les épaules.

— Le prédicateur laïque d'une église mormone ! (Il s'esclaffa et tapa sur la poitrine de Nick.) Génial, non ?

103

Tandis qu'ils sortaient du parking, Nick demanda :

— Tu travailles toujours pour la même fabrique de serrures que lors de ma dernière visite ?

— Non, c'est terminé ça.

— Que fais-tu maintenant ?

Jud lui adressa un petit sourire en coin.

— Toujours à la Compagnie ? supposa Nick.

— Tu crois que j'aurais pu démissionner ? répondit Jud.

Ils éclatèrent de rire.

— On se comprend, dit Jud.

— Ils connaissent mon existence ?

— Ils savent ce que je veux qu'ils sachent. Aucun problème. Est-ce que je ne t'ai pas toujours couvert ?

Le bipper fixé à la ceinture de Jud se mit à sonner. Jud consulta l'écran à cristaux liquides tout en conduisant ; il fronça les sourcils. Il scruta les environs et avisa une station-service droit devant.

— J'en ai pour une minute.

Il se gara et se dirigea d'un pas tranquille vers la cabine téléphonique à côté de la station-service.

Le soleil couchant peignait le monde en rouge écarlate ; Nick attendait dans la voiture pendant que Jud téléphonait. Deux jeunes pompistes s'amusaient à se fouetter avec des chiffons à huile. Les voitures passaient à toute vitesse dans cette artère à grande circulation qui menait à l'aéroport. Jud raccrocha.

Il remonta en voiture et fit demi-tour.

— J'ai rendez-vous avec un gars. Je n'ai pas le temps de te déposer.

— Qui ça ?

Ils parcoururent trois blocs avant que Jud ne réponde.

— Un de mes hommes, dit-il. Il travaille pour moi.

— Je peux te demander ce qu'il fait ?

— Tu peux toujours demander.

Nick savait qu'il aurait dû rire de cette boutade, mais Jud lui avait répondu d'une voix blanche. Il regardait droit devant lui. Pas de plaisanteries, pas d'histoires, pas de sermons.

Le monde défilait derrière la vitre de Nick.

La route qu'ils suivaient traversait une zone industrielle entourée par le scintillement de L.A. Les immeubles laissèrent place à des terrains vagues cernés de fils barbelés. Ils passèrent devant des citernes d'essence blanches. Les ombres du crépuscule peignirent les collines en gris. Des lampadaires luisaient au bord de la route. Jud alluma ses phares. Il tourna à droite, passant devant des pompes à pétrole vertes, dont les bras métalliques écartelés plongeaient dans le sol avec un mouvement de va-et-vient régulier et incessant. Dans le smog qui défilait derrière sa vitre baissée, Nick sentait l'odeur de la terre nue. Le vent était froid.

La route décrivit une courbe, comme un avion qui s'incline sur l'aile. Jud tourna à droite sur un parking pavé devant une cabane de tôle. Une ampoule nue brillait au-dessus de la porte cadenassée de la cabane. Une veilleuse installée au sommet d'un poteau en aluminium projetait une lueur blafarde sur l'asphalte fissuré. Une moto noire attendait dans la lumière.

— C'est la sienne ? chuchota Nick.

Jud se gara près de la moto et coupa le moteur.

Des pompes à pétrole invisibles martelaient un *whump-whump-whump* régulier.

— Sors les mains de tes poches, conseilla prudemment Jud alors qu'ils descendaient de voiture.

Nick obéit. L'instinct l'attira aux côtés de Jud.

Les graviers crissèrent dans la nuit. De l'obscurité la plus profonde autour de la cabane émergea la silhouette d'un homme.

— Du calme, chuchota Jud. Dean ! s'écria-t-il. Tout est O.K. ! Je suis avec Nick. Je t'ai déjà parlé de lui, tu te souviens ? L'écrivain ?

— Je m'en souviens.

La silhouette de l'homme se rapprocha, en restant en dehors de la lumière.

— Nick arrive de Washington, dit Jud. On est de vieux amis.

— Ça me regarde pas.

Dean s'avança dans la lumière. La trentaine, plus d'un mètre quatre-vingts de muscles compacts, et des longs bras de primate. Nick remarqua son arme. Et ses yeux.

L'arme était un revolver. Le blouson de cuir de Dean était ouvert, laissant voir l'arme glissée dans la ceinture du jean noir. Les armes à feu sont la poutre maîtresse des fantasmes de l'Amérique, et les fantasmes, c'était le domaine de Nick. Il avait grandi avec les armes à feu, la chasse au lapin dans les champs du Michigan. Les armes à feu ne lui faisaient pas peur.

— Nous y voilà, dit Dean.

Dans les yeux de Dean, Nick entendit le crépitement de la chair qui brûle.

— Tu es dans le pétrin, dit Jud. La police de L.A. a découvert ta foutue manie. Ils te surveillent. Ils ne connaissent pas ton nom, mais ils sont décidés à t'avoir.

— C'est leur problème.

— Non, c'est *ton* problème. Et s'ils s'en mêlent, ça devient *mon* problème.

— Ne t'inquiète pas.

— Je ne m'inquiète pas, répondit Jud. Je m'occupe des problèmes avant qu'ils ne s'aggravent. Tu as merdé, tu compromets notre opération à cause de tes petits jeux de dingue. Je ne le tolérerai pas.

Les deux hommes s'observèrent. Le visage de Dean était lisse. Beau. Il sourit.

— O.K., dit-il.

— Je t'ai couvert pour cette fois, dit Jud. Parce que tu es un ami. Ne l'oublie pas.

— Entendu.

106

— Le reste se déroule normalement ?

— Eddie ne posera plus de problème.

— Parfait. Nous en reparlerons plus tard.

Le regard de Dean se perdit dans le vide, au-delà de Nick et Jud.

— Belle nuit. (Dean renifla l'air.) Fraîche. Y a des gens dans les rues.

— Quel est ton nouveau numéro ? demanda Jud.

— T'as un stylo ?

Jud n'en avait pas.

— Vous êtes écrivain ? dit Dean à Nick. Vous inventez des histoires ?

Nick acquiesça. Dean lui tendit un stylo.

— C'est chouette d'inventer des histoires, hein ? dit-il. De manipuler les faits à sa guise.

— J'aime mon métier, répondit Nick.

— Oui, fit Dean. Le métier. Vous avez déjà visité une morgue ?

Les pompes à pétrole poursuivaient leur martèlement monotone tandis que Nick cherchait une réponse.

— Non, dit-il enfin.

Dean sourit.

— Vous avez un papier pour noter ?

Jud fouilla dans ses poches, en vain. Nick ne trouva rien lui non plus, avant de songer à son carnet d'adresses dans son portefeuille.

— Tenez, dit-il en ouvrant son portefeuille noir.

— C'est normal que vous ayez peur, chuchota Dean.

Un buisson poussé par le vent traversa le parking.

— Je suis là, dit Jud. (Sa voix était calme, ses mains immobiles, ses yeux fixés sur Dean.) De quoi faut-il avoir peur ?

— La vie est une grande chose, dit Dean.

— Donne-nous ton numéro, ordonna Jud.

Dean dicta un numéro que Nick nota à la page des C.

— Quelqu'un vient, dit Dean, les yeux fixés sur la route.

Nick et Jud regardèrent les phares au loin.

— Ne bougez pas, dit Jud.

Les pompes à pétrole continuaient leur *whump-whump-whump* régulier.

L'air remua près de Nick. Il se retourna : Dean avait disparu. Jud et lui étaient seuls désormais dans le halo de lumière ; deux hommes, une Chevrolet et une moto.

— Merde ! cracha Jud.

Les phares suivirent la courbe de la route dans leur direction. Quand la voiture pénétra sur le parking goudronné, ils distinguèrent le gyrophare sur le toit, l'inscription sur les portières, et la ligne noire mouvante d'une antenne flexible.

— Laissez-moi faire, ordonna Jud.

Le cœur de Nick cognait furieusement dans sa poitrine. La sueur lui glaçait le dos, mais sa nuque et son front étaient brûlants.

Joue le jeu, se dit-il. *Joue le jeu et tout ira bien. Trop tard pour choisir une autre option.*

La voiture pénétra dans le cône de lumière et s'arrêta à environ trois mètres de Nick et Jud, les aveuglant avec les phares. Deux portières s'ouvrirent, une radio grésilla. Les phares s'éteignirent.

— Alors, dit le plus âgé des hommes en descendant de voiture, qu'est-ce qui se passe ici ?

Ils portaient des chemises grises, des insignes. Des revolvers à la ceinture.

— Flics à louer, murmura Jud.

— Qu'est-ce que vous avez dit ? demanda sèchement le plus jeune des deux mercenaires.

L'insigne peint sur la portière de la voiture indiquait GARDIENNAGE ET SECURITE.

— Qu'est-ce que vous faites ici ? s'écria Jud.

— Hé, mec ! gémit le plus jeune des deux vigiles. (Malgré ses bottes de cow-boy, il mesurait une tête de moins que Nick et Jud. Ses doigts pianotaient sur la gaine de son arme.) C'est à nous de poser cette question ! C'est notre boulot. Notre territoire.

— Du calme, Tom. (Le plus âgé s'adossa à la voiture de patrouille.) Tom est un vrai tigre. Faut bien le tenir en laisse.

— Je vois ça, dit Jud.

— Vous êtes sur la propriété d'une compagnie pétrolière, les gars, ajouta le plus âgé.

Il cracha du jus de chique près des pieds de Nick.

— On n'a vu aucune pancarte, répondit Jud. Désolés.

— Qu'est-ce qu'il a lui ? (Tom désigna Nick d'un mouvement de tête.) Il a donné sa langue au chat ?

— Il est timide.

— Et toi, le dur ? dit Tom.

Des mauvaises herbes craquèrent dans l'obscurité.

Tom pivota sur ses talons, l'arme au poing, scrutant les ténèbres en direction de la lueur lointaine de Hollywood.

— Vous avez entendu quelque chose ?

— Ouais, répondit le vigile. Des loups-garous.

— La lune est mauvaise, plaisanta Tom. On devrait peut-être aller chercher des balles en argent.

— Alors, les gars, dit son collègue à Nick et à Jud, qu'est-ce que vous fabriquez à nulle-part ville ?

— On s'occupe de nos affaires, répondit Jud.

— C'est-à-dire ? (Le vigile cracha de nouveau.) On n'est pas loin de l'aéroport, vous trafiquez de la came ?

Il attendit, mais Jud ne dit rien.

— Non, vous m'avez l'air trop mignons tous les deux pour ça.

— Laisse-moi leur poser la question, Win, gémit Tom.

Derrière les deux hommes, près de la cabane, Nick vit bouger une ombre.

— Je parie que la moto est à toi, dit Win à l'adresse de Jud.

— Exact.

— Tu parles.

Tom s'approcha de la moto.

— *Ne touchez pas à la moto !*

Les paroles de Jud étaient comme de la glace acérée.

Les doigts de Tom caressèrent la crosse de son arme.

— Me dis pas ce que je dois faire !

Sa voix tremblait.

Dean s'avança dans la lueur de l'ampoule au-dessus de la porte de la cabane. Derrière les vigiles. Ses longs bras pendaient le long de son corps ; ses mains étaient vides. Il souriait.

— Que voulez-vous ? demanda Jud.

Nick savait qu'il avait vu Dean lui aussi.

— On a tout ce qu'on veut, déclara Tom.

— Puisque vous répondez pas à mes questions, dit Win d'une voix traînante, et comme on vous a surpris sur une propriété privée, on devrait peut-être prévenir le shérif par radio pour qu'il envoie une voiture ?

Dean sortit lentement son revolver.

Non, arrêtez ! eut envie de hurler Nick. *Je suis journaliste ! Un écrivain ! Je n'ai rien à voir là-dedans ! Ils ne vont pas nous tuer ! Ils font simplement leur boulot !*

— Vous n'allez pas faire ça ! s'écria Jud.

— Et pourquoi pas ? répliqua Tom.

L'arme pendant dans sa main droite, Dean eut un grand sourire.

— Il... euh... bafouilla Jud. (Il baissa la tête et désigna Nick d'un geste timide.) Il est marié.

— Et alors ? répondit Tom.

— Ah ! fit Win en plissant les yeux.

— On cherchait un endroit tranquille. Pour se rencontrer. Pour discuter.

Win sourit.

— Vous n'avez jamais entendu parler du téléphone ?

Jud garda la tête baissée, mais ses yeux restaient

110

fixés sur les deux vigiles, et sur l'homme armé derrière eux.

— Je vous en supplie, murmura Nick.

Il jouait le jeu.

— Vous me donnez envie de vomir, les amoureux, dit Win. Pas de quoi vous payer un motel.

— Pervers ! cracha Tom qui avait enfin compris.

— J'ai l'impression que vous avez enfreint pas mal de lois, reprit Win. Le shérif va se faire un plaisir de vous embarquer.

— On est en Californie. Personne n'est poursuivi pour ça.

— Pas besoin de poursuivre quelqu'un pour le faire payer.

Win sourit et cracha du jus de chique.

Derrière eux, Dean leva lentement son revolver. Tenant son arme à deux mains, il s'accroupit en position de tir.

— On n'a rien à se reprocher ! s'exclama Jud.

— Alors qu'est-ce que vous foutez ici ? s'écria à son tour Win.

— Dix dollars, lâcha Jud.

— Quoi ? fit Win.

— Dix dollars. On ne fait rien de mal. Dix dollars. Votre patron ne saura pas que vous avez touché une prime.

— C'est ce qu'on vaut, à ton avis ? demanda Win. Ou bien c'est ce que tu vaux, toi ?

Tom pouffa.

— Marché conclu, dit Jud à voix haute.

— Pourquoi tu cries comme ça ? demanda Win.

Un rictus hébété déforma le visage de Dean. Sa bouche remuait comme s'il haletait ou sifflait, mais aucun son ne franchissait ses lèvres épaisses. Il s'abaissa davantage.

Du pouce, il arma le chien du revolver avec un bruit sec.

— Vous avez entendu ? dit Tom.

111

Il voulut se retourner.

— Vingt dollars ! s'écria Nick.

Tom s'immobilisa.

— Tenez ! (D'une main tremblante, Nick sortit un billet de sa poche de jean.) Vingt dollars. Partez, laissez-nous en paix.

Sa main tremblante tendit l'argent à Tom.

— Je veux que ce soit le caïd qui me le donne, exigea Tom avec un sourire.

Jud prit lentement le billet de vingt dollars de la main de Nick. Il le tint en hauteur pour que Dean puisse le voir. Jud embrassa le billet, le roula en boule et le jeta par terre, près des bottes de cow-boy de Tom.

Nick regardait le corps de Dean trembler ; il regardait son visage se contorsionner. L'arme ne tremblait pas.

— Je veux bien faire cracher des connards tous les jours, dit Tom.

Il ramassa le billet et le fourra dans sa poche de chemise.

— Viens, Tom.

Win retourna vers la voiture. Tom recula et monta à bord sans quitter des yeux Jud et Nick.

Nick jeta un regard vers la cabane. Dean s'était volatilisé.

— Amusez-vous bien, les gars, lança Win.

Ils repartirent bruyamment dans une gerbe d'éclats d'asphalte.

Quand les phares se furent éloignés d'au moins cinq cents mètres, Jud s'écria :

— A quoi tu joues, bon Dieu ?

Dean apparut sur leur droite.

— J'aurais pu te faire économiser vingt dollars, dit-il.

— Arrête un peu de déconner ! hurla Jud. J'avais la situation en main ! C'était pas tes oignons ! Je ne t'ai jamais autorisé à faire ce genre de connerie ! Ce n'est pas un jeu ! C'est du sérieux !

— Ah oui ?

Dean s'avança vers eux.

— Je ne plaisante pas !

— Simple entraînement, répondit Dean.

— Pas avec moi, dit Jud. Pas avec mon fric.

Dean sourit. Il haussa les épaules.

— C'est toi le patron.

Il enfourcha sa moto, remonta la fermeture Eclair de son blouson sur son arme. L'engin se réveilla dans un grognement. Dean fit rugir deux fois le moteur, avant de le laisser ronronner.

— C'est tout ? demanda-t-il.

Jud tendit une liasse de billets à l'homme assis sur la moto.

— Fais attention à toi, ordonna Jud.

Dean lui adressa un grand sourire ; il avait des dents d'une blancheur d'ivoire.

— A la prochaine.

Il disparut dans la nuit dans un vrombissement. Les laissant seuls avec le martèlement des pompes à pétrole.

— On a eu chaud, dit Jud, mais j'ai tout arrangé, tout va bien...

— Il a armé le chien de son revolver pour qu'ils se retournent et lui donnent un prétexte pour les abattre !

— Faut comprendre Dean, dit Jud. Il m'aime comme un frère ; il ferait n'importe quoi pour moi. Si j'avais le dos au mur, il est un de ceux vers qui je me tournerais. Il faut comprendre...

— Je le comprends très bien !

— Je sais. (La voix de Jud se fit plus grave, plus calme.) Mais tu ignores quel pouvoir il a.

— Quoi ?

Jud attendit que Nick trouve lui-même la réponse.

— Tu veux dire qu'il travaille pour le gouvernement ? suggéra enfin Nick.

— Pas à plein temps, répondit Jud. Tu te souviens de cette histoire d'assassinat véridique que tu es venu dénicher jusqu'ici ? Le Russe suit tranquillement le

113

réfugié bulgare dans les rues de Londres, et il lui balance un projectile empoisonné avec un parapluie trafiqué. Dean est moins subtil.

— Qu'a-t-il fait pour toi ? interrogea Nick.

— Rien d'aussi grave, dit Jud. Je l'ai envoyé dire deux mots à un type.

— Il travaille pour toi, dit Nick avec du dégoût dans la voix.

— Pour moi. Pour l'Oncle Sam. Pour les gens qui ont besoin de types comme lui.

— Quel est son « hobby » ?

Nick avait un goût de bile dans la bouche.

— Il s'introduit dans les maisons quand il n'y a personne. Il fait des choses.

— Comment sais-tu que les flics s'intéressent à lui ?

— Viens, dit Jud, allons-nous-en.

Il se dirigea vers la voiture, se retourna et vit Nick qui contemplait la cabane et le parking mal éclairé.

— Ça c'est du vécu, Nick. C'est ce que tu voulais connaître. Tu ne vivras jamais ce genre d'expérience ailleurs. Personne ne te montrera jamais ça, personne ne te fera suffisamment confiance pour t'amener avec lui, et personne ne sera jamais assez puissant pour te couvrir afin que tu ne sois pas inquiété.

Nick regardait dans la nuit, à mille mètres de là.

— Qu'est-ce que tu regardes ? demanda Jud.

— Un endroit neuf, répondit Nick.

— Rien n'a changé. Tout va bien. Et tu as été vraiment bon. Très bon.

— Non, c'est faux, dit Nick. Pas *bon*.

Il monta en voiture. Ils repartirent.

En cette matinée de mars, à des milliers de kilomètres de là, et plus de dix ans après, Nick contemplait l'écran de son ordinateur et il se souvenait.

Pourquoi est-ce que je ne suis pas parti à ce moment-là ? se demanda-t-il. Il ne connaissait pas la réponse. Il n'était pas certain qu'une seule réponse suffirait.

Il avait revu Dean une seconde fois, des années plus

tard, lors d'une soirée chez Jud, dans sa grande maison de L.A. Dean avait eu un accident de moto, il avait la jambe estropiée. Un fantôme déchu avec des béquilles. Mais il avait toujours ses yeux de cannibale.

Si j'avais le dos au mur, il est un de ceux vers qui je me tournerais.

C'était il y a des années, songea Nick. Avant même que leurs chemins ne se séparent, Jud parlait moins souvent de Dean. Aujourd'hui, peut-être étaient-ils ennemis. Dean était peut-être mort. Et s'il était toujours en vie, pourquoi saurait-il si Jud était en danger ? Et comment le contacter ?

Le tiroir supérieur de droite du bureau de Nick brillait. A l'intérieur, parmi les photos d'anciennes maîtresses, les clés de sa première voiture, des cartes postales qu'il aimait trop pour les envoyer et des crochets de serrurier offerts par Jud, se trouvait le vieux portefeuille.

Nick sentit la nausée monter en lui. Il avait l'impression de chevaucher une vague qui le conduisait vers un rivage dont il approchait depuis des années. Il n'avait aucune envie de se trouver sur cette vague, mais ça ne comptait pas.

Dehors, devant la fenêtre de son bureau, les grosses branches des arbres dansaient dans le vent.

Après avoir rencontré Jud, Nick avait achevé son roman sur les travailleurs de l'industrie automobile, il avait abandonné la chronique de Murphy, publié quatre autres romans et créé une série télévisée diffusée pendant toute une saison. Les critiques qualifiaient ses livres de réalistes ; ils se demandaient où il trouvait tout ce matériau.

L'écran de l'ordinateur s'éclaira.

La machine renfermait les cinq premiers chapitres du roman qu'écrivait Nick sur un homme emprisonné injustement. Un nouveau contrat se préparait à Hollywood ; il avait du pain sur la planche. Il n'avait pas de temps à consacrer à des quêtes suicidaires. Aucune envie de risquer la vie de son épouse et de son enfant, pour qui il aurait massacré des milliers de personnes.

Il se souvint d'une de leurs premières journées de folie, filant à toute vitesse sur l'autoroute de L.A., Jud au volant de la Mercedes, Lorri assise entre eux, sa crinière châtaine flottant au vent. La radio crachait à plein volume les martèlements des batteries et les pulsations des guitares basses. Ils étaient ivres de danger, de drogues et de leur destin. Jud hurlait des explications sur *la vraie vie.*

« Faut connaître la réalité ! beuglait-il. Sinon, t'es qu'un crétin comme les autres ! »

Sylvia a peut-être raison, se disait Nick en ce matin de mars 1990 à Washington. Après toutes ces années, le danger pour moi, ce sont peut-être ces fantômes lointains. Inoffensifs. Peut-être que je ne dois rien à Jud.

Excepté les cicatrices qui ont façonné ta vision des choses.

La première nuit où Nick avait marché aux côtés de l'ours qui luisait dans le noir, Jud lui avait dit : « Personne ne vous a jamais dit que vous étiez peut-être trop fidèle ? »

« Je ne les ai jamais crus », avait répondu Nick. Avec fierté.

Le vent fit vibrer les fenêtres du bureau.

— Que dirais-tu maintenant, Jud ? demanda Nick à l'ordinateur.

Mais l'ordinateur n'avait pas la réponse.

« Quand ça se résume à ça, avait un jour demandé Jud à Nick, qu'est-ce que tu te dis ? »

« Je me dis que tu fais quelque chose, répondit Nick, même si tu n'essayes rien. »

« Alors fais gaffe à toi, d'accord ? »

Ils avaient ri.

Dans son bureau, Nick chevauchait les vagues. Il avait peur pour sa famille, il avait peur pour lui. De ce qui pouvait se passer, *si*. C'était illimité. La devise

116

de la CIA affirmait que la connaissance de la vérité vous rendait libre. Nick avait peu de certitudes, mais il sentait tout ce qu'il chérissait glisser entre les mains d'inconnus sans visage et de forces sans nom. Il ne pouvait se contenter d'attendre qu'on frappe à sa porte.

« Il y a une chose dont tu pourras toujours être sûr, lui avait dit Jud. Je resterai ton ami. A jamais. »

Ils avaient échangé une poignée de main.

Et elle avait le sens qu'ils voulaient lui donner, songea Nick.

Mais il savait que ce n'était pas le plus important. Ça ne concernait pas uniquement Jud. Ça le concernait lui aussi. Et le fait de savoir réellement qui il était. La fidélité à de vieux idéaux, peu importe qu'il les ait ternis. Il en était conscient en ouvrant le tiroir de son bureau, en sortant le vieux portefeuille noir, en retrouvant le numéro effacé, griffonné dans le carnet d'adresses à la page des C. Les numéros de téléphone changent d'abonnés. Il n'y aurait personne. Personne qu'il connaissait. La lune était mauvaise.

— Sauf si la chance est avec moi, murmura-t-il en composant le numéro.

L'abîme

Après la réception chez Denton, Wes passa le week-end dans son bureau pour abattre le maximum de travail. Le lundi matin, il ne réussit pas à dormir plus tard que trois heures et demie. Il quitta son appartement de Capitol Hill pour faire son jogging. Le vent d'hiver lui brûlait le visage et les poumons tandis qu'il passait en courant devant le Capitole, en descendant le Mall. La terre gelée croustillait sous ses pieds. Arrivé au Lincoln Memorial, il fit demi-tour. Non loin se dressait le mur noir sur lequel étaient gravés les morts de sa guerre. Son *Washington Post* l'attendait à son appartement du dernier étage lorsqu'il eut parcouru ses dix kilomètres. Il alluma la radio jazz de PBS et exécuta ses vingt pompes. Après quoi, il fit du café, avala un bol de Grape-Nuts et lut les nouvelles, en essayant de chasser son inquiétude. Il enfila son uniforme, mit un costume civil dans sa voiture et descendit la 8e rue jusqu'au quartier général du N.I.S. au centre de la Navy de Washington.

Protégé par des murs de brique et des postes de surveillance, à portée de canon du Capitole, le centre de la Navy abrite des dizaines de bâtiments en brique rouge destinés aux opérations de haute sécurité, allant de la Division fédérale de recherches de la bibliothèque du Congrès qui publie des études confidentielles sur les gouvernements étrangers, au Centre national d'interprétation photographique de la CIA et au Centre d'alerte anti-terroriste de la Navy.

Wes se dirigea vers le bâtiment 111. Sa plaque d'identité lui permit de franchir le contrôle de sécurité du rez-de-chaussée, puis celui du premier étage. Il évita soigneusement ses collègues et referma la porte de son bureau.

Et il attendit.

A 9 h 31, un officier de la Navy frappa à sa porte.

— Le commandant en chef veut vous voir immédiatement, sir !

Deux bureaux plus loin dans le hall moqueté, l'officier de marine assis derrière son bureau tendit un ordre de mission à Wes.

— Vous êtes au courant ? demanda le commandant en chef Franklin.

Wes jeta un coup d'œil au document qui confirmait le plan de Denton.

— Je découvre cet ordre à l'instant, sir, se défila Wes, obéissant aux consignes de discrétion de Denton.

— Ces documents sentent le coup fourré ou je me trompe ?

— Sans commentaire, sir.

— Vous pourriez au moins sourire, dit Franklin.

Wes éclata de rire.

— Si j'avais su que vous vouliez jouer les espions, on aurait pu vous envoyer au quatrième, reprit Franklin.

Au quatrième étage du bâtiment se trouvait le centre de contre-espionnage du N.I.S.

— Je n'ai rien demandé, dit Wes.

— Mais vous ne dites pas non. (Franklin secoua la tête.) C'est un terrain visqueux, faites gaffe.

— Je ferai de mon mieux.

— Si vous avez besoin de quelque chose, passez-moi un coup de fil. Ceci est à la fois officiel et officieux.

— Je vous en remercie, sir.

— Oh ! quelle froideur aujourd'hui. Vous êtes censé

conserver vos papiers du N.I.S. Ne les éclaboussez pas avec de la merde, O.K. ? Et revenez vite.

— J'essaierai.

— Une dernière chose. Le général Butler exige de vous voir au Pentagone *avant* que vous ne débutiez votre nouvelle mission.

— Vous a-t-il dit pourquoi ?

— Vous et moi on ne demande pas *pourquoi* à un général des Marines.

Le salut de Wes fut amical.

— Les amarres sont larguées, dit l'homme en uniforme blanc.

Samuel Butler, corps des Marines des Etats-Unis, portait deux étoiles sur sa chemise amidonnée. Son bureau et les piles bien nettes de documents posés sur celui-ci formaient un angle droit avec les murs de son bureau du Pentagone. Une photo de son épouse et de ses trois enfants faisait face au fauteuil du général, à exactement quarante-cinq degrés par rapport au coin droit du bureau. Sur le mur en face du général était accrochée une photo en couleurs du Iwo Jima [1] Memorial. Sur le mur de gauche, une photo en noir et blanc montrait celui qui n'était encore que le major Butler prenant personnellement le commandement d'une patrouille en février 1969 au mépris du règlement. On distinguait à peine le visage carré de Butler au milieu des casques et des gilets de protection, des M16 et des radios, les visages inquiets des jeunes Marines. Sur cette photo, le treillis du lieutenant Wesley Chandler était encore neuf. Le porte-manteau placé dans le coin du bureau supportait la veste de Butler avec ses quatre rangées de décorations. Le tiroir de son bureau renfermait la médaille d'Honneur du Congrès.

Face à lui était assis Wes.

1. Iwo Jima (Iô-Jima) : Ile du Pacifique qui fut l'objet d'âpres combats en février 1945 entre les Japonais et les Américains.

— Le commandant en chef m'a parlé de votre mission, dit Butler.

Wes redoutait de devoir mentir au général Butler. En gardant le silence, il respectait son intégrité et la promesse faite à Denton. A la seconde même où il choisit de ne rien dire, Wes sentit un frisson glacé lui frôler le cœur.

— Vous voyez ces étoiles sur mes épaules ? demanda Butler.

— Oui, sir.

— Elles sont sur un uniforme des Marines. Il n'y a pas de meilleur uniforme. Elles signifient que je suis responsable de tous ceux qui portent la même tenue olivâtre avec moins de ferraille. Vous faites partie de mes hommes. Or, aucun Marine n'a connaissance de votre feuille de route.

— Sir, parfois la sécurité nationale...

— Ne me parlez pas de *sécurité nationale*, cracha Butler. Et ne me parlez pas des *nécessités de l'espionnage*.

Butler secoua la tête. Ses cheveux argentés étaient plaqués sur son crâne.

— Vous savez pourquoi je me suis engagé dans les Marines, Wes ?

— Non, sir.

— Parce que la vraie *sécurité nationale* est la chose la plus importante qu'un homme puisse défendre. Dans un monde tel que le nôtre, ça signifie que vous devez être prêt à faire la guerre et être capable de la gagner. Mais je ne veux plus perdre des hommes pour des histoires politiques camouflées derrière des mots comme *sécurité nationale* ou *exigences de l'espionnage*. A cause de quelques politiciens pudibonds qui jouent aux durs dans leur tour d'ivoire. En se servant de mes hommes.

— Sir, je n'ai pas la liberté de dévoiler les détails de ma mission. Comme vous, je crois en la hiérarchie.

Butler secoua la tête.

— Là où vous allez, ce n'est pas une question de croyance, c'est une question de foi. Ce n'est plus de la politique, c'est de la théologie.

Wes risqua un sourire.

— J'espère que non, sir. Je n'ai jamais été très calé en religion. J'aime avoir une bonne équipe, mais je veux pouvoir prendre des initiatives. Et ceci... Sir, j'ai une mission officielle. Une mission légitime.

— Légitime ? Demandez-moi de prendre un terri- toire, de combattre un ennemi, de gagner une guerre. Mais ne me confiez plus de missions sans fin et sans but. (Butler pointa un index menaçant sur l'homme assis face à lui.) Ne devenez pas une gêne de plus pour les Marines, en allant pleurnicher devant une quelconque commission du Congrès.

— Non, sir.

— Vous aurez peut-être besoin d'aide, où que vous alliez et quoi que vous fassiez. Le commandant en chef m'a demandé de ne pas m'en mêler, vous appartenez maintenant aux hommes de l'ombre. (Butler haussa les épaules.) Je ne peux pas envoyer une escadrille ni l'artillerie, mais si vous braillez assez fort, je pourrai peut-être larguer quelques bombes éclairantes dans l'obscurité.

— Je vous remercie, général.

Les deux hommes se levèrent. Wes voulut saluer, mais le général lui tendit la main.

— Quand vous serez là-bas, n'oubliez pas qui vous êtes. Faites attention aux mines.

Les arbres dénudés qui bordaient le boulevard périphérique George Washington de Virginie se balan- çaient dans le vent, tandis que Wes se rendait au siège de la CIA. Il avait enfilé son costume civil dans les toilettes du Pentagone. A la grille d'entrée, des gardes dans une cabine en Plexiglas consultèrent un registre avant de lui indiquer un emplacement de parking près de la porte principale. Il gravit l'escalier de marbre, pénétra dans le hall en marbre. D'autres gardes vérifièrent le contenu de sa mallette et le confièrent à un de leurs collègues ; celui-ci conduisit Wes à un ascenseur qui les transporta en un instant au cinquième étage. Le garde désigna à Wes une salle d'attente déserte, avant de redescendre avec l'ascenseur.

Une porte s'ouvrit. Noah Hall fit signe à Wes.

— Des problèmes ?

— Non, aucun, répondit Wes.

La porte que lui fit franchir Noah ne portait aucune indication, pas même un numéro.

Trois des quatre bureaux de la pièce étaient vides. Celui qui se trouvait près de la fenêtre disparaissait sous les rapports classés top secret, les chemises, les listings d'ordinateur, les téléphones, les fichiers Rolodex et un attaché-case en aluminium avec des serrures à chiffres.

— Le boss nettoie la merde de la contra iranienne, dit Noah en contournant d'un pas lourd le bureau encombré. Je vais vous mettre au parfum.

Le bull-dog s'assit. Wes prit une chaise devant un autre bureau.

— La sécurité vous donnera un laisser-passer pour monter jusqu'ici. Si vous avez besoin d'aller dans une autre partie du bâtiment, prévenez-moi ou appelez la secrétaire du boss, on vous filera une autorisation.

— Pourquoi ne pas me donner un laisser-passer pour tout le bâtiment ?

Noah agita la main.

— Trop compliqué. (Il manipula les serrures de la mallette.) Quand vous serez à la sécurité, voyez Mike Kramer. Il vous passera l'enregistrement du coup de téléphone de votre homme, plus quelques autres de lui qu'ils viennent de retrouver « par hasard ».

Les serrures de l'attaché-case en aluminium rayé s'ouvrirent avec un déclic. Noah en sortit une chemise vierge.

— Mes notes, le summum de la paperasserie, dit-il.

Noah lança à Wes une épaisse enveloppe blanche.

— Cinquante mille dollars, dit-il, tandis que Wes comptait les coupures usagées de cinquante et de cent dollars. (Noah lui tendit un bloc et un crayon.) Une avance sur frais. Faites-moi un reçu et signez.

Wes s'exécuta, puis rendit le bloc et le stylo en disant :

— A vous de me faire un reçu... pour mon reçu. Et signez-le.

Le bull-dog du directeur de la CIA tiqua.

— On a dit, pas de traces écrites, Wes.

— Vous venez de m'en réclamer une. Mais ça ne marche que dans un seul sens.

Noah secoua la tête en riant. Tout en griffonnant un reçu, il dit :

— Vous ferez peut-être l'affaire finalement. En sortant d'ici, ajouta-t-il, vous irez voir un type. Quelqu'un qui vous donnera un coup de main en cas de besoin.

— Je croyais qu'il s'agissait d'une mission en solo ?

— Vous aurez peut-être besoin de l'aide d'un spécialiste pour certaines choses, et puisque ici nous sommes tenus à l'écart du système...

Noah haussa les épaules.

— De qui s'agit-il ?

— Jack Berns. C'est un détective privé. Il a coincé un sénateur dans une affaire de divorce, il a baisé un juge fédéral. Un gars de la Maison Blanche impliqué dans le Watergate est venu réclamer l'aide de Jack au moment où les griffes de la justice se refermaient. Mais Jack avait une dent contre les gars de Nixon. Un arrangement qui avait mal tourné. Jack a fait venir le type chez lui, bouquins juridiques aux murs, photos de grosses huiles. Micros cachés. Jack a enregistré le type du Watergate qui se déballait, puis il a envoyé les bandes à cet enfoiré de chroniqueur, Peter Murphy.

— Quelle aide peut-il m'apporter ?

— Aucune idée, Wes. A vous de le découvrir.

124

— A-t-il déjà travaillé pour la CIA ?

— Notre gouvernement n'engage pas des individus tels que Jack, répondit Noah.

Ils s'observèrent.

— Vous voudriez savoir ce que je fais avec lui ? demanda Wes.

— Ce qu'on veut savoir, c'est ce que vous apprenez. Mais Berns vous attend. Je n'aimerais pas décevoir un vieil ami.

— Je souhaiterais avoir des copies de ces enregistrements, dit Wes à l'homme aux cheveux gris assis derrière le bureau dans la pièce aux murs vides.

Un magnétophone et neuf cassettes étaient les seuls objets posés sur le bureau. Un badge d'identification violet avec une photo était fixé à la veste de Wes.

— Vous n'avez pas l'autorisation nécessaire, répondit l'homme.

Son badge dans les tons arc-en-ciel portant une douzaine de numéros indiquait qu'il se nommait Michael Kramer, sans toutefois préciser qu'il était chef de la sécurité à la CIA.

— Comment puis-je obtenir cette autorisation ? demanda Wes.

— Demandez à Noah Hall de s'en occuper.

Kramer avait un regard morne.

— Je ne suis pas ici pour vous causer des ennuis, dit Wes.

— Alors pourquoi êtes-vous là ?

— Demandez au directeur.

— Il ne m'appartient pas de le faire, *major*.

— Que voulez-vous au juste ?

— Ma retraite est assurée. Je peux démissionner quand je veux.

— Vous vous fichez de votre retraite, dit Wes.

Il vit Kramer sourire pour la première fois.

— Ce que je veux ? répéta Kramer. Je veux que cette boîte tourne comme elle devrait. Sans ces grosses huiles qui se pavanent dans les étages en attendant qu'une meilleure place se présente. Sans ces emmerdeurs du Congrès qui viennent vous dire : ne faites pas ceci, faites cela, mais empêchez les méchants de gagner.

— Je ne fais pas partie des méchants.

— Peut-être pas. Mais vous n'êtes pas des nôtres. Vous êtes un soldat de plomb qui fait un sale boulot pour les politiciens du dessus.

Il n'y avait aucune pendule sur les murs nus pour chronométrer le silence entre les deux hommes.

— Merci de votre chaleureuse coopération, dit finalement Wes.

— Je fais mon boulot, répondit Kramer. Vous voulez de l'aide, gagnez d'abord ma confiance.

— Je me fous de votre confiance.

Wes se leva.

— Une dernière chose, dit Kramer alors que Wes ouvrait la porte. (Dans le couloir attendait le garde qui avait conduit Wes jusqu'à ce bureau au sous-sol.) Le sous-directeur Cochran veut vous voir. Si vous êtes intelligent, vous ferez ce que Billy vous dira.

Une fois dans le couloir, Wes s'attarda devant la porte close de Kramer. Le garde toussota.

— Monsieur Cochran vous attend...

Wes ouvrit brutalement la porte de Kramer.

Le chef de la sécurité avait sorti un téléphone d'un tiroir ; il composait un numéro.

— Je voulais juste vous remercier encore une fois, dit Wes en adressant un sourire à l'homme surpris en train de passer un coup de téléphone secret sur un téléphone secret.

En ressortant, il claqua la porte.

— Je vous remercie de prendre le temps de venir me voir, dit Billy Cochran à Wes.

— Je vous en prie, répondit Wes à l'homme dont

les épaisses lunettes reflétaient les âmes d'une centaine de nations.

Sur le bureau du sous-directeur une pile de dossiers classés top secret attendaient que Billy y pose son regard.

Ils étaient assis dans des fauteuils rembourrés dans un coin du bureau de Cochran. Sur un des murs étaient accrochées cinq gravures sur bois japonaises, des portraits à l'encre et des natures mortes, des volutes bleues et rouges, avec une calligraphie noire. La pièce était calme et sereine. Fraîche.

— Le directeur m'a informé de votre mission, dit Billy. Je lui ai conseillé d'abandonner cette affaire.

— Pourquoi ?

Billy regarda à travers la baie vitrée.

— On ne voit pas le Potomac à cause de tous ces arbres, dit-il. La plupart ont leurs racines en Virginie, mais le Maryland est juste derrière. Comme le fleuve, supposons-nous.

Le sous-directeur se retourna vers Wes.

— Plus je travaille pour l'espionnage, plus je deviens prudent. Les actions que nous entreprenons pour tenter d'acquérir certains renseignements risquent de déclencher les catastrophes que nous redoutons. Notre tâche est de découvrir les faits, pas de les créer. Je ne pense pas que cet appel téléphonique nécessite une réaction de notre part.

— Je ne suis pas une grosse réaction, dit Wes.

— Le danger ce n'est pas qui vous êtes, dit Billy, c'est ce que vous pourriez devenir. Vous devez prendre garde aux subtilités qui risquent de vous échapper. Le directeur et moi-même sommes d'accord sur l'absolue nécessité de garder cette opération la plus secrète possible.

— Evidemment, répondit Wes. (Il hésita, puis demanda :) Savez-vous quelque chose sur Jud Stuart ?

— J'ai lu les informations de l'Agence, répondit Billy.

— J'essaye seulement de découvrir la vérité.

— Vous allez y passer votre vie. Nous sommes l'un et l'autre des soldats, ajouta le général trois étoiles de l'Air Force. Vous avez reçu un ordre d'un officier supérieur. Je veux que vous réussissiez.

— Votre chef de la sécurité me considère comme un ennemi.

Billy fronça les sourcils. Wes lui narra son entrevue avec Kramer. *Mais je parie que vous le savez déjà*, songea-t-il.

Billy se dirigea vers son bureau. Le temps froid le faisait boiter. En 1964, Billy qui était alors officier de renseignements dans l'Air Force avait failli être chassé de l'armée à cause de sa myopie. Il se trouvait sur la base aérienne de Bien Hoa la nuit d'Halloween, quand les Viêt-congs avaient attaqué les pistes d'atterrissage au mortier et que des soldats d'infanterie avaient franchi les barbelés. Alors que deux bombardiers géants brûlaient sur la piste, Billy, désarmé, jaillit de son bunker pour extirper un pilote blessé d'une Jeep, s'emparer de la mitraillette d'un policier de l'air tué, afin de repousser les Viets. Des éclats d'obus lui criblèrent la jambe ; il perdit ses lunettes. « Je tirais sur des formes floues », expliqua-t-il au commandant de la base. Billy ne voulut accepter que la « Silver Star » : une décoration plus prestigieuse risquait de braquer les projecteurs sur un espion.

— Allô, Mike ! demanda le sous-directeur au téléphone. Soyez gentil de transmettre ces bandes au major Chandler... Sous mon autorité... Merci.

Et maintenant, vous suis-je redevable ? songea Wes.

Billy le raccompagna jusqu'à la porte.

— Vous serez peut-être bien avisé de me contacter de temps à autres, dit Billy. Je pourrai peut-être vous ouvrir d'autres portes.

Sur le seuil de son bureau, il posa la main sur le bras de Wes.

— Je veillerai à garder le contact.

De retour au Pentagone, seul dans un bureau sans fenêtre, Wes mangea un sandwich acheté au distributeur et but un café froid. Sur les murs vert citron étaient fixés les souvenirs d'une carrière de dix-neuf ans dans l'Armée. La photo encadrée sur le bureau montrait une seconde épouse de vingt-neuf ans et un jeune enfant devant un pavillon de banlieue en Virginie.

Un colonel portant sur l'épaule l'écusson de l'aigle hurlant de la 101e Division aéroportée se rua dans le bureau, en refermant soigneusement la porte derrière lui. Dans une main, il tenait un classeur ; de l'autre, il fit signe à Wes de garder le silence. Il débrancha le téléphone sur le bureau.

— Ils peuvent faire des trucs avec les téléphones, dit-il en s'asseyant.

Le colonel avait pris de l'embonpoint depuis l'école de parachutisme. Ses yeux firent le tour de la pièce, avant de se poser sur le Marine assis dans le fauteuil réservé aux visiteurs.

— Tu sais ce que tu as fait ? chuchota le colonel.

— Que se passe-t-il, Larry ?

— Ça ! (Il lança le dossier à celui qui le lui avait donné.) C'est quoi ce bordel ?

— Soi-disant les états de service d'un soldat.

— Tu travailles pour le N.I.S. Ça c'est l'Armée !

— C'est le même pays, non ?

— Epargne-moi tes salades. Qu'est-ce que tu fous ?

— Simple routine, dit Wes. J'essaye de comprendre ce dossier. Les blancs du formulaire ne sont pas remplis. Quand a-t-il quitté l'Armée ? Et où était-il stationné ? Forces Spéciales, mais quelle section ?

— Tu as le dossier. Débrouille-toi.

— Ce dossier est une fumisterie. Pas une seule photo. « Vingt Simulations de Sauts de Combat » : cette désignation n'existe pas... et tu le sais.

— Je ne peux pas t'aider, Wes.

— Tu as passé quatre-vingt-dix minutes avec ce

dossier. Le colonel Je-Sais-Tout, le gars qui connaît le Pentagone comme sa poche, celui qui peut tout vous obtenir, qui peut tout faire. Ta queue s'est ramollie ?

— Tu n'as pas le droit de me parler de cette façon !

— Aide-moi, Larry.

— J'ignore qui tu es, dit l'homme qui connaissait Wes depuis dix ans. Tu me refiles un dossier à la con et une histoire à la con comme quoi tu ne veux pas perdre de temps avec les circuits officiels. Tu m'envoies sur la piste comme un bon toutou. Mes gars rentrent les données dans les ordinateurs... toutes ces désignations. Ils en ont jamais entendu parler.

... Une demi-heure plus tard, un gradé que je ne connais pas me tend une copie des données, m'expliquant qu'un major qu'il ne connaît pas l'a obtenue auprès d'un deux étoiles qui a ordonné à tout le monde de ne même pas penser à ce type. Puis le gradé ajoute : « Dites à Chandler qu'il sait déjà tout ce qu'il a besoin de savoir. »... Ils connaissent ton nom, Wes ! chuchota le colonel.

— Je suis flatté. Peux-tu m'aider ?

Larry secoua la tête.

— Ils connaissent mon nom également.

— Qui peut m'aider ? Où dois-je m'adresser maintenant ?

— Retourne à ton bureau au N.I.S. Ou chez toi. Je ne sais pas.

Wes se leva ; il jeta l'emballage de son sandwich et son gobelet en polystyrène dans la corbeille à papiers du colonel.

— Wes, lui dit son vieil ami alors qu'il posait la main sur la poignée de la porte, c'est juste une supposition, mais... ce dossier et ce type, c'est comme s'ils n'existaient pas. Il se passe des choses, certaines personnes... Si tu veux en savoir plus sur ce type, trouve quelqu'un d'autre qui n'existe pas.

Jack Berns habitait un cul-de-sac dans une banlieue

de Virginie, dans la tranche de prix inférieure et à une dizaine de kilomètres à l'est de Denton, le directeur de la CIA. Berns était un homme de petite taille presque totalement chauve. Il portait un polo de golf vert citron, son pantalon était remonté au-dessus de son ventre proéminent. Il avait des chaussures à pompons.

— Ravi de vous rencontrer ! dit Berns en invitant Wes à entrer chez lui. Comment trouvez-vous ma maison ? Elle m'a coûté cinquante-deux mille dollars en 69, elle en vaut deux fois plus aujourd'hui, facile. Allons dans mon bureau.

Deux murs étaient entièrement recouverts d'ouvrages juridiques. Les portes vitrées et les fenêtres s'ouvraient sur un jardin. Sur le mur derrière le bureau étaient accrochées des photos de Berns en compagnie de célébrités, des articles de journaux célébrant ses exploits, et la première page d'une interview qu'il avait accordée à « un magazine pour hommes ». Berns avait également encadré à côté de l'article la rouquine de vingt ans de la double page centrale du même numéro. Elle portait un porte-jarretelles noir, des bas résille, des talons hauts, et elle faisait la moue.

Une table de billard trônait au milieu de la pièce.

— Vous êtes bien installé, commenta Wes.

Il avait les yeux fixés sur la playmate, mais il cherchait les micros cachés.

— Et entièrement déductible des impôts, souligna Berns.

Des boules de couleur attendaient sur le velours vert de la table de billard.

— Pourquoi notre ami pense-t-il que vous pouvez m'aider ? demanda Wes.

— Parce qu'il est intelligent, répondit Berns. Vous êtes à la recherche d'un homme... Jud Stuart.

Wes fit rouler la boule rouge numéro 7 dans une poche d'angle.

— Que vous a dit Noah à part ça ?

131

— Rien, excepté que vous auriez peut-être besoin d'aide. Et que vous auriez du liquide. Ce qui compte, c'est ce que je ne lui ai pas dit.

— On peut savoir ?

Wes donna un coup de poignet ; la boule numéro 9 avec un cercle jaune rebondit sur la bande, percuta la 6 verte, et faillit tomber dans une poche du milieu.

— J'ai rencontré votre homme une fois.

— Quand ? demanda Wes. Où ?

Berns sourit.

— Vous avez un uniforme, moi j'ai un métier.

— Combien ?

— Je ne suis pas un type qu'on achète facilement.

Wes fit rouler lentement la 8 noire dans la poche du coin. Pendant que la boule traversait la table, il prit son attaché-case sur le canapé et le posa sur le feutre vert.

— Votre profession n'offre aucune « garantie de confidentialité », dit-il, et je suis un simple citoyen qui exige de la discrétion.

— Je peux faire beaucoup plus pour vous qu'un médecin ou un prêtre, répondit le détective privé.

— Je vous file mon argent, dit le Marine, et ensuite nous établissons un contrat. La première règle c'est de ne rien dire à personne, pas même à Noah. Si je découvre quoi que ce soit sur moi, ou sur mes activités, dans n'importe quel journal ou magazine, dans la chronique de Peter Murphy, dans n'importe quel dossier gouvernemental... un avocat ne vous suffira pas.

— Noah ne vous enverrait pas ici si je n'étais pas digne de confiance.

Wes plongea la main dans sa mallette en se cachant de Berns ; il compta cinq cents dollars qu'il déposa sur la table de billard.

Berns ramassa les billets, tandis que Wes poursuivait :

— C'est une avance en échange de vos services,

venant de moi, simple citoyen. Quelle que soit votre histoire, elle ne vaut pas les cinq cents dollars.

Le privé eut un grand sourire.

— Avant de partir, ajouta Wes, j'exige un reçu.

— Noah a dit qu'il ne voulait pas de ça.

— Noah ne vous a pas donné cinq cents dollars. J'exige un reçu.

— Sur ma carte de visite, s'esclaffa Berns. Je peux m'occuper de tout : relevés téléphoniques, déclarations d'impôts. J'emploie des personnes que les inspecteurs des finances ne connaissent même pas. Vous voulez une écoute ? Je fais appel à un gars qui pourra vous dire quand votre grand-mère pète. Evidemment, il faut bien les payer. Sans compter mon temps.

— Parlez-moi de Jud Stuart.

— C'était en 1977, dit Berns, tandis que Wes ouvrait un carnet. J'essayais de conclure une affaire d'électronique avec un type nommé André Dubeck, un Tchèque naturalisé américain après la Seconde Guerre. Dubeck était conseiller de la sécurité technique auprès du président d'un Etat africain. Ne me demandez pas ce que ça signifie. Mais je savais qu'il disposait de dix millions de dollars pour acheter du matériel sophistiqué que je pouvais lui fournir.

... Dubeck était en ville. Je me suis arrangé pour l'inviter à dîner. J'ai loué une Rolls blanche, ça m'a coûté quatre-vingt-quinze dollars de l'époque. Je suis allé le chercher à son hôtel ; il était accompagné de ce clown.

— Jud Stuart.

— C'est ça, dit Berns. Si Noah cherche un type qui porte ce nom, c'est tout à faire le genre de type qui pourrait connaître Dubeck. Bon, bref, on monte dans la Rolls et on va dîner dans un restau de Georgetown.

... Entrées à cinquante dollars, Dom Perignon. Ces deux connards qui parlent beaucoup pour ne rien dire. Jud prétend qu'il s'occupe de la « sécurité technique » de quarante ambassades ici à Washington. Mais il a envie de changer d'air, explique-t-il. Je comprends qu'il cherche à se faire inviter en Afrique par Dubeck. Au moment de la salade, je découvre que ce type est serrurier !

... Evidemment, reprit Berns, c'est un moyen comme un autre de s'introduire quelque part. Le vieux coup de la mouche sur le mur. J'ai même songé à l'engager dans mon équipe de spécialistes.

... A la fin du repas, je pose les jalons, ils commandent un cognac et un café, et ils vont aux toilettes ensemble comme des gonzesses ou...

... Et ils ont foutu le camp ! Ils m'ont laissé la note !

Après un moment de silence, Wes demanda :

— C'est tout ?

— J'ai jamais revu ce salopard. Mais jusqu'à maintenant, il ne rapportait rien. Dubeck a pris un avion avant le lever du jour, et d'après ce qu'on sait, l'Afrique l'a dévoré en 79 ou en 80.

— Ça ne vaut pas cinq cents dollars.

— Mon avance était comprise dedans, vous vous souvenez ? Utilisez-moi pour d'autres choses, vous en aurez pour votre argent... Oh ! ajouta-t-il. J'ai failli oublier la photo.

— Quelle photo ?

— Vous pensez que j'allais rencontrer un flambeur comme Dubeck sans pouvoir ensuite le prouver ? demanda Berns en riant. Dans mon métier, votre parole vaut ce que valent vos preuves. Ça m'a coûté cent vingt dollars de plus pour deux repas, plus un gros pourboire au maître d'hôtel. Il a fait asseoir un couple de retraités à la table voisine, avec un appareil photo planqué dans le sac de la vieille... je suis capable de monter ce genre de plan. J'ai obtenu un joli portrait de votre homme.

— Où est-il ?

— Voyons voir. L'investissement, les frais de stockage, le temps passé à tout manigancer, à faire le tirage... Ça vous coûtera mille dollars de plus.

— Ça date d'il y a treize ans et vous avez déjà été payé.

Berns haussa les épaules.

— Je vous file cinq cents dollars de plus, et votre téléphone reste muet, dit Wes.

L'argent disparut dans la main de Berns, et une photo en noir et blanc surgit de sous le sous-main.

— Je peux même vous en donner une plus petite, dit le privé.

« Un gars costaud, songea Wes. Torse puissant, musclé. Cheveux bouclés. Riant. Regard de fou. »

— N'oubliez pas, dit Berns, tandis que Wes repartait avec les photos et un second reçu confidentiel, vous aurez besoin de moi pour tout faire.

Wes se gara en face d'une rangée de boutiques et de restaurants dans le « Petit Saïgon » à Airlington. Des enseignes calligraphiées à l'encre noire voisinaient avec les affiches multicolores de style Madison Avenue pour des marques de bière et de shampooing. La lumière de cette fin d'après-midi était terne. Wes laissa tourner le moteur tandis qu'il feuilletait le maigre dossier de la CIA.

Sur une des feuilles jaunes de Noah Hall était griffonné le nom du policier chargé de l'enquête sur le décès survenu dans le bar de L.A.

A l'épicerie du coin de la rue, Wes interrompit des palabres asiatiques entre le propriétaire et un compatriote coiffé d'un bonnet de laine.

— J'ai pas la monnaie de vingt dollars, dit le propriétaire à Wes.

— Contre vingt-cinq dollars, dit Wes en déposant un autre billet sur le comptoir.

Wes obtint une poignée de pièces. Les deux hommes haussèrent les épaules quand il leur demanda de lui indiquer une cabine téléphonique. Au moment où il

135

ressortait, le propriétaire dit quelque chose en français, et les deux amis éclatèrent de rire.

Il faisait chaud à l'intérieur du Lavomatic du coin de la rue. Humide. Jaune poussiéreux. Une blonde filasse de dix-neuf ans fixait d'un œil vide le sèche-linge qui tournait, tandis qu'un jeune enfant dormait à ses côtés et qu'une gamine de deux ans jouait avec des moutons de poussière par terre. Wes glissa des pièces dans le téléphone, sans se soucier qu'ils entendent sa conversation.

— Rawlins, répondit une voix d'homme cassante.

— Inspecteur Rawlins ? Je vous téléphone de Washington. Je m'appelle Wes Chandler ; je travaille avec Noah Hall.

— Bon Dieu, grogna Rawlins. La prochaine fois que vos petits copains du bureau du maire font du foin au sujet de la police de L.A. incapable de remporter la guerre contre le crack, la coke et les gangs, rappelez-leur que c'est nous qui payons leur note, et qui perdons notre temps avec des M.O.I. de Washington dont tout le monde se fout.

— Qu'est-ce qu'un M.O.I. ?

— Un mort d'origine inconnue. Vous appelez au sujet du macchabée retrouvé derrière l'« Oasis », pas vrai ?

— Avez-vous déterminé la cause du décès.

— Nuque brisée, cause indéterminée. Vous voyez le topo : un poivrot tombe dans l'escalier, d'autres poivrots viennent débarrasser son corps. Evidemment, le légiste a affirmé qu'il ne dépassait pas le taux d'alcoolémie autorisé. Mais pourquoi ça vous intéresse ?

— Enquête de routine. L'avez-vous identifié ?

— Ouais. (Rawlins fouilla dans une pile de dossiers sur son bureau.) Le FBI l'a identifié grâce à ses empreintes et à son dossier de la Navy.

— Il était dans la Navy ? dit Wes.

— On a un océan ici. Y a des tas de marins. La

Veteran Association a son siège à San Francisco. Pas de parent. Hopkins, Mathew J., quarante-huit ans. D'après la V.A., invalide à cent pour cent, mais le légiste affirme qu'il s'agit d'un homme de race blanche de santé moyenne.

— Quel stade avez-vous atteint dans votre enquête ?

— Vous rédigez un rapport ? demanda l'inspecteur Rawlins. Alors mettez qu'avec quatorze affaires de meurtres non résolues sur les bras, plus six cadavres de membres de gangs, j'ai atteint le stade de l'indifférence en ce qui concerne Mathew J. Hopkins... et Washington.

Wes ne dépensa qu'un « quarter » pour appeler son ancien bureau.

— N.I.S., Greco, j'écoute.

— C'est moi, dit Wes.

Frank Greco était un ex-sergent des Marines qui avait passé neuf ans à St Louis pour aller à l'université en travaillant comme flic. Greco était aujourd'hui le chef du contre-espionnage au N.I.S.

— J'ai entendu dire que tu travaillais pour la banque import-export, dit Greco.

— D'une certaine façon. Peux-tu me rendre un service ?

— Quel genre ?

— Un dossier complet sur un ancien de la Navy récemment décédé. (Wes transmit à Greco la biographie du défunt, obtenue grâce au flic de L.A.) Ne parle pas de moi, et ne le clame pas sur les toits, mais ne t'endors pas dessus. Je te rappellerai dans quelques jours.

— Entendu. Quoi d'autre ?

— Admettons que je sois à la recherche d'un type qui ne veut pas qu'on le retrouve.

— La meilleure façon de jouer au loup, c'est de penser comme le lapin.

— Une dernière chose. Tout ça reste entre nous,

137

hein ? Inutile d'en parler au commandant Franklin ou à une autre huile.

— *Semper fidelis,* répondit l'ancien sergent des Marines.

Ils raccrochèrent.

A l'extérieur du Lavomatic, le ciel était gris.

A l'intérieur, le regard vide de la jeune mère se posa sur Wes.

Il abandonna une montagne de pièces sur la tablette près du téléphone et sortit dans le vent.

La nuit était tombée lorsque Wes revint chez lui. Aucun phare n'apparut dans son rétroviseur sur le chemin du retour. Aucun bruit de pas ne résonna dans son dos tandis qu'il parcourait à pied les deux blocs entre l'endroit où il était garé et son immeuble. Sa boîte aux lettres dans le hall était vide.

Un morceau de ruban adhésif blanc tout neuf portant le nom B. Doyle à l'encre noire était collé sur la boîte de l'appartement situé en face du sien.

Les lumières qu'il alluma éclairèrent son appartement tel qu'il l'avait laissé. Rien de changé, rien de déplacé. Pas de surprise.

La plupart du temps, Wes passait ses soirées entre ces murs qui étaient devenus son foyer. Seul. Il lisait, des livres d'histoire le plus souvent. Son téléviseur servait surtout à retransmettre les matchs de base-ball. Quand il le pouvait, il se rendait à Baltimore pour voir jouer les Orioles. Parfois il allait au cinéma, il dînait chez un collègue. De moins en moins souvent lors de ces soirées, l'épouse du collègue invitait une amie célibataire ou divorcée avec une forte personnalité ou un esprit vif légendaires, et le même sourire coincé que celui que lui adressait Wes pendant qu'ils mangeaient des pâtes. Il se disait qu'il n'aimait pas partager son lit. Récemment, il s'était mis à relire les vieilles lettres de sa mère, son père ne lui avait jamais

138

écrit. Chaque jour, leurs visages sur des photos en noir et blanc lui paraissaient un peu plus étrangers.

Ce soir-là, avant d'aller dîner au restaurant, Wes se rendit dans un centre de photocopies pour faire des doubles du dossier de la CIA, et des reçus, des photos de Jud transmises par Berns, les notes de Noah, et des siennes. De retour chez lui, il troqua son costume contre une paire de baskets, un pantalon de jogging et un sweat-shirt ; assis à sa table de cuisine devant un verre de Jack Daniels, il contempla les photocopies de ces documents secrets. En se demandant s'il était en train de passer de la prudence qu'on lui avait enseignée à une paranoïa injustifiée.

« Mieux vaut un bureaucrate peureux qu'un Marine déshonoré. »

Ses photocopies rentraient dans un sac plastique alimentaire. Il plia ensuite ce sac dans un sac poubelle noir qu'il scella à l'aide de ruban adhésif noir. Dans son placard à outils, il dénicha une planche trop bonne pour être jetée, un marteau et des clous.

Un coup d'œil par le judas lui apprit que la voie était libre.

Wes sortit dans le couloir et gravit sans bruit l'escalier jusqu'au toit plat goudronné. Le vent faisait tourbillonner l'obscurité autour de lui, tandis qu'il s'accroupissait près du parapet qui entourait le toit. A hauteur de la cime des arbres. Des lumières brillaient aux fenêtres des immeubles de l'autre côté de la rue, mais personne ne contemplait la nuit froide. Personne ne l'observait.

L'installation d'air conditionné de l'immeuble reposait sur des traverses de chemin de fer. Wes coinça son butin étanche à l'intérieur d'une traverse et cloua ensuite la planche par-dessus pour le protéger du vent et des écureuils.

Alors qu'il redescendait du toit à pas feutrés, une femme ouvrit la porte en face de son appartement.

Elle lui adressa un sourire languissant. Ses cheveux

cuivrés mi-longs, implantés en V sur son front, rebiquaient de chaque côté de son visage constellé de taches de rousseur. Elle portait un chemisier blanc, un pantalon noir. Elle avait les pieds nus. Un sac poubelle noir pendait au bout de son bras. Elle secoua la tête et rit, un staccato guttural et aigu. Wes s'en souviendrait jusqu'à sa mort.

— Formidable, dit-elle. (Elle avait une voix rauque.) Un homme avec un marteau alors que j'ai besoin de quelqu'un qui comprenne les formules de post-tensionnage et de prétensionnage.

« Qui diable êtes-vous ? » fut la première pensée de Wes. Une partie de lui-même avait envie de la sermonner : *Je suis un étranger muni d'un outil qui pourrait devenir une arme ne...* Mais son cœur sourit : qui qu'elle soit, elle possédait un sacré sens de l'humour et un esprit vif.

Des portes rouillées se rouvrirent dans son esprit. Wes demanda :

— Vous parlez de précoulé ou de béton coulé sur place ?

La porte se referma derrière elle.

— Vous n'êtes pas charpentier.

— Vous êtes B. Doyle.

Wes la rejoignit sur le palier mal éclairé. Elle mesurait facilement une tête de moins que lui, mais elle paraissait plus grande. Mince. Osseuse et souple en même temps. Elle avait une grande bouche, des lèvres pleines. Ses yeux bien espacés étaient gris.

— Beth Doyle, dit-elle.

— Qu'est-il arrivé à Bob ?

Wes connaissait le prénom de son voisin, il savait qu'il travaillait pour le ministère de la Justice et que ses longues journées le privaient du plaisir zen de conduire sa bicyclette à dix vitesses.

— Il a été muté brusquement à cause d'un travail urgent, expliqua Beth Doyle. Et vous, qui êtes-vous ?

Wes lui dit son nom.

— Vous êtes une de ses amies ? demanda-t-il

— Je ne l'ai jamais vu. J'avais besoin d'un logement rapidement, nous avons un ami commun, alors je sous-loue son appartement.

— Attendez mercredi soir pour sortir vos ordures, dit Wes en désignant le sac poubelle dans sa main, ou sinon les rats vont rappliquer.

— Je déteste les rats.

— Dans ce cas, je vous conseille de mettre des chaussures et des chaussettes si vous sortez. On ne sait jamais ce qui peut vous passer entre les jambes. De plus, il fait froid.

— Je peux faire un effort pour les chaussures, dit-elle, mais inutile d'insister pour les chaussettes : une chose de plus à emballer. Comment se fait-il que vous vous y connaissiez en béton ?

— J'ai dû plancher sur ce sujet un jour, répondit-il. Vous avez un petit morceau de fer planté dans la narine droite.

— C'est mon diamant ! (Elle le toucha en riant. Ses ongles étaient tout rongés.) Douze ans que je suis revenue d'Inde. Je ne le vois même plus quand je me regarde dans une glace. La plupart des gens préfèrent ne pas le remarquer, ajouta-t-elle.

Elle l'observa d'un œil différent.

— Pourquoi le portez-vous ?

— J'étais d'une redoutable naïveté. Maigre comme un clou... certaines choses ne changent pas. On me donnait quatorze ans. Je voulais avoir l'air sophistiqué. Plus âgée. Donc, allons-y pour la carotte et l'aiguille en or. Si on vous dit qu'il n'y a pas de nerfs dans le nez, n'y croyez pas.

— Promis, dit-il. Pourquoi êtes-vous partie en Inde ?

— Je faisais la route. Vous êtes déjà allé en Asie ?

— Oui.

— Vous connaissez vraiment ces formules ? Vous pouvez m'aider ?

Il ouvrit la bouche pour dire non.

— Je peux essayer.

— J'ai du bourbon, dit-elle. Si je le trouve.

Elle ouvrit sa porte. Wes la suivit chez elle.

Une douzaine de cartons étaient dispersés à travers l'appartement. Les éléments d'une table à dessin étaient appuyés contre un mur.

— Attendez une minute ! (Il s'arrêta sur le seuil.) Tout ce que je sais de vous, c'est que vous vous appelez Wes Chandler, vous avez un marteau et vous vous y connaissez en béton. Vous pourriez être un tueur fou, et moi je vous invite à boire un bourbon. Que faites-vous dans la vie ? Qui êtes-vous ?

— Je suis officier dans les Marines.

— Non ! Le premier homme que je rencontre à Washington et c'est un Marine ? (Elle secoua la tête.) Quelle ville désespérante. Dois-je vous croire ?

— Non.

Elle rit, et il ne put s'empêcher de l'imiter.

— Au moins vous êtes franc, dit-elle. Fermez la porte.

Elle trouva le bourbon.

Ils s'assirent en tailleur sur le sol, au milieu des cartons à moitié déballés. Des ouvrages et des cahiers de technologie étaient ouverts entre eux, les verres de bourbon protégeaient leurs flancs. De temps à autre, alors qu'elle compulsait son cahier ou un livre, ses cheveux tombaient devant ses yeux ; elle les repoussait d'un geste machinal, et les coinçait derrière son oreille. Elle fumait des Camel qu'elle allumait en faisant claquer son Zippo.

— Ne me dites pas que c'est une sale manie. Parfois, la nuit, quand vous dessinez, vous êtes en tête à tête avec votre cigarette, et c'est merveilleux de ne pas être seule.

Pour une fois, Wes ne se plaignit pas du nuage de fumée qui l'enveloppait.

Ses souvenirs des problèmes de technologie sur

lesquels il avait peiné à l'Académie de Marine s'avéraient inutiles.

— Et puis zut, dit-elle. Je vais déballer mes cartons ce soir, j'attendrai le cours demain.

— Ça *je m'y connais,* je sais déballer, dit-il.

Elle rit et lui tendit un carton fermé par du ruban adhésif. Tandis qu'ils déballaient toutes ses affaires et assemblaient sa table de dessin, elle lui expliqua qu'elle travaillait comme archiviste à la Fondation des arts orientaux, elle débutait à la Freer Gallery sur le Mall, elle suivait des cours de technologie et de physique à Georgetown.

— Je veux devenir architecte, dit-elle. Si j'arrive à entrer à l'école. Si je ne me tue pas à la tâche avant.

Wes lui avoua qu'il avait un bureau au Centre de la Navy.

Elle lui apprit qu'elle avait trente-deux ans. C'était une catholique de Long Island. Célibataire. Elle évoqua l'Allemagne dans ses récits. La Thaïlande.

— Bangkok fut mon premier contact avec la réalité, expliqua-t-elle, après qu'ils aient cessé de faire semblant de s'intéresser à des problèmes universitaires. J'avais dix-neuf ans. J'étais pétrifiée de peur. Dès l'aéroport, des millions de petits Thaïs vous sautent dessus. La ville est faite de milliers de kilomètres de klongs, des canaux. Chaque matin, ils repêchent des corps dans les klongs. Sans identité, rien que des corps. Effrayant.

En ouvrant un autre carton de livres, Wes découvrit un vieil ouvrage épais et jauni gondolé par l'humidité : *Le Yi King ou le livre des transformations.*

— C'est là-bas que vous avez trouvé ça ? demanda-t-il en lui tendant le livre.

— Non, en fait c'est un apport new-yorkais.

— Je n'ai jamais été superstitieux.

— Il ne s'agit pas de superstition, dit-elle en lui prenant le livre. Le meilleur psychiatre que j'ai jamais eu était un jungien, un spécialiste des rêves. Jung adorait le Yi King.

— Il ne vous promet pas le salut ?

— Il ne promet rien. (Elle sourit.) Tenez, je vais vous montrer. Admettons que vous êtes tracassé par un problème ou une question, mais j'imagine que vous êtes une gigantesque question à vous seul.

Avec n'importe qui d'autre, il se serait senti ridicule, mais curieusement, avec elle, il se sentait impatient, curieux, ouvert. Une partie de lui-même se demandait pourquoi il n'avait pas tiqué quand elle avait parlé de psychiatre ; il redoutait les névrosées. Des dilettantes. Des excentriques. Mais en dépit des preuves évidentes du contraire, il décida instinctivement qu'elle n'appartenait à aucune de ces catégories. Et jamais il n'avait rencontré quelqu'un de semblable. Il avait trois pièces de monnaie dans sa poche. Elle lui demanda de les lancer six fois entre eux, attribuant à chaque fois une valeur à la proportion de piles et de faces, dessinant sur une feuille deux points ou bien un trait afin de former un hexagramme.

— Alors ? demanda-t-il tandis qu'elle cherchait l'hexagramme qu'il avait ainsi tracé dans l'index des soixante-quatre possibilités.

— Le *Yi King* concerne le présent, dit-elle en tournant les pages du livre. L'instant immédiat. Tout change en permanence, et votre hexagramme peut refléter... non pas un *conseil*, mais la *sensation* des changements... Ah ! ah ! fit-elle.

— Quoi ?

— *K'an*. L'Abîme. Ce n'est pas forcément mauvais, dit-elle en survolant plusieurs pages. *K'an* représente le cœur, l'âme, la lumière prisonnière des ténèbres. La raison. Mais quand le danger se répète, on finit par s'y habituer... En s'habituant à tout ce qui est dangereux, un homme peut facilement laisser le danger devenir une partie de lui-même... Alors il perd le droit chemin, avec pour conséquence naturelle, le malheur... Le plus important c'est la sincérité. Il y a des images d'eau, une rivière qui coule, fluide.

144

— Je ne pensais pas rencontrer le danger quand vous m'avez invité, dit-il avec un sourire pour dédramatiser l'atmosphère.

— Ce sont vos pièces. (Elle sourit à son tour.) Qu'en pensez-vous ?

— Ça se tient, reconnut-il. Mais j'aurais pu parvenir aux mêmes conclusions sans utiliser votre méthode. Je possède un esprit plus déductif que... imaginatif. Ou intuitif.

Elle déposa une des pièces de monnaie dans la paume ouverte de Wes, la tourna du côté pile. Le contact de ses doigts était électrique.

— Une seule pièce, deux côtés différents.

Sa main se retira ; elle écrasa la cigarette qui se consumait dans le cendrier. Wes jeta un coup d'œil à sa montre : 11 h 16.

— Il faut que je m'en aille, dit-il. Je me lève tôt demain.

— Un petit déjeuner d'affaires ? demanda-t-elle.

— Je m'absente pour quelques jours.

— Où allez-vous ?

— A Los Angeles, répondit-il, le regrettant aussitôt.

— J'y suis jamais allée. Rapportez-moi un souvenir de Hollywood.

— Entendu.

— Et la prochaine fois, vous me parlerez de vous.

— Il n'y a pas grand-chose à dire.

— Vous ne savez pas mentir. (Elle lui sourit.) J'aime cette qualité chez un homme.

Elle le raccompagna. Elle resta sur le seuil de chez elle, souple, vulnérable et enveloppée de fumée, tandis qu'il ouvrait la porte de son appartement.

— N'oubliez pas de revenir, dit-elle.

Geckos

En novembre 1965, à cause de la raffinerie de pétrole, il flottait dans le bureau du conseiller d'orientation du lycée de Chula Mesa une odeur de route surchauffée.

— Jud, dit M. Norris au garçon assis face à son bureau, les deux premières années, vous étiez rarement présent. L'année dernière, vous avez augmenté votre moyenne générale de 3,4 points et vous avez distancé le professeur d'athlétisme. Il dit que c'est comme si vous couriez sur cette distance depuis des années.

— Il y a plus de deux kilomètres jusqu'à l'école, à travers les collines et l'élevage de dindes. Je devais aller vite pour pas me faire choper.

Norris, professeur de chimie et conseiller d'orientation, ne voulait pas entendre parler de garçons comme cet élève de terminale, maigre et mesurant un mètre quatre-vingts, qui se faisaient coincer, molester puis dévaliser par des meutes d'adolescents. Il ne pouvait rien y faire ; cela faisait partie de l'apprentissage de la vie. Et il y avait de pires endroits pour grandir que cette ville de Californie du Sud.

La cloche sonna. Des portes s'ouvrirent bruyamment. Dans un rugissement, les élèves déferlèrent dans les couloirs de l'enseignement public américain.

Les yeux de Jud sont des flammes de bec Bunsen, songea Norris.

146

— Alors, avez-vous réfléchi au métier que vous aimeriez faire plus tard ? demanda-t-il.

— Je veux devenir espion, répondit Jud.

Le conseiller haussa les sourcils. Avant d'éclater de rire.

Arrêtez de rire ! supplia Jud. *Je vais dire que je plaisantais. Je dirai ce que vous attendez. Je parlerai de m'inscrire à Northrop ou à l'université. Ou bien je répondrai que j'attends de partir à l'armée. Mais je vous en supplie, je vous en supplie, cessez de vous moquer de moi !*

Une fille gloussa dans le couloir. Les rires d'un million de voix sans visages aspiraient les forces des membres de Jud. C'était un poids mort dans son fauteuil. Sa langue enflait jusqu'à l'étouffer. L'acide bouillonnait dans son estomac. Le rire s'amplifia.

Derrière son bureau, Norris prit son front à deux mains ; son visage était cramoisi. Les larmes coulaient sur ses joues. Sa main plongea dans un tiroir de son bureau. Le crâne chauve du conseiller d'orientation luisait. Ses larmes et les gouttes de sueur devinrent rouges et roulèrent vers la mer. La chair de son visage fondit, ses yeux se décomposèrent dans ses orbites noires. Son crâne s'adressait à Jud en caquetant. Le squelette en chemise blanche et cravate sortit un revolver du tiroir du bureau. Le canon de l'arme regardait fixement Jud, œil noir qui grossissait à chaque battement violent de son cœur. Un pouce arma le chien du revolver. Impuissant, Jud regarda l'index d'une blancheur d'os presser sur la détente...

Aaah !

Le souffle haletant, les yeux grands ouverts, Jud ne voyait *rien*.

Une pièce noire. Un lit.

Réveillé, il était réveillé, couché dans un lit étroit, les draps trempés de sueur, la peau moite, le cœur cognant dans sa poitrine, ses mains agrippant les bords du matelas défoncé.

Le klaxon d'un semi-remorque ébranla la caravane en passant dans un grondement sur la route de nuit.

Les aiguilles fluorescentes du réveil sur la table de chevet indiquaient 4 h 35.

Cinq heures, songea Jud, *j'ai dormi presque cinq heures.*

Il alluma la lampe et écouta le tic-tac du réveil et le vent qui projetait des grains de sable contre les flancs de la caravane.

Un des précédents occupants avait fixé un miroir sur le mur en face du lit. Jud se regarda se lever. Il portait le pantalon vert à lacet que lui avait donné Carmen et le sweat-shirt aux manches découpées avec lequel il avait fui L.A.

Il y a quatre jours, songea-t-il. Devant la glace, il se massa le ventre ; il avait toujours un gros estomac, mais l'aspect gonflé avait disparu : son foie avait rétréci.

Quatre jours que je n'ai pas bu.

La caravane était plus spacieuse qu'un cercueil. Jud réussissait à entrer dans la douche. La cuisine était dotée d'un évier et d'une plaque chauffante. Un réfrigérateur moribond servait d'étagère pour le téléviseur noir et blanc. Sous le lit, là où Jud cachait son arme, il avait découvert un exemplaire de *Playboy* datant d'une dizaine d'années. La fille de la double page centrale était une blonde mince aux yeux verts, vêtue d'un déshabillé blanc transparent. Debout à l'entrée d'une chambre plongée dans l'obscurité, elle était enveloppée de volutes de brouillard givré. Elle souriait.

4 h 45. Jud ne commençait sa journée au restaurant qu'à six heures.

Dans le miroir, un squelette assis derrière un bureau riait en silence.

— Rira bien qui rira le dernier, dit Jud.

Il alluma la télé.

148

Des fantômes illuminèrent l'écran ; un homme et une femme assis autour d'une table basse à New York.

« ... aujourd'hui à la cour fédérale de Washington, disait la journaliste, un groupe de procureurs va s'opposer à la divulgation des documents classés confidentiels, tandis qu'un autre groupe de procureurs fera valoir qu'ils ont besoin de ces documents afin de poursuivre les prévenus inculpés dans le scandale de la contre-révolution iranienne. La position de l'administration dans... »

Jud éteignit la télé.

En quatre jours, il avait nettoyé le restaurant de Nora avec un acharnement que n'avait jamais connu cet établissement. Il avait refixé la porte vitrée, débloqué les fenêtres, et il avait même fait la vidange de la Jeep de Nora.

Il arpenta la caravane dans la longueur. Ses mains tremblaient à peine. 5 h 00. L'aube viendrait bientôt.

Ses pensées dérivèrent vers un sergent décharné qu'il avait connu des années auparavant à l'école de guerre JFK.

« Le temps doit être votre allié ! » hurlait le sergent en marchant parmi les rangées de jeunes recrues des Forces Spéciales, allongées en appui sur les avant-bras, frôlant leurs doigts écartés avec ses rangers. « Si vous voulez survivre, si vous voulez gagner, vous devez toujours préserver des instants de repos et de détente, vous devez vous préparer ou passer à l'action ! A vous d'agir ! Si c'est pas vous qui décidez, ce sera l'autre. »

L'autre. Jud éteignit la lampe et écarta le rideau de mousseline noire. Au bout de la nuit, il ne vit personne.

Pour le moment.

Il enfila ses chaussettes et ses baskets. Dehors, le vent lui glaça les bras ; son pantalon lui fouetta les jambes. L'odeur du sable et de l'armoise emplit ses narines. La terre battue craquait sous ses baskets alors qu'il faisait les cent pas entre sa caravane et le restaurant. Il s'arrêta en face de la maison en adobe de Nora.

Ne cherche pas à oublier, s'ordonna-t-il. *Ne cherche pas à savoir si ça fait quinze ans.* Ne réfléchis pas : *agis.* Les grains de sable lui cinglaient le visage. *Ce n'est pas important. Pas ici.*

Il leva les mains jusqu'à ce que ses poings serrés atteignent ses aisselles ; il s'accroupit, les pieds en dehors, puis il dégagea les talons et changea de position, les pieds tournés en dedans.

Un frisson de fierté lui parcourut l'échine. Jud dut le repousser, ne pas songer aux cent trente autres mouvements de l'initiation au *Wing chun*. Tout le monde a le droit de débuter.

Ses mains exécutèrent une garde croisée. Coups de poing, blocages circulaires, coups avec la paume, fourchettes avec deux doigts. Dans une pantomime guerrière sur le sol nocturne du désert, Jud combattait un ennemi qui était absent, qui était partout ; qui n'avait pas de visage, qui était tout le monde.

Les mouvements du *Wing chun* se fondirent dans des blocages et des attaques empruntés à d'autres systèmes... et dans la fureur. Direct. Blocage. Clé et projection. Le souffle coupé, la peau moite, les bras endoloris, Jud continuait à se battre malgré tout. Plus vite. Plus fort. Plus vite. Oubliée l'orthodoxie stylistique, mais la rage, la rage se réveillait.

Puis un crochet le déséquilibra, comme si un véritable adversaire lui avait saisi le bras. Il trébucha et tituba sur le sable. Il se sentait ridicule, tel un vieillard ivre. Un clown.

Un chatoiement rosé soulignait l'horizon plat derrière la maison de Nora. La lueur jaune d'une lampe découpa sa silhouette dans l'embrasure de la porte ouverte.

Depuis combien de temps était-elle là, Jud l'ignorait. Elle adressa un sourire au ciel ; s'étira, respira à fond et expira.

« Une de plus », l'entendit-il dire aux cieux.

Nora ferma sa porte et marcha vers lui.

— Vous savez ce que je sens ? demanda-t-elle avec un sourire.

Jud secoua la tête, conscient de son corps en sueur.

— Je ne sens plus le whisky en vous, dit-elle. Ça sent bon.

— Meilleur que le parfum bon marché, dit Jud.

— Rien n'est bon marché. (Son front se creusa.) Vous aimez ce truc de durs que vous étiez en train de faire ?

— La légende raconte que c'est une femme qui a développé ce style.

— Dans ce cas, ça devrait être efficace. Mais si vous avez des ennuis de durs, vous feriez mieux de vous entraîner à courir.

— Je sais aussi courir.

Elle regarda son ventre.

— Ah ?

— Je ne plaisante pas ! insista-t-il. Je suis capable de courir.

— Tant mieux. (Elle se dirigea vers le restaurant.) Le café vous attend.

La porte vitrée de derrière claqua ; Nora disparut.

— Je peux courir, dit-il, mais il n'y avait personne pour l'entendre.

Deux pompes à essence montaient la garde devant le restaurant. Une cabine téléphonique se dressait entre la maison de Nora et la route. Jud s'avança sur le serpent noir de la route. Rien ne bougeait d'un horizon à l'autre. L'asphalte était frais. Des lumières s'allumèrent dans le restaurant. Il poussa un soupir, emplit ses poumons d'air frais...

Et il se mit à courir sur la route. Dix foulées et déjà il était essoufflé, il songeait à abandonner, alors il entonna :

Parachustiste, parachutiste, entends-tu ?
Nous allons sauter de cet oiseau au gros cul.

151

Et ils l'avaient fait. Au-dessus du Laos.

Chutant, flottant, pierres silencieuses dans cette nuit de novembre 1969, le froid infini et brutal, Jud et Curtain entraînant leur chaîne humaine vers le clignotement d'une lumière jaune et orange tout en bas.

Ils avaient ouvert les parachutes des Nungs à deux cents mètres au-dessus de la jungle, avant d'ouvrir les leurs ; ils heurtèrent les arbres. Des singes hurlèrent. Des chauves-souris s'envolèrent. Ils coupèrent les cordes pour se libérer et retrouver le plancher des vaches, sur un chemin de terre en pleine nuit.

Un des Nungs était devenu fou.

Il avait quand même réussi à descendre de l'arbre. Mais il refusait de bouger ; ses bras et ses jambes étaient noués autour du tronc. Son cul essayait de s'enraciner dans le sol de la jungle. Il sanglotait.

— Il est cuit, chuchota Curtain à Jud, tandis que les trois autres Nungs tentaient vainement de décrocher le dément. Règle-lui son compte.

— Il fait partie de l'équipe, répondit Jud.

L'indic vietnamien au teint hâve avait cinquante-sept ans, il en paraissait soixante-dix. Les yeux brillants, il regardait les deux Américains se disputer.

— C'est un fardeau ! insista Curtain. S'il craque, on est foutus ! Qu'est-ce que tu comptes faire de lui ?

— Ce que je veux, quand je veux et où je veux ! répliqua Jud.

Curtain aboya un ordre aux autres Nungs. Ils se tournèrent vers Jud qui acquiesça. Ils laissèrent leur camarade fou s'accrocher à l'arbre.

Toute l'équipe se débarrassa de son équipement de saut pour enfiler des pyjamas noirs qui se trouvaient dans les sacs de toile. Les radios, les munitions, les vivres et les médicaments étaient dans les sacs à dos. Jud pinça entre ses pouces les nerfs de la clavicule du Nung : celui-ci fut saisi d'un spasme et tomba à la renverse. Un Nung aida Jud à débarrasser le dément de son équipement de saut ; le type avait fait sous lui. La puanteur fit vaciller Jud. Il enfila un pyjama noir par-dessus les sous-vêtements souillés. Tandis que les Nungs enterraient le matériel de saut, Jud releva le fou et fixa son sac à dos sur ses épaules. Il accrocha un fusil sur le sac et découpa la manche du pyjama noir de l'homme afin de le bâillonner. Après quoi, il lui attacha autour de la taille une corde qu'il confia à un des Nungs.

Les larmes coulaient sur le visage de l'homme bâillonné, mais lorsque son compatriote tira sur la corde, il avança.

Tandis que Jud attachait ses armes et ses grenades, qu'il vérifiait son AK-47, Curtain dit :

— T'es aussi cinglé que lui.

— Crois-le.

Curtain secoua la tête et cracha.

— J'ai établi le point.

Il s'enfonça dans la jungle nocturne. L'indic vietnamien lui emboîta le pas. Suivirent les Nungs, trois hommes en file indienne conduisant une mule humaine.

Jud fermait la marche, ses yeux et son fusil d'assaut russe balayaient les fourrés. Il suivait les Nungs qui marchaient dix pas devant lui, se fiant autant à sa vue qu'à son radar interne. Les feuilles bruissaient. Les oiseaux de nuit échangeaient des secrets. Il entendait sa respiration tendue et celle de l'homme qui avançait devant lui dans les fourrés. Quelque chose glissa par-dessus sa botte ; quelque chose se faufila parmi les racines enchevêtrées sur sa gauche. Un insecte bourdonna sur son visage et le piqua. Sa sueur salée lui brûlait les lèvres ; sa bouche sèche avait le goût de la graisse à fusil.

La nuit, la jungle exacerbe les sens. Pour Jud, chaque membre du commando possédait son odeur propre : un Nung sentait le pin, un autre le citron, un troisième le bambou. Le fou puait la merde. L'espion vietnamien qui les avait dirigés sentait comme Saïgon :

153

le charbon de bois et le poisson grillé. Curtain sentait le lait chaud.

Et moi, qu'est-ce que je sens ? se demanda Jud.

Ils marchèrent pendant une heure au milieu d'une jungle épaisse, faisant des détours, des demi-tours, écartant les branches, enjambant les arbres déracinés, pataugeant dans la boue. Leur route montait vers la colline, là où l'air était plus rare. Les vêtements de Jud étaient trempés, chaque souffle exigeait un douloureux effort.

Sans prévenir, la jungle s'ouvrit tout à coup sur une clairière de vingt mètres de large, un cercle jonché de troncs tordus et de terre retournée. L'odeur du bois pourri planait dans la clairière, sous les premières étoiles que voyait Jud depuis leur atterrissage. Une bombe américaine de gros calibre avait creusé ce trou au cœur de la jungle.

Jud retira le bâillon du fou et lui tint la gourde pendant qu'il buvait. Aucune vie ne brillait dans ses yeux. Aucun son ne sortait de sa bouche. Jud remit le bâillon.

— Laisse-moi passer devant, dit Curtain. Je connais bien la brousse.

— C'est vrai, dit Jud, tu connais.

— Et toi ?

— Non, mentit Jud.

— Surveille les Nungs. On ne sait jamais.

— C'est vrai, répondit Jud tandis que les Nungs se mettaient en ligne, on ne sait jamais.

Ils reprirent leur marche, leur ascension. Leurs sacs à dos tiraient sur leurs épaules. Les bottes de Jud tremblaient, les arbres vacillaient ; de très loin leur parvenait le vrombissement des B-52 qui se déchargeaient sur le Laos. Entre 1965 et 1973, deux millions de tonnes de bombes américaines se déversèrent sur le Laos, plus que n'en utilisèrent les Etats-Unis contre l'Allemagne et le Japon au cours de la Seconde Guerre, sur un pays plus petit que l'Oregon.

Mais pas d'attaque aérienne par ici cette nuit, songea Jud. Les équipages de bombardiers en Thaïlande, à Okinawa, au Sud-Vietnam, flottant sur des porte-avions en mer de Chine, n'avaient pas cette trajectoire de propriété foncière sur leurs listes de mission.

Même d'après les critères du SOG, la mission de Jud était secrète. L'équipage du B-52 qui les avait largués avait été averti sur la piste d'envol. Le sergent-major responsable du commando était en quarantaine à Okinawa, persuadé que l'équipe de Jud devait sauter au-dessus du Nord-Vietnam, comme Jud le croyait précédemment. Leur indic au sol avait été activé au dernier moment. Jud et Curtain avaient été briefés ensemble onze jours avant leur mission, afin d'avoir le temps d'élaborer un plan, de mémoriser les cartes topographiques, les photos satellites.

Et de préparer le retour, songea Jud.

La jungle s'éclaircissait à mesure qu'ils progressaient le long d'une arête. Le compas de Jud était d'accord avec la route suivie par Curtain. Avec un peu de chance, ils franchiraient les collines et atteindraient la plaine des Jarres en plein jour. Le plan de l'opération exigeait qu'ils attendent la nuit.

Tel un brouillard, la nuit se transforma en une lumière grise flottant parmi les arbres.

Les oiseaux cessèrent de chanter.

Quelle est cette odeur ? se demanda Jud.

Le buisson sur sa gauche explosa. Le canon d'un fusil lui défonça les reins. Il bascula vers l'avant, des mains lui saisirent les bras, des corps lui tombèrent dessus. Une rafale de mitraillette déchira la nuit. Son visage s'écrasa dans la boue. Une dizaine de voix asiatiques poussèrent des cris. Des crosses de fusil s'enfoncèrent dans son dos, ses épaules, ses jambes. On lui tordit les bras dans le dos, tandis qu'on lui arrachait son sac et ses armes. Puis on le releva violemment.

Face à Jud se tenait un Asiatique vêtu d'une chemise

à manches longues d'un gris olivâtre et d'un pantalon assorti. Il était coiffé d'une casquette à visière en tissu. Une cicatrice dentelée zébrait sa joue. Scarface enfonça le canon de son AK-47 dans l'estomac de Jud. Victime d'un haut-le-cœur, Jud se plia en deux, malgré les trois hommes qui tenaient ses bras attachés. La crosse en bois de la mitraillette de Scarface lui défonça la mâchoire.

Un tourbillon l'aspira dans un néant obscur.

Combien de temps resta-t-il évanoui, il n'aurait pu le dire. Il s'aperçut qu'il était agenouillé, le front dans la boue. Son visage ruisselait, sa mâchoire l'élançait. Un filet de sang coulait de sa bouche. Une corde lui sciait les poignets, ses mains étaient engourdies. La pression du derringer contre sa cuisse avait disparu, tout comme l'émetteur-encodeur dans l'étui fixé sous le haut de son pyjama noir. Des voix d'Asiatiques babillaient autour de lui. Les rayons du soleil filtraient jusqu'au tapis de la jungle. Lentement, redoutant un coup de crosse, il leva la tête.

Jud découvrit à quelques centimètres de ses yeux une vieille paire de bottes de jungle américaines.

Nous sommes dans une clairière, songea-t-il.

Au-delà des genoux revêtus de toile kaki devant lui, Jud aperçut Curtain à la limite des arbres, les mains attachées à la boucle de sa ceinture. Un Asiatique en uniforme et calot se tenait à ses côtés. Le Laotien portait des lunettes à monture métallique et un ceinturon d'officier. Les lunettes rondes lui faisaient des yeux de hibou. D'autres soldats se partageaient le matériel du commando américain.

L'homme planté devant Jud le poussa avec le canon de son fusil.

— Debout, ordonna-t-il.

Dans un américain parfait.

Son ravisseur portait un haut de pyjama noir avec ses bottes de jungle et son uniforme. A sa ceinture de G.I. en toile pendaient des grenades, un couteau de

156

combat, et des étuis de munitions pour le AK tchèque provenant des livraisons d'armes qu'envoyait l'Union soviétique au Laos depuis 1961.

Sa peau était noire comme l'ébène.

Les ailes d'argent ternies d'un parachutiste américain étaient épinglées sur le bandana rouge noué autour du front du Noir. Il avait un beau visage, des dents blanches.

Il sentait le feu.

— Lisson ! (Jud cracha ces mots à travers sa bouche ensanglantée.) Dieu soit loué, c'est vous !

— Dieu n'habite pas ici ! répondit brutalement le Noir. Nous sommes dans la République populaire du Laos, et tu es baisé et rebaisé !

— Vous êtes Mark Lisson, dit Jud. C'est vous que je cherchais.

Le canon de la mitraillette s'enfonça dans le cou de Jud.

— Félicitations, sale Blanc ! Tu m'as trouvé.

Œil de Hibou hurla quelque chose en laotien. Le Noir le foudroya du regard, puis il dit à Jud :

— Ne t'en va pas surtout.

Son ravisseur éclata de rire. Scarface pointa son fusil d'assaut sur Jud. Lisson et Œil de Hibou se dirigèrent vers les quatre Nungs de Jud agenouillés en ligne, les mains attachées dans le dos. Les types du Pathet Lao n'avaient pas ôté le bâillon du fou. Deux gardes surveillaient Curtain qui regardait fixement Jud d'un air hébété. Jud dénombra vingt-trois soldats du Pathet Lao... plus l'Américain.

Œil de Hibou dégaina son pistolet russe et le colla contre la tête du premier Nung.

« Cours ! » hurla mentalement Jud au moment où le *bang* du pistolet déchira la jungle. Le premier Nung s'écroula. *Défends-toi !* Il souffrait de les voir attendre si docilement les balles : *bang !* et l'homme qui sentait le citron piqua du nez. *Bang !* et l'homme qui sentait

157

le pin tomba en s'effondrant sur le sol comme un poisson, tandis que *bang !* le fou tombait à genoux.

Le Vietnamien qui avait guidé Jud avait les yeux bandés et les mains attachées dans le dos. Son visage était couvert de sang.

— Tu connais mon nom, dit le Noir en revenant vers Jud d'un pas tranquille, tandis qu'Œil de Hibou rengainait son arme.

— On va devenir associés, chuchota Jud.

Lisson approcha le canon de son arme à quelques centimètres du visage de Jud.

— Tu seras ce que je décide, répondit Lisson.

— Faites-moi confiance !

— Je t'ai toujours fait confiance, *Mister Charlie.* C'est comme ça que mes frères appellent nos oppresseurs blancs. Le nom de l'ennemi, hein ? Un seul est un ennemi, pas l'autre. J'ai appris ça avec vous, bande de salopards de capitalistes, pas vrai ? Mais vous avez menti sur quoi était quoi, qui était qui, je suis moi et toi, ordure, tu es toi.

— Vous croyez savoir qui je suis.

A l'autre bout de la clairière, Curtain regardait Jud en secouant la tête.

— Pas possible, Charlie ! dit Lisson. Va te faire foutre !

Il aboya un ordre. Les types du Pathet Lao se mirent rapidement en ligne. Lisson vérifia l'arme d'un des hommes, ajusta le sac d'un autre. Un soldat passa une longe autour du cou de Jud. Le garde de Curtain obligea celui-ci à se mettre en ligne derrière Jud. Scarface s'approcha. Le holster contenant le derringer de Jud pendait autour de son cou. Il cracha sur Jud.

Les soldats se mirent en marche, emmenant leurs prisonniers de guerre.

Curtain chuchota :

— Où tu veux en venir ?

— Joli boulot d'orientation, répondit Jud. Les Nungs ont adoré.

— Ils ne comptaient pas, dit l'homme derrière lui. Pourquoi tu joues au plus malin comme ça avec ce Nègre ?

— Qu'est-ce que t'as foutu, Curtain ?

— Je suis tombé dans une embuscade, connard ! Comme toi !

— Mes liens sont desserrés, chuchota Curtain devant le silence de Jud. Si une occasion se présente, je saute dessus. S'ils nous séparent, je reviendrai par-derrière pour te libérer. Ils vont nous séparer, mais ne t'en fais pas.

En tête du cortège, Œil de Hibou lança un ordre. Le soldat de quatorze ans qui tenait la longe de Jud lui fit remonter la colonne en courant. La jungle moins dense devint une forêt. Ils passèrent au trot devant une douzaine de soldats dont la moitié n'étaient pas plus âgé que le gardien de Jud. Ils dépassèrent l'indic vietnamien aux yeux bandés, courant jusqu'à la tête de la colonne où Œil de Hibou marchait aux côtés de Lisson.

— J'ai pensé que ça te plairait plus ici, dit Lisson. (Œil de Hibou laissa les deux Américains marcher devant lui.) Le chef de la meute et tout ça, un un-zéro comme toi.

— Comment saviez-vous que j'étais le un-zéro ? demanda Jud.

Lisson le gifla.

— Ne pose pas de questions. Ici t'es rien qu'un zéro !

Ils continuèrent d'avancer.

— Et vous, vous êtes le numéro un dans la brousse, dit Jud. Mais ils vous laissent dans la brousse. Avec Œil de Hibou pour vous surveiller.

— C'est l'officier politique.

— Je croyais que vous n'aviez plus confiance dans les officiers.

— Une révolution sans discipline se révolte toujours.

— Je sais qui vous êtes, Lisson. Je suis venu pour vous aider.

— Je ne veux pas gaspiller mon anglais pour des conneries.

— J'ai volé vos dossiers, ajouta Jud. Je vous connais.

— Personne ne sait qui tu es.

— Moi si.

— Mon cul ! (Lisson appuya un doigt d'acier sur la poitrine de Jud.) Tu n'es qu'une merde. Une merde blanche toute pâle qu'on largue sur les peuples de la terre. Tous ceux qui sont pas blancs sont mauvais. Baise-les ou tue-les. Selma ou Saïgon, c'est la même chose.

— Je sais qui vous a enseigné ça, dit Jud.

Lisson partit d'un grand éclat de rire.

Ils ne redoutent pas une embuscade, songea Jud.

— C'est tes copains et toi qui m'avez appris ça ! beugla Lisson.

— Je sais, dit Jud. Combien de commandos d'infiltration avez-vous capturés avant qu'ils ne vous fassent confiance ?

La colonne s'arrêta au sommet d'une crête. Au loin, Jud aperçut de vastes étendues herbeuses : les plaines des Jarres.

— Confiance ? dit Lisson. Saloperies de Bérets Verts de la CIA ! Qu'est-ce que vous savez de la confiance ? Vous détalez comme des rats devant la vague de fond de l'histoire. Qui va jouer les espions pour que l'homme blanc reste au pouvoir ? Impossible d'infiltrer un jaune, car on peut pas se fier aux indigènes. Et on ne va quand même pas risquer un Blanc. Alors envoyons un Nègre. On peut persuader les bridés de faire confiance à un frère noir. Choisissons un frère, quelqu'un qui...

Lisson était à bout de souffle. Il serra les dents.

— Deux excursions au Vietnam. Combattant descendu du ciel. Venu comme un con de Chicago, mec,

California Street, là où le soleil ne brille jamais, mais eh, l'armée américaine va tout arranger. Grâce aux Bérets Verts je pourrai prouver que je suis un homme. J'ai tout gobé.

— C'est vrai, dit Jud.

Lisson entraîna la colonne vers le bas de la colline.

— Les pires promesses sont sans parole, uniquement ce regard qui contient tes prières.

— Je connais ce regard, dit Jud.

— Combien de types tu as baisés avec ça ?

Jud ne répondit pas. Lisson reprit ses divagations :

— Comment tu espères convaincre ces cocos malins de faire confiance à un Américain pour qu'il puisse les espionner ? Envoie-leur le G.I. qu'ils attendent : un type qui leur raconte des secrets de durs. Une vedette du SOG.

... Et invente à ton espion une histoire que puissent croire les méchants, ajouta Lisson. Vous, les gars, vous m'avez fait connaître Elijah et Cleaver, les Panthères. Che, Mao et Marx. Le Black Power, pour gagner une condamnation et une réputation. Une raison de baiser l'Amérique. La couverture parfaite. Et puis l'année dernière, vous avez descendu King. Malcolm. Vous avez fait sauter quatre gamines dans une église, des idiotes qui croyaient que le Dieu blanc les protègerait. Tuyaux de pompe à incendie et chiens policiers. Quand t'es noir, reste peinard, Edouard. Oh ! j'ai bien retenu la leçon !

... Mais vous avez oublié de m'enseigner l'autre version. California Street. Les rats dans la chambre des enfants et la Gold Coast réservée aux blancs. Le gamin blanc qui a giflé Gramma à Biloxi. J'avais honte pour elle. Ces villes là-haut près de Da Nang où on... où je... Personne ne peut oublier ça.

— Je connais des endroits comme ça, dit Jud.

— Alors je devrais te tuer sur-le-champ, répondit Lisson. Car tu es plus coupable qu'il n'y paraît. Le blanc est la couleur de la culpabilité. De la voracité.

161

Du capitalisme qui oppresse les masses. Tu as cette culpabilité en toi, tu dois mourir pour t'en débarrasser. Ou bien tuer les salopards qui t'ont chié là où tu es.

— Ils vous ont capturé comme l'avait prévu le SOG. Ils vous ont torturé...

— Ils m'ont enseigné des choses. Ils m'ont montré la voie de la vérité.

— Vous étiez notre agent double. Vous êtes devenu leur agent triple. Vous leur avez donné tout ce que vous pouviez. Et vous vous êtes battu pour eux.

— J'ai choisi la révolution. Tous les peuples de couleurs ne font qu'un. (Lisson tira sur la longe de Jud.) Et toi, qui tu es ?

— Il me reste trois mois à faire, répondit Jud. J'ai tout vu. Je veux me retirer du jeu heureux et sain et sauf. Ils m'ont envoyé ici, alors qu'ils aillent se faire voir. Je connais leurs mensonges mieux que vous tous.

— Bientôt, tu vas me dire que Lenine est ton héros.

— Je suis un capitaliste au cœur de pierre, dit Jud. Et j'ai un tas de choses à vendre dont votre révolution a besoin.

— Quoi ?

— Pour commencer, le chef du Politburo du Nord-Vietnam doit participer à une réunion secrète avec le Pathet Lao à environ douze bornes d'ici. Notre mission était de le capturer, mort ou vif, mais de le capturer.

— Comme ça, et tu espères que je vais te croire ?

— Vous voulez connaître le baratin que j'étais censé avouer sous la torture ? Que pensez-vous d'un commando de reconnaissance chargé de planquer des radios et des vivres pour d'autres commandos d'infiltration et des pilotes abattus ?

— Tu mens bien, dit Lisson.

— Quand il le faut. Mais c'est la vérité qui paye maintenant. C'est ce dont vous avez besoin, tes maîtres chinetoques et toi.

Lisson le gifla et aboya un ordre. Œil de Hibou regarda le gamin reconduire Jud en queue de colonne.

162

— Il faut me croire ! hurla Jud. Vous n'avez pas d'autre choix !

Le gamin tira d'un coup sec sur la corde de Jud et le poussa brutalement dans le rang. Curtain se trouvait dix hommes derrière.

Ils progressaient vers l'ouest.

Ils ne redoutent pas les attaques aériennes, songea Jud.

La colonne abandonna les collines pour les champs vallonnés et les ravines des Plaines des Jarres. La couleur naturelle du Laos est le vert : des milliers d'attaques au napalm avaient carbonisé cette terre transformée en une salissure noire abstraite. Des volutes de fumée s'élevaient au hasard vers le ciel. La végétation survivante était rabougrie et couverte d'un éclat métallique terne à cause des défoliants. Les cratères des bombes vérolaient la terre. Un parfum d'irréalité et de mort flottait dans l'air.

Ils plantèrent le camp quand le soleil apparut au-dessus des collines.

Voici les montagnes en dents de scie, songea Jud. A l'ouest, le plateau bosselé était bien à sa place.

— L'heure des attaques aériennes approche, dit Lisson à Jud et Curtain tandis qu'on les conduisait vers un feu de camp. Ce sera votre dernier repas chaud.

Les gardes obligèrent Curtain et Jud à s'accroupir. Scarface se tenait à proximité, son AK-47 au poing. Les soldats allumaient des feux, faisaient cuire du riz. Lisson et Œil de Hibou étaient assis autour du feu, à la droite de Jud ; Curtain se trouvait sur sa gauche.

— Mon pote aime bien ton pistolet à bouchon, dit Lisson à Jud en désignant d'un mouvement de tête le derringer que Scarface portait comme un collier. Tu es trop intelligent pour emporter ce jouet de gonzesse, à moins que ce soit pour tirer ta révérence. T'aurais assez de cran pour appuyer sur la détente ?

— Je fais ce que je dois faire, répondit Jud.

163

L'expression d'Œil de Hibou demeurait vide.

— Il parle anglais ? demanda Jud.

— J'en sais foutre rien, dit Lisson.

— Et moi je m'en fous, dit Jud. Et notre arrangement ?

— Ça sent pas un peu la trahison ? (Lisson sourit.) Ou l'arnaque ? Aucune différence, Charlie : tu pues.

Lisson désigna les soldats en train de manger.

— Regarde-les.

Curtain contemplait le feu.

— Tu n'as rien à leur offrir, petit Blanc. La CIA est installée ici depuis que ce pays a refusé la neutralité en 59. L'armée clandestine *. Les hommes de la tribu de Meo. Ne commettez pas l'erreur de croire que vos quinze mille hommes vous idolâtrent. Vous contrôlez l'acheminement des vivres jusqu'à leurs villages, vos grosses têtes de Yale viennent travailler en hélicoptère depuis la Thaïlande. Ils déplacent des villes entières comme dans un jeu de dames. Le grand plan de la Compagnie. Mais ces frères jaunes ne sont pas assez stupides pour succomber à vos menaces ou à vos balivernes.

— Je vous ai dit que je me foutais de tout ça, dit Jud.

La marmite de riz sur leur feu était prête. Un garde détacha Jud et déposa devant lui un bol et des baguettes en bois. Impossible de remuer ses doigts engourdis. Il resta accroupi. Curtain étais assis sur le sol à ses côtés.

— En apprenant qu'ils allaient me larguer ici, j'ai volé votre dossier, dit Jud. (Un parfum de fleur, douceâtre et écœurant, flottait dans l'air.) Au cas où vous me captureriez, comme vous l'avez certainement fait avec les six autres commandos, je voulais avoir toutes les cartes en main.

— Et sinon ? demanda Lisson.

* En français dans le texte.

164

— Ça n'a plus d'importance maintenant. (Jud haussa les épaules.) Qu'avez-vous fait des autres Américains que vous avez capturés ?

— Tu m'as déjà parlé de ta mission, répondit Lisson, tes conneries de soutien. Tout le reste, ils pourront te le faire avouer dans les bunkers.

— Peut-être que oui, peut-être que non.

— Crois-le.

Le sang revenait dans les mains de Jud. Il prit les longues baguettes en bois. Un garde déposa dans le bol une louche de riz gluant.

Lentement, Jud regarda par-dessus son épaule. Des groupes de soldats hilares. L'indic vietnamien de Jud était ligoté à un arbre. Ils lui avaient ôté son bandeau afin qu'il voie les autres manger.

— J'ai découvert la voie, soupira Lisson avec une voix d'enfant. Je suis sur la voie.

— Alors regardez derrière moi et voyez la réalité, dit Jud.

Deux soldats du Pathet Lao allongés près d'un arbre partageaient une pipe en verre. La fumée avait l'odeur des fleurs douceâtres et écœurantes.

— Je possède une partie du commerce du pavot, expliqua Jud. La seule culture rentable dans cet enfer. Je fais des bénéfices. Comme un bon capitaliste.

— Toi et la moitié de tes satanés larbins de Meo. Toi et tout Saïgon. Des filles de quatorze ans qui vendent de l'héro au bord des routes sur le chemin des bases aériennes. Combien de camés chez les G.I. maintenant, brother ? Vingt-cinq mille ? Quelle quantité d'héroïne tu expédies pour empoisonner les frères et les sœurs de New York, de Newark ou de Chi-town ?

— Les peuples consomment beaucoup d'opium, répondit Jud. Peu importe lesquels, du moment que tu peux en tirer profit.

— Tu es une ordure, dit Lisson.

165

— Je suis pragmatique, répondit Jud. Vous feriez bien de l'être vous aussi. Ça rapporte.

— Je ne veux pas de ton fric de la mort !

— Pas *vous*, votre révolution. C'est les années soixante, frère : le « flower power ». Bon Dieu, dans les années cinquante, les espions français se servaient de l'opium pour financer leur guerre ici, des champs d'opium des plaines jusqu'aux piaules de Saïgon. Ils avaient baptisé ça l'Opération X. Quand la CIA a tout découvert, on leur a demandé de ne pas insister.

— Ils n'ont pas obéi, cracha Lisson.

— J'ai des producteurs à Burma dans l'armée du Kuomintang que votre pote Mao a chassé de Chine, dit Jud. Si vous protégez nos caravanes jusqu'à nos terrains d'aviation, on prendra le relais ensuite. Vous toucherez du fric. Et même plus.

— Plus ?

— Je vous servirai d'indic, dit Jud. Vous me libérez, vous m'aidez à feindre une évasion. Peut-être qu'ils feront de moi un héros. Je rempile. J'obtiens un poste de commandement au SOG, et je continue mes petites affaires jusqu'à ce que l'oncle Ho nous vire du Vietnam ou que j'en ai marre. Je serai au courant de tous les coups tordus, et cela est plus précieux pour vous que le fric.

Curtain, son camarade prisonnier de guerre, le regarda d'un air ébahi, puis il observa le feu. Jud mangea un peu de riz à l'aide des baguettes.

— Tu ferais un espion trop pervers, dit Lisson.

— Il n'en existe pas d'autres, répondit Jud.

— Et pourquoi diable devrait-on te croire ?

Jud tourna lentement les baguettes dans ses mains. Il coinça l'extrémité de chaque baguette au creux de sa paume. Deux baguettes ordinaires dépassaient entre ses doigts.

Peter Curtain, camarade de détention de Jud, numéro deux du commando, soldat américain, posa son bol de riz sur le sol.

Jud enfonça ses baguettes dans les yeux de Curtain.

Celui-ci fit un bond en l'air. Les baguettes étaient plantées dans son visage. Le sang avait éclaboussé Scarface. Un hurlement gargouilla dans la gorge de Curtain ; il s'effondra dans le feu de camp, en se tordant de douleur...

Mort.

— Non ! hurla Lisson.

Jud se jeta à terre, les mains autour de la tête.

Œil de Hibou poussa un hurlement.

Une douzaine de soldats du Pathet Lao hurlèrent eux aussi ; l'un d'eux déchargea accidentellement une rafale de mitraillette. Un rideau de poussière jaillit de terre.

Lisson se jeta sur Jud, frappant ses mains sur sa tête.

— Salaud ! Qu'est-ce que t'as fait ? Qu'est-ce que t'as fait ?

Œil de Hibou le ceintura. Des soldats relevèrent brutalement Jud.

— J'ai tué un de mes hommes ! cria Jud. Maintenant vous devez me croire !

Lisson lui décocha un coup de poing au visage.

— Espèce de connard ! C'était pas ton homme ! Il était avec nous ! Il nous appartenait ! Corps et âme, depuis cinq ans, bon Dieu, et tu l'as tué !

— Je savais pas, marmonna Jud à travers le sang qui coulait dans sa bouche.

— Comment on savait que vous alliez venir à ton avis ? Comment on a pu localiser les autres commandos ? Et les codes radio et... Acheté et payé ! Des comptes en Suisse et *personne* chez ces enfoirés de la CIA, ces enfoirés de Bérets Verts, ces enfoirés du SOG ne savaient rien, et toi tu as tout foutu en l'air !

Jud cracha du sang.

— Vous avez encore plus besoin de moi désormais.

Lisson beugla et dégaina son couteau.

Œil de Hibou lui saisit le bras.

Ainsi tu parles anglais, se dit Jud.

Le renégat noir américain se libéra de l'étreinte d'Œil de Hibou. Il fit le tour du campement comme un fou. Les Pathet Lao s'écartaient devant lui. Lisson balança un coup de botte dans le cadavre de Curtain, puis un second. Levant son couteau à deux mains, il le plongea dans le corps inanimé ; il tomba à genoux et se mit à hurler des mots et des phrases sans signification, tandis qu'il lardait le mort de coups de poignard.

La lame du couteau ressortit rouge et dégoulinante. Pointée sur Jud.

— On t'emmène avec nous, dit Lisson. D'une manière ou d'une autre, tu connaîtras la vérité. Et nous aussi. Mais quoi qu'il arrive, tu m'appartiens.

Il hurla un ordre. Scarface attacha les mains de Jud dans son dos et confia sa longe au gamin. Ils poussèrent brutalement l'indic vietnamien dans le rang. Lisson s'enfonça dans la jungle d'un pas rageur, la colonne le suivit.

Ils abandonnèrent le corps de Curtain sur place.

Lisson conduisit la colonne à travers des étendues d'herbe clairsemées et des parcelles de forêt. Au bout d'une heure de marche, Jud se mit à crier. Le gamin tira brutalement sur la longe et le frappa, mais Jud continua d'appeler Lisson. La colonne s'arrêta dans un champ. Œil de Hibou et Lisson revinrent vers Jud.

— Vous m'avez défoncé les reins, dit Jud. Si je pisse pas maintenant, je vais m'évanouir. Vous pourrez pas me porter assez vite, ni assez longtemps.

— Pisse dans ton froc, répondit Lisson.

— Si au moins je pouvais, dit Jud. Mais chaque secousse m'empêche de pisser.

Œil de Hibou posa une question à Lisson et obtint une réponse. Il haussa les épaules. Lisson aboya un ordre. Le gamin fit sortir Jud du rang. Œil de Hibou les arrêta, et appela le vétéran Scarface. Œil de Hibou lui donna la longe de Jud et des instructions.

— N'oublie pas, ici tu es personne au milieu de nulle part, dit Lisson à Jud. A la moindre connerie, tu regretteras que je ne t'ai pas déjà tué.

Lisson scruta le terrain découvert, consulta sa montre et le ciel : pas d'avions de guerre. Pas encore. Il ordonna à la colonne de se remettre en route.

Scarface conduisit Jud au trot vers un bosquet d'arbres où il défit le bas du pyjama noir de Jud, le laissant tomber autour de ses chevilles. Scarface fixa une baïonnette à l'extrémité de son fusil d'assaut russe.

Lentement, il glissa la baïonnette à l'intérieur du caleçon de Jud. Il poussa un cri, se fendit et trancha le caleçon de Jud. Scarface s'éloigna en riant ; le morceau de tissu pendait au bout de la baïonnette.

— Et si vous me détachiez les mains ? demanda Jud en se penchant pour justifier sa question.

Scarface pointa sa baïonnette sur le sexe dénudé de Jud.

Pendant dix minutes, Jud se balança d'un pied sur l'autre. Assis sur un tronc d'arbre, Scarface fumait une cigarette, son fusil d'assaut à baïonnette posé sur ses genoux. Jud parvint enfin à se soulager.

Après avoir réussi à ôter son pantalon de pyjama. Après avoir libéré ses pieds.

— Ça y est ! cria-t-il à Scarface.

Le soldat du Pathet Lao éteignit sa cigarette. Il regarda le prisonnier à demi-nu en fronçant les sourcils. Il déposa son arme par terre afin de remonter le pantalon de Jud. Il se pencha.

Jud lui balança un coup de pied dans le menton. Scarface fut projeté en arrière. Le pied de Jud s'enfonça dans son ventre, l'obligeant à se plier en deux. Un coup de pied latéral l'atteignit à la tempe. Scarface s'effondra sur le sol. Jud lui piétina la nuque jusqu'à ce qu'il soit sûr.

Le temps ! supplia Jud. Donnez-moi le temps de les

avoir : vingt-trois soldats, Lisson, mon indic, le temps de les prendre par surprise !

Trois minutes pour s'emparer du fusil d'assaut et trancher ses liens à l'aide de la baïonnette.

Quatre-vingt-dix secondes pour s'habiller et dépouiller le corps. Abandonnant les photos cornées d'une femme et d'un bébé, les lettres, la couverture, et les chaussettes de rechange. Cinq grenades, six chargeurs de mitraillette. Une gourde pleine, un sachet de riz, des fruits séchés, une boîte d'allumettes étanche. Jud enfila le sac de Scarface, récupéra son derringer autour du cou du mort et fixa le holster autour de son bras gauche.

Œil de Hibou avait l'émetteur de Curtain ; Lisson avait celui de Jud.

Trois hommes s'exprimant en laotien marchaient au milieu des arbres.

Jud plongea, saisit le fusil d'assaut, roula à genoux et vida un demi-chargeur sur les soldats.

Il s'élança avant même qu'ils n'atteignent le sol, récupérant au passage sur le tas sanglant un AK-47 supplémentaire et une sacoche de munitions.

La patrouille se trouvait à l'ouest ; il fonça vers l'est. Lisson avait certainement arrêté la colonne pour envoyer les trois hommes ; il avait certainement entendu les coups de feu. Ils ne pouvaient pas être à plus de douze minutes de marche.

Et maintenant, ils allaient se mettre à courir.

Jud fonça d'un bosquet à l'autre, dévalant et escaladant les ravines, trébuchant dans les cratères de bombes.

Une gerbe de terre jaillit sur sa droite ; une mitraillette crépita. Il sauta par-dessus une ravine, loupa sa réception de l'autre côté et roula au bas de la pente.

Une ligne d'hommes déployés en éventail se précipitait vers lui, à quatre cents mètres de là.

Il balança une rafale, dans l'espoir de les inciter à

170

la prudence, de les ralentir. Il s'extirpa tant bien que mal de la ravine. Et se remit à courir.

Mais il s'était tordu le genou. Les coups reçus et la douleur de sa jambe ralentissaient sa foulée. Il avait les poumons en feu, des élancements dans la tête. A chaque pas, les guérilleros se rapprochaient.

Ils continuaient à tirer, de courtes rafales ; les balles traversaient les broussailles de chaque côté de Jud. Il devait esquiver et courir en zigzag. Eux pouvaient courir en ligne droite, sans perdre un mètre, et l'écart se réduisait.

Une demi-douzaine de balles ricochèrent sur un rocher à gauche de Jud. Des éclats lui entaillèrent la cuisse, mais il continua à courir. Ils visaient bas : Lisson le voulait vivant.

— Tu vas crever G.I. ! hurla une voix d'Asiatique à deux cents mètres derrière Jud. (Etait-ce Œil de Hibou ?) Tu vas crever G.I. !

Des champs défigurés s'étendaient devant Jud sur près de deux kilomètres : un terrain découvert. Lisson était décrit comme un excellent tireur.

Jud courut jusqu'à ce qu'il pense qu'ils aient franchi la limite des arbres. Alors il se retourna brusquement, la mitraillette de Scarface balaya en arc de cercle l'alignement de ses poursuivants. Les Pathet Lao tombèrent pendant que Jud glissait un nouveau chargeur dans son arme et ouvrait le feu, retenant son souffle en les voyant mordre la poussière. Il pensa en avoir touché deux. Il enfonça un troisième chargeur, visa une tête dressée, la mitraillette s'enraya. Il la jeta et reprit sa course folle.

— Jud Stuart ! beugla Lisson. Tu es à moi, Jud Stuart !

Tu connais mon nom, songea Jud. *As-tu déjà découvert la vérité ?*

Des points argentés lui adressèrent des clins d'œil dans le ciel bleu.

171

Quelque chose passa à toute allure au-dessus de sa tête.

Deux jets foncèrent vers l'autre bout du Laos ; leurs traînées de vapeur dessinaient des lignes blanches à moins de mille mètres du sol.

Je suis là ! eut envie de hurler Jud aux Américains dans le ciel. Les soldats du Pathet Lao se ruaient vers lui ; ligne dentelée d'hommes courant, à une centaine de mètres.

Les avions effectuèrent un demi-tour à l'horizon, points argentés qui flottaient dans l'air et se rapprochaient.

Revenant pour tuer les soldats ennemis qu'ils avaient surpris en train de courir à travers la plaine des Jarres.

Un cratère de bombe s'ouvrait à vingt mètres devant Jud... Dix mètres. Il allongea sa foulée, courant de toutes ses forces, fendant l'air.

Deux boîtes métalliques brillantes tombèrent de chaque avion, tournoyant et dégringolant dans le ciel bleu.

Du napalm.

Une « chaleur » d'essence onctueuse, d'un orange flamboyant, souffla au-dessus du cratère où se terrait Jud. Les avions de guerre passèrent en trombe, de retour vers la base. Derrière lui, Jud entendit le crépitement des flammes, le vacarme des munitions qui explosent. Les hurlements. Il imagina les montures métalliques des lunettes fondant dans cet enfer.

Jud rampa jusqu'au bord du cratère et regarda en arrière.

Il découvrit un mur opaque de flammes oranges rugissantes.

— Bon Dieu, haleta Jud sans irrévérence. Bon Dieu...

Devant le mur de feu, quatre silhouettes noires se levèrent de terre et de la cendre des morts... pour s'avancer vers Jud.

172

Le vent chaud faisait claquer un bandana sur la plus grande des silhouettes.

Le canon du second fusil d'assaut réquisitionné par Jud était profondément enfoncé dans la boue du cratère : obstrué, inutilisable.

Jud lança deux grenades en cloche vers les ombres. Dès qu'elles explosèrent, il se précipita dans la direction opposée. Sans se retourner.

Trébuchant et vacillant, il atteignit un autre bosquet. Son genou l'élançait, sa jambe et sa bouche saignaient. Il s'effondra, tomba sur une racine d'arbre qui sortait de terre.

Continue. Ne t'arrête pas.

En se relevant, sa main fit le tour du tronc. Rapidement, il se débarrassa du sac du défunt Scarface. Il coinça une de ses deux dernières grenades sous la racine, fixa une des lanières du sac à la goupille de la grenade, et déposa le sac sur l'objet piégé.

Et il s'enfonça au mileu des arbres en titubant.

Vingt pas, puis ce fut l'explosion. Un homme hurla. Jud se retourna en entendant l'homme agoniser ; il trébucha sur un tronc couché et s'affala dans la boue, la tête la première. Sa dernière grenade roula dans les buissons.

Des pas firent craquer les feuilles derrière lui.

Jud rampa sur le dos jusqu'à un tronc abattu.

Lisson sortit des arbres. Sa chemise était trempée. Des mucosités formaient une couche sur ses lèvres, sa poitrine se soulevait. Ses yeux étaient du napalm.

Le gamin qui avait tenu Jud en laisse avança en titubant derrière Lisson, pouvant à peine marcher.

Jud sortit le derringer de son étui fixé autour du bras. Il approcha le canon de sa bouche grande ouverte.

— Non ! hurla Lisson.

Il s'élança pour saisir l'arme de Jud.

De sa main libre, Jud saisit le bras tendu de Lisson

et l'abaissa ; il braqua le derringer sur le visage de Lisson. Il appuya sur la détente.

Un *pop* imprima un point rouge sous sa pommette d'ébène.

Lisson s'effondra sur Jud, et mourut dans un soupir.

Jud se dégagea ; le jeune Pathet Lao se trouvait à trois ou quatre mètres, son arme pointée sur le sol. Jud braqua sur lui le derringer contenant la dernière balle empoisonnée.

Puis il abaissa le bras.

Le gamin cligna des paupières ; il se retourna et disparut dans son pays.

L'émetteur de Jud se trouvait dans une sacoche sous la chemise de Lisson. Neuf mois après être devenu un indigène, Lisson portait encore ses plaques d'identité militaire américaines. Jud les glissa dans la sacoche qu'il passa autour de sa taille. Après avoir récupéré l'équipement de Lisson, il ressortit des arbres d'une démarche vacillante.

Des volutes de fumée noire s'élevaient du champ bombardé au napalm. Deux bornes plus loin se dressait une colline bossue où il pourrait peut-être se protéger de la pluie d'acier de l'Amérique.

Il se traîna jusqu'à la colline en priant pour qu'aucun avion américain ne repère sa silhouette en pyjama noir, priant pour qu'aucune autre patrouille du Pathet Lao ne cherche sa révolution sur cette parcelle de terre. Jud rampa jusqu'au sommet, caché entre deux éboulis. Lorsque ses mains cessèrent de trembler et qu'il put contrôler la douleur qui dévorait son corps, il entra les mots de code dans l'émetteur portable.

CONFLUENT : le nom de code de la mission.

MALICE : le nom de code de Jud, connu seulement des trois personnes qui avaient approuvé sa mission : Art, le capitaine des Bérets Verts du SOG à Da nang ; le Fantôme, un agent de la CIA de Vientiane, la capitale du Laos, dont le véritable statut était inconnu des cinq cents autres officiers de la CIA qui dirigeaient

174

fièrement la guerre secrète de l'Agence ; et un officier de haut rang dont Jud ignorait le nom, le grade et l'arme.

DELUGE : mission de surface foutue. Objectif Politburo abandonné.

REQUIN : trahison de Curtain confirmée. Liquidé.

BARRACUDA : Lisson. Localisé. Liquidé.

BALEINE BLANCHE : indic vietnamien. Supposé mort. *Baleine bleue* aurait signifié que Jud avait réussi à le faire sortir vivant.

Quatre jours après le message radio de Jud, quelqu'un à Da Nang trancha la gorge de la prostituée que fréquentait Curtain.

Dans son message, Jud localisa la colline bossue à l'aide du maximum de coordonnées dont il se souvenait. Malgré son désir de réclamer une évacuation immédiate, il refusa de succomber à cette mauvaise stratégie. Il appuya sur le bouton de transmission qui, en une microgiclée de signaux, envoya son message vers un satellite, en direction du quartier général de la CIA à Langley, pour être ensuite câblé au SOG de Da Nang et à un poste de la CIA à Vientiane. Jud passa la nuit blotti entre les deux éboulis, tremblant de faim, de froid et de souvenirs, secoué de sanglots. Sa jambe et sa bouche cessèrent de saigner, mais sa vie toute entière le faisait souffrir, et il était faible, si faible.

Juste après l'aube, il entendit les hélicoptères, trois hélicoptères de combat qui se dirigeaient vers sa colline. Deux appareils survolèrent la zone, les artilleurs installés derrière leurs calibres 50. Le troisième appareil plongea vers la plaine des Jarres, plus bas, de plus en plus bas...

Alors Jud se précipita vers l'hélicoptère, et son *whump whump whump* régulier qui, lorsqu'on l'avait entendu une fois, ne pouvait s'oublier, ni se confondre avec autre chose. Ankylosé, transi, irradié de douleur, il courut...

Mais c'était un moteur de voiture, pas un hélicoptère.

Une route, il était sur une route. Dans le désert. Il courait.

En titubant. Il avait un point de côté, ses genoux et son dos l'élançaient ; il avait envie de vomir, et du mal à respirer. Le restaurant de Nora était à cinq cents mètres droit devant. Il comprit qu'il avait fait demi-tour, il revenait à son point de départ.

Ce n'était pas un hélicoptère. Un moteur de voiture. Sur sa gauche.

Une Buick noire cabossée conduite par Carmen le frôla. L'air ébahi, elle regarda ce gringo fou.

Jud agita la main, l'implorant de s'arrêter.

Carmen accéléra, fonçant vers son travail.

Et puis merde, se dit Jud. Il se mit à marcher.

Un lièvre traversa à toute vitesse la route déserte.

Combien de temps ? songea Jud. *Combien de temps me reste-t-il ?*

Ils ne l'avaient pas trouvé en quatre jours. Maintenant, ils auraient dû pointer leur nez. Maintenant, *ils* auraient dû laisser une trace.

Si je pouvais repérer leur trace, je les verrais, songea Jud. *Et peut-être que je pourrais les empêcher de me voir.*

La cabine téléphonique au bord de la route, devant le restaurant de Nora, se trouvait à une dizaine de mètres.

Il me faut un indic, songea Jud. *Un indic vierge. Quelqu'un pour suivre ma trace. Quelqu'un en qui je puisse avoir confiance. Quelqu'un à L.A.*

Dean.

Ils ne s'étaient pas parlés depuis des années. Mais le temps ne signifiait rien pour Dean. Jud pensait que Dean le ferait pour nourrir sa propre fougue.

Sur le bord d'une route dans le désert, Jud retint son souffle. Et il décrocha le téléphone.

Le vieux pro

Le lendemain après que Wes Chandler ait promis à Beth un souvenir de Hollywood, Nick Kelley déjeuna au Madison Hotel.

— Ton coup de fil m'a étonné, dit le compagnon de Nick, un homme qui avait atteint les cinquante-six ans avec une tonsure en fer à cheval, un torse large et des yeux perçants. Il habitait dans un modeste pavillon de Virginie avec sa femme physicienne et leurs deux enfants adoptés. Son épouse travaillait pour la même société. Nick l'avait eue au bout du fil lorsqu'il avait téléphoné chez eux la veille au soir.

— J'étais content, mais étonné.

— Je te remercie d'être venu, Sam, dit Nick.

— Si tu me remercies, c'est qu'il ne s'agit pas d'un simple déjeuner entre amis.

Ils s'étaient connus plus de dix ans auparavant, au début de l'époque où Sam fut autorisé à avouer qu'il travaillait pour la CIA.

— Durant toutes ces années où je m'occupais d'affaires d'espionnage pour Peter Murphy, je ne t'ai jamais appelé pour avoir des tuyaux.

— Hmmm.

La réponse de Sam était évasive ; il attendait la suite.

— Peter vient de me confier un reportage.

Quatre hommes bien nourris en costume sombre

177

passèrent devant leur table d'une démarche pesante. Sam laissa l'image de Nick s'imprimer dans son regard fixe.

— Tu as repris tes mauvaises habitudes d'autrefois ? (Sam secoua la tête.) Ça ne peut pas être pour l'argent. Murphy est réputé pour son avarice. Tu publies des livres les uns après les autres, et il y a eu cette série télé... Tu as demandé à recommencer.

— On vit une époque différente. Je m'intéresse beaucoup à l'espionnage, et maintenant avec la *glasnost*, la fin de la guerre froide...

— Que nous avons remportée, dit Sam. Vous les libéraux, vous avez eu tort de nous critiquer pendant toutes ces années, nous les va-t'en-guerre.

Ils rirent.

— Mais ne t'inquiète pas, reprit Sam. Si tu te fies à l'histoire, tu peux être certain qu'un nouvel ennemi saura nous trouver.

Il sourit.

— Pourquoi ne m'as-tu jamais appelé ?

— Je ne voulais pas que tu me rayes de la liste de tes amis. Surtout pour déterrer des scandales banals.

— Tu es un drôle de sentimental pour cette ville, dit Sam. Tu t'es remis avec Murphy. Et tu m'as appelé. Donc, il ne s'agit pas d'un *scandale banal*.

— Je ne sais pas de quoi il s'agit.

— J'étais heureux de ne pas recevoir des coups de téléphone *amicaux*. Mais autrefois comme aujourd'hui... La CIA emploie quelque sept mille personnes. Les gros trucs, ce n'est pas mon rayon.

— Sam, tu as travaillé aux Opérations Secrètes depuis l'époque du Vietnam jusqu'au début des années 70. Tu as été conseiller du président. Aujourd'hui, tu es un des principaux adjoints d'un des gros pontes de chez eux.

— A t'entendre, j'ai l'air si... exotique. Tout à fait le vieux pro. A croire que je suis plus important que je ne le pensais. En fait, il suffit de regarder la place que tu occupes lors des réunions.

— En l'occurrence, il ne s'agit pas simplement des habituelles guerres de Washington.

Sam rit.

— Tu enquêtes sur le nouveau directeur ? Ralph Denton : l'homme qui s'est élevé grâce à la tragédie, bien au-delà de ses mérites affirment la plupart.

— Et *toi,* qu'en penses-tu ?

Le cadre ultra-conservateur de la CIA haussa les épaules.

— Denton est un politicien. La nature de l'animal exige un examen attentif.

— Il n'y a que des politiciens dans cette ville, dit Nick.

— Bien sûr, dit Sam, battant en retraite. C'est exact.

Le serveur vint à leur table. Sam commanda du saumon, et une soupe. Un verre de vin blanc. Nick commanda le premier plat du jour que mentionna le serveur.

— Que pense ton épouse de ce changement de carrière ? interrogea Sam. Sylvia, c'est ça ? Elle travaille pour le Congrès, hein ?

Sam n'avait jamais rencontré Sylvia.

— Elle aime mes romans.

— Tes romans en général ou ceux qui te tiennent éloigné de ce sujet ?

Nick ne répondit pas.

— Tu as fait sa connaissance quand elle était une de tes sources ? demanda Sam.

— Je ne parle jamais de mes sources, répondit Nick devant le regard expectatif de Sam. De la même façon, personne ne saura jamais qu'on s'est parlés.

— Excepté la trentaine de personnes qui déjeunent ici, corrigea Sam. Mais je vois ce que tu veux dire. Tu es un chic type. Et je suis certain que tu as une femme adorable, quelle que soit la façon dont tu l'as

179

connue. Un tas de gens pensaient que tu ne te marierais jamais. Tu étais une sorte de fou tranquille.

— Je me suis assagi, il y a presque cinq ans. Pas uniquement à cause d'elle, bien qu'elle n'aurait jamais gobé mes conneries. De plus, elle a une peau qui te donne une folle envie de...

Nick ne termina pas sa phrase.

— Et maintenant, tu as un fils. (Sam sourit.) J'ai d'autres amis dans le Michigan. On suit la carrière de notre célébrité locale. Ton épouse est au courant de tes activités ?

— Nous ne sommes pas ici pour parler de ma femme et moi.

Nick avait dit à Sylvia de ne pas s'inquiéter. Il lui avait expliqué l'intérêt qu'il y avait à effectuer une petite enquête en free-lance, même mal payée, pour son ancien patron afin de pouvoir poser des questions en toute légitimité.

— Tu n'as pas besoin de savoir tout ça, avait-elle insisté.

— C'est le compromis. La seule façon de prendre la situation en main.

— Il n'y a pas de situation de fait, dit-elle. C'est toi qui la crées !

— C'est une chose que je dois faire !

— Juste ça alors, concéda-t-elle enfin. *Rien d'autre !*

Il ne lui avait pas parlé de son coup de téléphone à Dean.

Le serveur du Madison apporta la soupe de Sam.

— Même si je voulais t'aider, dit celui-ci en levant sa cuiller, je ne pourrais certainement pas le faire. On fonctionne par spécialisation, compartimentation. Equipe A, équipe B, sections différentes, parfois, une section ne sait même pas que l'autre existe. Les bruits de couloir sont rares.

— Es-tu en train de dire que tu acceptes de m'aider ?

Sam se pencha au-dessus de la table.

— Qu'est-ce que tu veux au juste ?

180

— Au cours des deux ou trois dernières semaines, est-ce que quelque chose de... spécial ou d'inhabituel s'est produit ?

— Par exemple ?

— Si je le savais, je ne te poserais pas la question. (Nick regarda autour de lui ; personne aux tables voisines ne leur prêtait attention.) Sans doute quelque chose dans le domaine des opérations secrètes. Peut-être une histoire de drogue ou un coup fourré. Peut-être une affaire interne.

— Tu me demandes *s'il s'est passé quelque chose ?*

— Une affaire récente. Peut-être en rapport avec la Californie.

— Heureusement que tu peux te rabattre sur tes romans. (Sam secoua la tête.) Tu tires sur un trou noir en espérant atteindre une cible. Autant tirer avec des cartouches à blanc.

— Peux-tu m'aider ?

— Je ne t'ai jamais accusé d'être un obsédé du complot. Ferais-tu partie toi aussi de ces ignorants prétentieux persuadés que la CIA fait le trafic de drogue ?

— Non, je ne pense pas que vous vendez de la drogue.

— Parce qu'on ne touche pas à ce genre de saloperie. Ça fait de bons romans, mais une politique dégueulasse, et nous ne voulons pas d'une politique dégueulasse. Nos enfants vivent dans ce pays !

— Je n'accuse personne de quoi que ce soit. Je veux juste savoir s'il s'est passé quelque chose.

— Tu ne cherches pas un sujet d'article, murmura Sam. (Il cligna des paupières.) Dans quoi t'es-tu fourré ?

— Mon gosse aussi vit dans ce pays, répondit Nick.

— Tu as des ennuis ?

— Non. Et je tiens à ce que ça continue.

Le serveur leur apporta les plats de résistance.

— Donc, ça concerne quelqu'un d'autre.

181

Sam repoussa le saumon sur le bord de son assiette.

— Qu'est-ce qui te fait dire ça ?

— Tu me dis que *tu* n'as pas d'ennuis. Tu ne m'interroges pas sur un pays en particulier ou un problème précis. Si tu n'avances pas au petit bonheur la chance... S'il ne s'agit pas d'un programme, c'est un individu. Quels sont tes liens avec lui ?

— Qui ça ? demanda Nick.

— *Lui*, quel qu'il soit, répondit Sam.

— Je croyais que c'était moi qui cherchais des réponses.

— Tu es venu me trouver, fut la réponse de Sam. J'essaye de me faire une idée de ce que tu es devenu.

— Je suis plus âgé, je suis plus intelligent, et j'ai moins de temps à perdre.

— La question est : qu'est-ce que tu fais ?

— On m'a confié une enquête journalistique.

— Epargne-moi ton identité de couverture. (Sam haussa les épaules.) Je ne suis pas sûr de pouvoir t'aider.

— Tu es sûr que c'est une question de *pouvoir* ?

— Ecoute, dit Sam, si tu sais autre chose, si tu as besoin de parler... appelle-moi.

— Et si tu apprends quelque chose ?

— Je ne peux rien apprendre, répondit l'homme de la CIA. Tous nos scandales ont été révélés.

Les deux hommes s'empressèrent de finir de déjeuner. Ils se quittèrent devant la porte pivotante du Madison. Sam regarda Nick se diriger vers la bouche de métro. Un chasseur s'empara du ticket de parking que Sam serrait dans son gant.

— Pouvez-vous la garer juste devant ? demanda Sam. J'en ai pour une minute.

La porte à tambour le propulsa de nouveau dans l'hôtel. Un groom lui indiqua une rangée de cabines téléphoniques. Bien qu'un seul des trois téléphones soit occupé, Sam attendit que la grosse femme en manteau de fourrure ait fini d'engueuler son mari, raccroche et se dirige d'un pas lourd vers la salle de restaurant. Il glissa un *quarter* dans l'appareil.

— Emily ?... Appelez les Affaires publiques, dites-leur qu'il me faut une demande d'interview... Je sais, mais je veux qu'ils m'en envoient une aujourd'hui... Et appelez la secrétaire du général Cochran. Trouvez-moi un trou dans son emploi du temps.

Après avoir raccroché, Sam franchit de nouveau la porte à tambour, relevant son col pour se protéger du froid.

Lampe à souder

Un avion déposa Wes à Los Angeles avant midi. L'hôtesse avait des cheveux qui, un peu moins blonds, et sans laque, auraient pu ressembler à ceux de Beth. Après avoir loué une voiture, il appela le détective Rawlins. Les deux hommes convinrent de se retrouver dans un hôtel de Hollywood.

Le soleil et le smog enveloppèrent Wes dès qu'il sortit de l'aéroport ; il fourra son imperméable dans sa valise. Au volant de sa Ford de location, il traversa les grandes artères de la ville en direction du nord.

Les blocs d'urbanisme californien défilaient les uns après les autres derrière les vitres. Ici, rien ne se mesurait en kilomètres, mais en minutes. Tout semblait contemporain, et doué de mouvement : les boutiques de beignets, les maisons modestes aux pelouses vertes, les rares passants sur les trottoirs, les millions de voitures bien entretenues.

Un feu rouge arrêta sa progression. Une Mercedes noire lustrée aux vitres hermétiquement closes stoppa à sa hauteur sur la file de gauche. Le chauffeur était seul : une femme avec des cheveux d'un noir de jais, de magnifiques pommettes et un rouge à lèvres couleur sang assorti à ses ongles. Les chirurgiens avaient fait du bon boulot sur son nez. Sa peau habilement poudrée avait un teint d'albâtre. Elle se tourna vers Wes. Et

184

remarqua sa petite voiture de location. Elle tourna la tête pour voir le feu passer au vert.

La rue s'achevait dans Sunset Boulevard ; il tourna à droite. D'immenses affiches de films s'étalaient au-dessus des palmiers. Wes passa devant sept magasins de guitares. Une blonde provocante arpentait le trottoir devant le long mur de stuc gris du plus grand des magasins. Elle portait une minijupe blanche et large qui semblait taillée pour une enfant et des sandales à talons hauts. C'était peut-être une fille de seize ans, ou bien une femme de trente-six, attentive et pleine de fric. La brise qui faisait claquer sa jupe dévoilait le porte-jarretelles blanc qui retenait ses bas blancs à motifs.

Wes se demanda si Beth portait parfois des jupes.

Il tourna à gauche à La Brea. *Est-ce que les puits de goudron sont par ici ?* Il imagina des mares noires et bouillonnantes d'où émergeaient les os de dinosaures sans méfiance.

Un homme aux cheveux ébouriffés et à la peau tannée par le soleil, avec un T-shirt marron déchiré, un pantalon vert taché, et une seule basket, se précipita hors du fast-food en hurlant. Wes pila pour ne pas le renverser, mais le type ne s'en aperçut même pas. Personne ne lui prêtait attention.

Hollywood Boulevard apparut deux feux plus loin. Apercevant l'hôtel, Wes se gara sur un emplacement libre. Deux gosses émaciés, entièrement vêtus de jean, avec des sacs à dos, des tatouages et des cheveux longs démodés depuis leur naissance le regardèrent glisser des pièces dans le parcmètre. Quand Wes les observa à son tour, ils s'éloignèrent sur le trottoir d'un pas traînant.

Quand il était gamin, la mère de Wes lui parlait souvent de son pèlerinage à Hollywood, la découverte du cœur de cet univers fantastique : le Graumann's Chinese Theater, avec sa façade rouge et verte, ses dragons sculptés, son toit de pagode, et son trottoir

185

sur lequel étaient gravés pour toujours dans le béton les noms des stars.

Sur le trottoir opposé, Wes aperçut le souvenir de sa mère.

Il regarda ses pieds : il marchait sur l'étoile d'un individu dont il n'avait jamais entendu parler. Deux cars s'arrêtèrent devant le cinéma, rotant de la fumée de gas-oil et déversant des matrones américaines aux cheveux bleus accompagnées de leurs époux voûtés, et des familles de Japonais bien habillés dont chaque membre transportait un appareil photo.

Une femme volubile arborant cent soixante-trois badges publicitaires et politiques s'avança vers les touristes. Certains la photographièrent, d'autres remontèrent dans le car.

Wes pénétra dans l'hôtel.

Un groom mexicain le salua d'un signe de tête. Une petite brune guillerette vêtue du blazer bordeaux de l'hôtel et d'une jupe grise lui adressa un beau sourire. Une autre femme portant une tenue identique était assise au guichet de la réception. Elle avait une peau lisse couleur olive et parlait en Farsi avec un homme en costume trois-pièces visiblement mécontent.

Deux hommes discutaient à l'entrée de la salle de restaurant. L'un avait la cinquantaine, juif, avec des cheveux gris très courts et une barbe bien taillée. Il portait d'épaisses lunettes et un pull ample. Son interlocuteur était un Noir corpulent en costume, avec de grosses chaussures noires. Il tenait un carnet à la main. Le Juif d'un certain âge prit congé du Noir, et passa rapidement devant Wes, l'air inquiet.

Le Noir et Wes se jaugèrent d'un regard.

— Je cherche monsieur Rawlins, dit Wes.

— *Inspecteur* Rawlins, répondit le Noir.

— Wes Chandler, dit-il en lui tendant la main.

Rawlins avait une poigne puissante.

— Vous avez autre chose qu'un permis de conduire à me montrer ?

Wes sortit sa carte plastifiée du N.I.S.

— C'est pas une plaque fédérale, dit le policier.

Rawlins lui montra rapidement son insigne.

— Je suis avocat.

— Alors pourquoi vous travaillez pas à Century City, pour amasser du pognon et conduire une BMW ?

— Je pensais qu'en faisant des études de droit, j'arriverais à mieux comprendre comment fonctionne le monde. Que je pourrais mieux le maîtriser.

— Si vous voulez apprendre comment ça fonctionne, prenez une plaque, un 9 mm, et venez faire un tour en voiture avec moi.

Le flic de L.A. indiqua la sortie.

— Ce type avec qui j'étais ? reprit-il. Chic type. Il fait de la télé, mais pas des conneries. L'autre soir, sa femme vient le chercher à son boulot. Chouette épouse. Il se souvient qu'il a oublié de passer un coup de fil, il lui demande de se garer ici devant l'hôtel. Il rentre en courant, il appelle un acteur qui a des problèmes d'ego, il le rassure, et il ressort juste au moment où un type descend le portier de trois balles de 45. C'est pas en faisant des études de droit que vous pourrez comprendre ça.

— Qu'est-ce qui s'est passé ?

— C'est le même type qui a buté un gars sur mon territoire au centre ville. (Rawlins haussa les épaules.) Une histoire entre Philippins. Vous avez déjeuné ?

— Dans l'avion. Je suis partant.

— Moi je meurs de faim, répondit Rawlins. On pourrait manger pour pas cher à la cafétéria, mais les tables ne sont pas conçues pour l'intimité.

Wes fit un signe de tête au maître d'hôtel qui attendait devant l'entrée tendue de velours de la salle de restaurant. Rawlins passa devant.

— Ça vous ennuie si on s'assoit dans la partie fumeur ? demanda-t-il.

— Avant, ça me gênait. Maintenant je suis plus tolérant, répondit Wes avec un sourire.

Ils choisirent une table au fond. La moitié environ des autres tables était occupée. Un serveur en veste blanche s'approcha.

— Vous buvez pendant le service ? demanda Rawlins.

— Non.

— Moi non plus. (Rawlins leva les yeux vers le serveur lorsqu'il arriva à leur table.) Vodka avec des glaçons.

Wes commanda du café. Rawlins sortit une cigarette d'un paquet, arracha le filtre et le jeta dans le cendrier. Il alluma sa cigarette et désigna le filtre arraché.

— Ma femme croit que je suis prudent. Des pare-chocs contre les clous de cercueil.

Une Chinoise vêtue d'un tailleur qui coûtait l'équivalent d'une semaine de salaire de Wes passa devant leur table d'un pas léger, ses cheveux d'ébène soyeux tombant sur ses épaules.

Les deux hommes regardèrent se balancer ses hanches fines. Rawlins attendait que les yeux du Marine reviennent se poser sur lui.

— On ne s'y habitue jamais à L.A., commenta Rawlins. Il y en a trop. Vous êtes marié ? Des gosses ?

— Ni l'un ni l'autre, je n'ai pas cette chance.

— Pas facile de vivre dans cette ville pour un homme marié. (Le flic écrasa sa cigarette. But une gorgée de vodka.) Alors, comment se fait-il qu'un simple flic de L.A. comme moi, avec un M.O.I. au frais se retrouve avec une affaire fédérale sur les bras ?

— Je ne suis pas autorisé à vous le dire.

— Je déteste les affaires top secrètes.

Le serveur revint prendre leurs commandes.

— Naval Investigative Service, dit Rawlins après le départ du serveur. C'est bien ça ?

— Exact.

— Vous n'avez pas fait que du droit.

— Je suis un Marine.

188

— Ah ! Et maintenant vous enquêtez sur cet ancien marin... Hopkins.

— Du nouveau ?

— Il n'a pas ressuscité.

— Vous savez très bien ce que je veux dire.

Rawlins soupira.

— Personne n'a réclamé le corps, personne n'a appelé. Il ne figure pas sur la liste des personnes disparues de la police de San Fran et ils n'ont trouvé personne chez lui, alors ils ont laissé tomber. D'après notre légiste, il pourrait s'agir d'un accident, il se peut qu'on l'ait poussé dans l'escalier derrière ce bar. Le comté va conserver son corps au frais pendant trente et un jours, si d'ici là, aucune autre administration ne se manifeste et si personne ne le réclame, il aura droit à un trou au cimetière communal.

— C'est tout ?

— Le cas Hopkins est fait de *peut-être* et de *rien à foutre*.

— Et votre enquête ?

— J'ai l'impression que vous êtes au centre de mon enquête.

Rawlins parlait d'une voix égale. Calme.

— Je n'ai rien de nouveau à vous apprendre, dit Wes.

— Vous pourriez éliminer quelques « peut-être ».

Le serveur leur apporta leurs plats.

— Je veux juste m'assurer que tout est conforme, dit Wes.

— Conforme à quoi ?

Comme Wes ne répondait pas, Rawlins lâcha un juron, mais l'un et l'autre savaient que c'était pour la forme.

Un rire de femme rauque s'échappa de la table sur leur droite ; un rire plus régulier que celui de Beth. Une femme mince au visage d'aigle, avec des cheveux châtains frisés, vêtue d'une veste de tailleur et d'une minijupe en cuir, employait l'humour pour bien faire

189

comprendre aux trois hommes des studios avec qui elle déjeunait qu'ils devaient la prendre au sérieux.

— Des suggestions ? demanda Wes.

— Vous pourriez aller à l'« Oasis » et interroger le barman. Un type nommé Leo. C'est lui qui a découvert le macchabée. Il n'a rien dit de plus.

— Y avait-il quelqu'un d'autre sur les lieux ce soir-là ?

— Qui, par exemple ?

— Personne en particulier.

— D'après ce qu'on sait, c'est ce personne en particulier qui se trouvait là.

Rawlins indiqua à Wes comment se rendre à l'« Oasis Bar », et lui recommanda un hôtel. Il accepta d'envoyer à Wes le rapport d'autopsie.

— Avec Leo, ajouta Rawlins, essayez à la fois la manière forte et la naïveté. Je n'ai pas eu le temps, ni la motivation suffisante, pour un second interrogatoire.

— Merci.

Wes paya le serveur en liquide et conserva la note. Il se leva et regarda le flic. Cet homme lui plaisait bien.

— Je risque d'avoir besoin de votre aide, dit Wes.

— On prend tous des risques, répondit le flic avec un sourire.

Wes appela le détective Jack Berns à Washington depuis la cabine téléphonique de L.A. dont s'était servi Jud d'après la CIA.

— Vous avez dit que vous pourriez me rendre un service, dit Wes.

— J'ai dit que je pouvais vous rendre *n'importe quel* service.

— Ça me serait utile d'avoir la liste des appels effectués à partir d'une cabine téléphonique de L.A. Les numéros appelés, et le nom de l'abonné.

Berns éclata de rire.

— Ça vous serait utile ? Tous les mêmes, les

avocats ! Pour les appels locaux, c'est presque impossible. Pour les appels longue distance... ça peut se faire.

— En combien de temps ?

— C'est une question de timing. Vous êtes au milieu d'un cycle de facturation, si quelqu'un interroge l'ordinateur, la machine fait une impression spéciale, et ensuite, ce quelqu'un risque de se retrouver avec des questions qu'aucun de nous ne voulait poser.

— Je ne tiens pas à déclencher des signaux d'alarme, dit Wes. Quand puis-je avoir ce que je demande ?

— Dans deux ou trois jours, je suppose... si vous avez les moyens de poser la question.

— Je les ai, mais je n'ai pas les moyens d'attendre éternellement.

Wes lui donna le numéro de la cabine, et les deux dates encadrant la nuit où Jud avait appelé.

— Alors vous êtes à L.A. ? Où puis-je vous joindre ?

— Laissez tomber.

Wes raccrocha. Il était dans une rue animée, un quartier commerçant de seconde zone.

Pourquoi ici ? se demanda-t-il. *Pourquoi cette cabine ?*

Leo essuyait des verres à l'autre extrémité du comptoir quand Wes ouvrit la porte de l'« Oasis ». Wes s'arrêta sur le seuil, offrant au barman la vision d'une silhouette noire sur le fond rouge du soleil couchant.

La demi-douzaine d'ivrognes disséminés dans le bar ne lui prêtèrent aucune attention lorsqu'il pénétra dans leur monde obscur. En apercevant la veste et la cravate, le visage rasé de près, Leo comprit.

— Je vous ai jamais vu, lança-t-il à celui qui, de toute évidence, était un flic.

— Exact, répondit Wes en s'accoudant au comptoir.

Il agita négligemment son porte-cartes noir, le remit

dans sa poche sans prendre la peine de l'ouvrir, et fit signe à Leo d'approcher.

— Désolé de pas être venu tout de suite, dit Leo. (Son haleine sentait la pizza.) Douze ans déjà depuis ce match à USC, et mon genou se bloque encore.

— Racontez-moi tout le reste au sujet du type qui est mort, demanda Wes.

— Je vous ai déjà dit tout ce que je savais. Il est sorti, et il est mort. Je sais pas pourquoi, je sais pas comment, je le connais pas. Fin de l'histoire.

— Si c'était la fin de l'histoire, je ne serais pas ici.

— Moi je veux pas d'emmerdes. C'est un établissement convenable.

— Mon cul. (L'avocat Wes retint son souffle, mais Leo ne trouvait rien à redire à une telle arrogance de la part d'un représentant de l'autorité.) Je ne suis pas ici pour vous emmerder, je ne suis pas non plus ici pour devenir votre pote. Mais je choisirai l'un ou l'autre avant de partir.

— Qu'est-ce que vous voulez ?

— Racontez-moi ce qui s'est passé... tout, pas le baratin que vous avez servi aux autres flics. Parlez-moi du mort.

— On a un peu bavardé lui et moi. Et il m'a filé un coup de main.

— Pour quoi faire ?

— Pour éjecter un poivrot dans le toril derrière. C'est pas important, alors j'en ai pas parlé.

— Et ce poivrot ?

— Il s'est évanoui. (Le visage de Leo s'éclaira.) Le type qu'est mort, il est sorti voir comment il allait.

— Et que s'est-il passé ?

— Il a pas su descendre l'escalier.

— Et l'autre type ?

Même Leo commençait à comprendre.

— Il est revenu en premier ; il est ressorti par-devant.

Wes savait qu'une identification arrachée de cette

façon n'aurait aucune valeur devant un tribunal, mais il se foutait du tribunal. Il montra au barman la photo de Jud que lui avait donnée Jack Berns.

— Ouais, c'est bien le type qu'on a viré.

— Vous le connaissez ? Il vit dans le coin ?

L'idée vint lentement à Leo, mais elle vint.

— Hé ! ce type-là sur la photo, si j'appelais l'émission *Crimesolvers* pour leur dire ce que je sais, peut-être que je toucherais une récompense.

— Oui, et après vous iriez en taule pour complicité par assistance et obstruction au bon déroulement de l'enquête.

Le barman fronça les sourcils. Tout en parlant, Wes avait posé un billet de vingt dollars sur la table.

— J'ai jamais revu ce type, dit Leo en reluquant le billet. Je pense qu'il habite dans un hôtel minable en haut de la rue, le Zanzibar.

— C'est pas beaucoup pour vingt dollars.

Le barman passa la langue sur ses lèvres.

— Peut-être qu'il s'appelle Bill, dit-il.

D'un mouvement de tête, Wes désigna le billet.

— Paye-toi des leçons pour apprendre à mentir.

— Je me doutais que vous viendriez me poser des questions sur lui, dit le type au visage vérolé assis derrière le comptoir de la réception de l'hôtel meublé Zanzibar.

Il sentait le parfum à la violette. D'une main, il tenait un fin cigarillo, de l'autre il tapotait sur la photo que Wes avait posée devant lui.

— Ouais, je m'en doutais...

— Il est ici ? demanda Wes.

Sous le smog de la fumée du cigarillo, le Zanzibar sentait la poussière et la moisissure.

— Non. Ça fait... oh ! des semaines qu'il a payé son loyer. On a reloué sa chambre.

— Comment saviez-vous qu'on viendrait vous poser des questions à son sujet ?

— Vous me prenez pour un imbécile ? Ce monsieur est un cambrioleur, pas vrai ?

— Qu'est-ce qui vous fait croire ça ?

— C'est le genre de poivrot qui vous rabat les oreilles. Il arrêtait pas de répéter qu'il était très *important*, qu'il savait un tas de choses. Y s'y croyait. Y me disait que je pouvais même pas imaginer. Ah ! Il avait un boulot, paraît-il. C'est sûr, même quand il rentrait complètement bourré le soir, le lendemain matin il sortait du pieu et il prenait le bus pour aller je sais pas où. Mais si vous voulez mon avis, c'était pas un vrai *boulot*. Un jour, y m'a montré sa sacoche à outils. J'avais déjà vu des crochets. Y disait qu'il était le meilleur serrurier du pays. Moi je répondais, ouais, super, mais j'avais tout pigé.

L'employé de la réception souffla un nuage de fumée.

— Une vraie bombe à retardement ambulante ce type. (Il sourit.) Jud, c'est ça ? Jud... Seward ?

— Quelque chose comme ça, répondit Wes.

— Alors, on va parler de lui dans les journaux ?

— Ça m'étonnerait. Vous dites que vous avez reloué sa chambre ?

— Comme on l'a pas revu le jour du loyer, j'ai foutu ses affaires dans un carton, et j'ai donné sa chambre à un client plus sérieux.

Les ressorts avaient traversé les coussins du canapé dans le hall. Le téléphone fixé au mur était en piteux état. Les échos étouffés d'une dispute entre un homme et une femme descendaient par l'escalier.

— Que sont devenues ses affaires ?

— Elles sont dans le débarras. On fait tout dans les règles ici, on est obligés de garder ces trucs-là pendant un mois. Vous y comprenez quelque chose à la loi vous ?

— J'ai renoncé à essayer de comprendre. J'aimerais jeter un œil sur ses affaires.

— Moi j'aimerais revoir la carte que vous m'avez agitée sous le nez, répondit l'employé.

Wes lui tendit son porte-cartes d'où dépassait un billet de vingt dollars. Le type prit le billet, vérifia qu'il était bon et rendit son porte-cartes à Wes sans l'ouvrir.

— Chouette photo, dit-il.

Il lui fit signe de le suivre.

Le débarras était encombré de cartons, de valises, de piles de vêtements, de journaux ficelés. L'employé dénicha une boîte à chaussures et deux valises ; il les déposa sur une table poussiéreuse et laissa Wes seul.

Rien dans la boîte à chaussures, excepté des affaires de toilette.

Les valises en aluminium cabossé avaient coûté une coquette somme à l'époque. Les vêtements qu'elles contenaient se divisaient entre habits usés autrefois chics et habits usés autrefois miteux. L'employé de la réception avait certainement fait main basse sur tous les objets de valeur laissés par Jud.

Wes découvrit une clé de voiture avec le logo Mercedes, il la laissa dans la valise.

Dans la poche d'une vieille chemise hawaïenne en lambeaux, il trouva deux photos Polaroïd chiffonnées et à moitié effacées.

La première représentait Jud et un autre homme, tous les deux assis sur un canapé rouge, souriant à l'objectif. L'autre homme paraissait nerveux. A l'époque de la photo, ils avaient la trentaine l'un et l'autre. Le compagnon de Jud avait des cheveux noirs taillés au rasoir au-dessus des oreilles, une chemise et un blue-jean. Il était mince, rasé de près.

La seconde photo était celle d'une femme. Une femme splendide, d'une beauté éblouissante, même sur cette vieille photo instantanée mal cadrée.

Ses cheveux châtain-roux cascadaient sur ses épaules comme une crinière de lion, implantés en V sur le front comme ceux de Beth, mais plus épais. Son

195

visage était italien, avec de grandes lèvres ovales, de gigantesques yeux marron. Son sourire trahissait une gêne innocente, songea Wes. Elle paraissait petite, mais alors qu'elle se retournait pour se laisser surprendre par l'appareil, son pull blanc se tendait sur sa forte poitrine. Elle se tenait sur une dune ; derrière elle s'étendait l'océan.

Wes conserva les deux photos.

Il fallut une heure à Wes le lendemain matin pour découvrir où avait travaillé Jud. Grâce à l'annuaire des pages jaunes, Wes réussit à joindre la « Serrurerie en bâtiment Angel » au bout du neuvième appel ; il demanda à parler à Jud. Son correspondant lui répondit que Jud avait démissionné. Constatant que le magasin où avait travaillé Jud se trouvait tout près de la cabine téléphonique qu'il avait utilisée, Wes décida de se rendre sur place.

Ce type est né en ayant peur, songea Wes en interrogeant le propriétaire rondelet dans l'atelier du fond. Pendant qu'ils discutaient, un vieil homme avec une barbe de plusieurs jours démontait une serrure sur l'établi.

Le propriétaire se mordait la lèvre, sans lui apprendre grand-chose de plus, hormis le fait que Jud n'était pas revenu travailler le lendemain de la mort de Hopkins.

— Vous pouvez quand même me dire autre chose sur lui ! insista Wes.

— Non, je... rien. Je...

Le gros homme haussa les épaules.

— Etait-ce un bon serrurier ? demanda Wes en désespoir de cause.

— Ah ! oui, c'était..

Le propriétaire était incapable de prononcer un mot.

— C'était pas un serrurier, intervint l'homme devant l'établi.

Wes se retourna.

— Un serrurier, lui ? répéta le vieil homme avec

toute l'Europe dans sa voix. Non, *moi* je suis serrurier. Jud, lui, c'était un *artiste*. Il avait des anges dans les mains. Ce type sait manipuler les coffres. Vous savez ce que ça veut dire ?

— Non, répondit Wes.

— Il peut ouvrir un coffre sans le forcer, oui. Simplement au toucher. Au bruit. A l'odeur. Vous savez combien c'est rare ? C'est un don, exigeant, changeant. Il faut s'entraîner. Mais la plupart d'entre nous ne sont que des techniciens. Pour ouvrir un coffre comme lui... deux hommes peut-être dans ce pays. Un autre peut-être en Europe.

... Et je vais vous dire une bonne chose : là où il a appris ce qu'il sait, c'était pas pour installer des systèmes de sécurité chez des starlettes idiotes.

— Il m'a volé du matériel, bafouilla le propriétaire, craignant de parler, mais craignant davantage d'être éclipsé par le vieil homme.

— Quel genre de matériel ? demanda Wes.

— Juste des outils, répondit le vieil homme. Des outils de notre métier... pas vrai ?

Le propriétaire passa la langue sur ses lèvres et hocha la tête.

Wes remercia le vieil homme et s'en alla.

Il retourna à la même cabine pour appeler Jack Berns.

— Excellent timing, dit le détective. Je crois que j'ai ce que vous vouliez : deux appels longue distance qui pourraient être chauds.

— Deux ? fit Wes.

Dans la rue, les voitures passaient à toute allure. Où était donc parti Jud ? Et comment s'y était-il rendu ? En car ?

— Le premier est un numéro spécial que vous connaissez peut-être dans la société où travaille notre ami commun.

— Oui, je le connais.

— Je m'en doute, dit Berns. Le deuxième était pour Takoma Park, juste derrière la limite du district de Columbia. Chez un certain Nick Kelley.

— Vous avez fait du bon boulot.

— J'ai fait plus que ça, dit Berns.

— Je vous ai engagé pour faire ce que je vous avais demandé !

— Vous ne voulez pas savoir ce que j'ai découvert ? Wes jura en silence.

— O.K. ! allez-y.

— Nick Kelley est journaliste. Du moins il l'était. Il travaillait pour la chronique de mon vieil ami Peter Murphy.

— Ne jouez pas au con avec moi, Berns.

— Faudrait me payer pour ça. (Le détective éclata de rire.) Je me suis souvenu de ce nom. J'ai rencontré ce gars deux ou trois fois à l'époque. Dans mon métier, quand vous tenez une piste, faut la suivre jusqu'au bout. Je suis allé au bureau de Peter...

— Vous avez fait quoi !

— Je vois Peter plusieurs fois par an. J'ai appris que notre cher Nick avait abandonné le journalisme à l'époque pour écrire des romans. Il a même écrit un bouquin d'espionnage. Vous croyez que notre ami commun serait intéressé d'apprendre cela ?

— Il apprendra ce que je lui dirai.

— N'oubliez pas de lui dire que Nick Kelley a repris du service.

— Hein ?

— Peter a laissé échapper que Nick était venu le trouver avec un marché pour récupérer sa carte de presse en échange d'un article sur les barbouzes. Il travaille dans son bureau à Capitol Hill.

... Je parie que vous n'avez pas l'habitude de discuter avec les journalistes, ajouta Berns, alors je vais faire un saut chez Nick pour essayer de...

— Pas question ! (Wes bouillonnait ; sa voix était de glace.) Je vous ai demandé de me trouver des numéros de téléphone et des noms. Vous êtes allé bien plus loin...

— Et j'ai décroché le gros lot, *major*.

— Le jeu est terminé maintenant. Vous entendez ? Immédiatement ! Et tout cela doit rester entre nous.

— Vous en faites pas. Je sais d'où vient l'argent. Je vais rester ici à attendre. A vous attendre.

Le détective raccrocha.

Wes lâcha un juron ; il avait envie de pulvériser le téléphone. Une Corvette rouge de 1967 customisée passa dans un vrombissement, en klaxonnant une voiture familiale japonaise qui essayait de se faufiler au carrefour.

J'ai pigé ! Il remit des pièces dans l'appareil.

— Inspecteur Rawlins, répondit la voix.

— Pourrais-je avoir un relevé géographique des crimes enregistrés dans l'ordinateur de la police de L.A. ?

L'inspiration faisait frissonner Wes de la tête aux pieds.

— Il y a un type devant un terminal au fond du bureau qui peut s'en charger, répondit le policier.

— Pouvez-vous me dire si on a volé une voiture ? (Wes lui indiqua l'emplacement de la cabine téléphonique et réclama un quadrillage des six blocs environnants.) La nuit où Hopkins est mort, ou le lendemain matin.

— Vous chevauchez la vague du crime, major ? ironisa Rawlins.

Il demanda à Wes de patienter. Il revint une minute plus tard.

— Vous devriez jouer à la loterie, dit-il.

— Quelle immatriculation ? Quelle marque ? demanda Wes tout excité.

— Peu importe. La police des routes l'a retrouvée trois jours plus tard sur une aire de repos plus haut vers le nord. Complètement dépouillée. Mais pas la moindre empreinte intéressante.

Wes poussa un juron.

— Faites donc un saut à mon bureau, suggéra Rawlins.

— Impossible, répondit Wes, j'ai un avion à prendre.

Il est tard, songea Wes quand le taxi qui le ramenait de l'aéroport le déposa devant son appartement de Capitol Hill. Ereinté par le décalage horaire, il éprouvait un sentiment d'intemporalité, tout en sachant qu'ici à Washington, il serait minuit dans une demi-heure. L'air indigo était glacial. Une matrone avec un pardessus traînait un terrier à poils blancs d'un lampadaire à une bouche d'incendie. Ni la femme ni le chien n'adressèrent un seul regard à Wes en descendant la rue. Ses yeux parcoururent la rangée de voitures stationnées le long du couloir pour s'assurer qu'elles étaient vides, puis il entra dans son immeuble avec ses sacs remplis de vêtements sales et de secrets tout neufs.

Des prospectus encombraient sa boîte aux lettres.

Le ruban adhésif blanc portant l'inscription B. Doyle à l'encre noire avait été remplacé par une de ces étiquettes imprimées fournies par le propriétaire.

Wes grimpa l'escalier, sans pouvoir réprimer un sourire idiot.

Le judas de la porte de Beth ne laissait rien deviner de l'appartement derrière cet œil de verre convexe. Les moulures empêchaient de voir si la lumière était allumée.

Wes ouvrit sa porte. En allumant les lumières, il constata que son appartement était dans l'état où il l'avait laissé. Encore une nuit sans surprise.

La porte se referma derrière lui avec un violent « clic ».

Après avoir suspendu son pardessus dans la penderie, déposé sa veste sur une chaise devant le comptoir de la cuisine, il inventoriait le maigre contenu de son réfrigérateur quand quelqu'un frappa à la porte.

Elle se tenait là dans le couloir, vêtue d'un chemisier bleu, d'un jean, ses cheveux couleur bronze tombant sur ses épaules, avec un grand sourire.

— Laissez-moi deviner, dit-elle, vous avez oublié mon souvenir d'Hollywood.

— Non, je n'ai pas oublié, répondit-il. Je n'ai rien trouvé d'assez beau.

— C'est une excuse valable. (Elle n'était pas maquillée. Elle lui sourit.) J'ai une idée.

Elle se pencha en avant pour déverrouiller sa porte dans son dos. Il sentit la chaleur saine de sa peau.

— Accordez-moi une minute, dit-elle en retournant précipitamment chez elle.

Il constata qu'elle était pieds nus.

Wes regarda un instant la porte close de la jeune femme, avant de rentrer chez lui. Sa valise l'attendait sur le seuil de la chambre. Sa mallette était posée sur le comptoir de la cuisine. Les photos qu'il avait récupérées dans cet hôtel de L.A. se trouvaient dans la poche intérieure de sa veste.

Sa porte s'ouvrit. Beth entra en tenant une boîte sous le bras, et dans l'autre main, ses cigarettes et son briquet.

— On a apporté ça hier, dit-elle.

La porte se referma dans son dos avec un déclic.

Beth entra dans le salon d'un pas nonchalant. Son regard erra sur les étagères chargées de livres, la chaîne stéréo et les CD, les disques et les cassettes bien classées. Elle s'attarda sur la balle de base-ball posée sur un socle : il avait propulsé cette balle dans les gradins du stade au cours d'un match et ses coéquipiers de l'Académie l'avaient tous dédicacée. Elle sourit en découvrant la photo en noir et blanc encadrée montrant un Lou Gehrig moribond délivrant son discours de « l'homme le plus heureux » au Yankee Stadium. Elle s'imprégna de la reproduction des *Oiseaux de nuit* d'Edward Hopper, une scène de dîner nocturne si dépouillée et précise qu'elle en devenait surréaliste.

— J'aime la façon dont vous vivez, dit-elle.

— L'habitude, répondit-il. (Il s'avança vers elle.) Qu'y a-t-il dans cette boîte ?

Elle la lui tendit.

— « Le Fruit du Mois ? »

La surprise creusa le visage de Wes.

— Il était destiné à Bob, dit-elle. Le gars chez qui...

— Oui, je sais. (Wes secoua la boîte.) Ce doit être un cadeau.

— Je lui aurais bien fait parvenir, mais le temps qu'il le reçoive...

— Et donc ?

— Je n'aime pas le gâchis.

— Alors on devrait...

— Inutile de gaspiller inutilement. Mais bien sûr, ajouta-t-elle, c'est vous l'avocat.

— Je ne connais pas que la loi.

— Il faut fêter votre retour. Et vous me devez une surprise.

Il lui rendit la boîte. Elle défit le ruban, souleva le couvercle.

— Des poires ! Des poires vertes.

— Je vais chercher des couteaux et des assiettes, dit-il.

Elle le retint par le bras.

— Ne soyez pas bête.

Elle sortit une poire de son emballage en polystyrène et mordit dedans. Le jus coula au coin de sa bouche, et elle rit, plaçant sa main en coupe sous son menton.

— Oh ! elles sont bonnes !

Elle lui tendit la poire. En se penchant pour mordre dedans, il plongea dans ses yeux gris.

Le fruit sucré et juteux fondit dans sa bouche. Il sentit le jus couler entre ses lèvres.

— Je vous mets du sucre partout, dit-il en repoussant délicatement la main qui tenait la poire.

Beth rit. Un éclat de rire brutal, rauque et sincère.

Le silence grandit autour d'eux, une pression qui

s'amplifia et enfla jusqu'à ce que Wes crût que ses sens allaient exploser.

Elle tendit son visage vers lui ; ses lèvres étaient chaudes. Grandes. Ecartées.

Lentement, délicatement, il caressa sa joue. Il se pencha. Il l'embrassa.

Elle laissa tomber la poire. Elle noua ses bras autour de son cou, plaqua son corps contre le sien, ouvrant la bouche. Elle avait le goût de la foudre, de la fumée, du nectar et du désir. Wes abandonna toute prudence, le salut de son cœur et de sa santé. Les cheveux de Beth s'enroulèrent autour de ses doigts, il appuya sa main dans son dos fragile au creux de ses reins ; ils pivotèrent, tournoyèrent, exécutant un « ballet à deux » dans le salon. « Est-ce que la porte est bien fermée ? » se demanda-t-il, puis il emprisonna ses hanches, et elle interrompit leur baiser pour soupirer et se renverser en arrière, alors il ne pensa plus qu'à elle, à eux, à l'instant présent.

Elle l'embrassa dans le cou, sur le torse, ses doigts glissèrent sur sa chemise, de bouton — ouvert — en bouton — ouvert — en bouton. La main de Wes semblait énorme sur sa poitrine, ses seins étaient plats, tout juste un renflement magnifique et doux, merveilleusement doux, les pointes dressées sous son chemisier.

— Vite, chuchota-t-elle.

Wes lui arracha son chemisier et elle poussa un cri. Elle ne portait pas de soutien-gorge, ses seins étaient de délicieux nuages blancs et doux, ses mamelons des cercles bistres, dressés comme des gommes de crayon à papier ; il les frôla, se pencha, en prit un dans sa bouche. Elle le saisit par les épaules, l'attira contre elle. Elle se dressa sur la pointe des pieds ; il la souleva de terre, il la souleva bien haut, couvrant sa poitrine de baisers alors qu'elle se penchait au-dessus de lui, ses cheveux recouvrant sa tête, haletante, ses jambes nouées autour de sa taille.

Le fauteuil.

Sans savoir comment, ils se retrouvèrent dans le fauteuil. Elle lui retirait sa chemise, se débarrassant d'un mouvement d'épaules de son chemisier déchiré. Il baissa la fermeture Eclair de son jean. Elle s'écarta sans briser leur baiser, restant debout pour qu'il puisse abaisser son jean, elle l'ôta ; tout en l'embrassant, elle glissa son pouce dans sa culotte pour l'enlever. Wes était à moitié hors du fauteuil ; elle défaisait sa ceinture, le bouton, sa braguette. Il jeta son pantalon et son caleçon, balança ses chaussures d'un coup de pied ; il voulut la prendre dans ses bras, mais elle le repoussa au fond du fauteuil. Elle l'embrassa... sa joue, son torse, son ventre plat. Elle le prit dans sa bouche, le lécha, l'humectant de salive. De nouveau, il voulut l'enlacer ; elle leva la tête, l'embrassa à pleine bouche. Le fit descendre du fauteuil. Par terre.

Il prononça son nom tandis qu'ils s'allongeaient sur la moquette. Elle l'étreignit, il roula sous sa poussée. Sur le dos, il était couché sur le dos, la frôlant, la caressant, ses seins, son visage. Il plaqua sa paume sur son sexe humide.

Elle le chevaucha, ses genoux enfoncés dans ses côtes, coinçant ses hanches entre ses cuisses puissantes, le tenant dans sa main et le guidant, tandis qu'elle descendait lentement, prudemment. Ensemble.

Il voulut crier son prénom, mais elle se pencha pour l'embrasser, avant de se renverser, le visage tendu vers les étoiles, la bouche ouverte, haletant ; ses hanches se frottaient d'avant en arrière, montaient et redescendaient brutalement. Elle cria. Elle tressaillit, elle s'enflamma. Encore une fois. Wes crut qu'il allait mourir, incapable de penser à quoi que ce soit, alors que le désir montait, qu'il explosait en hurlant. *Beth* résonna dans tout l'appartement.

Ils gisaient sur la moquette, recroquevillés sur le flanc, face à face, comme des parenthèses, se regardant

204

dans les yeux en souriant, se caressant du bout des doigts, n'osant pas prononcer des mots qui risqueraient de rompre la magie. Wes hésitait à prendre le coussin du fauteuil pour le glisser sous leurs têtes. Protéger cet instant. Sauvegarder cet instant. Le conserver soigneusement.

— Tu as gardé tes chaussettes, dit-elle.

— Non, c'est faux, répondit-il.

Ils rirent discrètement. Doucement. Secrètement.

— Comment savais-tu que j'étais revenu ? demanda-t-il.

— Je t'ai entendu dans le couloir. (Elle lui adressa un grand sourire.) Bienvenue à la maison.

— Je ne m'attendais pas à ça.

— Bien sûr que si.

Cette fois, leur rire fut plus profond, plus détendu.

— Il y a une énorme différence entre ce qu'on espère et ce qu'on croit qu'on peut avoir, dit-il.

— Tu es choqué ?

Wes secoua la tête.

— Le sexe c'est comme une lampe à souder qui permet aux gens de se connaître, dit-elle. J'ai envie de te connaître.

— Sacrée entrée en matière.

Il l'embrassa tendrement sur la bouche.

Elle plongea son regard en lui.

— Je ne respecte pas les règles, dit-elle. Quelles qu'elles soient. Comme si j'étais incapable d'agir intelligemment.

— Suivre les règles, ce n'est pas être intelligent. C'est essayer de se protéger. Si c'est ce que tu cherches, tu n'obtiendras jamais rien de plus.

— Je ne m'attendais pas à entendre ça dans la bouche d'un Marine.

— C'est ma façon de voir.

Elle sourit.

— La mienne également.

Beth promena ses lèvres sur sa cicatrice au menton.

— Elle est toujours là ? demanda-t-il.

— Evidemment. Les cicatrices font partie du lot.

— Aucune illusion.

— Rien que des rêves vrais, répondit-elle sereinement. Totalement.

Une mèche de cheveux barrait sa joue. Wes l'écarta. Il laissa sa main glisser vers son épaule, couvrant la douceur d'un sein, la force fragile de ses côtes sous ses doigts. Sa paume suivit le contour de sa taille, la courbe de ses hanches, la peau chaude de sa jambe fine. Exception faite des pointes bistres de ses seins et de sa toison de poils noirs, elle ressemblait à la neige sur les montagnes du Nouveau-Mexique. Sa beauté lui faisait mal ; il craignait de la voir fondre entre ses bras.

— Qu'attends-tu de moi ? demanda-t-elle.

Elle caressa sa joue avec le dos de sa main.

— Je ne sais pas, mentit-il.

Il vit dans ses yeux qu'elle connaissait la vérité.

Beth posa sa main dans sa nuque, avec délicatesse, en se rallongeant sur la moquette.

— Ne t'inquiète pas pour ça, dit-elle, et elle l'attira sur elle pour l'embrasser.

Apache

Nora fermait habituellement son restaurant dans le désert à vingt heures. Mais pas ce vendredi soir où Wes fit l'amour avec Beth pour la première fois. La pendule du restaurant indiquait 17 h 55. Il n'y avait personne au bar, et la seule table occupée l'était par Nora et Jud assis devant leurs assiettes vides. Carmen regardait la télé dans la cuisine.

— Et puis merde, dit Nora en regardant au-dehors la lumière qui déclinait. Quand on sait que personne ne viendra, autant laisser tomber et plier bagage.

Elle dit à Carmen de rentrer chez elle.

— Vous êtes sûre, pas de problème ? demanda la cuisinière, un œil sur Jud.

— A demain matin, répondit Nora.

— Si vous besoin de moi, vous téléphoner. Enrique et moi ici dans un quart d'heure.

— Votre voiture n'est pas assez rapide, Carmen, dit Jud.

Nora sourit. Carmen sortit d'un pas énergique, les yeux fixés devant elle.

— Elle commence à m'aimer, dit Jud.

— Ne vous faites pas d'illusions, dit Nora. Laissons tomber la vaisselle, allons chercher du café et fichons le camp avant qu'un client arrive.

Jud sortit sur la véranda avec deux tasses de café marron.

— Y a un truc qui m'échappe, dit-il à Nora, alors qu'elle fermait la porte du restaurant.

— Quoi ?

— Vos affaires. Cet endroit vous coûte de l'argent. Autant balancer votre fric par la fenêtre. Mais vous êtes trop intelligente pour ça.

— Comme vous l'avez dit : ce sont mes affaires.

Elle prit la tasse qu'il lui tendait et contempla, au-delà des plaines d'armoise, les collines enveloppées de brume bleue.

— Mon associé à Vegas a besoin des déductions fiscales, dit-elle, et quelqu'un pour tenir le restau. Je suis très bien payée, quels que soient les bénéfices. C'est un avocat qui m'a branchée là-dessus, il m'a aidée à quitter Vegas.

— Qu'est-ce que vous faisiez à Vegas ?

— Qu'est-ce que je ne faisais pas ? répondit-elle.

Au bord de la route déserte, la cabine téléphonique attendait des voyageurs ayant quelqu'un à appeler. Le crépuscule se fondait dans la nuit. Une par une, des centaines d'étoiles constellèrent le ciel.

— C'est calme par ici, dit-elle.

Le vent se leva, projetant des grains de sable contre les fenêtres du restaurant, les bras nus de Jud. Nora versa son café sur le sol.

— Venez, dit-elle à Jud, je vais vous en faire du frais.

Il n'était jamais entré chez elle.

Des rideaux de dentelle blanche pendaient aux fenêtres. Le salon comportait un canapé, deux fauteuils et un téléviseur. La cuisine n'avait pas de porte. Un couloir se terminait par une penderie fermée, avec la salle de bains sur la droite ; sur la gauche se trouvait la chambre.

— Qu'est-ce que vous faisiez à Vegas ? insista Jud.

Dans la cuisine, Nora alluma la cafetière d'une pichenette. L'eau se mit à couler goutte-à-goutte, et elle dit :

— Vous posez beaucoup de questions pour un homme aussi avare de réponses.

— Posez-moi une question.

Elle revint dans le salon d'un pas léger ; il s'aperçut alors que le reflet cuivré de ses mèches blondes était le signe annonciateur des premiers cheveux gris. Le hâle des habitants du désert accentuait ses pattes d'oie au coin de ses yeux bleu pâle et les rides d'expression autour de sa bouche.

— L'alcool vous manque ? chuchota Nora.

— Oui, dit-il... et vous ?

— En permanence !

Elle se recroquevilla sur le canapé, ramena ses jambes sur sa poitrine, puis les étendit, alluma une cigarette, et rit.

— C'est l'heure idéale pour un martini, mais vous avez mille fois le temps de vous réveiller sur un tabouret de bar, dans une mare de vomi avant de comprendre ce qui vous arrive, alors c'est peut-être pas une bonne idée.

Jud se coula dans un fauteuil en face d'elle, à l'autre bout de la pièce.

— Je n'ai pas bu une goutte depuis huit ans, dit-elle. Et vous ?

— Depuis quand suis-je ici au fait ?

Cette fois, ils rirent en chœur.

— Je ne pensais pas que vous resteriez aussi longtemps, dit-elle. Je pensais que vous prendriez deux ou trois repas, et que vous passeriez deux ou trois nuits, avant de repartir.

— C'est calme ici, dit-il.

— Ça vous rend pas presque dingue parfois ?

— Je croyais que vous aimiez ça.

— Ouais, mais pas pour toujours ! dit-elle, tandis que Jud tendait la main vers les cigarettes. Il me reste un tas de choses à faire sur cette terre.

Pendant qu'il allumait une cigarette, elle demanda :

— Et vous ?

— On ne peut jamais prévoir à l'avance.

— Je ne pensais pas que vous fumiez.

— J'ai encore quelques vices.

— Lesquels ?

— Ça ne vous intéressera pas.

— La nuit est belle. Autant l'occuper d'une manière ou d'une autre.

— J'ignorais que vous m'aviez engagé pour vous distraire.

Le visage de Nora se durcit.

— Je ne vous ai pas invité ici pour vos talents de société.

Leur fumée montait vers le plafond.

— Désolé, dit Jud.

Nora haussa les épaules.

— Vous voulez recommencer ?

— Jusqu'où puis-je revenir en arrière ?

Elle se déplia du canapé, frôla son fauteuil et alla chercher le café dans la cuisine.

— Commencez par maintenant.

Elle déposa la tasse chaude dans sa main. Alors qu'elle regagnait le canapé nonchalamment, Jud remarqua la marque de sa culotte sous son pantalon marron. Elle avait des hanches plates, étroites.

— ... et épargnez-moi les balivernes.

En se blottissant sur le canapé, elle dit :

— J'ai quarante-huit ans. (Devant l'air perplexe de Jud, elle ajouta :) Je savais que ça vous tracassait. J'ai quelques années de plus que vous, j'imagine.

— Nous ne sommes pas vieux, ni l'un ni l'autre. (Il haussa les épaules.) Je n'ai jamais pensé à m'installer ici pour toucher la sécu. Mais ne vous en faites pas ; je ne me laisserai pas rejoindre par mes ennuis.

— Comme je le disais, quelques petits ennuis, c'est pas forcément désagréable.

— Si, croyez-moi.

Elle alluma une autre cigarette.

— D'accord, je vous crois.

— Alors pourquoi vous n'avez pas peur ? Ce serait une réaction intelligente, et vous l'êtes.

— Si je suis aussi intelligente... (Avec sa cigarette, elle balaya la pièce.) Je suis venue ici pour m'éloigner de Vegas. Pour respirer un grand coup et faire un peu le point avant de devenir ce que je vais devenir ensuite. Ça fait déjà neuf mois. Peut-être que j'en ai assez. Peut-être que je commence à changer. Toujours est-il que les ennuis ne m'ont jamais inquiétée... Vous êtes un bandit ? demanda-t-elle.

— Un escroc, vous voulez dire ?

— Non, un bandit : un ravisseur d'enfants, un héroïnomane ou un usurier, un type de la mafia avec une sale concession ?

— Je suis un espion.

Nora haussa les épaules.

— Hé ! vous devez pas être surchargé de travail en ce moment.

Jud rit avec elle.

— Vous êtes marié ? demanda-t-elle.

La pièce se réchauffa et devint plus intime. Jud sentait l'odeur de la cire au citron, du sable et de l'armoise, de la fumée de cigarette, de leur café.

— Je l'ai été.

— Comment était-elle ?

— Belle. Jeune. Elle avait des cheveux couleur fauve. Un ami écrivain a dit un jour que son visage était une peinture italienne et que son corps réveillerait les morts.

— Ça aurait pu être moi, autrefois, sauf que je suis blonde.

— Et beaucoup plus robuste.

— Maintenant. Comment s'appelait-elle ?

— Lorri.

— Elle était gentille ? Intelligente ? Drôle ?

— Pendant quelque temps.

— Que s'est-il passé ?

— Elle est devenue la conséquence du jeu.

— On était d'accord, dit Nora, pas de foutaises.

— Pas de foutaises.

— Et pas de charabia non plus. Vous l'aimiez ?

— Sans doute.

Jud avait du mal à respirer.

— Où est-elle ?

— Elle est partie. (Jud secoua la tête.) Où est votre homme ?

— Je ne suis pas amoureuse en ce moment.

— Ne comptez pas sur moi, dit Jud.

— Voyons, monsieur ! (Elle avait une voix de collégienne ; ses yeux écarquillés étaient ceux d'une vierge.) Merci de me prévenir !

Ils rirent. Jud sentit les muscles de son dos se détendre.

— Le premier jour, dit Nora, quand vous avez planté Harold avec la fourchette ; le fait d'en avoir l'idée, le courage de le faire... et ensuite, s'en désintéresser, le laisser repartir, ce « style » m'a intriguée.

... Ce n'est pas pour ça que je vous ai engagé, ajouta-t-elle. J'ai besoin d'un coup de main. Mais à vous observer, la façon dont vous me faites rire... bon sang, même Carmen n'arrive pas à s'en remettre, elle ne dormira tranquille que lorsque vous aurez un pieu planté dans le cœur. Moi, je vous aime bien.

— Pourquoi ?

Le cœur de Jud cognait dans sa poitrine.

— Il y a une chance pour que vous me compreniez, j'imagine.

— Pourquoi ? répéta-t-il dans un murmure.

— A vous de deviner.

— Vous me croyez doué pour les devinettes ?

Nora sourit ; ce fut un rayon de soleil dans cette pièce obscure. Elle se déplia du canapé et se pencha vers Jud. Elle avait un parfum discret et coûteux.

— Vous êtes doué pour beaucoup d'autres choses.

Elle l'embrassa, un baiser doux et tendre, et le poussa à le lui rendre. Il lutta contre la terreur.

— Je veux que vous continuiez à me respecter demain matin, dit-il.

— On verra.

Elle l'entraîna dans la chambre. Il la caressa là où il le fallait, et elle aima ça. Les mains de Nora flottaient sur son corps. Ils se déshabillèrent dans le noir, se glissèrent entre les draps. Il l'embrassa, il promena ses mains sur ses seins, ses hanches ; il sentait sa chaleur et sa moiteur, et il eut envie, vraiment envie d'elle, *maintenant*, ça devait se faire maintenant. Elle descendit sa main, elle le trouva. Elle ne se recula pas, elle continua à l'embrasser ; il sentit alors qu'il pouvait plonger dans son baiser sans jamais s'arrêter, sans penser au reste ; il la voulait *maintenant*, elle le caressait et *rien*. Il s'obligea à repenser aux grandes occasions, Lorri, les autres femmes, les femmes qu'il n'avait jamais eues, et *rien*. Rien. Son cœur cognait dans sa poitrine, son esprit était en feu. Il se sentait minuscule et ridicule, il aurait voulu être aveugle et invisible, fuir. Les cheveux de Nora frôlèrent son ventre, elle le prit dans sa bouche, bon Dieu, elle faisait *ça* si bien.

Et rien.

Elle s'arrêta.

Il était étendu comme une pierre sous les draps.

Nora se blottit contre sa poitrine et déposa un baiser sur sa joue.

— Ecoute… dit-il, mais les mots lui manquèrent.

— On a tous des migraines.

— Si tu comprenais…

— Si *tu* comprenais, dit-elle. Il y a des centaines de raisons pour lesquelles un homme n'y arrive pas. Bon, c'est comme ça, et alors, parlons-en, pas de quoi avoir peur, pas de quoi t'inquiéter, je ne t'ai pas fait venir ici uniquement pour ça.

— C'est pour mon sens de l'humour, hein ?

— Entre autres, répondit-elle.

— Je n'ai pas très envie de rire pour l'instant.

— Ne me parle pas sur ce ton. Je n'accorde aucune pitié. Si c'est ce que tu cherches, retourne dans ta caravane.

Il se déplaça sous le poids de son corps.

— Ne sois pas si romantique, dit-il.

Elle devina son sourire. Elle l'embrassa sur la joue.

— C'est plus fort que moi.

— Ce n'est pas de l'amour.

— C'est quand même quelque chose. Pour toi en tout cas.

— Que veux-tu dire ?

— Si tu t'en foutais, tu serais dur comme une batte de base-ball.

— Comme un arbre.

— Un chêne certainement.

— Un séquoia géant.

Leurs gloussements secouèrent le lit.

— Bons ressorts, dit-il.

— On verra, répondit-elle.

— Tu veux que je retourne dans la caravane ?

— Pas question.

Il se sentit plus léger de cent kilos.

— Qu'est-ce qui te fait croire que je peux te comprendre ? demanda Jud.

— Quand j'ai quitté Vegas, je travaillais à une table de vingt-et-un. Je détestais ça, comme tout le monde. Tu te gares sur le parking du casino, tu traverses le tunnel, tu manges cette saloperie de bouffe, et tu retournes les cartes. Un robot dans une usine. Tout le monde veut se tirer, mais personne ne sait dire non au fric. Les cacahuètes de la vie réelle.

... Avant ça, j'étais prostituée.

Elle s'interrompit, mais Jud ne dit rien.

— Pendant presque dix-huit ans... mais pas dans la rue. J'étais pas non plus une fille qui se vend pour un toit. Non, la grande classe, clientèle chic. Deux mille dollars la passe. La belle vie.

Dans la chambre obscure, Jud sentait son souffle sur sa joue.

— Ça t'embête ? demanda-t-elle.

— Non.

— Ça t'excite ?

— Non.

Elle l'embrassa.

— Tu es vraiment un type bien, dit-elle en se recouchant sur son torse. Avant même de savoir ce que tu étais, je savais « qui » tu étais. Je sais ce que c'est d'être un espion. Et j'imagine qu'un espion peut se mettre à ma place.

Ses cheveux étaient chauds, agréables et naturels.

— Fatigué ? demanda-t-elle.

— Ma patronne me tue à la tâche.

— Tu as beaucoup d'énergie à dépenser.

Lorsqu'ils eurent cessé de rire, elle gonfla les oreillers, remonta les couvertures et se réinstalla dans ses bras.

— Tu n'es pas obligé de parler, dit-elle.

— Suis-je obligé d'écouter ?

— Et comment ! (Elle lui donna un coup de coude.) Mais pas maintenant. Ce soir on peut rester allongés simplement, et se laisser aller.

Elle soupira et respira calmement. Elle plongea dans un sommeil léger, le poids de son corps glissa sur le matelas, son souffle était chaud sur la peau de Jud. Il se demanda si elle allait ronfler. La maison gémissait. *Pourrai-je connaître les soupirs de cette maison ?* se demanda Jud. Un carreau vibra dans la cuisine. La porte d'entrée grinça, mais il savait que le verrou était tiré. Les muscles de ses cuisses et de son dos se détendirent. Un coyote hurla dans la nuit du désert. Allongé dans ce lit, Jud flotta à la frontière des rêves, avant de s'endormir avec des souvenirs d'Iran...

Par une froide matinée de novembre 1970, dans le cadre d'une mission top secrète baptisée LAC DU DESERT, Jud et quatre-vingt-six autres soldats des Forces Spéciales sautèrent en parachute au-dessus de l'aéroport de Téhéran. Le shah d'Iran était alors le dictateur préféré des Américains et le plus jalousement courtisé. Son pays possédait des richesses pétrolières et une frontière commune avec l'Union soviétique. La CIA avait organisé le coup d'Etat de 1953 qui installa le Shah au pouvoir et formé la Savak, sa police secrète. Celle-ci apprit un jour au Shah qu'un professeur de Tabriz le critiquait en termes injurieux. Le Shah possédait un zoo privé. Il se gaussa tandis que ses hommes jetaient le professeur terrorisé dans un enclos de lions affamés.

LAC DU DESERT était une mission d'entraînement au cours de laquelle les Bérets Verts devaient former l'armée du Shah aux opérations contre-révolutionnaires secrètes et militaires. La parodie d'attaque aérienne par des instructeurs américains avait officiellement pour but de démontrer à un groupe d'officiers iraniens la vulnérabilité de l'aéroport de la capitale ; officieusement, il s'agissait d'impressionner les représentants du tiers-monde arabe avec la puissance des Etats-Unis.

Jud rejoignit l'équipe d'instructeurs à Fort Bragg en Caroline du Nord, la nuit où les soldats embarquèrent à bord des avions à destination du Moyen-Orient. Les quatre-vingt-six autres soldats s'étaient préparés ensemble pendant huit semaines. Jud déclara s'appeler Harris et se fit passer pour un officier d'ordonnance affecté à la dernière minute auprès du commandant de l'équipe.

Les parachutistes de l'opération LAC DU DESERT sautèrent à l'endroit et à l'heure prévus, quatre-vingt-sept parachutes qui descendent sur une ville entourée de montagnes aux sommets enneigés. Le concept de cette démonstration de parachutistes relevait de la ruse politique et psychologique ; la réalité de la manœuvre se posa sur la piste de l'aéroport au milieu de vents contraires. Le taux acceptable de blessés au cours d'une attaque aérienne dans les dunes de Caroline du Nord était de un pour cent. Ce matin-là à Téhéran,

216

les vents contraires firent tourbillonner les parachutistes comme des marionnettes. Dix-huit d'entre eux — soit plus de vingt pour cent — s'écrasèrent sur le sol, incapables de contrôler leur parachute : deux d'entre eux eurent la jambe cassée, un autre se brisa le bras. Les autres souffraient d'entorses à la cheville, de déchirures au dos, de graves hématomes et contusions.

Spectateur sur la touche, le haut conseiller militaire américain n'eut pas besoin de lire les rapports d'après-mission pour comprendre que l'attaque était un fiasco. Il se tourna vers le général iranien à ses côtés, avec un grand sourire, et dit : « En plein sur l'objectif, à l'heure prévue. » Et il tendit le bras pour une poignée de main de félicitations.

Tout autour de Jud, les parachutistes repliaient leur parachute, vérifiaient leur équipement, et aidaient leurs camarades blessés à rejoindre les camions qui les attendaient.

Une Jeep banalisée pilotée par un homme blond pénétra sur la piste. Le conducteur portait un veston sport et des lunettes totalement noires.

— Bordel de merde, marmonna Jud en l'apercevant.

Il jeta son parachute et son équipement de saut à l'arrière d'un camion, récupéra son paquetage et se dirigea vers la Jeep.

— Hé ! où vous allez comme ça ? hurla un para.

— La ferme, soldat ! ordonna le commandant des Bérets Verts.

Lorsque Jud ne fut plus qu'à trois mètres de la Jeep, le conducteur désigna d'un mouvement de tête le commando d'éclopés, les avions de l'aéroport civil en provenance d'une cinquantaine de pays (dont l'Union soviétique), le terminal où des touristes munis d'appareils photo observaient la scène derrière des rangées d'employés de l'aéroport en combinaison bleue et de soldats iraniens en uniforme :

— Curieuse façon d'entrer en douce dans le pays.

— Si vous aviez entendu les autres plans. (Jud jeta

son sac à bord de la Jeep.) De cette façon, je ne figure sur aucun tableau de service.

— Quoi de neuf à part ça ?

Le blond aux lunettes noires franchit l'enceinte de l'aéroport et prit la route qui conduisait en ville.

— Vous êtes monté sur le toit d'un bordel, récemment, Monterastelli ? demanda Jud, ignorant le statut d'officier supérieur du conducteur.

— Appelez-moi, Art.

— A vos ordres, sir.

— Quelqu'un de la Compagnie est venu vous parler ? On vous a remarqué ?

Art quitta la route pour bifurquer en direction d'un chantier de construction où des poutres en acier pendaient au bout de grues inanimées. Personne ne vit la Jeep se garer à côté d'une Ford. Une grande malle occupait tout le siège arrière de la berline.

— Toute la ville nous a vus, répondit Jud.

— Les cols bleus et les chemises blanches, dit Art. Les gars de Yale sont au courant de l'opération LAC DU DESERT. Pas de quoi en faire un plat. Il n'y avait aucun représentant de la CIA dans les tribunes. Peut-être que quelques Iraniens chuchotent à l'oreille de la Compagnie, mais même s'ils m'ont vu venir vous chercher, ils savent que dalle.

Les deux hommes montèrent à bord de la Ford. Jud jeta son sac à côté de la malle. Art retourna sur l'autoroute.

— Vous n'avez pas chômé depuis le Laos, dit-il. Ces serruriers de l'extérieur avec qui vous avez étudié, ils ne risquent pas de poser des problèmes ?

— Non. Ils croient que je suis de la CIA.

— C'est la vérité ? demanda Art.

— Evidemment, répondit Jud.

Avec un sourire.

— Ne jouez pas au con avec le programme, soldat, dit Art. Et ne jouez pas au con avec moi.

La Ford passa sous une arche prétentieuse construite

au-dessus de la route par le Shah et qui offensait les intégristes musulmans du pays.

— Pourquoi moi ? demanda Jud.

— Ils vous ont réclamé.

— Qui leur a donné mon nom ?

— Quelle importance ? Vous parlez bien le Farsi ?

— Seize semaines à l'école de langues de la Défense. Je peux demander où sont les chiottes.

Art roula vers un parking souterrain. A l'entrée, un type en costume leur adressa un signe de tête. Une Mercedes noire avec des vitres teintées était garée le long du mur du fond. Alors que la Ford approchait, le moteur de la Mercedes se mit en route. Un gorille en costume à la peau vert olive descendit de l'avant du véhicule. Art arrêta la Ford. Le gorille ouvrit la porte arrière de la Mercedes.

— Faites-leur en baver, dit Art.

Jud grimpa dans le véhicule aux vitres teintées. Le gorille referma la portière derrière lui et se dirigea vers la Ford d'un pas pesant. Art gardait les mains sur le volant. L'Iranien conserva son air impassible lorsqu'il sortit la malle de la Ford. Le coffre de la Mercedes s'ouvrit comme la gueule d'un crocodile. La voiture s'affaissa quand le gorille déposa son chargement dans le coffre.

La Mercedes sortit du garage la première. A travers la vitre teintée, Jud regarda son officier de liaison qui gardait les yeux fixés sur le mur vide du garage derrière ses lunettes noires ; il regarda disparaître Art.

Ils conduisirent Jud à travers Téhéran pendant une heure. Les rues devinrent plus sinueuses. Un troupeau de moutons qu'on conduisait vers le bazar bloquait la circulation. Le chauffeur de la Mercedes klaxonna et injuria le berger vêtu de grosse toile qui rentra la tête dans les épaules et détala derrière son troupeau errant. L'odeur de poussière, de gaz d'échappement et de crottes d'animaux envahit la voiture. Dans ce quartier, les hommes portaient des djellabas. Les femmes se masquaient derrière des tchadors. Des piétons tournaient la tête quand passait avec fracas le véhicule aux vitres teintées.

Un très vieux mur de terre se dressa devant eux, à l'endroit où la route bifurquait. D'une hauteur d'environ sept mètres, le mur compact encerclait tout un pâté de maisons.

Une demi-douzaine d'hommes aux cheveux gris, vêtus d'un mélange de costumes arabes et de treillis délavés gardaient une immense porte en bois dans le mur. Armés de mitraillettes datant de la Seconde Guerre, les gardes se déplaçaient en traînant les pieds, avec l'ennui morose des troupes irrégulières. En apercevant la Mercedes, ils s'agitèrent précipitamment. Hurlant des ordres, saisissant des anses en fer rouillé et en corde usée, ils ouvrirent la porte à la force des bras.

La Mercedes pénétra dans un autre monde.

Le mur entourait un jardin composé d'arbres et de plantes en fleur ; des arroseurs automatiques projetaient une eau précieuse sur des pelouses immaculées. Des cygnes blancs glissaient sur la surface ridée d'une piscine en mosaïque de trente mètres de long. De chaque côté de la piscine étaient érigés une caserne moderne de deux étages et un bâtiment ressemblant à un quartier général. Les toits des casernes étaient hérissés d'antennes. A l'autre bout de la piscine se dressait une demeure de type arabe avec des colonnes blanches.

De jeunes hommes tirés à quatre épingles, costumes occidentaux et ray-bans, surveillaient les lieux. Ils tenaient en bandoulière des mitraillettes Uzi israéliennes, et leurs chaussures italiennes étaient impeccables.

Le chauffeur de Jud se gara derrière une demi-douzaine d'autres Mercedes, trois Jeep de l'armée iranienne, deux camions et une Porsche.

Un homme en tunique blanche ouvrit la portière à

220

Jud et l'accueillit en s'inclinant dans le soleil frais et pur.

— Permettez que je vous conduise, dit le serviteur en blanc.

Jud le suivit sur un chemin de cailloux blancs le long de la piscine. Les cygnes ne leur prêtèrent aucune attention. Avec son béret vert, son treillis mouillé de sueur et ses bottes poussiéreuses, Jud se faisait l'impression d'être un mauvais paquet livré au mauvais endroit au mauvais moment.

Le serviteur l'introduisit dans la vaste demeure. Ils marchèrent sur des tapis persans en soie et montèrent jusqu'à un salon dont les fenêtres dominaient la piscine. Des chaises à haut dossier entouraient une table couverte de coupes de fruits, d'assiettes de viandes fumées et de caviar. A une extrémité de la table se trouvait un service à café en argent et des tasses en porcelaine, tandis qu'à l'autre bout on avait disposé des seaux à glace contenant du champagne et du vin blanc. Une sélection de liqueurs attendait sur le buffet.

Le serviteur tira une chaise.

— Si vous souhaitez vous soulager après ce long voyage, dit l'homme en blanc, cette porte dans le mur est un water-closet.

Puis on le laissa seul.

Pendant une heure vingt.

Jud resta assis sur sa chaise. Les yeux fixés sur le banquet. Sans toucher à rien.

Soudain, la double porte s'ouvrit violemment et six hommes firent irruption dans la pièce. En tête de la meute se trouvait un homme au nez aquilin vêtu d'un costume Pierre Cardin brun, avec une chemise rose et une cravate en soie. Ses cheveux noirs étaient tirés en arrière sur son front haut.

— Comment allez-vous ? C'est si gentil à vous d'être venu ! lança l'homme en contournant la table, tendant la main à Jud qui s'était levé.

221

La meute resta de l'autre côté de la table.

— Asseyez-vous. Je vous appellerai Jud, et vous devrez m'appeler Alexi. Général ceci et sergent cela, ce serait gênant entre amis. Nous sommes tous amis ici, non ?

— Oui, répondit Jud en s'asseyant après leur poignée de main.

Alexi avança la chaise à côté de Jud. Il adressa un signe de tête à ses hommes de l'autre côté de la table ; ils s'assirent à leur tour.

— Avez-vous faim ? demanda Alexi. Prenez des fruits. (Son hôte mordit dans une pomme rouge.) Délicieux. Arrivage direct de l'Etat de Washington.

— Jolie maison, commenta Jud.

— C'est moi qui l'ai dessinée ; la maison et le bureau se doivent de ravir l'esprit. J'ai tellement entendu parler de vous.

— Par qui ?

— Des amis communs. L'essentiel, c'est que nos deux pays demeurent des amis à toute épreuve. Son Excellence le Shah et moi en parlions justement la nuit dernière. Nous étions ensemble. Fort tard.

— Oui, dit Jud.

— Nos gouvernements se ressemblent. Deux nations puissantes avec des ennemis dangereux. Mais votre pays connaît beaucoup plus de complications. Et donc, beaucoup plus de conflits d'intérêts. Ici nous sommes tous unis sous la grâce de son Excellence... Vous êtes le premier Américain à pénétrer ici.

— J'en suis flatté, dit Jud.

— Votre CIA considère la Savak comme son enfant. Un tel amour existe entre nous. Mais un enfant grandit. Le père doit aider son enfant, mais aussi respecter son indépendance. Votre CIA nous traite comme les enfants que nous ne sommes pas. Ils ont installé un poste d'observation et pointé des caméras télescopiques sur ma porte !

— Non !

222

— Ne vous en faites pas ; les vitres des voitures sont teintées et mon mur est haut. Votre non-existence rend service à tout le monde et sert les buts de la diplomatie. Je comprends que dans un pays aussi complexe que le vôtre, les bureaucraties soient obligées de rivaliser dans l'intérêt des relations fructueuses.

— Avec la Savak par exemple.

— Evidemment, nous poursuivons tous les mêmes objectifs.

— Evidemment.

— C'est pourquoi nous avons bien voulu aider vos amis à accomplir une tâche, et en échange, nous avons accepté qu'ils vous prêtent à nous.

— Nous sommes tous très reconnaissants, dit Jud.

— Laissez-moi vous montrer quelque chose.

Alexi quitta rapidement le salon, accompagné de Jud ; son équipe silencieuse leur emboîta le pas. Quand ils débouchèrent dans le jardin, les gardes se déployèrent pour inspecter le mur, leurs Uzis à la main. Alexi conduisit son bataillon dans une grande salle de briefing au rez-de-chaussée d'un baraquement. Des portes empilées et des boîtes étaient entreposées contre un mur. Les boîtes contenaient des dizaines de variétés de serrures et plus de vingt systèmes d'alarme différents.

Tous fabriqués en Amérique.

— Ils n'attendent plus que vous, dit Alexi. Toutefois, nous sommes confrontés à un problème. Un problème que seule peut résoudre une personne possédant les dons que vos amis attribuent à Jud Stuart.

— Je vous aiderai de mon mieux, proposa Jud.

Il ne devait pas y avoir de test normalement.

Alexi conduisit Jud dans un bureau situé au sous-sol de l'autre baraquement. Le personnel se mit au garde-à-vous lorsque Alexi traversa rapidement l'antichambre encombrée pour se diriger vers une porte fermée et gardée.

La pièce sans fenêtre contenait un bureau avec un

fauteuil grinçant, une vieille machine à écrire manuelle, et un canapé en cuir rapé. Des dossiers étaient étalés sur le bureau, les tiroirs étaient entrouverts. Sur le sol carrelé, entre le bureau et la porte, il y avait une tache sombre.

Un panneau d'acier de plus d'un mètre de large et haut de plus de deux mètres occupait un des murs. La surface lisse du métal n'était interrompue que par une serrure d'un type inconnu de Jud.

— Un Juif a fabriqué ça il y a des années, dit Alexi. Vous n'êtes pas Juif, au moins ? Vous ne sentez pas le Juif.

— Non, répondit Jud.

— Une honte, ces gens. (Ses lèvres étaient pincées.) L'homme qui occupait ce bureau était un des serviteurs du Shah en qui il avait le plus confiance. Il surveillait les dossiers sensibles, rien qui concerne les Américains. Il avait la garde de l'unique clé de ce coffre. Les Soviétiques l'ont dérobée.

— Non !

— Si. Il faut absolument ouvrir ce coffre. Nos techniciens ne peuvent garantir la sécurité des documents qui s'y trouvent s'ils l'attaquent au chalumeau. Et personne n'est capable de le... « crocheter », c'est bien le terme ?

— Je préfère le mot « manipuler », dit Jud.

— Ouvrez la serrure. C'est un service que vous nous rendez. Avant notre autre accord. Avant qu'on vous aide. Tout de suite.

— Où est l'homme qui possédait la clé ? demanda Jud.

— Il est indisponible, répondit Alexi.

Un silence absolu régna dans le sous-sol pendant une minute.

— Pour faire ce travail, dit enfin Jud, je dois travailler seul sans être dérangé, sinon je n'y arriverai pas... Question de concentration.

— Le contenu de ce coffre...

— Restera enfermé à tout jamais autrement.

Alexi hésita. Il ordonna à Jud d'ouvrir la malle. Des outils tapissaient les parois. Un gros paquetage vert fermé par un cadenas occupait presque toute la place.

— Qu'y a-t-il dans ce sac ? interrogea Alexi.

— Ceci, Excellence, ne servira qu'à exécuter ma part de notre arrangement.

Le lieutenant pâlit. Le gorille fit craquer ses doigts.

Alexi aboya un ordre en Farsi. Le gorille déposa le sac marin sur le sol. Il fouilla le sac à dos de Jud, examina la malle d'outils. Quand il eut terminé, il haussa les épaules.

— Combien de temps ? demanda Alexi.

— Ça peut prendre des jours, répondit Jud, en songeant : *Joue sur ses préjugés*. Ces types sont vicieux.

Alexi ordonna au gorille de déposer la malle et le sac à dos de Jud dans la pièce, et de poser le sac de paquetage contre un bureau dans l'anti-chambre : « Là où il ne risque rien. »

— Ahmed parle anglais. Il vous apportera ce dont vous avez besoin, dit Alexi en désignant le lieutenant.

Ils fermèrent la porte, laissant Jud seul dans le bureau.

Jud observa le panneau d'acier ; il n'avait jamais vu une serrure de ce type. Il n'avait aucune idée sur la façon de l'ouvrir, il ne pensait pas en être capable.

Il contempla la tache sombre sur le sol.

Le bureau avait été fouillé de fond en comble. Jud découvrit des photos d'enfants. La photo d'une tombe. Un portefeuille contenant de l'argent iranien, des papiers personnels et les photos d'identité d'un homme d'une cinquantaine d'années. L'homme possédait un sourire mélancolique. Le tiroir du bas contenait trois bouteilles vides de vodka bon marché.

Assis dans le fauteuil, Jud regardait fixement le coffre, il scrutait la tache sombre par terre, par-dessus la table.

C'était le bureau d'un fonctionnaire. Un fonctionnaire digne de confiance, un surveillant investi d'une tâche cruciale, mais idiote, un poste passif, un travail sous-estimé dans une pièce engourdissante et déprimante occupée par un homme invisible, excepté dans les moments ordinaires où il accomplissait sa tâche banale : ouvrir le coffre.

Jud fit le tour de la table ; les yeux fixés sur la tache sur le sol.

Il ouvrit la porte du bureau. Alexi et sa suite étaient repartis, ne laissant que les employés sous les ordres d'un lieutenant Ahmed nerveux. Jud l'appela dans le bureau.

— Vous êtes l'officier responsable, dit Jud. (Ahmed pâlit.) C'est à nous de l'ouvrir.

— Oui, Excellence !

— Sans nous occuper du reste.

Ahmed grimaça.

— Les espions soviétiques qui ont pris la clé, dit Jud. S'en sont-ils servis pour dérober des secrets dans le coffre ?

— Personne ne sait ce qu'ont fait les Soviétiques. Demandez à son Excellence le Général.

— Non. Il est au-dessus de tout ça. Dans cette pièce, c'est juste vous et moi.

La sueur perlait sur le front d'Ahmed.

— Nous devons payer le prix, dit Jud. De l'échec. Ou de la réussite. Pas Alexi : nous.

Ahmed regarda la tache sur le sol.

— L'homme qui gardait la clé, l'homme qui occupait ce bureau, dit Jud. C'était un homme triste.

Ahmed acquiesça.

— Et il buvait, dit Jud.

— Nous sommes dans un pays musulman...

— Nous sommes tous des hommes. Nous vivons. Nous mourons.

Ahmed regarda la tache sur le sol.

— Qu'est devenue la clé, Ahmed ?

— Il... il l'a perdue ! bafouilla Ahmed. Il s'est soûlé et il l'a perdue ! On a fouillé son bureau, son appartement, sa voiture. Il n'avait rien à faire à part rester assis ici et boire, et il a perdu cette foutue clé !

— Où est-il maintenant ? demanda Jud.

Les yeux fixés sur la tache sur le sol, Ahmed dit :

— Son Excellence le Général... Quand il est confronté à un échec, il... il est rapide comme l'éclair pour appliquer des mesures disciplinaires.

Jud ordonna à Ahmed de quitter le bureau. Après quoi il essaya d'imaginer une chose grotesque : lui-même en alcoolique. Avec la gueule de bois. L'esprit embué. La tête qui tourne. L'envie de s'allonger.

Le canapé en cuir.

Jud souleva les coussins : rien. Ils l'avaient sans doute fait.

Il prit dans la malle une longue sonde aimantée. Prudemment, timidement, il la glissa dans les interstices du canapé.

Et il retira une clé en acier à la forme insolite.

Un sourire jusqu'aux oreilles, il s'apprêta à appeler Ahmed. Mais il se ravisa.

Le manche creux d'un marteau en acier rangé dans sa malle se dévissait pour laisser apparaître un appareil photo. L'homme dans l'anti-chambre s'attendait à entendre du bruit, aussi Jud ne prit-il aucune précaution en soulevant les lattes du plancher, pour mettre à jour un fil électrique étanche. Un système d'alarme : prévisible. Obsolète. Il fallut deux minutes à Jud pour installer un circuit en dérivation.

La clé ouvrit le coffre.

Il découvrit des piles d'argent américain. Des lettres de banques suisses. Trois silencieux pour pistolets. Vingt-six passeports d'une douzaine de pays. Des photos de surveillance prises aux Etats-Unis, à Londres, à Paris. Jud photographia les passeports et les clichés de surveillance, ainsi que les documents portant la mention TOP SECRET en Farsi. Il cacha ensuite la clé de la Savak avec l'appareil photo dans le manche du marteau ; il referma le coffre, mais sans le verrouiller, pour enclencher le système d'alarme, il débrancha et rangea son circuit de dérivation, replaça les lattes du parquet, étala une dizaine de crochets de serrurier sur le sol...

Et il ouvrit violemment la porte d'acier. L'alarme se déclencha, proclamant au monde entier les qualités d'un bon perceur de coffres.

Les Iraniens l'adorèrent.

Alexi désigna trois officiers de la Savak pour accompagner en permanence Jud. Tous les quatre logeaient dans un somptueux appartement sur un boulevard portant le nom d'une reine d'Angleterre. Il y avait toujours un des « assistants » de Jud qui ne dormait jamais. Alexi donna à Jud des vêtements civils.

La nuit, l'escorte de Jud le conduisait hors de la ville. Les soirées se terminaient généralement dans le secteur de New City, un vieux quartier de Téhéran, réputé pour ses bordels. Les compagnons de Jud sortaient leur carte d'identité et les portiers les accueillaient avec des courbettes. Des « madames » avec des distributeurs de monnaie autour de la taille offraient à leurs *distingués clients* les jetons de couleur les plus chers. Le premier soir, ils se rendirent dans un établissement qui proposait une sélection de garçons, mais Jud s'empressa de faire connaître ses préférences. Ses compagnons insistaient pour qu'il choisisse toujours sa fille en premier. Des tentures et des miroirs ornaient les murs des chambres des putes. Jud supposait que ses prestations étaient filmées.

La journée, Jud apprenait à dix-sept agents de la Savak à crocheter des serrures et à déconnecter des systèmes d'alarme sur des portes qu'il fabriquait à partir du matériel américain d'Alexi et des fournitures contenues dans la malle. Ses élèves portaient des barbes et des cheveux longs qui masquaient leur visage.

228

— Parlez leur uniquement en anglais, dit Alexi à Jud.

La salle de conférence d'une des deux casernes à l'intérieur de la forteresse d'Alexi servait de salle de classe. Jud organisait parfois des examens au sous-sol. Au cours d'un de ces exercices souterrains, des cris provenant de derrière une porte close résonnèrent dans le couloir de pierre.

— Qu'est-ce que c'est ? demanda Jud à ses élèves qui essayaient fébrilement de crocheter des serrures qu'ils n'avaient encore jamais vues.

— On n'entend rien, dit un des élèves.

— Non, rien, confirma un autre.

Les cris se poursuivirent pendant une demi-heure. Puis, après une heure de silence, un chuchotement rauque, irréel, se répercuta dans le couloir :

Krelley harbay... s'il vous plaît.

Cinq fois par jour retentissait la lamentation des haut-parleurs d'une mosquée appelant les fidèles à la prière.

Durant les trois semaines de formation des élèves, la seule fois où Jud aurait pu apercevoir d'autres Américains fut le jour où, profitant d'un relâchement de son escorte, il grimpa à une échelle pour longer le sommet du mur d'Alexi.

Debout au-dessus de la porte, Jud contemplait l'enchevêtrement des toits de Téhéran, les gratte-ciel modernes, les mosquées et les minarets, les taudis et les somptueuses demeures, les marchés découverts. Les tours jumelles du Hilton ressemblaient à des pierres tombales devant le mur de pierre déchiqueté des montagnes environnantes. Dix minutes s'écoulèrent avant que les gardes d'élite dans le jardin ne l'aperçoivent et ne lui crient de descendre. Dans la rue en bas, les va-nu-pieds avec leurs vieux fusils-mitrailleurs lancèrent un chœur de hurlements contradictoires ; plusieurs d'entre eux levèrent leur arme.

Les gardes conduisirent immédiatement Jud auprès d'Alexi.

— Pourquoi avez-vous fait ça ? demanda celui qui avait été son plus grand admirateur. Vous savez bien que la CIA nous espionne avec des caméras. Même eux ont pu vous repérer sur le mur, avec ces babouins à la porte qui vous criaient dessus.

— J'ai eu envie de les emmerder, répondit Jud. Ils vont se demander qui je suis, et ça va les rendre dingues.

Et les photos finiront par arriver entre les bonnes mains, songea Jud. *Au cas où.*

— Je suis très mécontent, *sergent.*

— Ça ne se reproduira plus, Alexi.

Trois jours plus tard, Jud annonça à Alexi que ses élèves avaient acquis suffisamment de compétences ; son travail était terminé.

— Maintenant, c'est à mon tour, dit Jud.

— Oui, répondit Alexi, peut-être.

Aux premières lueurs du jour le lendemain, Alexi et Jud s'engouffrèrent dans une Mercedes, les gardes du corps montèrent dans une autre.

— N'oubliez pas, Alexi, dit Jud alors que le chauffeur mettait le contact, on dépose d'abord la malle. Si je ne restitue pas le matériel de l'Oncle Sam, mon patron est capable de me tuer.

Alexi comprenait. Ils retrouvèrent Art dans le parking souterrain. Le gorille transporta la malle jusqu'à la Ford d'Art. Le sac de paquetage de Jud resta dans la Mercedes.

— Nous n'avons pas beaucoup de temps, dit Alexi tandis que Jud marchait vers Art.

— Je voulais juste vous rendre la malle en main propre et vous dire au revoir, lança Jud à l'Américain blond.

Impassible, Art lui tendit la main. Jud l'ignora, préférant une étreinte virile.

Il lui murmura à l'oreille : *Dans le marteau.*

230

— Tout est en ordre, dit Art tandis que Jud se reculait.

Alexi raccompagna Jud jusqu'à leur voiture. Les deux Mercedes sortirent du parking en ronflant. Jud ne se retourna pas.

Ils quittèrent Téhéran en direction de l'est. Après trois heures de trajet, ils transitèrent à bord d'une Jeep de l'armée. La route dégénéra en un chemin de terre creusé d'ornières. Les villages se firent plus petits, plus rares, et plus espacés. Le relief s'accentua, le désert vallonné et rocailleux céda la place à des collines en forme de pyramides, pour finalement s'achever au pied de montagnes froides.

C'était la fin de l'après-midi. Ils descendirent de voiture, s'étirèrent. Les gardes inspectèrent les environs, balayant de leurs mitraillettes l'immensité vide. Jud troqua ses vêtements de citadin contre une tenue robuste de civil. Alexi consulta sa montre.

— Nous sommes en retard, mais eux aussi évidemment.

Jud et Alexi avaient peu parlé au cours des huit heures de route.

— Je ne comprends pas pourquoi vos supérieurs nous ont demandé d'organiser cette rencontre, dit-il, mais je suis inquiet pour vous. En ma qualité de général, je sais qu'il faut parfois envoyer de bons éléments là où des individus avisés refuseraient de se rendre.

— On ne m'a jamais reproché d'être un homme avisé, dit Jud.

Soudain, un des gardes poussa un cri en désignant une brèche dans les contreforts rocailleux. Une boule de poussière roulait dans leur direction.

— Ne faites pas confiance à ces gens, dit Alexi en suivant des yeux le nuage de poussière. Ils ne sont pas civilisés. Ce ne sont pas de vrais individus. Les règles des nations modernes ne signifient rien pour eux. Ils

231

sont comme vos Indiens, vos Apaches, *n'est-ce pas ?**
Seulement nous, on n'a pas encore réussi à les mettre dans des camps.

— Des réserves, rectifia Jud.

— Oui, répliqua Alexi. Vous devriez avoir des réserves au sujet de cette mission.

A une centaine de mètres de l'endroit où ils se trouvaient, le nuage de poussière tourbillonna et se scinda. Une dizaine de cavaliers approchèrent au galop.

— Des Kurdes, dit Alexi en secouant la tête.

C'étaient des hommes corpulents montés sur des chevaux trapus. La plupart portaient des turbans à franges et la tenue traditionnelle des fins fonds du désert et des montagnes. Leurs mitraillettes British Enfield dataient d'avant Hitler. Ils avaient la peau et les cheveux plus clairs que les Persans ou les Arabes. D'après la légende, quand Salomon exila cinq cents djinns aux pouvoirs magiques dans les montagnes de Zagros, ceux-ci s'envolèrent d'abord pour l'Europe afin de kidnapper cinq cents ravissantes vierges. De cette union naquirent les Kurdes.

Ils tirèrent sur les brides de leurs chevaux pour s'arrêter devant le périmètre de sécurité des gardes. Leurs montures piaffaient et crachaient des nuages de vapeur par les naseaux. Aucun homme n'ouvrit la bouche.

Un œil fixé sur les cavaliers, Alexi serra la main de Jud.

Un des Kurdes conduisait un cheval sans cavalier. Jud attacha son sac de paquetage derrière la selle vide et grimpa sur le dos de l'animal.

Le chef des Kurdes jeta un regard mauvais à Alexi. Le Kurde cracha sur le sol. Il cria un ordre et les cavaliers repartirent au galop là d'où ils venaient. Avec Jud au milieu d'eux.

* En français dans le texte.

Ils pénétrèrent dans les montagnes, en file indienne, suivant des pistes que seuls voyaient les Kurdes. La nuit tomba. Jud craignait que son cheval dérape, les précipitant dans la pente rocailleuse vers une mort certaine. A minuit ils installèrent le campement ; ils donnèrent à Jud une gourde de thé froid et un endroit sec pour dormir. Ils étaient de nouveau en selle avant l'aube. Au lever du jour, ils atteignaient les premières neiges dans une confusion de sommets. Le vent était glacial, ils respiraient avec peine.

Un peu avant midi, Jud aperçut une sentinelle sur un rocher escarpé au-dessus de la piste. Dix minutes plus tard, accompagné de l'homme qui avait pris en charge sa vie, il arriva au cœur d'un groupement d'une cinquantaine de petites tentes. Des enfants se précipitèrent vers leurs mères. Les hommes du campement s'emparèrent de leurs armes.

Le chef du groupe de Jud chevaucha vers une tente devant laquelle se tenait un homme balafré d'une cinquantaine d'années, flanqué de ses fils. Les Kurdes du campement encerclèrent les nouveaux arrivants.

Le guide de Jud mit pied à terre ; Jud l'imita. Le guide émit un grognement et tourna brusquement la tête vers Jud. Il cracha sur ses pieds.

Jud l'envoya au tapis d'un coup de poing.

Une demi-douzaine de culasses de fusil claquèrent. Un murmure parcourut la foule.

L'homme balafré éclata de rire.

— Toi Américain ! Oui ! Toi Américain. Américains seuls à faire ça ! Pas les Iraniens. Pas Savak. Oui !

Il enjamba son camarade inconscient, tapa sur l'épaule de Jud et lui serra la main.

— Je suis Dara Ahmedi. J'ai appris bon anglais avec les Britishs. (Dara cracha.) Anglais pas bon. Amérique très très bon.

Il conduisit Jud dans sa tente et lui fit déguster des

yeux de chèvre marinés avec des légumes et des herbes que Jud ne put identifier.

Au cours des neuf jours suivants, Jud vaccina les enfants contre la variole grâce à son kit médical des Forces Spéciales. Devant les chefs du camp, il donna solennellement à Dara vingt-cinq onces d'or et un nouveau colt 45 avec deux chargeurs. Il aida à remettre en état les vieux fusils.

Les femmes et les enfants étaient fascinés par ce guerrier-docteur venu de la légendaire Amérique. Ils essayèrent de lui apprendre des chansons kurdes. Jud tenta de leur apprendre *She Loves You* des Beatles, mais le seul passage que retenaient les enfants c'étaient les « yeah yeah yeah » du refrain. Sous les encouragements des femmes tapant dans leurs mains, Dara enseigna à Jud la danse des hommes kurdes. Les katas de Jud enthousiasmèrent les jeunes garçons, il leur apprit des trucs de soldat.

— Apprends-moi la poésie américaine, demanda Dara.

— Pardonne-moi, dit Jud, mais je connais peu de poèmes.

— Qu'as-tu fait de ta vie ? demanda le Kurde.

Dara lui récita des classiques de la poésie kurde et musulmane. Il tenta également d'éveiller son hôte à la politique mondiale.

— Tu diras à son Excellence Président Nixon, Shah homme très mauvais, dit Dara. Pas faire confiance.

— Je leur dirai, promit Jud.

Ils levèrent le camp le dixième jour. Alors que Jud et Dara se mettaient en selle, le Kurde dit :

— C'est pas pour l'or qu'on fait ça. Amérique, Kurdistan : un jour, ils gouverneront légitimement ensemble.

La caravane se mit en route, cheminant en direction du nord-est.

Dara faisait halte à intervalles irréguliers, ne parcourant parfois que quelques kilomètres dans une journée ;

d'autres jours, poussant les enfants et les vieillards de son groupe aux limites de leur résistance. Des éclaireurs chevauchaient en tête ; leurs flancs et leurs arrières étaient protégés en permanence.

— Les montagnes ne sont pas pour les fous, déclara Dara.

Pendant tout ce temps, Jud surveillait sa montre calendrier qu'il avait reçue avant de rejoindre les troupes de l'opération LAC DU DESERT.

Un jour où Dara ne semblait pas décidé à donner le signal du départ, Jud lui rappela leur accord.

— Nous sommes encore loin ? demanda Jud.

Dara cracha dans la poussière à ses pieds. Il éclata de rire.

Ils étaient déjà en Union soviétique. Soudain, des yeux apparurent sur les montagnes.

— La route, demanda Jud. A quelle distance ?

— Une demi-journée de cheval. Ici, hélicoptères jamais venir.

— Je dois y être après-demain, dit Jud. Jeudi. Sinon, je devrai attendre encore neuf jours.

— *Ser chava*, répondit Dara : « Sur tes yeux. »

Une expression solennelle utilisée pour les salutations et les adieux. Ou les serments.

Peu après minuit le mercredi, Jud, Dara, et trente des hommes les plus robustes et les mieux armés firent leurs adieux et partirent à cheval. Le reste du groupe retraversa discrètement la frontière pour rentrer en Iran.

Les éclaireurs de Dara avaient oublié davantage de passages dans les montagnes que n'en connaissaient les cartographes d'aujourd'hui avec leurs photos satellites. A l'aube, les Kurdes se regroupèrent le long des parois d'une gorge qui descendait des montagnes vers un plateau. En contrebas, le soleil levant dévoilait une route de terre qui serpentait jusqu'au cœur de la Mère Russie.

Même avec des jumelles, Jud n'apercevait aucune

trace de vie sur le plateau ni dans les montagnes environnantes. Il attendit jusqu'en début d'après-midi.

Jud se fit raser par un Kurde. De son sac de paquetage il sortit un uniforme de lieutenant du Glavnoye Razedyvatelnoye Upravleniye, le GRU, les services secrets soviétiques. Jud attacha un pistolet Tokarev à sa ceinture ; consulta sa montre, étreignit Dara...

Et il descendit seul des montagnes.

Arrivé au bord de la route, il s'assit. Une heure plus tard, il aperçut la poussière de la voiture d'état-major qui approchait. Il lui fit signe de s'arrêter.

Le chauffeur était seul. Dans un uniforme de lieutenant du GRU. Il descendit de voiture.

— *Shto vi dielete, zdez ?* Que faites-vous ici ?

Jud avait étudié le Farsi pendant seize semaines à l'école de langues de l'armée américaine, tous les matins. L'après-midi, il mémorisait autant de locutions russes qu'ils pouvaient lui faire entrer dans le crâne.

— *Maya mashina nye moshet idyot. Mne ravitza schto vi zdez.* Mon véhicule est en panne. Je suis ravi de vous voir.

Le lieutenant soviétique avait à peu près l'âge de Jud, un appelé de Georgie. Jud fit le tour du véhicule en boitant.

— *Gdey vasha mashina ?* Où est votre véhicule ?

— *O menya yest papya.* Voici mes papiers, dit Jud en glissant la main à l'intérieur de son pardessus.

Le Russe tendit la main pour prendre les papiers promis. Jud se saisit de son bras, lui balança un coup de pied dans le bas-ventre, et lui brisa la nuque.

Rien ne bougea sur le plateau.

Jud compara sa carte d'identité avec celle de l'officier mort ; les formats correspondaient. Après avoir dissimulé le corps entre deux éboulis, Jud grimpa au volant de la voiture d'état-major et repartit.

D'après l'odomètre, il parcourut 42,4 kilomètres, à travers des collines tortueuses, gravissant une montagne photographiée par les satellites espions américains. A la sortie d'un virage en montagnes russes, il aperçut le dôme en préfabriqué, le radar pivotant, les trois panneaux récepteurs concaves de la taille d'un mur, juchés sur des tours de dix mètres de haut, les quatre antennes longue portée.

SIGINT du GRU Site 423, une oreille soviétique qui captait les signaux électroniques à travers tout le Moyen-Orient.

Les services de renseignements américains savaient un tas de choses sur le Site 423. Ces connaissances provenaient à la fois de l'espionnage et de la logique inversée : une installation du SIGINT du GRU soviétique devait logiquement ressembler à une installation du SIGINT du NSA américain.

Les espions américains savaient que le Site 423 était un centre de « collecte » et non pas d'« analyse », où travaillaient huit techniciens débordés, trois cuisiniers-hommes d'entretien, deux employés administratifs, un adjudant, un lieutenant qui secondait le commandant et un deuxième lieutenant qui portait l'uniforme du GRU mais était en réalité aux ordres du Troisième Conseil du Komitet Gosudarstevennoy Bezopasnosti, le KGB, l'agence civile de renseignements. Ce second lieutenant veillait à ce qu'aucun membre du personnel soviétique du Site 423 ne trahisse les intérêts du KGB, ou de l'Etat.

En plus de ces dix-sept hommes, six gardes étaient affectés à la protection du Site, soit vingt-trois soldats soviétiques au total. Le SIGINT est un travail permanent, il y avait donc toujours au moins deux tiers du personnel qui dormait. En cas de problème, un poste des fameux Gardes Frontières du KGB se trouvait à soixante-trois kilomètres de là. Mais il ne se passait jamais rien au Site 423.

Arrivé au sommet de la dernière colline, Jud découvrit une douzaine de camions de troupes et six Jeep stationnées à l'intérieur de la clôture métallique. Devant

237

la clôture, six escouades de soldats étaient alignées face à trois sergents qui leur faisaient exécuter des mouvements de karaté.

Jud ralentit, cligna des yeux, sentant le monde s'effondrer autour de lui. Cette centaine de soldats soviétiques n'était pas censée se trouver là.

Certains d'entre eux démontraient leur robustesse en ne portant qu'un simple T-shirt malgré le froid. Un T-shirt à bandes bleues et blanches, identique à ceux portés uniquement par les Spetsnaz, les troupes d'élite soviétiques, l'équivalent des Forces Spéciales américaines.

Une douzaine de visages de Spetsnaz se tournèrent vers le véhicule de Jud. S'il faisait demi-tour, ils se douteraient de quelque chose. Ils le prendraient en chasse. Ils alerteraient les hélicoptères par radio.

— *Merde !* murmura Jud.

Il continua à rouler.

Le garde du GRU à l'entrée vérifia son identité avant de lui indiquer un emplacement pour se garer. Un autre l'escorta jusqu'au poste de commandement. Le garde avait pris le sac de courrier dans la voiture, laissant à Jud le soin de porter la mallette du lieutenant mort. Le garde murmura une mise en garde, des mots que Jud ne comprit pas, mais sur un ton qui réclamait un hochement de tête.

A l'intérieur du poste de commandement, un colonel portant l'insigne des parachutistes passait un savon au commandant du Site, aux deux lieutenants et au sergent-major, tremblants et au garde-à-vous. Trois techniciens coiffés d'écouteurs étaient assis face à la console sophistiquée du SIGINT ; leurs visages étaient pâles, leurs mains tremblotaient.

Jud ne comprenait pas un traître mot du feu continu du colonel russe.

Celui-ci se retourna brusquement. Jud le salua et sortit les bons documents de la mallette du mort.

— *O menya yest papya !*

Le colonel jeta un coup d'œil aux documents, et les lança au commandant. L'officier des Spetsnaz vociféra après Jud pendant deux minutes, concluant sa harangue par l'intonation caractéristique d'une question.

Que Jud ne comprit pas ; à laquelle il ne pouvait répondre.

Le silence entre les deux hommes grandit. Les radiateurs électriques peinaient pour chauffer la pièce. La sueur coulait sur le visage de Jud. Il avait envie de vomir, de s'évanouir. Le colonel s'approcha si près que Jud sentait son haleine aux relents de choux aigre et de thé.

— *Da ?* hurla le colonel.

— *Da tavarish !* Oui, camarade ! répondit Jud sur le même ton.

— Bah !

Le colonel pointa le pouce vers la porte close du bureau.

Jud s'y précipita et referma la porte. Il était seul.

Sa mission était une opération Skorzeny, du nom du soldat nazi qui avait élevé la duperie et l'audace au rang d'un art.

Le lieutenant que Jud avait tué sur la route était un des nombreux jeunes officiers anonymes que la bureaucratie soviétique envoyait ici chaque semaine. Son travail consistait à vérifier que les rapports quotidiens du Site 423 avaient bien été remplis et de les certifier d'un coup de tampon. Il apportait et remportait le courrier du camp. Les Américains savaient que l'officier chargé de tamponner les documents arrivait au Site 423 tous les jeudis après-midi.

La mission de Jud consistait à prendre la place du lieutenant, d'utiliser les schémas types de conversation qu'il avait mémorisés pour adopter le rythme d'un camp engourdi par la routine, de parvenir à pénétrer dans le poste de commandement, et de photographier les manuels techniques qui y étaient entreposés grâce à l'appareil photo cousu dans la doublure de son pardessus. Ces manuels fourniraient aux scientifiques américains des renseignements sur les capacités d'écoute des Soviétiques, suggérant ainsi des mesures défensives susceptibles de procurer aux Américains une avance décisive dans la course perpétuelle aux renseignements. Toutes les informations supplémentaires que pouvait recueillir Jud seraient la cerise sur un gâteau déjà savoureux.

Selon le scénario le plus optimiste, Jud effectuerait sa mission d'espionnage sans se faire repérer ; au moment de la fuite, il simulerait un accident de voiture sur les routes de montagne, abandonnant le corps du lieutenant à bord du véhicule. Les meilleurs renseignements sont ceux que votre ennemi ignore que vous possédez.

Selon le scénario le plus pessimiste, l'imposture de Jud serait découverte sur le Site 423. Mais face à une poignée de techniciens non formés aux techniques de combat, les planificateurs de la mission évaluaient les chances de succès et de fuite de Jud à six sur dix.

Aucun scénario ne prenait en compte la présence sur le Site 423 d'une centaine de soldats parmi les plus résistants et les mieux entraînés d'Union soviétique.

Le bureau était conforme aux esquisses dessinées deux ans plus tôt par un déserteur de l'armée russe que la CIA avait fait passer en Finlande : une petite pièce encombrée de dossiers et d'étagères. Des piles de rapports trônaient sur le bureau, attendant le tampon qui se trouvait dans la mallette de Jud. Contre un des murs se trouvait un coffre-fort gris encastré dans le ciment.

Modèle yougoslave, se dit Jud, fermé par la serrure la plus exotique dont disposait le GRU : une Yale américaine modèle courant.

Les manuels étaient rangés sur une étagère, trois épais volumes. Jud avait suffisamment de film cousu dans la doublure de son manteau, mais c'était un travail de deux ou trois heures. Le personnel du Site,

240

paranoïaque, craignait qu'un de ces lieutenants qui venaient chaque semaine avec leur tampon soit un homme du KGB envoyé pour les espionner. Conclusion, ils évitaient les lieutenants. En temps normal, Jud aurait disposé d'assez de temps pour photographier les manuels, fouiller le bureau, et tamponner les rapports avant que quiconque ne vienne le déranger.

Le temps est presque écoulé, songea Jud.

Il fourra les manuels dans la mallette.

Les crochets dissimulés à l'intérieur de sa vareuse lui permirent d'ouvrir le coffre en onze minutes. Il déroba une clé électronique d'encodage en forme de carte de parking fort prisée jadis, ainsi que des dossiers estampillés TOP SECRET.

Il entrouvrit la porte du bureau. Les seuls bruits qui lui parvenaient étaient le ronronnement et le cliquetis des ordinateurs ; l'électricité statique mue par des oreilles électroniques. Il ouvrit son holster.

Jud pénétra dans la salle de contrôle. Les trois techniciens et le sergent le regardèrent d'un air étonné. Jud porta son index à ses lèvres et désigna la porte de dehors d'un mouvement de tête.

Perplexe, mais reconnaissant un coconspirateur et un officier, le sergent lui ouvrit la porte ; il jeta un coup d'œil au-dehors, et hocha la tête.

Jud les salua avant de sortir.

Ne te presse pas, se dit Jud. *Du calme. Marche jusqu'à la voiture comme si tu étais envoyé par Lenine, Staline et tous les autres dieux.*

Autour de lui dans la lumière du soir, les troupes de Spetsnaz préparaient leurs véhicules, vérifiaient leurs armes. Une mission d'entraînement ? Une opération de l'autre côté de la frontière ? Peu importe.

Quarante-sept pas jusqu'à la voiture. Cinquante secondes à rouler lentement jusqu'à la grille fermée.

Avec le garde qui tenait son AK-47 sur sa poitrine. Le front plissé.

Jud leva son poignet gauche et tapota sa montre.

Un moment d'hésitation. Le garde ouvrit le portail en grand.

Résister à l'envie d'écraser l'accélérateur fut une des choses les plus difficiles qu'ait jamais accomplies Jud. Lorsque à la sortie d'un virage, les lumières du Site 423 disparurent de son rétroviseur, il poussa un cri de joie. Et il accéléra à fond.

42,4 kilomètres jusqu'au groupe. Vingt-cinq miles sur une route sinueuse qui ne cessait de monter et de descendre. Il criait, il chantait en luttant avec le volant. La lumière du crépuscule s'atténua. Il alluma ses phares. Et il accéléra encore.

Une vieille lune éclairait le ciel haut du désert. A moins de dix kilomètres de la gorge, un ruban jaune se mit à flotter dans son rétroviseur. Il arriva avant eux à la gorge, sauta de voiture et courut. Arrivé au milieu de la gorge, des yeux jaunes se regroupèrent autour de la voiture abandonnée. Des portières claquèrent. Des lampes clignotèrent, remontant sa trace.

— Par ici !

Le chuchotement de Dara. Des mains attirèrent Jud dans l'obscurité.

— Fichons le camp !

— Non, dit Dara. Pas encore.

— Ce n'est pas nécessaire, insista Jud.

Dara se contenta de secouer la tête.

Les quarante soldats Spetsnaz bénéficiaient d'une puissance de feu supérieure et d'un entraînement militaire poussé. Les Kurdes avaient pour eux la position et la tradition. Plus l'effet de surprise. Les Russes étaient tous rassemblés, sans éclaireur, à la poursuite d'un seul homme ; leurs hélicoptères étaient impuissants dans la nuit montagneuse. Les hommes de Dara les découpèrent en morceaux en dix-sept minutes, dépouillèrent les corps en six minutes. Avant que les renforts soviétiques appelés frénétiquement par radio n'atteignent le plateau, les Kurdes étaient remontés en selle et disparaissaient dans les montagnes qu'ils avaient conquises avec la malédiction de Salomon.

— Tu vois ? lança Dara à Jud. Ennemis de l'Amérique, ennemis des Kurdes. Amis pour toujours... Kurdistan ! beugla-t-il.

Ses camarades, exaltés par la victoire et leur butin, reprirent son cri en chœur au milieu des sentinelles de pierre du temps.

Deux ans après cette nuit, en mai 1972, le président Nixon et son conseiller Henry Kissinger rencontraient les Russes à Moscou et décidaient d'un commun accord de désamorcer les tensions au Moyen-Orient. Moins de vingt-quatre heures après, Nixon et Kissinger se rendaient à Téhéran, où l'éternel conflit frontalier entre l'Iran et l'Irak constituait de nouveau un problème brûlant. Nixon accepta le plan du Shah consistant à fournir discrètement des armes aux nationalistes kurdes en Irak. Mieux valait laisser les Kurdes mourir pour des frontières plutôt que les Iraniens. Les Kurdes obtinrent par l'intermédiaire de la CIA seize millions de dollars d'armes, et la promesse du soutien américain pour bâtir leur rêve d'un Kurdistan indépendant. Des centaines de Kurdes, parmi lesquels Dara, rejoignirent l'insurrection contre le régime irakien soutenu par les Soviétiques. En mars 1975, afin d'améliorer sa position au sein de l'Organisation des pays producteurs de pétrole (l'OPEP), le Shah coupa toute l'aide américaine aux Kurdes. L'Irak écrasa la rébellion. Les demandes d'aide des Kurdes auprès de la CIA et de Kissinger demeurèrent sans réponse. Plusieurs centaines de leaders kurdes, parmi lesquels Dara, furent exécutés. L'Iran renvoya la famille réfugiée de Dara en Irak. Aucun Kurde ne reçut l'asile politique aux Etats-Unis.

Interrogé au sujet des Kurdes, Kissinger déclara devant le Congrès : « Il ne faut pas confondre opération secrète et œuvre humanitaire. »

Après sa mission sur le Site 423, Jud retrouva Art à

Téhéran en empruntant le chemin inverse, avec un arrêt au quartier général d'Alexi pour prendre une douche et enfiler des vêtements « civilisés ». Après qu'Alexi ait quitté le parking souterrain, Jud confia la mallette soviétique à un groupe d'Américains solidement armés, à bord de deux voitures. Trente et une minutes plus tard, la mallette se trouvait dans un avion américain, direction la base militaire d'Andrews.

— Venez, dit Art à Jud. Avant de vous ramener parmi l'équipe de l'opération LAC DU DESERT, je vous invite à dîner.

Ils se rendirent dans le quartier chic de Shimiran à bord de la Ford d'Art. Vêtus de vestes sport et de jeans, on aurait pu les prendre pour deux ingénieurs pétroliers en permission. Un attaché-case fermé à clé était posé sur le plancher de la voiture. Art surveillait ses rétroviseurs, sans adresser la parole à l'homme épuisé à ses côtés.

Ils dînèrent dans un minuscule bistrot dont le patron débordé s'occupait de tout. Les tables étaient recouvertes de nappes en plastique à carreaux rouge et blanc, des bougies étaient plantées dans des bouteilles de vin. Un lecteur de cassette près de la caisse déversait à tue-tête une épouvantable musique d'accordéon française. Les visages austères d'un couple de vieux Américains qui payaient trop cher leur repas sans le savoir s'éclairèrent en voyant Art et Jud emprunter l'étroit couloir de brique qui conduisait au bistrot.

— Etes-vous américains, messieurs ? demanda la vieille femme.

— *Dien cai dau,* répondit Art.

Le vieux couple resta perplexe devant ce juron vietnamien.

— Désolé, dit le vieil homme, on ne parle pas le Farsi.

Ils sortirent rapidement, à la recherche d'un taxi pour rentrer à leur hôtel.

Le seul autre client était un gros Noir africain aux

yeux vitreux, vêtu d'un costume bleu mal ajusté, la cravate de travers, attablé devant six verres de vin vides. Art et Jud choisirent la table dans le coin le plus reculé, afin de faire face l'un et l'autre à la porte étroite. Ils commandèrent des whiskys et des steaks. Les whiskys arrivèrent en premier. Le patron déposa un couteau à steak à côté de chaque verre.

— Vous n'avez pas grand-chose à raconter, dit Art à Jud, tandis que le patron retournait en hâte dans la cuisine pour s'occuper de leur repas.

Art déposa son attaché-case par terre.

— Ça m'a beaucoup aidé de savoir que les Spetsnaz étaient là.

— L'ignorance est la raison d'être de notre métier, dit Art.

— Vraiment ?

Pour la première fois depuis l'embuscade des Russes, Jud éclata de rire. Il but son whisky. Une femme d'une trentaine d'années entra précipitamment dans le restaurant, en regardant autour d'elle. Elle s'assit à une table pour deux à environ trois mètres d'eux, sortit un paquet de cigarettes de son gros sac à main qu'elle posa sur la table, en alluma une, en s'efforçant d'ignorer les deux Américains qui l'observaient. Le patron lui apporta un verre de vin rouge.

— Vous êtes un homme intelligent, dit Art. Un homme jeune.

— Je vous en prie, vous n'êtes pas mon genre.

Jud rit de nouveau.

Soudain le monde entier lui parut risible : ce gradé américain blond qui aimait les lunettes de soleil très noires, les touristes américains, le patron qui lançait des jurons en faisant mille choses à la fois, le gros Africain ivre, la femme qui tirait sur sa cigarette malodorante, l'épouvantable musique d'accordéon dans ce restaurant français miteux dans cette ville persanne absurde. Des corps de Russes mutilés éparpillés dans une gorge, des Russes encore plus surpris de voir surgir les Kurdes de Dara que Jud avait été surpris en les voyant *eux* sur le Site 423. L'infiltration *à cheval* ! C'était drôle ; ça ne pouvait qu'être drôle. Il le fallait. Drôle. Forcément. Hilarant. Jud riait et riait. Il riait. Son hilarité faisait trembler la table, et s'entrechoquer les verres de whisky.

— Respirez, lui dit Art à voix basse. Encore. Inspirez. Expirez.

Jud cligna des yeux. Il s'arrêta de rire.

La femme contemplait le mur vide près d'elle. Le regard de l'Africain ivre essayait de se fixer sur cette mystérieuse gaieté. Deux hommes vêtus de costumes trop larges entrèrent dans le restaurant et choisirent une table près de la porte. Ils dévisagèrent Jud avec insistance.

— Vous en êtes revenu, dit Art. Vous en êtes sorti. Vous ne craignez plus rien.

— Tout va bien, dit Jud. Tout va bien.

Art demanda au patron de leur apporter deux autres whiskys. Le patron était originaire d'Alger, il ne contredisait jamais ses clients. Il s'empressa d'aller prendre la commande des deux hommes assis près de la porte.

— Vous savez, dit Art, vous pourrez bientôt quitter l'armée.

— Vous et moi ne sommes pas dans l'armée.

— Nous avons peut-être abandonné les uniformes, mais le contrat est toujours valable. Avez-vous l'intention de rempiler une fois votre temps terminé ?

— Ça dépend, dit Jud.

— De quoi ?

— De qui, rectifia Jud.

Art reposa son verre vide, prit son couteau à steak en s'amusant à tracer négligemment, avec la pointe, des motifs sur la nappe à carreaux. La femme alluma une autre cigarette.

— On a dépensé beaucoup d'argent et de temps pour vous... *créer,* dit Art.

— Un peu comme un arbre.

— N'importe quel dieu peut faire un arbre.

L'Africain rota bruyamment et s'agita sur sa chaise.

— L'idée, c'est que Jud Stuart reçoive sa récompense. Que vous conserviez ou pas des liens formels avec l'armée.

— C'est-à-dire ?

L'Africain se leva en titubant. Il s'avança vers la caisse d'un pas mal assuré, fouillant dans ses poches et réclamant son addition. Les deux hommes près de la porte déplacèrent leurs pieds pour éviter qu'il les écrase.

— L'uniforme c'est très bien, répondit Art en traçant des cercles sur la nappe avec la pointe de son couteau. De ce point de vue là. (Il haussa les épaules.) Le monde est vaste au-dehors. Là où nous sommes, la vie est... souple. Et le boulot qu'on fait est le plus important de tous, ajouta-t-il.

— C'est ce que je veux, dit Jud.

L'Africain déposa des billets dans la main du patron, franchit la porte en titubant et remonta le couloir de brique jusque dans la rue où était garée la Ford d'Art. Le patron appuya sur les touches de la caisse ; elle s'ouvrit en tintant.

— Et vous ? demanda Jud à Art.

— Moi ?

Art sourit ; négligemment, il retourna le couteau à steak dans sa main pour le saisir par la lame.

La femme renversa son verre de vin en fouillant dans son sac ; elle se leva et se tourna vers les deux Américains.

En extirpant maladroitement de son sac un pistolet muni d'un silencieux.

Jud la vit bouger au ralenti ; il vit le trou noir du canon en forme de saucisse qui le cherchait. Pendant un miroitement d'éternité, il ne put concevoir qu'une femme allait l'abattre.

Art lança le couteau à steak. La femme tressaillit,

247

leva le bras qui tenait l'arme pour parer le couteau. Le manche rebondit sur son coude.

Les deux hommes assis près de la porte se levèrent précipitamment, en plongeant la main à l'intérieur de leur veste. Jud cligna des yeux. Il jeta la table sur les deux hommes, sous les hurlements du patron.

La table projeta les deux hommes contre le mur. L'un d'eux tomba. Le second perdit le sens de l'orientation en sortant son Uzi de sous sa veste. Son doigt se crispa sur la détente. La rafale de mitraillette traça une ligne rouge en dents de scie sur la chemise blanche du patron.

Jud fonça derrière la table renversée, plongea sous la mitraillette, essayant de plaquer les deux assassins, de s'approcher pour avoir une chance. L'homme à la mitraillette fit un bond en arrière, se cogna dans son partenaire, et frappa Jud avec son arme. Celui-ci s'effondra sur le sol, alors que l'Uzi s'abattait sur lui...

Mais Art avait saisi l'arme de la femme ; il la frappa à l'estomac, au visage, et la laissa tomber comme une poupée en lui arrachant le pistolet des mains, avant de se retourner et de tirer une demi-douzaine de balles sur les deux tueurs.

— La porte ! hurla Art. Jetez un œil dehors !

Jud récupéra une mitraillette Uzi sur un des deux macchabées.

— La voie est libre ! cria-t-il. Jusqu'à la rue !

— Il y a certainement un chauffeur, dit Art. Peut-être une deuxième équipe.

Il renversa le sac de la femme.

— Prenez leurs papiers !

Qui ? se demanda Jud en s'emparant des documents dans les poches des morts.

Le patron du restaurant gisait immobile, sa chemise blanche était rouge de sang.

— Alexi ne sait pas que vous l'avez entubé, dit Art en rechargeant le pistolet avec des munitions trouvées dans le sac de la femme. (Il dévissa le silencieux encombrant.) Les Russes. C'est du travail bâclé, des médiocres. Ou bien des tueurs à gages. Ils voulaient faire vite avant que vous ne quittiez le pays. Un des hommes d'Alexi nous a vendus, ou bien la Savak vous a repéré par hasard et vous a fait suivre. Qu'il s'agisse de récupérer des informations ou de régler un compte, dans les deux cas le résultat est le même.

La femme couchée face contre terre gémit.

— Vous n'auriez pas dû paniquer en me voyant jouer avec le couteau, dit Art à la silhouette allongée sur le ventre. On ne vous avait pas repérée. Prenez ma mallette, ordonna-t-il à Jud.

Quand Jud se retourna avec la mallette, Art avait chevauché la femme. De la main gauche, il la saisit par les cheveux et la souleva de terre ; puis il lui trancha la gorge avec le couteau à steak.

Le sang éclaboussa Jud. Il hurla :

— On aurait pu...

— Quoi ? demanda Art.

La femme mourut dans le silence de Jud. Art la lâcha.

— Il n'y a pas de perdants.

Art laissa tomber le couteau ensanglanté.

Ils se faufilèrent par la fenêtre de la cuisine, abandonnant la Ford.

— C'est inutile, déclara Art.

A environ huit cents mètres de là, dans une rue très fréquentée, Art se dirigea vers un chauffeur de taxi debout près de son véhicule.

— Taxi ? demanda-t-il en s'approchant suffisamment près de l'homme pour l'embrasser.

Le chauffeur sentit quelque chose de dur s'enfoncer dans son bas-ventre. Il baissa les yeux et découvrit le canon du pistolet de la femme appuyé contre sa braguette. De son autre main, Art déposa brutalement une liasse de billets sur le toit du taxi. Le chauffeur déglutit avec peine. Il lâcha les clés sur le toit, ramassa l'argent et disparut parmi la foule.

Art prit le volant.

Le commando de l'opération LAC DU DESERT bivouaquait sur une base de l'armée iranienne à la périphérie de la ville. A moins d'un kilomètre des lumières du camp, Art arrêta le taxi sur le bas-côté.

— Ils finissent dans douze jours, dit-il. Jusque-là, vous ne devez pas quitter la base, vous ne devez pas vous faire remarquer. Vous êtes instructeur dans l'équipe médicale. Si quelqu'un vous pose des questions, vous êtes parti vacciner les enfants dans la campagne. Pour rendre service au Shah.

Il coupa le moteur du taxi.

— Le moment est venu de se dire au revoir, dit Art.

La nuit resta comme elle était, silencieuse et immobile.

— Y a-t-il une meilleure façon de se quitter ? demanda enfin Jud.

— Pas dans cette vie.

— Au point où nous en sommes, dit Jud, autant connaître la suite.

Art ouvrit la mallette posée entre eux. Des taches sombres encore fraîches maculaient le dessus. Il alluma le plafonnier du taxi.

— Il faut nourrir le système avec quelques paperasses, dit Art. Tout est déjà rempli, mais nous avons besoin de votre signature. Bon Dieu, plaisanta Art, c'est votre vie.

Jud ne put s'empêcher de rire en signant les dizaines de documents administratifs : formulaires de démobilisation, accords secrets, lettres, documents officiels et confidentiels qui bâtissaient une légende affable autour de son passé. Il signa un épais formulaire d'embauche auprès des Services Secrets des Etats-Unis, département des Finances. Une lettre postdatée de plusieurs semaines acceptant son incorporation parmi les agents de la classe de février 1971. Son diplôme de formation était l'avant-dernier document contenu dans l'attaché-case.

Le dernier était une série d'ordres émanant du ministère des Finances et datés de mai 1971, c'est-à-dire cinq mois plus tard. Ces ordres nommaient l'agent des Services Secrets Jud Stuart aux services de protection et de sécurité technique, et l'affectaient à la Maison Blanche.

Pluie d'hiver

Le jour où Beth et Wes firent l'amour pour la première fois, Nick Kelley établit le lien entre les auditions de la Commission sénatoriale de 1974 et un réseau d'espions au sein de la Maison Blanche.

Ce réseau fut démasqué en décembre 1971 quand une enquête du Pentagone sur des informations transmises à un chroniqueur journalistique révéla accidentellement qu'un sous-officier de la Navy affecté au National Security Council avait dérobé plus de cinq mille documents secrets à des officiels de la Maison Blanche tels que Henry Kissinger, pour ensuite livrer ses renseignements, non pas à une puissance étrangère, mais à des officiers américains de haut rang affectés à l'état-major.

Nick se renversa contre le dossier de sa chaise. Il se trouvait dans le département juridique de la bibliothèque du Congrès. Des néons luisaient au-dessus de l'épaisse moquette verte. Il était assis seul à une grande table en bois. Une femme d'une vingtaine d'années, visiblement éreintée, était assise deux tables plus loin, entourée de carnets et d'épais ouvrages. De temps à autre, elle poussait un soupir. Des murmures flottaient jusqu'aux oreilles de Nick depuis les tables occupées par des étudiants en droit ou de jeunes stagiaires chargés d'effectuer des recherches par quelques-uns des milliers de cabinets juridiques de la ville. Les bibliothécaires travaillaient dans la salle des catalogues en forme de fer à cheval. L'odeur de l'encre et des reliures emplissait l'atmosphère.

Nick entendit dans son dos le bruit d'une page qu'on tourne.

Un homme aux cheveux blancs vêtu d'un costume informe était assis à la table derrière Nick, en train de lire un livre.

On dirait qu'il lit un roman, songea Nick. *Un retraité qui n'a rien d'autre à faire.* Nick reporta son attention sur les trois feuilles de papier blanc et fin du rapport de la commission sénatoriale sur les forces armées.

L'enquête sénatoriale qui eut lieu presque trois ans après la découverte du réseau d'espionnage fut la dernière des trois investigations gouvernementales dans ce qui devint l'affaire Moore-Radford, du nom de celui qui était alors à la tête de l'état-major, l'amiral Thomas J. Moore et de l'espion, le sous-officier Charles Radford. Les résultats de l'enquête du Pentagone de 1971 sont tenus secrets. Une autre enquête confidentielle fut menée par la section des « Plombiers » de la Maison Blanche, formée sous l'administration Nixon pour mettre fin aux fuites à la presse, une section dont les activités incluaient aussi bien le cambriolage, la pose de micros, la corruption, le trucage d'élections que l'entrave à la justice, les combats de rue, et le meurtre de citoyens américains, des activités dont la découverte obligea le président Nixon à démissionner de son poste au cours du scandale baptisé Watergate.

En 1974, quand la Commission sénatoriale sur les forces armées se retrouva contrainte de procéder à des auditions concernant ce réseau d'espionnage, la mise à jour d'une série de complots confronta le pays en émoi à sa propre image. L'affaire Moore-Radford était secondaire par rapport aux drames de la corruption de l'administration Nixon et les révélations concernant

253

les bombardements illégaux durant l'interminable guerre dans le Sud-Est asiatique. La Commission organisa quatre jours d'auditions. Son président confia à un journaliste que s'il laissait l'enquête se poursuivre, « elle détruirait le Pentagone ».

Nick cligna des paupières pour s'attaquer aux petits caractères, et il relut la page où un sénateur rapportait au conseiller du président qu'un amiral lui avait déclaré : « en temps normal », l'acte du sous-officier Radford serait considéré comme une trahison.

Nul ne fut ni inculpé ni jugé pour avoir appartenu à ce réseau d'espions militaires. L'enquête du Sénat ne déboucha sur aucun résultat apparent.

Nick avait du mal à se concentrer sur les mots écrits à l'encre noire.

Qu'espérais-tu trouver ? se demanda-t-il. *Une phrase disant : « C'est ici que ça rejoint ta vie ? »*

Les rapports ne mentionnaient aucun autre espion à la Maison Blanche.

Peut-être que si j'avais été plus attentif à l'époque. Peut-être que si j'avais fait un effort au cours de toutes ces années pour relier les points entre eux. Peut-être que si j'avais harcelé davantage Jud.

— Quelle différence cela aurait-il fait ? marmonna-t-il.

La femme leva les yeux de ses livres et jeta un regard noir à Nick qui s'excusa d'un haussement d'épaules.

Il promena son regard sur cette vaste salle, avec ses kilomètres de rayonnages chargés d'ouvrages sur les lois américaines. Tous les verdicts des tribunaux locaux et fédéraux étaient reliés, catalogués et correctement archivés.

Où pourrais-je trouver le verdict concernant Jud Stuart ? se demanda-t-il. *Ou celui de Nick Kelley ?*

Longtemps il avait cru qu'existaient un endroit et un moment où il tiendrait enfin la réponse à cette question. Ayant grandi dans les plaines marécageuses

254

et couvertes de pins, il en avait conclu que la réponse se trouvait ailleurs que dans sa ville natale.

« J'ai grandi dans un Etat de poche », dit-il un jour à sa femme. Il leva la main gauche, paume ouverte, les doigts joints, mesurant l'espace entre eux et son pouce. Il désigna un point deux centimètres sous la jointure de son index. « Ici. »

Butwin dans le Michigan. 5 300 habitants, quand tous les fermiers venaient en ville. Dans les années 50, au cours de l'adolescence de Nick, les petits fermiers commençaient à disparaître, leurs parcelles de blé et de maïs n'étaient plus économiquement rentables dans le monde moderne.

C'était le monde moderne. La télévision arriva en ville quand Nick avait cinq ans. Deux ou trois fois par semaine, le ciel claquait lorsqu'un avion à réaction de la base de l'Air Force, à une centaine de kilomètres de là, franchissait le mur du son et balafrait le ciel d'une traînée de fumée blanche. Certains de ces avions étaient des B-52 portant en leur sein les bombes à hydrogène qui mettraient fin à la guerre, les bombes qui empêcheraient les communistes de Russie-Chine-Corée-Cuba-de-derrière-le-Mur-de-Berlin d'envahir Butwin, de violer les femmes et d'obliger tout le monde à idolâtrer Lénine. Ils approchaient avec fracas. Ils approchaient pas à pas. Nick projetait de se réfugier dans les marécages, de se cacher avec son 22 long rifle, pour combattre les méchants.

Les étés étaient étouffants et chauds ; les hivers interminables, neigeux et d'un froid brutal, surtout quand le vent soufflait du lac Huron. L'hiver, la fumée des centaines de poêles à bois flottait à travers la ville. Les voies ferrées cessèrent d'acheminer des trains de voyageurs quand Nick avait sept ans, et l'épouvantable/merveilleuse route nationale empêchait désormais les touristes de s'arrêter en ville comme au bon vieux temps.

Le père de Nick dirigeait une compagnie de transport

255

de marchandises pour le compte de la famille Gree-
nough. Il rentrait déjeuner quand la sonnerie de midi
retentissait à la laiterie de Borden, il reprenait le travail
quand retentissait la cloche de une heure à l'école de
Nick. Le soir, il retournait travailler après une pause
de deux heures pour le dîner, à six heures. Parfois,
Nick venait le voir dans le bureau qui sentait le
renfermé, à côté du garage où l'on révisait les camions.
Nick craignait en vieillissant d'être un jour obligé de
travailler lui aussi dans un bureau qui sentait le
renfermé, entouré de registres concernant des maté-
riaux et de l'argent sans aucun rapport avec lui et la
magie de son univers.

Nick aimait la magie, les mystères et les forces
puissantes de l'univers qui gouvernaient la vie et
semblaient prendre naissance bien loin des marécages
de Butwin, Michigan. Ses parents voulaient qu'il
devienne avocat, car il pourrait tenir tête à tout le
monde sur n'importe quel sujet : voilà le rôle d'un
avocat. Nick espérait qu'être avocat signifiait sauver
des innocents de l'exécution et démasquer les meurtriers, comme Perry Mason, chaque semaine à la
télévision. Nick aurait aimé faire ça, mais il avait le
pressentiment que la vision de ses parents du rôle de
l'avocat était plus proche de la vérité que ses rêves de
Perry Mason.

Nick était fils unique. Il appréciait la liberté que lui
procurait sa solitude. Il lisait des romans policiers et
de science-fiction. Ses parents estimant que le cinéma
était un bon moyen d'éducation pour un enfant, Nick
allait voir des films dans l'unique salle de Butwin deux
ou trois fois par semaine. Ses parents l'élevaient avec
rigueur, mais équité, avec cette certitude héritée de la
dépression et de la Seconde Guerre que Nick avait de
la chance d'être vivant, et encore plus de chance de
vivre à Butwin dans le Michigan, Etats-Unis. Il le
pensait également.

Comme ils l'aimaient beaucoup, les parents de Nick

256

insistèrent pour qu'il travaille dès l'âge de dix ans. Travailler. Faire de son mieux. Faire ce qu'il faut. Des règles simples qui le maintenaient en permanence dans un état d'examen de conscience, d'auto-discipline. Des règles qui le tenaient à l'écart des plaisirs triviaux, des règles qui forgeaient son caractère.

Ses parents ne parlaient jamais de Dieu. Pour la forme, la famille appartenait à l'église méthodiste. Nick croyait au bien et au mal, il croyait qu'il existait quelque chose de plus puissant que l'homme. Mais il avait du mal à croire la Bible. De quoi s'était donc nourri Jonas dans le ventre de la baleine durant toutes ces journées et ces nuits ? Si Jésus affirmait qu'il fallait tendre l'autre joue, pourquoi avait-il attaqué les marchands du temple ? Si Dieu dirigeait tout, pourquoi des gens allaient-ils en enfer ? De telles questions élargissaient le fossé entre Nick et son entourage. Ses amis se partageaient entre les autres grandes Eglises du monde : luthériens et catholiques. Cette ville ne comptait aucun Juif, et un seul couple de Noirs, sans enfants. Il y avait des Indiens Chippewa. Leur sang coulait dans les veines de la mère de Nick, ce qui le rendait extrêmement fier.

Adolescent, Nick avait risqué quelques notes négatives dans son *dossier permanent* en participant à des courses de hot-rods avec la Chevy gonflée de ses parents, la radio branchée sur WJR, la station rock de Detroit. Il chassait le lapin et le renard, mais jamais il ne piégeait les cerfs en les aveuglant avec un projecteur lorsqu'ils se nourrissaient la nuit, et leur tirant dessus au fusil de chasse. Certaines nuits magiques, il roulait au-delà des limites de la ville, il captait Chicago, ou même New York, sur l'auto-radio. Le monde réel. Il adorait conduire, commander à une voiture, la pousser à des limites terrifiantes, tremblant et inondé de sueur, et rester en vie pour se souvenir des vitesses mortelles. Souvent la nuit, Nick roulait seul dans la grand-rue, à travers les plaines de pins désertes, cherchant, attendant, désirant.

Et rêvant. Des rêves où il découvrait la magie du monde, où il pouvait chevaucher les forces, les contrôler. Des rêves qui devenaient des histoires où des choix étaient offerts. Avec des héros. Des méchants. Le bien et le mal. Des sensations fortes et non des bureaux qui sentaient le moisi et des villes qu'on traversait en dix minutes. Dans les histoires dont il rêvait, qu'il écrivait sur une vieille machine à écrire, la magie fonctionnait, le monde avait un sens ; il prononçait des verdicts clairs.

En 1964, Nick avait alors quinze ans, Joe Barger revint de la guerre du Vietnam. Dans un cercueil recouvert d'un drapeau. Nick n'aimait pas ce garçon plus âgé qui s'était engagé dans les Marines pour échapper à la colère des habitants de la ville contre les voyous. Mais Joe Barger était parti là où les verdicts étaient clairs, vers la magie suprême. Deux autres enfants de Butwin trouveraient la mort au Vietnam. Larry Benson y perdit un pied. Mike Cox en revint totalement muet. Nick essaya d'effectuer une préparation militaire à l'université du Michigan en 1967, mais une opération au genou à la suite d'un match dénué de sens au cours de sa médiocre carrière de footballeur universitaire l'empêcha de coiffer le béret vert des Forces Spéciales. Et d'accéder ainsi à la magie.

Le regard extasié de Nick le tourmentait. Il était téméraire sans le montrer : secrètement voué à une existence dans laquelle il croyait qu'en obéissant aux démons magiques qui lui ordonnaient d'écrire, il se condamnerait à une vie austère de dénuement. Il était d'une prudence démodée : le jour où Sharon Jones et lui se soûlèrent à la bière, il s'écarta de son corps nu, refusant de lui faire l'amour. Et s'il profitait d'elle parce qu'elle était ivre ? Il voulait des sentiments vrais. De plus, il craignait de se retrouver pris au piège d'un mariage forcé qui l'empêcherait de ficher le camp.

Pour découvrir le monde. Là où les choses avaient de l'importance. Où il pourrait changer les choses. Où il pourrait écrire. Toucher les forces qui décidaient des événements. Où il apprendrait les verdicts.

Et je me suis retrouvé avec Jud Stuart, se dit-il. Merde, songea-t-il, *je n'ai même pas ça.*

Il avait joint Dean à son ancien numéro de téléphone ; une conversation embarrassée au cours de laquelle il avait demandé à ce monstre du passé, s'il le pouvait, de dire à Jud d'appeler son vieil ami.

— A mon bureau, ajouta Nick. Il connaît le numéro. Dites-lui bien de ne pas m'appeler à la maison, mais au bureau.

— Hmm, hmm, fit Dean.

Dean ne dit absolument rien au sujet de Jud. Nick ne lui posa aucune question directe. Savoir était synonyme de responsabilités, de mise en avant. Nick se sentait suffisamment exposé. Il voulait juste vérifier si la fenêtre était entrouverte, pas l'ouvrir davantage.

— Vous écrivez toujours ? demanda Dean.

— Oui.

— Vous avez déjà visité une morgue ?

Comme Nick ne répondait pas, Dean éclata de rire. Puis il raccrocha.

Et voilà, songea Nick. Impasse. Terminé.

Il referma le rapport du Sénat. Finie la chasse aux fantômes. Il avait appelé ses sources au N.S.A ; posé des questions insipides sur des histoires d'espionnage, à la pêche aux indices, n'importe quoi susceptible d'expliquer le dernier appel de Jud. Aucune touche. Nick possédait suffisamment de citations éculées et de spéculations sophistiquées pour rédiger un article correct à l'attention de Peter Murphy, remplissant ainsi les obligations journalistiques qu'il avait contractées en échange de la légitimité de sa quête personnelle.

Et je peux cesser de cacher des choses à Sylvia.

Son épouse était au courant du reportage qu'on lui avait assigné ; elle trouvait cela imprudent. Elle ignorait qu'il avait contacté Dean. Des années auparavant, Nick avait essayé de lui parler de Dean, mais elle avait refusé de l'écouter, elle ne voulait pas savoir que l'homme qu'elle aimait connaissait des monstres. Nick était rongé de culpabilité à cause de ses péchés par omission.

La femme assise deux tables plus loin soupira ; elle posa son front sur le livre ouvert devant elle.

Je vous laisse en paix. Nick enfila son manteau. Alors qu'il rassemblait les rapports du Sénat, il vit l'homme aux cheveux blancs derrière lui qui éteignait un bipper. Nick ne l'avait pas entendu sonner.

Quand Nick déposa les rapports sur le comptoir du bureau des catalogues, l'homme aux cheveux blancs se matérialisa dans son dos. Il adressa un sourire à Nick et prit une fiche de communication sur le comptoir. Un pardessus pendait à son bras. Nick entendit le déclic d'un stylo à bille tandis qu'il se dirigeait vers la porte en bois.

La section juridique se trouvait au deuxième étage de l'immeuble Madison de la bibliothèque du Congrès. Nick appuya sur le bouton de l'ascenseur. Les portes s'ouvrirent, et il comprit où était né le méchant dans le roman qu'il écrivait, il comprit ce qu'avait fait son grand-père. Il était seul dans l'ascenseur. Un instant, il songea à demeurer dans cet utérus de métal pendant que sa vision filtrait en lui. La sonnette retentit au rez-de-chaussée. La vision serait toujours présente après le déjeuner. Il boutonna son manteau pour se protéger du froid de cette fin d'hiver et traversa le hall de marbre.

Le bureau de Sylvia se trouvait de l'autre côté de la rue, deux blocs plus bas dans l'immeuble de bureaux Rayburn House. Ils auraient peut-être pu déjeuner ensemble. Non, une minute : sa sous-commission avait une audition demain, elle serait débordée toute la journée.

En franchissant la porte à tambour, Nick s'aperçut

qu'il ne se souvenait pas quand ils avaient fait l'amour pour la dernière fois.

Aujourd'hui, c'était vendredi. Ce matin, ils étaient partis rapidement travailler l'un et l'autre dès l'arrivée de Juanita.

Mardi soir, Sylvia avait travaillé tard, lisant des procès-verbaux et des mémos au lit jusqu'à ce que, se sentant coupable d'empêcher son mari de dormir, elle éteigne la lumière.

Lundi matin, Saul les avait réveillés à quatre heures et demie du matin. Maman et papa s'étaient relayés pour le rendormir, y parvenant enfin un quart d'heure avant que sonne le réveil. Lundi soir, ils étaient tellement fatigués qu'aussitôt après dîner, après que Sylvia ait réglé les factures du mois et que Nick ait terminé la vaisselle et fait prendre son bain à Saul, avant de lui lire une histoire pour l'endormir, ils s'étaient effondrés dans le lit, en regardant d'un air abruti des feuilletons à la télé. Le moment le plus érotique fut lorsque Nick essaya d'imaginer son épouse dans un déshabillé noir vaporeux.

Dimanche, il s'en était fallu de peu : le matin ils s'étaient rendus aux toilettes sur la pointe des pieds, avant de retourner se coucher sans bruit. Ils avaient eu le temps de s'enlacer avant que les pleurs de Saul deviennent trop insistants pour être ignorés plus longtemps. Toute la journée Saul refusa de faire un somme. Dimanche soir, Nick dut regarder un téléfilm, car son agent voulait qu'il donne une idée au producteur ; Sylvia s'était endormie au milieu du film, mais il l'avait vue retirer sa robe par-dessus sa tête, il l'avait vue nue lorsqu'elle était allée prendre son bain.

Vendredi et samedi, Nick se remettait du rhume dont Sylvia s'était débarrassée jeudi et vendredi.

Nick ne se souvenait pas de mercredi dernier.

Le mardi, il ruminait sur son roman, le petit jeu de Jud, et ses scrupules à utiliser des couches jetables.

261

En venant se coucher, elle avait senti sa mauvaise humeur et réprimé ses avances.

Lundi.

Il y a neuf jours. Le lendemain du coup de téléphone de Jud.

Saul s'était endormi de bonne heure. Ils s'étaient déshabillés pour se mettre au lit, riant encore de ce qu'avait raconté la mère de Sylvia au téléphone. Il était en caleçon, elle avec son vieux soutien-gorge ivoire et sa culotte déchirée. Elle chassa quelque chose sur son épaule. Il lui caressa l'épaule, il lui caressa la joue. Elle sourit. Elle se glissa dans ses bras. Il fit remonter ses mains sur sa peau nue. Il dégrafa son soutien-gorge. Elle recula, fit glisser le soutien-gorge d'un mouvement d'épaules. L'allaitement avait détendu ses seins. Il aimait la façon dont ils remplissaient ses mains. Ils s'allongèrent sur le dessus de lit. S'embrassant. Se caressant. Riant. Avec des « chut ! » pour ne pas réveiller le bébé. Il savait où la caresser, où l'embrasser ; elle le serrait dans ses bras. Il se plaça sur elle, presque comme toujours ; il entra en elle, chaude, mouillée et douce, plaqués l'un contre l'autre, s'embrassant, soupirant doucement, bougeant.

— Nick ! lança une voix d'homme.

Nick cligna des yeux, secoua la tête.

Il était devant l'immeuble Madison. Tremblant de froid, les mains nues. Les voitures filaient à toute allure dans Independence Avenue. Le dôme du Capitole luisait d'un éclat ivoire dans le ciel gris.

— Hé ! Nick ! s'écria de nouveau la même voix.

Un homme trapu vêtu d'un imperméable en cuir lui faisait signe au coin d'Independence et de First Street. Il se précipita vers Nick.

— Comment vous allez ? (L'homme serra la main nue de Nick dans sa poigne gantée.) C'est moi, Jack Berns.

— Ça fait une paye, Jack. Que faites-vous par ici ?

— Je suis sur une affaire. Je traîne dans Cannon.

(Berns désigna d'un mouvement de tête l'immeuble de bureaux du Congrès en marbre blanc de l'autre côté de la rue.) Et vous ? Je vous invite à déjeuner, on va rattraper le temps perdu. J'ai tous les frais payés.

Les souvenirs de Sylvia se figèrent dans la mémoire de Nick, ils se fissurèrent ; des morceaux tombèrent du tableau comme des éclats de miroir tranchants. Berns aimait se vanter de quarante années de succès auprès des femmes : ses conquêtes, leurs défauts. Nick voulait retrouver la chaleur de ses souvenirs, pas les arêtes aiguisées de la vie de Jack Berns.

— Impossible, répondit Nick, regrettant cette occasion de soutirer des informations à ce guerrier notoire de Washington. Faut que j'y aille.

D'un geste vague, il désigna l'alignement de bars et de restaurants.

— Je vais dans cette direction moi aussi, dit Berns. Je vous accompagne.

— D'accord, dit Nick, ne sachant pas comment se défaire de ce personnage sympathique.

Côte à côte, ils tournèrent le dos au dôme du Capitole. Alors qu'ils avançaient face au vent, Nick regarda devant lui et vit un homme aux cheveux blancs vêtu d'un manteau bleu tourner rapidement au coin de la rue, et disparaître.

— Je parlais de vous l'autre jour avec Peter Murphy, dit Berns. Il m'a dit que vous travailliez de nouveau pour sa chronique. Il paraît que vous préparez un truc sur les espions.

— Un simple article. Rien d'important.

— Peter mériterait que je lui botte le cul.

Nick regarda son compagnon plus petit et plus âgé en fronçant les sourcils.

— Trente ans passés dans cette ville, reprit Berns. J'ai épinglé plus d'espions qu'il en connaît, et je parie qu'il ne vous a même pas conseillé de m'appeler.

— Non, dit Nick. (Ils traversèrent devant la biblio-

263

thèque du Congrès pour se rendre sur le trottoir des restaurants.) Il ne m'a rien dit.

— Le salopard. Bah ! on peut pas lui en vouloir. Le vieux aime garder ses sources au chaud au fond de sa poche.

— Ouais.

— Alors comme ça, les gars de Langley sont en train d'entuber quelqu'un ? Vous vous souvenez comment j'ai aidé Peter à mettre à jour cette affaire bidon dirigée par des barbouzes à Miami ?

— C'était avant que j'arrive, dit Nick.

— En ce moment, ils sont nerveux là-bas. Vous devriez faire gaffe en traversant le fleuve. N'y allez pas seul.

— Peter me soutient, dit Nick.

Ils arrivèrent devant le Tune Inn, un restaurant où des animaux empaillés accrochés au mur regardaient les collaborateurs des sénateurs manger des hamburgers et des frites.

Berns posa un doigt ganté sur le bras de Nick.

— Vous avez découvert quelque chose, pas vrai ?

— Je ne sais pas. (Nick désigna le trottoir opposé.) Faut que je retourne au bureau.

— C'est vrai, vous êtes là-haut. Faudra que je passe vous voir un de ces jours.

— Téléphonez d'abord, dit Nick. Parfois je m'absente.

— Evidemment. (Le détective chauve sourit à Nick.) On n'a travaillé que sur cette histoire ensemble, mais vous avez fait du sacrément bon boulot.

— C'était du bluff, répondit Nick. Rien d'extraordinaire.

— Ouais ! mais vous n'avez pas vendu la mèche. Je vous suis reconnaissant.

Il n'y avait rien à vendre, songea Nick. Berns faisait penser à un homme sur le versant opposé de sa propre montagne, qui regarde en arrière.

Le détective glissa sa carte de visite dans la poche du caban de Nick.

— Quand on fait ce que vous faites, il vous faut un gars qui connaisse les ficelles, dit-il. Vous ne pouvez pas laisser les meilleures sources à Peter. Passez-moi un coup de fil. Si j'apprends quelque chose, j'en ferai autant.

— D'accord, dit Nick, en songeant, *Et puis quoi encore !*

Nick lui serra la main, le salua d'un geste, et s'empressa de traverser. Sans se retourner.

A un demi-bloc après Pennsylvania Avenue, Nick se souvint qu'il avait faim ; il se souvint qu'il n'avait plus de liquide. Son manteau repoussa un souffle de vent glacé. Des balles de pluie glacée frappèrent son visage, rafales perdues annonciatrices d'un orage plus violent. Il coupa par une ruelle, tourna au coin de la Troisième Rue, plaqué contre l'immeuble pour retourner précipitamment vers Pennsylvania Avenue, le renfoncement dans le mur et le distributeur automatique de billets de sa banque.

Les coupe-vents en plastique fumé du distributeur le protégeait des intempéries. Il introduisit sa carte. L'écran vert de l'ordinateur lui demanda de composer son code confidentiel. Ce qu'il fit, en jetant un coup d'œil vers le carrefour.

Une Cadillac bordeaux s'arrêta au feu rouge. L'homme aux cheveux blancs avec le pardessus bleu était assis à la place du passager. Des gouttes de pluie constellaient la vitre.

Nick sourit ; son imagination était excitée par une histoire de retraité tuant le temps dans une bibliothèque.

Le feu passa au vert, la Cadillac tourna à gauche, vers l'autoroute menant en Virginie. Un terre-plein herbeux divise Pennsylvania Avenue sur Capitol Hill ; la Cadillac dut s'arrêter avant de traverser les voies opposées. Les essuie-glaces balayèrent la pluie d'hiver sur le pare-brise devant le conducteur.

L'homme au volant était Jack Berns.

Une brèche s'ouvrit dans la circulation ; la Cadillac s'y faufila, emportant le vieil homme qui était assis derrière Nick à la bibliothèque du Congrès, un vieil homme muni d'un bipper électronique ; emportant le porte-flingue de Washington qui avait surgi de nulle part pour marcher et discuter un petit moment avec Nick. Pour lui poser des questions.

Le distributeur automatique se mit à sonner, mais Nick resta immobile dans le vent, regardant fixement au bout de la rue, frigorifié et seul.

Miroir

Beth se réveilla en hurlant.

Wes jaillit hors du lit, envahi par un rugissement de tous ses sens, clignant des yeux, cherchant à saisir un objet, *n'importe quoi*. La chambre était obscure, froide.

— Un cauchemar, dit-elle en l'agrippant. J'ai fait un cauchemar.

Elle frémit lorsqu'il passa ses bras autour d'elle, l'allongeant sur son lit, tirant les couvertures sur leurs corps nus. Le corps frêle de Beth se réchauffa, cessa de trembler.

— Je suis désolée, dit-elle. Je ne voulais pas t'effrayer.

— C'est rien. Tout va bien.

Elle hocha la tête contre sa poitrine.

— J'ai travaillé trop dur. Ça t'arrive parfois ?

— Evidemment.

— Raconte-moi tes cauchemars, dit-elle.

— Parle-moi des tiens. C'est de ça qu'il s'agit.

— Je voyais un miroir, chuchota-t-elle. Je n'arrêtais pas de le traverser d'un côté à l'autre, je jouais avec. J'étais le miroir, j'étais dedans, dehors. J'entrais, je sortais. Soudain, je me suis trompée de sens ; le verre s'est brisé et m'a lacéré tout le corps, de minuscules parties de moi, des éclats brillants.

La main posée dans son dos, il sentait son cœur battre à toute vitesse.

— Au cours de ma période de folie, j'ai pris de l'acide, dit-elle. Peut-être qu'aujourd'hui je paye cet héritage.

— Mais ce n'est qu'un héritage, souffla-t-il.

— Je suis peut-être toujours inconsciente, mais je ne suis plus stupide.

Wes l'avocat eut envie de remercier quelqu'un pour cette vérité.

— Attends que je t'ai raconté mes rêves bizarres, dit-elle.

— Quand tu veux.

— Quelle heure est-il ?

— Quelque part entre très tard et très tôt, répondit-il. (Il la sentit sourire.) Rendors-toi. Tu ne crains rien ici.

— Je sais.

Elle l'embrassa au-dessus du cœur.

Un quart d'heure plus tard, elle dormait, recroquevillée en chien de fusil, son dos collé contre sa poitrine. Il aurait voulu demeurer entre elle et ses cauchemars. Mais il commençait à avoir des crampes. Elle remua dans son sommeil. Et il avait des promesses à tenir.

Dans son état de fatigue, il savait qu'il ne trouverait pas le sommeil. Les aiguilles lumineuses de sa montre indiquaient 4 h 39. Wes se leva doucement. Beth remua, mais sans se réveiller. Il couvrit ses épaules nues. Il récupéra son jogging et ses baskets, sortit sans bruit et referma délicatement la porte.

Leurs vêtements étaient éparpillés sur le sol à travers le salon. Il les empila sur le fauteuil. Il alluma la lumière. Pendant que le café passait, il posa la photo de Jud Stuart donnée par Jack Berns sur la table basse. Les deux photos qu'il avait volées dans cet hôtel miteux de L.A. vinrent encadrer ce portrait : la photo de Jud Stuart avec l'homme aux cheveux noirs à gauche, et à droite, l'instantané de la jolie femme.

— Qu'êtes-vous devenus les uns et les autres ?
murmura-t-il.

Il observa les photos en buvant son café.

— Je suis tout au bord, leur dit-il.

Wes savait que ses professeurs de droit et ses
collègues officiers attachés au règlement seraient épou-
vantés par l'arrogance avec laquelle il avait contourné
une myriade de lois de la société. Ses camarades de la
fac de droit qui aujourd'hui brassaient des affaires
plus ou moins louches dans les usines juridiques de K
Street ne tiqueraient certainement pas. Les Marines
qui avaient dû passer outre la procédure ordinaire au
cours du combat souriraient certainement. Et son
père...

Tu es en selle, disait le souvenir de cet homme au
visage tanné et au regard de feu. *A toi de conduire le
cheval.*

Pour conduire le cheval de Denton, Wes savait
qu'il allait devoir cesser de contourner les lois, pour
commencer à les briser.

Les relevés téléphoniques sont une propriété privée
inviolable. Et même si Wes ne s'était pas directement
approprié ce bien, il avait tout de même profité des
renseignements de Jack Berns. Il savait par avance
que cela était illégal, il avait offert de l'argent pour
jouir des fruits de cette activité. Eléments classiques
d'un complot criminel.

Tu es censé être une sorte de flic, se dit-il. *Tu
deviens une sorte d'escroc.*

*Et cela ne m'a rapporté que deux autres photos de
gens que je ne connais même pas,* songea-t-il. Plus un
nom :

Nick Kelley.

Il avait utilisé les relevés confidentiels d'une cabine
téléphonique, menti à un flic de L.A., soudoyé un
gérant de bar et le réceptionniste d'un hôtel borgne,
volé des photos oubliées, quémandé des services auprès
de ses amis du N.I.S, aucun procureur ne perdrait son

temps à poursuivre de tels actes. Ses supérieurs chez les Marines ou Denton, le directeur de la CIA, pouvaient le punir, mais c'étaient eux qui l'avaient envoyé sur le terrain ; qui lui avaient confié cette mission. Leur autorité exigeait qu'ils comprennent ce qu'un homme dans la position de Wes pouvait, devait et ne devait pas faire. Mais il savait que pour eux, pour la plupart d'entre eux du moins, le plus important, c'était de ne pas éclabousser leur uniforme. Il ne craignait pas leur condamnation et n'espérait pas leur approbation. Ils étaient ses supérieurs, pas ses juges.

Wes n'en savait pas beaucoup plus sur Jud Stuart que le soir de la réception chez Denton. Mais son instinct lui disait que Denton avait raison : l'addition de tous ces fragments de vie éparpillés sur la table basse donnait quelque chose d'important, de plus important que ces dossiers officiels pinailleurs sur son vieux bureau au N.I.S.

Le meilleur élément dont disposait Wes pour résoudre cette équation était Nick Kelley. Kelley était journaliste, et par conséquent une véritable mine. Il pouvait lui péter à la gueule de mille façons. En outre, Kelley était un simple citoyen, honnête en apparence, en règle avec la loi. Un être humain doté de certains droits inaliénables, parmi lesquels le droit au respect et à la protection vis-à-vis des fonctionnaires. Comme le major Wes Chandler.

A toi de conduire le cheval, dit Wes en s'adressant à son appartement silencieux.

Le plancher craqua dans la chambre.

Wes cacha les photos. La chasse d'eau se déclencha. Il eut le temps de remplir sa tasse, de retourner s'asseoir sur le canapé, le temps de reprendre son souffle avant que la porte de la chambre ne s'ouvre et que Beth n'apparaisse, pieds nus, portant une de ses chemises kaki à manches longues.

— Je sens le café, dit-elle.

— Dans la cuisine.

270

Il aima la facilité avec laquelle elle trouva une tasse et une soucoupe, se versa du café ; sa façon naturelle de revenir dans le salon, d'ôter leurs habits du fauteuil pour s'y pelotonner comme un chat.

— Bonjour. (Elle lui sourit par-dessus sa tasse fumante.) Désolée de t'avoir empêché de dormir.

— Ne t'inquiète pas pour ça.

Elle posa sa tasse sur la table, prit ses cigarettes, en alluma une. L'allumette carbonisée tomba dans sa soucoupe.

— Il va falloir que j'achète d'autres cendriers, dit-il.

Ses yeux pétillèrent.

— Quelle heure est-il ? demanda-t-elle.

Une lumière grise éclairait ses fenêtres.

— Environ sept heures moins vingt. On dirait qu'il va pleuvoir.

— Tu pourras mettre ton drôle de chapeau qui est en haut de ta penderie. (Elle haussa les épaules.) Je cherchais une robe de chambre. J'avais froid.

— Je ne mets plus ce chapeau mou, dit-il. On les portait pour les patrouilles de reconnaissance. Ça protège mieux du soleil et de la pluie qu'un casque. C'est plus léger. Ça n'arrête pas les balles, mais ça dissimule le haut du crâne dans les fourrés.

— Le Vietnam...

Il acquiesça, se préparant à encaisser la dizaine de clichés dont elle allait le bombarder.

— Pourquoi es-tu devenu un Marine ? Pourquoi es-tu allé te battre là-bas ?

— Pour toi, répondit-il.

Elle le regarda ; elle ne le dévisagea pas, elle le *regarda,* et il eut l'impression qu'elle voyait, qu'elle comprenait.

— Qu'est-ce qui était le plus dur ? demanda-t-elle.

— Le pire ?

— Non. Le plus dur.

— Les lettres.

271

Beth fronça les sourcils.

— Je suis officier. Chaque fois que je perdais un homme, je devais pondre une lettre pour ses parents, son épouse, ou sa fiancée. Je devais leur dire quelque chose. Je le faisais en rentrant de patrouille installé dans un abri, puant la jungle, épuisé et abattu. Avec les hélicoptères qui volaient au-dessus de ma tête. Une radio qui crachait du rock. Des gars qui riaient. Et moi, je devais rester assis dans une matrice protégée par des sacs de sable, et trouver des *mots* à mettre sur le papier, apporter du réconfort, trouver un sens et une valeur à une chose aussi triste et courageuse qu'un gamin de dix-neuf ans tué par une balle alors que les autres et moi on s'en est sortis. On n'a pas de mots pour ça. On peut recevoir une balle. On peut riposter. Mais on ne peut pas écrire les mots qui rendent justice.

Ils burent leur café sans rien dire pendant un moment.

— Qu'est-ce que c'est ? demanda-t-elle en tripotant les feuilles d'érable en métal sur sa chemise.

— Mon insigne. Ça signifie que je suis major.

— Oui, ça se pourrait, dit-elle avec son rire rauque, saccadé, inoubliable.

Wes, piquant un fard, ne put réprimer un grand sourire.

— A quelle heure dois-tu être au travail ? demanda-t-elle.

— En ce moment, je suis très libre.

— On dirait. Un voyage à L.A. aux frais de la princesse, pas obligé de pointer. Ce n'est pas du tout l'idée que je me faisais d'un Marine.

— A quelle heure pars-tu travailler ?

— Généralement, j'arrive au musée vers dix heures. Mais je dois d'abord revoir deux ou trois choses pour mes cours, la routine.

Elle posa sa tasse de café sur la table, étira ses fines jambes nues devant elle. Ses cuisses étaient légèrement constellées de taches de rousseur.

Des baisers d'ange, aurait dit la mère de Wes.

— Tu as l'air d'un coureur, dit Beth en regardant ses baskets, le pantalon de jogging qui moulait ses cuisses longues et puissantes.

— Tant que mes genoux tiennent le coup, dit-il. La condition physique va avec mon métier.

— Les Marines recrutent quelques bons éléments.

— Nous tenons à ce qu'ils le restent.

— Ça se comprend. C'est difficile de trouver un bon élément. (Elle écrasa sa cigarette dans la soucoupe ; passa les mains dans ses cheveux longs, les repoussa sur son front.) Tu vas courir avant d'aller faire ce que fait un major des Marines ?

— Je dois garder la forme.

Wes avait la gorge sèche.

Elle se pencha en avant ; ses cheveux balayèrent son visage. Ses lèvres meurtries sourirent ; elle murmura :

— Je suis d'accord.

Deux heures plus tard, ils étaient adossés à la porte de l'appartement de Wes. Il était nu. Elle avait renfilé sa chemise kaki ; elle tenait ses vêtements en boule contre sa poitrine. Elle tripota sa chemise.

— Je pourrais dire que je vais la laver et la repasser, mais je ne sais pas mentir.

Il l'embrassa sur le front, passa la main dans ses cheveux.

— Je ne veux pas te brusquer, dit-elle, mais quand te reverrai-je ?

— Le plus tôt possible.

— Ça risque de ne pas être assez tôt.

Elle déposa un baiser sur sa poitrine, ouvrit la porte et traversa le couloir jusqu'à son appartement. Il la regarda fermer sa porte, il la regarda disparaître sans se retourner.

Le téléphone sonna. Wes décrocha.

— Tu sais qui c'est ? demanda une voix d'homme.

— Evidemment, répondit-il. Frank Greco, l'agent

273

du contre-espionnage du N.I.S. qui a bien voulu me transmettre les états de service du macchabée du bar.

— Tu viens pour notre partie de squash aujourd'hui, n'est-ce pas ?

— Quand ? demanda Wes.

Ni lui ni Greco ne jouaient au squash.

— J'ai réservé un court au club de Capitol Hill. Troisième et D. au sud-est. Dans quarante minutes.

Wes avait juste le temps de se raser, de prendre une douche et de s'habiller. Il trouva une place pour se garer à un bloc de l'immeuble de deux étages en brique rouge du Squash et Health Club où il n'avait jamais mis les pieds, et se dirigea vers l'entrée.

— Hé ! Marine ! lança une voix dans son dos. On fait un tour ?

Greco possédait une Honda vieille de deux ans.

Ils roulèrent jusqu'à une rue résidentielle moins fréquentée et se garèrent. Le Centre de la Navy et le quartier général du N.I.S. se trouvaient à moins de deux kilomètres sur leur droite, le dôme du Capitol était légèrement plus près, derrière eux. Aucun piéton ne longeait les rangées de pavillons. Les voitures étaient rares.

— Mathew Hopkins, déclara Greco en déposant une épaisse enveloppe kraft sur le tableau de bord entre eux.

Les cheveux gris de Greco étaient clairsemés sur le dessus du crâne et longs sur les côtés. C'était un homme trapu qui portait des costumes de chez Sears Roebuck. Il possédait une ceinture noire de judo et soulevait les mêmes charges au gymnase du N.I.S. que la plupart des jeunes agents, malgré ses cinquante et un ans.

— Tu liras les paperasses plus tard, dit-il. Hopkins était opérateur radio, volontaire au Vietnam, il s'est retrouvé dans les Opérations Spéciales. En 1970, il fut affecté au Naval Field Operational Support Group. Pendant deux ans, après il fut envoyé en mer, jusqu'à ce qu'il prenne sa retraite en 1979 avec une pension d'invalidité à cent pour cent. Les psys de la Navy ont diagnostiqué des troubles psychiatriques si graves que l'Oncle Sam a dû débourser, mais pas au point de nécessiter des soins permanents. Des bonnes notes et quelques éloges, mais il n'a rien d'un héros. Bref, un type que presque personne ne remarquerait.

— Sauf que, dit Wes.

— Naval Field Operational Support Group. On pourrait penser à une bande de gratte-papiers, pas vrai ? En fait, c'est le véritable nom du Détachement Spécial 157.

— Jamais entendu parler.

— Ils ont mis la clé sous la porte en 1977. Depuis les années 60, c'était le secret le mieux gardé de la Navy. Des civils payés au contrat, des anciens de l'armée qui en avaient marre de vendre des voitures, des officiers de carrière de la Navy et des engagés. Pas de couverture diplomatique, ils ne restaient pas peinards sur un bateau à intercepter les signaux des sous-marins russes. HUMINT. Des chiens espions. La CIA connaissait à peine leur existence. Idem pour la hiérarchie de la Navy. Ils furent le premier groupe militaire autorisé à monter de véritables affaires en guise de couverture. Ils avaient des hommes partout : vendeurs, dockers. Ils en avaient même en Chine. Tes petits copains de la CIA refusent de sortir des ambassades ; les types du 157 ignoraient les ambassades.

— Et Hopkins en faisait partie. S'ils étaient si bons, pourquoi ont-ils disparu ?

— La politique. (Greco haussa les épaules.) Un de leurs chefs était Ed Wilson. Il a trahi pour s'enrichir. Il a passé des accords avec Kadhafi en Lybie ; il a gagné du fric sur le dos du Colonel fou en lui vendant du matériel pour tuer. Wilson a même convaincu les Bérets Verts de travailler pour son programme personnel. Eux pensaient qu'il s'agissait d'une couver-

275

ture classique. Aujourd'hui, il purge une peine de trente ans ferme.

— Que faisait Hopkins au 157 ?

— Opérateur radio, paraît-il. Quand il a été nommé, on a enquêté sur son passé, avec le FBI. Reçu avec les honneurs. Sauf que.

— Sauf que ?

— Sauf qu'on a dans nos dossiers une autre demande d'enquête à son sujet, en profondeur. Malgré tout, Hopkins est ressorti blanc comme neige.

— Pourquoi une seconde enquête ?

— Demande à celui qui l'a réclamée. (Greco tendit une feuille à Wes.) Ted Davis. Commandant à la retraite. Un officier sorti du rang qui a gravi tous les échelons ; il a fait tous les boulots avant de diriger les opération du 157. Davis est un type bien. Tu le trouveras dans ce bar à trois heures et demie.

— Merci.

— Ted est un ami. Et même s'il ne l'était pas, il faudrait être fou pour essayer de le baiser.

Wes fourra l'enveloppe kraft dans sa mallette.

— On dirait que tu commences à amasser pas mal de choses, Marine.

— Juste quelques petits bouts par-ci par-là.

L'ancien agent du N.I.S. contempla les environs. Il y a dix ans, cet endroit était situé à la limite du ghetto. Aujourd'hui, les professions libérales envahissaient les habitations.

— Je ne te demanderai pas ce que tu fais pour les types de l'autre côté du fleuve, dit Greco, mais fais gaffe qu'ils ne te noient pas dans l'eau profonde.

— Je sais nager.

— Avec la tête que tu as ce matin, je doute que tu réussisses même à flotter.

Les deux hommes rirent.

— J'ai travaillé tard, dit Wes. Mais au moins ma coupe de cheveux est presque réglementaire, je n'ai pas des mèches grises sur les oreilles.

— C'est exprès, répondit Greco.

— Quoi ?

— A l'époque où j'étais agent de police à St Louis, un junkie m'a arraché un bout de l'oreille droite avec ses dents. Avec les cheveux longs, j'ai l'air d'un vieillard trapu qui ne sait pas encore que les hippies sont morts. Un type qu'on oublie facilement.

L'agent du contre-espionnage de la Navy déposa Wes à sa voiture. En descendant, celui-ci demanda :

— Qu'est devenu le junkie ?

— Je lui ai flanqué une raclée monumentale, dit Greco.

Lorsque ce dernier fut reparti, Wes consulta sa montre : 10 h 30. Le vent faisait tourbillonner les feuilles mortes et les papiers gras dans le caniveau. Un taxiphone était fixé au mur d'un bar des anciens combattants des guerres à l'étranger, juste à côté du Squash Club.

Ne franchis pas cette ligne sans y être obligé, songea-t-il.

La bibliothèque Martin Luther King dans le centre de Washington possédait trois romans de Nick Kelley. Le visage figurant sur la quatrième de couverture du dernier roman était une version plus ancienne de l'homme aux cheveux noirs assis aux côtés de Jud sur la photo que Wes avait dérobée à L.A.

— Putain.

Wes avisa une série de cabines téléphoniques dans le hall de la bibliothèque. Il composa le numéro de Jack Berns et tomba sur un répondeur. Wes ne laissa pas de message. Il consulta sa montre : 11 h 15. Le privé déjeunait peut-être de bonne heure. Wes emprunta les romans de Nick Kelley.

Dehors, le vent soufflait plus fort. Des nuages noirs filaient dans le ciel gris. Wes acheta à un vendeur installé derrière un stand en aluminium protégé par un parasol deux hot-dogs et un café au goût métallique.

277

— Va pleuvoir, commenta le vendeur en lui rendant sa monnaie.

— Vous feriez mieux de vous mettre à l'intérieur, dit Wes.

— C'est pas mon boulot.

— Sans blague.

Le Marine emporta son déjeuner jusqu'à un banc en marbre devant la bibliothèque. Le vendeur regarda son client en costume-cravate et en imperméable s'asseoir pour manger. Il secoua la tête, avec un large sourire.

Un des romans s'intitulait *Le Vol du loup*. Wes se souvenait du film. Les deux autres romans ne parlaient pas d'espionnage. Alors qu'il lisait le rabat de la jaquette du dernier roman, un peu de moutarde tomba de son hot-dog et tacha le livre.

— Détérioration d'un bien public, lança-t-il au vent.

Il secoua la tête, retira la protection plastifiée du livre et déchira la photo de Nick Kelley vieille de trois ans sur la couverture.

Sa mère lui avait enseigné que le chemin vers l'enfer s'effectuait à petits pas.

Depuis une cabine téléphonique pas très éloignée du vendeur de hot-dogs, Wes rappela Jack Berns. De nouveau, il tomba sur le répondeur, et de nouveau il raccrocha sans laisser de message.

« *Pas tout à fait midi.* » Il était à mi-chemin entre son domicile et l'endroit où il avait rendez-vous dans trois heures. Une rafale de pluie froide lui cingla le visage. La Freer Gallery où travaillait Beth était presque à deux kilomètres de là. Le mammouth en pierre grise du National Museum of Fine Arts se dressait sur le trottoir d'en face. Il y avait certainement des téléphones à l'intérieur.

Pendant une demi-heure, Wes erra dans les couloirs des abstraits et des surréalistes. Quand il trouva un téléphone à côté des toilettes, il appela le répondeur de Berns et laissa le numéro du taxiphone.

Alors qu'il attendait devant l'appareil, un gardien du musée en uniforme bleu passa une première fois devant lui ; repassa une seconde fois, surveillant d'un œil discret cet étrange individu qui rôdait autour des toilettes pour hommes.

Le téléphone sonna. Wes décrocha.

— Wes ! (La voix de Jack Berns résonnait comme s'il était à l'intérieur d'un tonneau en aluminium.) Où diable êtes-vous ?

— Je vous appelle d'un taxiphone.

— Moi je suis dans ma voiture. Formidable la technologie, non ? Je peux écouter votre message et vous rappeler, rouler et mater les gonzesses, tout ça en même temps. Payez-vous un téléphone de voiture. C'est portable et presque impossible à espionner. Je peux vous avoir un prix, Noah sera fou de joie.

Le gardien du musée passa nonchalamment devant Wes.

— Je vous appelle justement pour une histoire de téléphone, dit Wes.

— Hmm.

Le gardien s'était éloigné de dix pas.

— L'écrivain que vous connaissez. Il a une maison. Et un bureau.

— Nick Kelley. Vous voulez brancher des écoutes sur sa ligne ? Ou simplement les relevés d'appels longue distance ? A partir de ce jour-là et jusqu'à quand : aujourd'hui ?

— Uniquement la seconde chose, dit Wes. Juste la liste des qui, où et quand.

— Et si j'essayais aussi de découvrir le « pourquoi » ?

— Contentez-vous du travail pour lequel je vous paye. Quand puis-je l'avoir ?

— Je suis sur le pont de la Quatorzième Rue. J'aperçois le Pentagone, vous voulez que je leur fasse coucou de votre part ? Non, ce sont plus vos potes.

Je serai chez moi dans vingt minutes. J'aurai ce que vous voulez le temps que vous arriviez.

Le musée sentait le moisi et le froid. Des pas et des murmures résonnaient dans les couloirs de marbre ; Wes fut traversé par un picotement d'électricité invisible.

— Berns, vous avez déjà fait ça ?

— Hé ! moi je me contente d'obéir aux ordres.

Parmi les volutes blanches et noires d'un tableau suspendu non loin du téléphone, Wes distingua une silhouette déformée. En train de hurler.

— Il pleut comme vache qui pisse dehors, dit Berns.

— Combien ça va coûter ? demanda Wes.

— Ne vous en faites pas ; votre crédit est suffisant.

La communication fut interrompue. Au bout du couloir, le gardien du musée regarda Wes avancer vers lui.

— A petits pas, glissa Wes au gardien.

— Bonne journée, monsieur.

Les yeux incendiaires du surveillant creusèrent deux trous dans le dos de Wes jusqu'à la sortie.

La pluie avait cessé lorsque Wes arriva au bar situé dans Arlington. Il se gara sur le parking au bitume fissuré juste à côté, et consulta sa montre. Il avait douze minutes d'avance.

Les quatre autres voitures sur le parking étaient vides.

En pénétrant dans le bar, Wes jeta un coup d'œil de l'autre côté de la rue. Un homme aux cheveux hérissés était assis dans une voiture garée devant un magasin de prêt-à-porter.

Les seules personnes présentes dans le bar étaient un homme en chemise blanche et gilet noir qui essuyait des verres et une femme d'une cinquantaine d'années qui passait à la télé. Wes emporta sa bière vers une table obscure.

Le type aux cheveux hérissés entra dans le bar à

quinze heures trente précises. Il se dirigea vers la table de Wes, et tendit la main droite.

— Enchanté, Wes. Ted Davis.

Le barman apporta à Davis une boisson claire et givrée.

— Ravi de rendre service à Frank, dit Davis après avoir écouté les remerciements de Wes. (Il sourit.) Vous travaillez pour Billy ?

— Billy ?

— Le général Billy Cochran.

Wes hésita ; il se souvint de la mise en garde de Greco.

— Je travaille pour leur numéro un. Et seulement pour lui.

Ted Davis acquiesça et avala une gorgée de sa boisson.

— Vous avez réclamé un rapport spécial sur un opérateur radio qui a travaillé pour le Détachement Spécial 157 entre 1970 et 1972, dit Wes. Mathew Hopkins.

— Je me souviens de lui.

— Pourquoi ?

— Pourquoi je me souviens de lui, ou pourquoi j'ai fait ça ?

— Les deux.

— On avait les mains libres, expliqua Ted. On a choisi Hopkins sur une courte liste que nous avait donnée la Navy. Nous possédions notre propre système de transmissions, indépendant de tous, et sûr. Des machines à encoder plus petites que votre mallette, des radios, tout ce que vous voulez.

— Hopkins s'occupait donc de la transmission des messages. Dans une zone bien précise ?

— Normalement, les opérateurs radio tournaient. Ils recevaient les messages comme ils se présentaient, sans tenir compte de la zone ou de la nature de l'opération. Un bon opérateur ne s'intéresse pas à ce qui sort de sa machine à encoder une fois qu'il l'a traduit en langage courant. Il suit la procédure pour ce message, et il passe au suivant.

— Normalement, dit Wes. Et avec Hopkins ?

— Il fumait trop.

— Pardon ?

— Il fumait trop. Voilà comment je l'ai repéré. Entre autres.

— Entre autres ?

— Quand Kissinger s'est rendu discrètement en Chine, il ne faisait confiance à personne. Et certainement pas à l'Etat. Pas plus qu'à la CIA. Il a demandé au chef de l'état-major de lui prêter le système de communications le plus sûr que possédaient les Etats-Unis, un système que l'état-major lui-même ne contrôlait pas : nous.

— Vous parlez de quelle époque ?

— 1971 environ.

— Et Hopkins... ?

— Souvenez-vous du système de rotation. Et souvenez-vous que les transmissions, ce n'était pas ma spécialité. Moi j'étais un homme de terrain. Mais j'étais entre deux missions, je me rendais utile. Il se trouve que j'ai vérifié les relevés de transmissions. J'ai remarqué que Hopkins avait souvent changé de rotations. Il s'arrangeait toujours pour être de service quand Kissinger transmettait des communications concernant la Chine.

— Et il fumait trop, dit Wes.

— Frank m'a dit que vous étiez puceau, dit Davis. Faites encore quelques levées comme celle-ci et vous rencontrerez un type de la profession convaincu que les méchants l'ont dans le collimateur. Ce type jure qu'il sait des choses que personne d'autre ne sait au sujet de certaines opérations.

... On peut mettre ça sur le compte de la paranoïa, expliqua Davis. Un bon agent fait ce qu'il doit faire, mais il ne vit pas dans la peur. Les méchants veulent votre peau, votre vie ne vaut rien, et vous l'acceptez.

Ne soyez pas idiot, mais inutile de perdre la boule. Un paranoïaque est un agent qui est resté trop longtemps sur le terrain, ou trop longtemps dans sa tête, ou bien un psychiatre doté d'une imagination débordante. Les types comme ça, ils commencent à faire des choses, à voir des trucs. Des gros trucs.

— Hopkins n'était ni un agent ni un psychiatre, mais vous pensiez qu'il était fou.

— C'était une possibilité. L'affaire Kissinger en Chine, le fait de trop fumer. Ça pouvait correspondre au profil du fou. Evidemment, Kissinger c'était de la politique mondiale. Un tas de gens s'y intéressaient.

— Donc, Hopkins aurait pu être un espion.

— Un espion chez les espions. Le meilleur endroit pour en placer un.

— Y avait-il d'autres preuves ?

— Il n'y eut jamais *aucune* preuve de *quoi que ce soit*.

— Vous l'avez chassé du 157, devina Wes.

Davis rit.

— Hopkins avait peut-être raison d'être paranoïaque.

— Pouvez-vous m'apprendre autre chose à son sujet ?

— Le reste, il devra vous le dire lui-même, répondit Davis. Où est-il maintenant ?

« Greco ne lui a rien dit » songea Wes.

— Dans l'Ouest.

L'espion à la retraite grogna. Leurs verres étaient vides.

— Est-ce que Jud Stuart a été affecté au Détachement Spécial 157 ? demanda Wes. Un type de l'armée. Sans doute prêté en tant que spécialiste.

— Personne de ce nom-là chez nous. L'armée ne nous a jamais prêté aucun homme.

— Et dans un autre groupe ? Tout le monde possède des groupes clandestins.

— Vous êtes vraiment un puceau. Bien sûr qu'il y

avait d'autres groupes clandestins. L'armée en possédait elle aussi avant de créer l'« Activity » et de rencontrer de curieux problèmes financiers il y a quelques années ; ils auraient dû nous demander conseil. La CIA en dirige certains. Mais qui ne le fait pas ? Demandez à votre pote des Marines, Ollie North. Si ces groupes sont vraiment clandestins, je ne peux pas les connaître. Mais le nom de Jud Stuart ne me dit rien.

Wes lui tendit la photo prise par Jack Berns.

— Jamais vu ce visage, dit Davis.

Après une hésitation, Wes demanda :

— Que sont devenus vos gars ?

— Vous connaissez la légende au sujet d'Ed Wilson, ses transactions illégales, et de quelle manière il a rendu fou de rage un certain amiral ?

Wes acquiesça.

— Si vous voulez comprendre pourquoi la Navy s'est débarrassé de nous, la seule organisation, y compris la CIA, qui effectuait un travail de renseignements sûr, efficace et légal — étant donné que les espions sont un ramassis de voleurs, de menteurs et d'arnaqueurs, on ne prenait pas les Américains pour des cons — alors vous devez d'abord comprendre notre ami le général Billy, actuellement sous-directeur de votre équipe.

— Il est dans l'Air Force, vous étiez dans la Navy.

— A l'époque, il appartenait au N.S.A., avec des potes datant de son passage à l'état-major. La couleur de son uniforme importe peu. Billy n'a pas des étoiles que sur les épaules, il en a aussi dans les yeux. Sa première décision quand il est devenu une grosse légume à l'Air Force Intelligence fut de faire installer une ligne de téléphone extérieure dans son bureau. Pratique pour refiler des tuyaux aux journalistes, pour envoyer un jeune chien de chasse sur une piste, pour en faire son toutou. Pour garder le contact avec les copains du Sénat, filer un coup de main à un rédacteur par-ci, à un sénateur par-là. Pour bâtir sa propre légende. Et faire l'obscurité autour de la vérité. Astucieux.

— S'il est si intelligent...

— C'est un gratte-papier. Sa conception de l'espionnage c'est intercepter des messages proprement, et sans effusion de sang. Les satellites. Pour lui, l'espionnage humain, des hommes de terrain qui découvrent ce qui fait battre les cœurs et agir les gens, c'est trop délicat. C'est synonyme d'ennuis, et les ennuis c'est mauvais pour Billy. Ce type est un arriviste. Les culs de bouteille de ses lunettes ont dû s'embuer quand le président a nommé Denton à la tête de la CIA à sa place.

... Un tas de gens s'y entendent pour savonner le terrain, ajouta Davis. Billy a participé à l'éviction des meilleurs éléments du 157. Il a suggéré des remplaçants. Il les manipulait, ou bien alors ils étaient si médiocres que toute l'équipe passait pour médiocre. Quand Wilson a changé de camp, le terrain était déjà savonné... Rendez-moi un service, demanda Davis.

— Si je peux.

— Prévenez Denton : quand Billy commence à faire des gentillesses, il est temps de protéger ses arrières.

Wes arriva chez Jack Berns avant que le ciel ne soit entièrement noir. Dans le bureau de Berns, il compulsa la liste des appels téléphoniques de Nick Kelley, avec les adresses correspondantes. D'office il élimina le studio de télévision, les éditeurs, son agent. Ainsi que les appels dans le Michigan chez une femme qui partageait le nom de l'écrivain : sa mère ? Peut-être les appels dans le Wisconsin étaient-ils destinés à la famille de sa femme.

Un appel pour Los Angeles effectué depuis le bureau de Nick Kelley, neuf jours après que Jud Stuart ait déclenché le système d'alarme de la CIA, attira l'attention de Wes : Dean Jacobsen.

Qui diable était ce Dean Jacobsen ?

Wes parcourut de nouveau la liste ; Dean Jacobsen était apparemment le seul appel inexplicable. Trois minutes et demi, neuf jours après que Jud Stuart ait appelé la CIA.

— Qui est votre source à la compagnie du téléphone ? demanda Wes en examinant les photocopies des relevés d'appels.

— Hé ! allez vous faire voir, major, répondit Jack Berns. (Le détective trapu s'adossa à son bureau.) Vous avez ce que vous cherchiez ?

— J'ai ce que j'avais demandé. (Wes bâilla.) Combien ?

— Disons cinq, répondit le privé.

— C'est pas donné.

— C'est le prix des affaires.

Wes déposa dix billets de cinquante dollars sur le bureau de Berns.

— Faites-moi un reçu.

— Minute, *Wes*, je parlais en milliers de dollars, pas en centaines.

Dehors, le soleil couchant perçait les nuages ; de douces vagues de lumière rose filtraient par les fenêtres. Wes compta dix autres billets de cinquante dollars qu'il lança sur le bureau.

— C'est deux fois ce que ça vaut, sans doute quatre fois ce que ça vous a coûté.

— Vous vous fourvoyez, major.

Le privé jeta un regard noir à son client ; celui-ci sourit, s'avança vers le mur d'ouvrages juridiques, et caressa les tranches des livres.

— Vous croyez que je me fourvoye ? dit Wes. Je suis un fonctionnaire de justice. Vous venez de me fournir des registres de la compagnie du téléphone, obtenus illégalement. D'une main vous attirez les bonnes grâces de l'Oncle Sam, de l'autre, vous essayez de le faire casquer. Je me fourvoye peut-être en travaillant avec vous, mais c'est vous qui évoluez sans filet.

— Vous en êtes certain ?

— Je m'en fous.

Wes ne s'était pas départi de son sourire.

— Hé ! s'exclama le privé, les bras écartés. On joue dans la même équipe. (Il ricana.) Peut-être que vous ferez un bon homme d'affaires après tout.

— Faites-moi un reçu et signez-le.

Berns s'exécuta en secouant la tête, avec un rire condescendant. Une fois en possession du document, Wes se dirigea vers la porte.

— Et maintenant ? lui lança Berns.

— Si j'ai besoin de vous, je vous appellerai.

Dehors, la nuit était tombée. Wes bâilla de nouveau.

Dean Jacobsen. Los Angeles. C'était peut-être le pseudonyme de Jud Stuart, sa planque ; c'était peut-être le compagnon de chambre de fac de Nick Kelley. Un coup de téléphone, d'un homme qui connaissait Jud Stuart, dans la ville où celui-ci avait disparu. Wes aurait pu demander à Greco ou à l'inspecteur Rawlins d'interroger les ordinateurs au sujet de Dean Jacobsen, mais cela risquait d'attirer l'attention. En outre, les « archives officielles » ne lui avaient guère été utiles jusqu'à maintenant.

Enquêter sur un inconnu à Los Angeles serait moins dangereux que de s'intéresser à Nick Kelley, écrivain et journaliste à Washington.

Wes bâilla, fit démarrer sa voiture. Il pouvait sauter dans un avion de nuit. Prendre un truc pour dormir à bord. Etre de retour dans vingt-quatre heures.

Peut-être que Beth serait chez elle. Peut-être qu'elle le conduirait à l'aéroport.

Force sinistre

Le vendredi 16 juin 1972, une nouvelle journée étouffante et nuageuse débuta pour Jud à Washington, D.C.

Sans qu'il en ait connaissance, des hommes qui incarnaient les vents de son existence étaient réunis dans le cimetière d'Arlington, de l'autre côté du Potomac, à onze heures du matin, pour l'enterrement de John Paul Vann, un important chef de la guerre que l'Amérique livrait actuellement au Vietnam.

Le major général (en retraite) Edward Lansdale assistait aux funérailles. Lansdale était un saint de la CIA, l'homme qui avait écrasé une rébellion communiste aux Philippines dans les années 1950, le magicien des services de renseignements américains qui avait mis au monde le Sud Vietnam.

Le protégé du Vietnam le plus infâme de Lansdale assistait lui aussi aux funérailles de Vann : Lucien Conein. *Black Luigi*, l'homme aux trois doigts. Le prince noir des opérations secrètes. En tant qu'agent du bureau des Services stratégiques au cours de la Seconde Guerre, Black Luigi avait sauté en parachute au-dessus du Vietnam derrière les lignes japonaises, à l'époque où ce pays s'appelait encore l'Indochine française. En tant qu'agent de la CIA durant la guerre froide, il avait mis au point le coup d'Etat sanglant qui avait renversé le régime de Diem.

288

En cette année 1972, Black Luigi avait quitté la CIA, et le président Richard Nixon l'avait chargé de créer un groupe d'opérations spéciales secret au sein du Drug Enforcement Agency[1]. Constitué en partie d'anciens agents de la CIA, le groupe d'Etudes et de Surveillance de la D.E.A. agissait à partir d'une planque de Washington, avec pour mission d'infiltrer les réseaux internationaux du trafic de stupéfiants. Selon certaines rumeurs, les hommes de Conein préparaient un programme d'assassinats pour éliminer les caïds de la drogue. Black Luigi niait ces rumeurs.

Aux premiers jours de la présence américaine à Saïgon, Black Luigi avait sauvé la vie d'un homme qui était présent lui aussi à l'enterrement de Vann : Daniel Ellsberg. Ellsberg avait fait partie de l'« équipe locale » de Lansdale au Vietnam. Depuis cette époque, la conscience d'Ellsberg avait subi un changement radical, et il avait fourni en douce à la presse une histoire secrète de la guerre du Vietnam. Publiée un an avant l'enterrement de Vann, cette histoire était désormais connue sous le nom de « Dossiers du Pentagone ». Afin d'assister aux funérailles de Vann, Ellsberg avait dû prendre l'avion à Los Angeles où il était actuellement jugé pour avoir divulgué les « Dossiers du Pentagone ».

Moins d'un mois après la publication des « Dossiers du Pentagone », les hommes du président Nixon créèrent l'Unité spéciale d'enquêtes de la Maison Blanche, un groupe officieux chargé de prévenir toute nouvelle fuite. Le quartier général de l'Unité secrète se trouvait juste à côté de la Maison Blanche, au sous-sol du Old Executive Office Building en forme de château : Pièce 16, en réalité quatre pièces communicantes munies d'un brouilleur téléphonique dont le

---

1. D.E.A. : Agence chargée de la lutte contre la drogue. (La D.E.A. a remplacé le Bureau des Narcotiques.) (N.d.T.)

code était changé quotidiennement par les techniciens des Services secrets.

Sur la porte on pouvait lire : DAVID R. YOUNG/ PLOMBIER.

Tandis qu'il assistait aux obsèques de son camarade Vann, Ellsberg ignorait qu'une équipe clandestine commandée par des collaborateurs de la Maison Blanche avait déjà cambriolé à deux reprises le cabinet de son psychiatre à Los Angeles, à la recherche de quelques saletés destinées à le salir.

Le sénateur Edward Kennedy était assis à côté d'Ellsberg. Onze mois plus tôt, la Maison Blanche avait engagé un ancien agent de la CIA, officiellement pour enquêter sur les « Dossiers du Pentagone », en réalité pour enquêter sur un drame au cours duquel une amie de Kennedy s'était noyée. Cet ex-agent de la CIA faisait partie de ceux qui s'étaient introduits chez le psychiatre d'Ellsberg.

De tous les bureaucrates de la CIA en exercice qui assistaient aux obsèques de Vann, le plus important était William Colby, héros de la Seconde Guerre, qui avait participé à l'élaboration du programme Phénix de la CIA au cours duquel 40 994 civils vietnamiens suspectés d'être des ennemis furent massacrés. Colby devint finalement directeur de la CIA.

Au sein de la CIA, le jour des funérailles de Vann, deux enquêtes confidentielles traquaient la taupe soviétique qu'on suspectait de s'être introduite au cœur du dispositif de sécurité de l'Amérique. Une des deux enquêtes concluerait que le poète James Jesus Angelton, gros fumeur, chef du contre-espionnage à la CIA et lui-même légendaire chasseur de taupe, était un agent soviétique. La seconde enquête mettait en cause Henry Kissinger, le conseiller pour la sécurité nationale du président Nixon, en tant que taupe recrutée en Allemagne après la Seconde Guerre, avec comme nom de code : COLONEL SANGLIER, et catapultée dans les hautes sphères du pouvoir des Etats-Unis.

Le jour de l'enterrement de Vann, Nixon fit ses adieux au président du Mexique qui repartait après une visite officielle. Une visite officielle du plus proche voisin d'Amérique latine des Etats-Unis représentait un paradoxe de la politique étrangère à Washington, en ce vendredi étouffant de 1972.

D'un côté, le conseiller pour la sécurité nationale Henry Kissinger exprimait le point de vue de l'administration au sujet de l'Amérique latine quand il déclarait à un diplomate chilien : « Ce qui se passe dans le Sud est sans importance. »

D'un autre côté, il y avait le Chili.

Trois jours après que le marxiste Salvador Allende ait été élu président du Chili, la CIA affirma à l'administration Nixon que les Etats-Unis « ne possédaient aucun intérêt vital au Chili ; l'équilibre militaire des forces ne se trouverait pas profondément altéré par le régime d'Allende, et la victoire de celui-ci au Chili ne représentait pas une menace pour la paix dans la région ».

Mais le président avait contredit son directeur de la CIA au sujet du Chili en donnant l'ordre de « faire gueuler l'économie ». Le président déclara que plus de dix millions de dollars étaient alloués à cet objectif, et que l'ambassade américaine à Santiago devait rester en dehors de tout ça. Deux jours avant l'enterrement de Vann, le *Washington Post* écrivait que le gouvernement d'Allende avait présenté sa démission, tandis que la crise économique s'aggravait au Chili et que ce pays renégociait sa dette extérieure d'un milliard de dollars.

Après avoir salué le président mexicain, Nixon s'envola pour une île des Bahamas appartenant à un ami milliardaire pour un week-end de repos. Il ne cessa de pleuvoir.

Des nuages gris déposèrent une pellicule luisante de précipitation dans les rues noires de Washington en ce vendredi soir.

Washington est une ville politique, et jamais autant

291

qu'à l'époque de la guerre du Vietnam, quand chaque pas de chaque citoyen était un compas politique orienté vers les jungles du Sud-Est asiatique. La politique électorale obsédait également toute la ville cette année-là : le vote destiné à choisir le prochain président se rapprochait.

Le président en exercice, Richard Nixon, était certain d'être choisi par le parti républicain.

Deux sénateurs démocrates, George McGovern, un partisan impopulaire de la paix et Ed Muskie, un démocrate modéré, meilleur candidat, s'affrontaient pour l'investiture de leur parti. Muskie effectuait un come-back après un désastre baptisé la « lettre Canuck », une « correspondance privée » publiée par la presse qui dénonçait Muskie comme un raciste. En assurant sa défense, Muskie avait pleuré.

La lettre Canuck était en réalité un faux commis par de hauts fonctionnaires de la Maison Blanche. Ils appelaient ça le *rat-fucking*.

Le vendredi 16 juin 1972, le jour où Vann fut enterré à Arlington, le soleil se coucha sur Washington à 20 h 35.

Jud était au travail.

Quand la nuit tombait, la Maison Blanche s'allumait.

Le président avait aboli une coutume pourtant prescrite dans des ouvrages faisant autorité tel que le *Manuel du boy-scout*, et décrété que le drapeau américain devait flotter au sommet de la Maison Blanche vingt-quatre heures sur vingt-quatre, 365 jours par an. Qu'il fasse beau ou qu'il pleuve. Jour et nuit.

Plus qu'une résidence, la Maison Blanche était un immeuble de bureaux pour ces hommes et ces femmes qui dirigeaient le pouvoir exécutif de l'Amérique. A travers les grandes grilles qui entouraient les vastes jardins et les buissons, jusqu'aux trottoirs immaculés, derrière les portes closes et les vitres à l'épreuve des balles, ils travaillaient dur.

Et ils travaillaient le plus secrètement possible.

Six mois plus tôt, en décembre 1971, un chroniqueur à scandales avait surpris Kissinger et Nixon en train de fournir l'aide des Etats-Unis au président du Pakistan occidental qui menait à l'époque une guerre de génocide qui tua entre 500 000 et trois millions de personnes sur une terre qui deviendrait plus tard le Bangladesh. En guise de tactique militaire, les alliés des Américains violaient les femmes ou bien ils leur tranchaient les seins à l'aide de couteaux spécialement conçus. Cette aide était en partie une dette payée au Pakistan qui avait servi d'intermédiaire entre Kissinger et la Chine au cours des négociations visant à rétablir les relations diplomatiques entre les deux super-puissances, et en partie une manœuvre globale sur l'échiquier, basée sur des suppositions qui toutes s'avérèrent fausses par la suite.

L'enquête de l'administration sur cette révélation de décembre démasqua accidentellement le sous-officier Charles Radford espion de l'armée, mais l'opinion publique américaine ignorait encore l'existence de ce soldat américain chargé d'espionner au sein de la Maison Blanche. Tout comme elle ignorait l'enquête secrète et illégale de la CIA sur le chroniqueur à scandales qui avait révélé l'histoire de l'aide américaine.

Il y avait tellement de secrets à protéger derrière les grilles en fer noir de la Maison Blanche en ce mois de juin 1972. Il y avait le Cambodge, où pendant quatorze mois Nixon et Kissinger avaient trompé l'opinion publique, le Congrès et les officiers de haut rang, et ordonné 3 630 raids de B-52 au cours desquels 110 000 bombes furent larguées en secret sur des gens qui savaient parfaitement d'où elles venaient. Aux Etats-Unis, les hommes de la Maison Blanche avaient mis au point un plan de guerre politique clandestine en Amérique, comprenant des cambriolages, des sabotages, des prostituées destinées au chantage, des kidnappings, des *coups tordus* pour neutraliser les candidats du parti démocrate et les militants opposés à la guerre.

Les hommes du président faisaient pression sur les services du fisc pour qu'ils pointent leur collimateur sur les ennemis de Nixon et entreprennent des enquêtes fiscales afin de découvrir des sources de revenus secrets pouvant servir d'armes politiques. Certains collaborateurs de la Maison Blanche furent eux-mêmes victimes des pièges de la Maison Blanche destinés à démasquer les traîtres.

En ce vendredi, les hommes de la Maison Blanche avaient de l'argent plein les poches. Cette semaine-là, la presse révéla que plus de dix millions de dollars avaient été versés pour la campagne de réélection du président Richard Nixon, avant que les nouvelles lois sur la transparence n'entrent en vigueur. L'ancien super-flic et procureur général John Mitchell, maintenant président du comité de réélection du président, le CRP, avait refusé de révéler la provenance de cet argent.

Ce que nul, en dehors des personnes concernées, ne savait, c'est que treize grandes compagnies américaines avaient versé illégalement 780 000 dollars au CRP pour financer la campagne électorale. Les producteurs de lait avaient réuni quelques millions supplémentaires en échange de la promesse du président d'augmenter les subventions fédérales pour le lait. Le milliardaire reclus et fantomatique Howard Hugues versa 100 000 dollars pour la campagne de réélection, tandis que de son côté, Robert Vesco, poursuivi par la justice américaine pour différentes malversations portant sur des milliards de dollars, et suspect principal d'un réseau de trafiquants d'héroïne, avait secrètement versé 200 000 dollars à l'équipe Nixon.

Cette nuit-là, les fonds de la campagne d'origine douteuse avaient été blanchis au Mexique afin de payer un groupe de huit hommes qui montaient une opération secrète dans la chambre 723 du motel Howard Johnson, juste en face de la résidence Watergate.

Et cette nuit-là à la Maison Blanche, la Maison

Blanche qui luisait sous le drapeau, Jud Stuart montait la garde.

Non pas dans les appartements privés que la First Lady, Pat Nixon, avait redécorés avec du papier peint doré et rose à motifs floraux californiens, et des meubles en rotin. Non, Jud était en bas. Au rez-de-chaussée de la Maison Blanche. Dans le bureau ovale.

Au cœur.

Et il était seul.

23 heures, le 16 juin 1972.

Il disposait d'une heure avant la fin de son service. Moins d'une heure pour accomplir le travail de cette nuit.

La sueur perlait sur son front, malgré le système d'air conditionné de la Maison Blanche qui purifiait l'air vicié de la ville et maintenait la fraîcheur à l'intérieur du bâtiment. Parfois, le président Nixon aimait pousser la climatisation au maximum et s'asseoir devant un feu d'enfer. La radio fixée à la ceinture de Jud crépita dans son oreillette. Il portait une chemise blanche, un pantalon noir avec une bande dorée sur chaque jambe et des chaussures noires bien astiquées. Sur sa poitrine était épinglé le badge doré de l'Executive Protection Service, la section en uniforme des Services Secrets. La lourde ceinture à laquelle était fixée sa radio supportait également un holster contenant un 357 magnum garanti pour stopper un grizzli.

Ou bien un intrus dans le sanctuaire de la démocratie américaine.

Jud avait le dos plaqué contre le mur. Sur sa droite se trouvait la porte principale, ouverte, avec une corde de velours rouge tendue en travers. La cheminée éteinte se trouvait sur sa gauche. Un portrait de George Washington était accroché juste au-dessus. Les yeux noirs du premier président des Etats-Unis observaient les visiteurs, où qu'ils soient. Quoi qu'ils fassent.

La radio grésilla dans l'oreille de Jud : poste de surveillance 23 au rapport. Rien à signaler. Jud avait fait son dernier rapport quatre minutes plus tôt : *Rien à signaler*, avait-il déclaré.

La sécurité était draconienne, stricte sur le plan des règles, des procédures et des possibilités d'action. Cette nuit-là, les responsables de la sécurité à la Maison Blanche, les officiers en uniforme tels que Jud, les agents des services secrets de protection en costume cravate se tenaient prêts, mais ils respiraient tranquillement : SEARCHLIGHT [1] était en Floride. Il ne risquait pas d'être assassiné sur le territoire dont ils assuraient la surveillance. Ils ne craignaient pas de le rencontrer au cours d'une de ses errances nocturnes à travers le bâtiment présidentiel. Il travaillait souvent de l'autre côté de la rue, dans un bureau secret du Old Executive Office Building, buvant du scotch et rédigeant des mémorandums que sa secrétaire distribuerait dans la journée. Malgré tous les systèmes et les installations destinées à suivre le président, l'apparition soudaine, silencieuse et fugitive en pleine nuit d'un PROJECTEUR en costume sombre, la cravate bien nouée, effrayait parfois un des gardes de la Maison Blanche.

— Moi, ça me fout les jetons, avait confié l'un d'entre eux à Jud ce soir-là, alors qu'ils enfilaient leurs uniformes dans les vestiaires du service de sécurité. Il se prend pour qui ?

Jud avait ri.

Le bureau ovale était faiblement éclairé. Le regard de Jud suivit la courbe du mur arrondi de la Maison Blanche.

Sur sa gauche, après la porte du bureau de la secrétaire chargée des rendez-vous, se trouvait une immense photo en couleurs de la terre vue de la lune. Puis venaient les trois porte-fenêtres donnant sur la pelouse sud et la roseraie. La nuit noire brillait derrière les rideaux transparents et diaphanes tirés devant les

1. Projecteur. Surnom de Richard Nixon. (N.d.T.)

carreaux. Une table trônait devant les porte-fenêtres, flanquée des drapeaux américain et présidentiel. Sur la table étaient posés un crayon et un plumier, un buste noir d'Abraham Lincoln, et une photo en couleurs du mariage de Tricia Nixon à la Maison Blanche.

Les drapeaux des différentes armées étaient alignés devant le mur, au-delà des porte-fenêtres. Deux ans auparavant, le président Nixon et Elvis Presley, le « King », avaient échangé une poignée de main nerveuse devant ces drapeaux. En condamnant le fléau de la drogue. Le président fit en sorte qu'Elvis reçoive un insigne honorofique d'agent fédéral des narcotiques, et il lui offrit des boutons de manchettes présidentiels. Elvis offrit à Nixon un pistolet.

Après les drapeaux militaires et une niche cintrée contenant des oiseaux en porcelaine se trouvait la porte du bureau de la secrétaire particulière du président. Un peu plus loin sur le mur incurvé était accroché un sceau présidentiel brodé par la fille aînée du président, Julie. Venait ensuite la porte condamnée par la corde en velours.

Jud s'appuya légèrement contre le mur plongé dans la pénombre.

Le plus discrètement possible. Quinze mois plus tôt, le président avait chargé la section technique des services secrets d'une mission hautement confidentielle : installer dans le bureau ovale un système d'enregistrement secret se déclenchant au son de la voix. La Maison Blanche possédait déjà un système d'enregistrement caché dans le cabinet au fond du couloir. Lyndon Baines Johnson l'avait fait installer quand il était président ; il s'enclenchait à l'aide d'un interrupteur placé devant le fauteuil du président sous le grand bureau ovale.

Seule une poignée de personnes au monde était censée connaître l'existence du nouveau système d'enregistrement de Nixon, une poignée à laquelle n'appartenaient surtout pas les groupes militaires habituellement chargés des systèmes de communication du président. Ce que Nixon apprendrait par la suite, trop tard pour assurer sa survie politique, c'est qu'il existait déjà deux autres systèmes secrets d'enregistrement à l'intérieur même du bureau ovale, des systèmes qui ôtaient tout contrôle sur les archives de l'histoire à l'homme qui occupait ce bureau en cette nuit de juin 1972.

Jud connaissait l'existence des trois systèmes d'enregistrement du bureau ovale. Mais il ignorait lesquels étaient branchés, attendant pour se mettre en marche un bruit autre que le bruissement de l'air conditionné. Pour sa survie, Jud savait qu'il ne devait pas laisser plus de traces de son travail qu'il n'était nécessaire. Il était silencieux, absolument silencieux.

Le bureau du président se situait près des porte-fenêtres. Un téléphone noir était posé dans le coin supérieur gauche. Au centre du plateau ciré se trouvait une boîte à cigares musicale frappée du sceau présidentiel. Quand on l'ouvrait, elle jouait *Hail to the Chief !* Appuyé contre un stylo et un plumier se trouvait le planning de la journée du président, relié de cuir vert.

Le fauteuil de PDG en cuir noir s'était très peu affaissé après trois années d'utilisation, songea Jud qui, plus d'une fois au cours de ses tournées d'inspection nocturne, avait profité de son confort.

Le téléphone rouge, la ligne secrète qui reliait instantanément le président aux rouages de l'Armageddon nucléaire, attendait dans le tiroir du bas à droite.

Un dictaphone et un magnétophone étaient disposés sur une crédence à la droite du fauteuil du président. Une Samsonite marron portant les initiales R.N. était posée par terre près de la table du dictaphone. Le record de Jud pour crocheter les serrures de l'attaché-case était de neuf secondes.

Sa montre indiquait 23 h 02, le 16 juin 1972.

L'écouteur de la radio grésilla : poste 12 qui annonce

Rien à signaler, le poste de commandement qui répond « Roger ».

A moins de deux kilomètres de la Maison Blanche, dans la résidence Watergate, un ancien agent de la CIA travaillant maintenant pour le comité de réélection du président forçait les serrures des portes de la cage d'escalier.

Dans le bureau ovale, Jud sortit de sa poche de chemise un stylo-lampe à l'aspect ordinaire. Il pointa le faisceau dc la lampe sur le bureau du président : rien. Le rayon ultraviolet invisible de la lampe aurait fait apparaître une lueur mauve si la surface du bureau avait été recouverte d'une poudre destinée à déteindre sur la peau et les vêtements de tous ceux qui le touchaient.

Jud jeta un rapide coup d'œil dans le couloir, au-delà de la corde en velours rouge : personne.

Sans bruit, pas à pas, il sortit de la pénombre et s'approcha du mur près de la porte du bureau de la secrétaire particulière du président. Sa lampe ne révéla aucune lueur mauve sur le mur. Il appuya sur le bouton dissimulé dans la moulure. Un panneau du mur du bureau ovale coulissa pour révéler un coffre-fort dont nul, ou presque, ne connaissait l'existence. La lumière n'indiqua aucune trace de poudre sur le coffre.

Contrairement aux cinq hommes qui exécutaient au même moment le troisième cambriolage à la résidence Watergate, financés par l'équipe du président, Jud n'osait pas porter des gants de chirurgien. Si lors d'une inspection surprise des gardes de la Maison Blanche on l'avait trouvé en possession de gants chirurgicaux, le destin de Jud était scellé ; la lampe de poche, en revanche, passerait n'importe quel examen de routine, et les crochets de serrurier dissimulés à l'intérieur de son stylo ne l'empêchaient pas d'écrire. Jud enveloppa sa main d'un mouchoir pour afficher la combinaison du coffre dont la découverte lui avait coûté six nuits d'efforts patients et fragmentés.

Sa radio grésilla : poste de surveillance 4 au rapport.

La lampe ne révéla aucune lueur mauve sur le contenu du coffre.

Des dizaines de mémorandums, que Jud avait déjà presque tous lus, rédigés par Kissinger à l'attention du président pour la plupart. Certains remontaient au tout début du mandat du président, parmi lesquels les mémos portant la mention TOP SECRET/SENSIBLE où Kissinger poignardait en termes bureaucratiques le secrétaire d'Etat. Un des mémorandums concernait la stratégie de négociation dite « du fou » dont se servait Kissinger avec différents pouvoirs communistes. D'après cette stratégie, Kissinger décrivait Nixon comme dangereusement incontrôlable, ce qui devait théoriquement donner plus de poids aux suppliques de Kissinger adressées aux communistes pour qu'ils consentent certaines concessions politiques. La stratégie politique « du fou » fut rendue célèbre par Hitler à l'époque de conciliation de Munich, avant que n'éclate la Seconde Guerre, et analysée en 1959 à Harvard, pour Kissinger, par celui qui était alors un acteur de la guerre froide, Daniel Ellsberg. Sur le dessus de la pile, Jud découvrit un mémo de trois pages estampillé « Confidentiel », signé de Kissinger et destiné au président, exposant les différentes stratégies que pensait adopter Kissinger avec le premier ministre Chou En-lai au cours de sa visite en Chine la semaine prochaine.

Infiltration, tels étaient les ordres de Jud. *Examen. Rapport.*

Il referma le coffre, sans le verrouiller, referma le panneau secret. Une fois dans le bureau de la secrétaire particulière, il lui fallut trois minutes pour photographier le mémo concernant Chou En-lai. Encore une minute et il remettait l'original dans le coffre du bureau ovale.

Jud déboutonna sa chemise.

300

Confusion pour faciliter la dissimulation. Provocation pour développer les possibilités d'espionnage.

Tels étaient ses ordres. *La reconnaissance par le feu,* s'était dit Jud. Une tactique militaire courante. Mais la *provocation* était un moyen d'arriver au but qui, d'après lui, dépassait la création de *possibilités d'espionnage.* Il ne connaissait pas tous les motifs qui généraient ses ordres, mais les mots utilisés l'autorisaient à imaginer.

Un peu plus tôt dans la soirée, il était passé devant la salle Roosevelt au bout du couloir pour se rendre dans les bureaux de Kissinger et Haldeman. Les classeurs fermés à clé de Kissinger renfermaient des rapports du FBI concernant son personnel, et même un dossier « Confidentiel » émanant du directeur du FBI en personne, J. Edgar Hoover, sur la vie sexuelle du pasteur assassiné Martin Luther King. Le chef du personnel de la Maison Blanche, Haldeman, était surnommé CHIEN DE GARDE. Il possédait deux coffres. Le premier trônait près de son bureau, le second, un coffre de fabrication française, était dissimulé dans le mur. Il avait fallu cinq semaines à Jud pour faire un double de la clé de ce coffre.

De sous sa chemise, Jud sortit un MEMORANDUM DESTINE AUX ARCHIVES de la Maison Blanche daté du 9 août 1971, relatif à une réunion des « Plombiers » du président au quartier général de la CIA. Jud avait volé ce mémo dans le coffre de Haldeman. Ce document soulignait la stratégie commune entre les hommes de Nixon et la CIA.

L'officier de liaison de la CIA se nommait John Paisley. Six ans après que Jud ait volé ce mémo de la Maison Blanche, alors que Paisley faisait partie de l'équipe de la CIA chargée d'analyser les discussions américano-soviétiques sur la réduction des armements stratégiques, il disparut alors qu'il faisait du bateau seul dans la baie de Chesapeake. Quelques jours plus tard, un corps gonflé et lesté de deux ceintures de plongée fut retrouvé flottant dans la baie et identifié comme étant Paisley. Le corps mesurait huit centimètres de moins que la taille officielle de Paisley. Aucun relevé d'empreintes digitales ou dentaires ne fut effectué. Le corps présentait un trou de calibre 9 mm derrière l'oreille gauche. Paisley était droitier. On conclut au suicide et le corps fut incinéré dans un établissement funéraire agréé par la CIA, sans que la famille ait eu le droit de le voir.

Ce vendredi soir à la Maison Blanche, Jud glissa ce mémo « pour les archives » au milieu des documents du président.

Alors, SEARCHLIGHT, songea Jud avec un sourire, *quelle tête tu vas faire en découvrant ce qui est apparu dans ton coffre personnel ?*

Jud glissa sous sa chemise les photocopies du mémo sur la Chine, dérobé dans le coffre de Nixon. Il referma et verrouilla le coffre, referma le panneau coulissant. Il se retourna vers le bureau du président...

— Hé ! qu'est-ce que vous foutez là ! s'écria un homme dans le couloir.

Jud pivota sur lui-même, la main sur la crosse de son 357.

Rien dans les mains. L'homme qui se découpait dans l'encadrement de la porte derrière la corde de velours rouge n'avait rien dans les mains. Chemise blanche et pantalon d'uniforme. Galons dorés sur les épaules.

Le Sous-Chef de Surveillance Volant.

D'une main, Jud fit signe à son officier supérieur d'approcher ; il porta un doigt à ses lèvres.

— Votre poste c'est dans le couloir ! chuchota le scsv en rejoignant Jud devant le bureau du président. Qu'est-ce que...

— J'ai entendu un bruit ! murmura Jud en se dirigeant vers les porte-fenêtres masquées par des rideaux.

— Pourquoi vous ne l'avez pas signalé ?

Le SCSV suivit Jud, jetant des regards inquiets autour de lui dans le bureau ovale, la main sur la crosse de son arme.

— Pas eu le temps ! rétorqua Jud. D'ailleurs, la dernière fois que je l'ai signalé, le commandant m'a passé un savon ! Il a dit que j'entendais des fantômes. Il m'a répondu que c'était Abigail Adams qui apportait sa saloperie de linge sale !

Les registres de surveillance de la Maison Blanche sont pleins de rapports concernant des bébés invisibles qui pleurent. Le fils de Lincoln était mort au cours du premier mandat de son père.

Arrêtés devant les fenêtres, les deux agents du service de protection scrutaient la pelouse sud et la roseraie enveloppées de nuit.

— Vous voyez quelque chose ? chuchota le SCSV.

— Personne à part vous. (Jud prit une inspiration.) SEARCHLIGHT est en voyage.

Les radios des deux hommes crépitèrent : changement d'équipe dans vingt-cinq minutes.

— Vous entendez quelque chose maintenant ? demanda le SCSV.

— Juste mon cœur. Et vous.

— Laissez tomber. Vingt ans de métier dans deux ans. Je veux pas d'emmerdes. C'est rien, pigé ?

— Pigé.

— Je vais rester dans le coin jusqu'au changement d'équipe, ajouta le SCSV. Au cas où. Mais tout va bien par ici, pas vrai ?

— Tout va bien, répondit Jud en sentant son cœur battre moins vite. Pas de problème.

— C'est un endroit bizarre, dit le SCSV. Il vous joue des tours.

— Je sais, dit Jud.

Son supérieur secoua la tête et désigna du menton la nuit derrière les fenêtres de la Maison Blanche.

— Toute cette merde là-dehors.

Lorsque son service s'acheva à minuit, Jud traîna

quelques instants dans les vestiaires de la sécurité, enfilant ses vêtements civils, plaisantant avec les hommes présents. Ses collègues étaient impatients de rentrer chez eux ou de prendre leur service. Quand les vestiaires furent presque déserts, Jud plia soigneusement les photocopies du mémorandum à l'intérieur d'une grande carte d'anniversaire, glissa la carte dans une enveloppe timbrée. Il inventa un nom de femme et lui adressa la carte dans une poste restante d'une banlieue du Maryland.

Un collègue qu'il n'aimait pas s'apprêtait à quitter les vestiaires. L'homme ne vit pas Jud ôter le pantalon qu'il venait juste d'enfiler.

— Hé ! Jerry ! lui lança Jud. Rends-moi service. Tu veux bien déposer ça pour moi dans le sac en passant ? Faut que je me grouille de m'habiller, sinon, la nana qui m'attend dehors va me tuer.

Le garde nommé Jerry regarda Jud en sous-vêtements. Il regarda la grande enveloppe qui portait le nom d'une femme. Il reconnut un sourire de connivence masculine sur le visage de Jud.

— O.K., pas de problème, dit Jerry en prenant l'enveloppe. Des salopes, hein ?

— Tu l'as dit, répondit Jud alors que Jerry quittait les vestiaires.

Jud se précipita sans bruit vers la porte et risqua un œil dans le hall, juste à temps pour voir Jerry déposer l'enveloppe dans le sac du courrier au départ près du bureau du sergent. Le SCSV qui avait surpris Jud dans le bureau ovale bavardait avec le sergent. Il regarda Jerry poster la carte, il le regarda s'éloigner. Sans rien dire. Il ne récupéra pas la carte dans le sac, il n'exigea pas une inspection. S'il l'avait fait, ç'aurait été l'enveloppe de Jerry, la parole de Jerry contre celle de Jud.

Les gardes de la Maison Blanche utilisent une entrée latérale dans la grille qui entoure la propriété présidentielle. Le temps que Jud s'habille, range son matériel dans son sac de sport et franchisse la grille, il était 1 h 31 du matin en ce samedi 17 juin.

Nancy était garée un peu plus haut dans la rue, dans la vieille Chrysler de son père. Malgré toutes les vitres baissées, la voiture empestait la fumée de cigarette.

— Putain, t'es en retard ! cracha-t-elle tandis qu'il s'asseyait à l'avant. Tu crois que j'ai rien d'autre à foutre dans la vie que de rester assise dans cette bagnole pourrie à attendre que t'aies fini de bosser !

Affalée derrière le volant, Nancy portait un T-shirt sans soutien-gorge, et un short ample. Ses cheveux châtains mi-longs étaient taillés au rasoir. Elle avait un visage rond et un corps massif, mais c'étaient ses yeux qui gâchaient tout : plissés en permanence, sévères.

— Si tu veux partir, tire-toi ! grogna-t-il. Je peux y aller à pied.

Elle cligna des yeux, passa la langue sur ses lèvres.

— Je... Ecoute, il fait très chaud, tu sais ?

— Ouais ! je sais.

— Euh... tu veux conduire ?

Il secoua la tête. Elle fit vrombir le moteur. A vingt-six ans, Nancy avait échoué à sa cinquième année d'enseignement à mi-temps dans sa troisième université. Ils s'étaient rencontrés trois mois auparavant dans un bar, un soir où elle était ivre morte. Jud l'avait tirée d'une bagarre qu'elle avait déclenchée entre deux congressistes en goguette. Une semaine plus tard, Jud lui offrait son premier orgasme.

— Je suis crevé, dit-il alors qu'elle démarrait. (Chaque tour de roue qui l'éloignait de la Maison Blanche le soulageait d'un poids.)... Tellement crevé.

— Tu veux qu'on aille chez moi ?

Il soupira et acquiesça.

— Pourquoi tu passes tout ce temps à la salle de gym, à soulever des poids et tout le reste ? demanda-

305

t-elle. Avant, t'étais fort comme un Turc, mais maintenant, tu deviens... gros. Tu commences à changer.

Nancy roulait vers le bas de Georgetown. Malgré l'heure tardive, des femmes attifées et des hommes bien habillés arpentaient les trottoirs entre les bars. Elle s'arrêta à un feu rouge.

— Je me plains pas, ajouta-t-elle, mais...

Elle n'acheva pas sa phrase, n'obtint aucune réponse. Le feu passa au vert. Ils démarrèrent.

— C'est à quelle heure la soirée demain ? demanda-t-il.

— Qu'est-ce tu... (Elle le regarda, changea de ton.) Après neuf heures. Sans intérêt. Me dis pas que t'as envie d'y aller, si ?

— Tu travailles avec eux ; ils t'ont invitée.

— Ils m'ont invitée parce qu'ils n'avaient pas le choix. A cause de ce boulot débile ! A cause de mon putain de père ! (Sa voix aiguë mima un ton geignard.) « C'est une bonne opportunité ! C'est intéressant ! Bien payé ! »... Boulot à la con, murmura-t-elle. Garçon de course avec un nom à la con. Il a fallu qu'ils le refilent à sa fille !

Elle coinça une cigarette entre ses lèvres, appuya sur l'allume-cigares de cette voiture qui avait appartenu à son père. Il ne marchait pas.

— Saloperie de bagnole à la con ! pesta-t-elle.

Il était 1 h 47.

Jud fit claquer son briquet, lui alluma sa cigarette, puis il en alluma une autre pour lui. Il recracha la fumée dans la chaleur par la vitre baissée.

— J'ai envie d'aller à cette soirée, dit-il. On ira après mon boulot, à minuit ; ça ne sera pas terminé.

— Mais pourquoi tu tiens tant à y aller ? Il y aura que de la bière, du vin, de la mauvaise dope et une bande de journalistes prétentieux et lèche-culs ; à peine sortis de la fac et prêts à tout pour avoir leur nom à la fin d'un article à la con dont tout le monde se contrefout. Les journaux c'est juste bon à envelopper les poissons crevés !

Le père de Nancy était conseiller interne au *Washington Post*.

— Grouillot, murmura-t-elle. La fille du vieux. Oh ! c'est sûr, ils comptent vraiment sur moi demain soir.

— Ne sois pas en retard pour venir me chercher, dit Jud. Et évite de picoler. Habille-toi.

— C'est facile pour toi, dit-elle en roulant en direction de l'appartement payé par son fidéicommis. On voit bien que c'est pas ton foutu père.

La voix de Jud était comme le feu et la glace.

— Ne parle plus jamais de mon père !

Elle tressaillit.

— Plus jamais !

— O.K. ! O.K. !, baby.

Elle déglutit. Elle se gara dans l'allée de la grande maison de Georgetown que lui prêtaient des amis de son père. Elle jeta sa cigarette par la vitre sur le trottoir de brique où détalaient les cafards. Les yeux écarquillés, elle se pencha vers Jud.

— Je m'excuse, dit-elle.

Ses doigts frôlèrent le sac de sport renfermant son uniforme. Son arme. Les menottes. Vinrent se poser sur son genou.

Il était 1 h 52 en ce samedi 17 juin 1972. A moins de deux kilomètres de là, trois policiers à bord d'une voiture banalisée répondaient à l'appel du dispatcher signalant un cambriolage à la résidence Watergate.

Jud regarda la femme aux cheveux châtains penchée vers lui sur le siège avant de la vieille voiture de son père. Elle avait les yeux plissés, les lèvres entrouvertes ; le lampadaire éclairait ses seins dressés sous son T-shirt en coton.

— Détends-toi, lui dit-il. Détends-toi et tout ira bien.

Détends-toi.

307

Dix-huit ans plus tard, à presque cinq mille kilomètres de cette nuit étouffante à Washington, Jud entendit l'écho lointain de ses paroles ; il cligna des yeux, il était en 1990. Il cligna de nouveau des yeux, il était dans une chambre. Allongé sur le dos dans un lit. Nu. Les draps étaient moites, sa peau collante. La lampe sur la table de chevet était allumée. Dehors, le désert était froid et sombre. La nuit dérivait sur le sable compact.

Nora était blottie dans les bras de Jud.

— Je te l'avais dit, tu n'as qu'à te détendre et tout ira bien, dit-elle en déposant un baiser sur son torse. En fait, ce sera même mieux que bien.

— C'était bon ? risqua Jud.

— Aucun homme ne veut savoir si c'était *bon*, répondit Nora en se redressant sur son coude pour lui sourire. Vous voulez qu'on vous dise que c'était *génial*.

— C'était génial ?

— C'était bon.

Une seconde de silence, puis ils éclatèrent de rire l'un et l'autre.

Nora l'embrassa délicatement sur la bouche.

— Je te l'avais dit.

Ils rirent de nouveau ; elle revint se blottir contre sa poitrine. Elle poussa un soupir.

Encore une nuit ensemble. Par une sorte d'accord tacite, ils veillaient à ce que Jud apporte uniquement sa brosse à dents chez Nora. Ses vêtements, son argent, son arme cachée... tout cela restait dans la caravane.

— A quoi pensais-tu à l'instant ? demanda-t-elle.

— J'obéissais aux ordres, répondit Jud. (Voyant sa grimace, il ajouta :) Aux tiens. Tu m'as demandé de ne penser à rien. Simplement de sentir. De me détendre.

— Pas *à l'instant*. (Elle eut un grand sourire.) Je sais à quoi tu pensais à l'instant : tu pensais à cet instant... si tu pensais à quelque chose. A ce stade de nos relations, tu n'en es pas encore à te souvenir ou à fantasmer. Les hommes croient que personne ne sait qu'ils pensent à autre chose ou a quelqu'un d'autre, ou bien qu'ils imaginent des choses quand ils sont avec une femme. Mais nous on le sait.

— Oooh !

— Je m'en fiche, dit-elle. Si tu trouves que ce qui est dans ta tête est plus... *intéressant* que ce qu'on fait...

Elle fit remonter son doigt le long de sa cuisse.

— Même mon esprit n'est pas fou à ce point, dit Jud. Ou fort.

— Ouais, mais après... (Elle secoua la tête.) Vous les mecs, vous repartez plus vite que vous ne ressortez. Si une femme a trouvé ça *bon*, elle s'attarde un moment. Vous les mecs, vous fichez le camp.

— Pas toujours, dit-il.

— Suffisamment souvent.

Elle repoussa ses cheveux. Jud adorait les rides de son front, les pattes d'oie au coin de ses yeux bleus.

— Tu pensais à ton ex-épouse ?

— Non.

— A quelqu'un d'autre ?

— Pas vraiment.

— Eh bien, ça réduit les possibilités. (Elle lui donna un petit coup de coude dans les côtes.) Alors, de quoi tu veux parler ? Des broussailles ou des OVNIS ?

— Oui, c'est ça ! Si on ne voit plus d'OVNIS depuis quelque temps, c'est parce qu'ils se déguisent en broussailles !

— Grand bien leur fasse. (Nora se redressa sur son coude.) Pourquoi est-ce que tu ne m'interroges jamais sur l'époque où j'étais prostituée ?

— Je sais comment ça se passe, chuchota Jud.

— Parce que tu es un espion.

Elle dit cela d'un ton neutre. Sans aucune trace de condescendance, sans un soupçon d'incrédulité. Une simple acceptation.

Il la regarda.

— Comment as-tu commencé ?

— Un coup de chance.

Ils rirent.

— Sauk Centre, Minnesota, dit-elle. Ma ville natale.
Il y a un grand panneau sur le bord de la route, à
l'entrée du patelin. Qui dit que Sinclair Lewis a écrit
un bouquin sur cette ville. Je voyais ce panneau tous
les jours dans le bus qui m'emmenait à l'école primaire,
et je m'étais juré de ne jamais lire un livre qui parle
de ce foutu endroit.

... Mon père ne jurait que par Dieu ; ma mère avait
peur de n'importe quoi et de n'importe qui. A
l'époque, il y avait une loi qui s'appelait « outrages au
standing », et mon standing était outrageant. Je faisais
du stop pour aller de notre ferme jusqu'en ville. La
seule chose qui m'intéressait, c'était d'aller au match
de foot. Je me suis retrouvée en maison de correction.
A douze ans.

... *Incorrigible*, déclarèrent-ils. (Elle secoua la tête.)
Déjà à l'époque j'avais des gros nichons. Et ça foutait
la trouille aux types de la loi, ça leur filait de mauvaises
pensées... alors j'étais forcément mauvaise.

Elle se redressa dans le lit, s'étira. Jud trouvait ses
seins très beaux, alors il le lui dit, timidement, presque
comme un gamin.

— Pas mal pour une femme qui approche de la
cinquantaine, répondit-elle.

— Combien de temps t'ont-ils gardée en maison de
correction ?

— Aussi longtemps qu'ils le pouvaient. Six ans. J'ai
vécu dans une peur permanente. J'ai appris à survivre.
Tu apprends à repérer les chefs, tu apprends à faire
ce qu'il faut pour ne pas avoir d'ennuis avec eux. Tu
apprends à dissimuler tes sentiments. Tu pleures quand
tu te retrouves seule dans ta cellule le soir. C'est là
que j'ai connu ma première expérience sexuelle, avec
une femme. Mais j'imagine que ça n'a rien d'exceptionnel, si ?

310

— Moi aussi c'était avec une fille la première fois, répondit Jud.

Elle rit.

— Et ensuite ? demanda-t-il.

— Ensuite, je suis sortie. J'étais intelligente, mais pas très cultivée. Mon instruction était une vaste plaisanterie : deux fois deux font quatre et ça s'arrêtait là. J'avais deux possibilités : l'arnaque ou le trottoir.

... J'ai essayé l'arnaque, mais quand tu as du mal à lire et à écrire, faire des chèques bidons c'est risqué. Je me suis fait pincer. J'ai écopé d'une année supplémentaire... en taule cette fois. J'ai retrouvé quelques anciennes amies, j'ai appris à lire un peu mieux et surtout, comment ne pas retourner en prison. J'en suis ressortie blonde, séduisante, instruite et avec des relations.

... Je n'ai jamais travaillé dans la rue, dit-elle. Je n'ai jamais travaillé dans des bordels. Je vivais avec un Noir. Mon amant et mon homme d'affaires.

— Un mac, dit Jud.

Nora haussa les épaules.

— Il m'a appris un tas de choses. Il me faisait lire le *Wall Street Journal* tous les jours. Il m'a introduite dans les milieux huppés de L.A. D'accord, il me cognait un peu parfois, mais je m'y attendais. Aujourd'hui, je ne l'accepterais plus, mais à l'époque... C'était comme ça, un point c'est tout. Je me suis fait embarquer une fois. Il a filé un joli paquet au bon avocat, et tout s'est arrangé. Si tu restes dans le camp du *vrai* pouvoir, tu ne crains rien.

Ce fut au tour de Jud de rire.

— Les gens m'aimaient bien, reprit-elle. J'étais douée pour inciter les hommes à me donner de l'argent. Je me suis retrouvée à Vegas, car c'est là que se trouvait l'homme que j'aimais, et c'est là que se trouvait le fric.

— Et tes michetons ?

— Je ne les appelais jamais comme ça. J'étais une

311

prostituée, c'étaient mes clients. Ils me donnaient ce que je réclamais. Je leur donnais ce qu'ils réclamaient. Je ne faisais de mal à personne, je ne volais pas, je ne mentais pas, je ne trichais pas. Je réclamais une fortune, et je gagnais une fortune, deux à trois mille dollars par soir... nets. Les hommes aimaient me donner de l'argent et moi j'aimais le prendre.

... C'était pas un mauvais job, dit-elle avec un haussement d'épaules. J'aurais pu faire pire. Il suffit de... déconnecter ton esprit. Pendant la scène de baise la plus dingue, tu penses à ce que tu vas acheter à l'épicerie en rentrant...

... Tu es déjà allé voir une prostituée ? demanda-t-elle.

— Oui. (Il attendit, puis :) Ça te gêne ?

Elle sourit.

— Non.

Ses yeux bleus se tournèrent vers la table de chevet.

— Je vais chercher des cigarettes, dit-elle. (Elle l'embrassa sur le front.) Ne bouge pas surtout.

Pieds nus, nue, elle quitta la chambre à pas feutrés.

Jud s'appuya contre l'oreiller. La pièce sentait la sueur, le sexe et le lilas de son parfum ; il se détendit, et il s'abandonna à ce plaisir.

Il y avait eu des jours difficiles.

Un après-midi, alors qu'il faisait la vaisselle dans la cuisine du restaurant, ses mains s'étaient mises à trembler si violemment sous l'effet du manque que les deux routiers assis au comptoir entendaient les assiettes qui s'entrechoquaient dans l'eau savonneuse. Carmen sortit précipitamment pour remplir leurs tasses de café, même s'ils en avaient encore. Nora, assise derrière la caisse et lisant un journal de Las Vegas, ne dit rien.

— Tu as tes clés de voiture ? lui demanda-t-il, après le départ des deux routiers.

— Oui, répondit Nora. Non.

— Faut que...

— Fais ce que tu dois faire, lui avait-elle répondu.

312

Mais je ne te donnerai pas mes clés pour ça. Tu veux foncer en ville pour picoler, soit, tu es libre. Mais je ne te laisserai pas conduire ma bagnole en état d'ivresse, et je ne te faciliterai pas les choses.

— Je n'ai rien à foutre de tes conneries de la prévention routière !

— C'est vrai, dit-elle sans lever les yeux de son journal, tes propres conneries te suffisent.

Il tremblait de rage, de manque, de peur. Il pouvait l'obliger à... non. *Non.* En sueur, tremblant, les tripes nouées, il retourna dans la cuisine d'un pas vacillant. La tête lui tournait. Il s'agrippa à l'évier jusqu'à ce qu'il puisse finir la vaisselle, jusqu'à ce que la nausée disparaisse.

Ils n'avaient pas besoin de reparler de cet incident.

Elle l'obligeait à répéter ses katas, bien qu'il sache qu'elle détestait l'idée de la violence. « Ça t'aide à te sentir en sécurité », lui disait-elle. Elle avait demandé à Carmen d'acheter une très belle paire de chaussures de jogging à Vegas, et il y avait toujours du café qui l'attendait quand il revenait sur la route en titubant.

Peut-être que je veux juste voir jusqu'où tu peux courir, lui dit-elle. *Peut-être que j'ai juste envie de te voir revenir.*

Un jour, elle tua un serpent à sonnette sur la route. Avec l'arme du propriétaire du café, un calibre 25 automatique avec une crosse en nacre fendue.

Depuis la cabine téléphonique au bord de la route, Jud avait appelé Dean à Los Angeles.

— Surveille mes traces, avait demandé Jud.

Dean avait accepté volontiers.

Quand il rappela Dean deux jours plus tard, Jud apprit que le macchabée de l'Oasis n'avait même pas son nom dans les journaux de L.A.

— Je suis allé sur place comme une ombre, dit Dean. Le barman clamait haut et fort que les flics s'en foutent. Il leur a certainement rien dit. Mais si tu veux, à moi il me...

313

— Fiche-lui la paix, dit Jud.

Dean s'esclaffa.

— Autre temps autres mœurs, hein ? Si tu veux, je...

— Je veux simplement que tu restes cool, tu piges, Dean ? Rien de plus. Rien de moins. Cool. Et ne t'inquiète pas.

— M'inquiéter ? Je m'inquiète pas. Tu as oublié qui je suis ?

— Non, je sais, dit Jud.

— J'ai attendu. Attendu. Pourquoi tu as été si long ?

— T'occupe.

— Ton ami a appelé.

La main de Jud se crispa sur le combiné.

— ... L'écrivain. Nick Kelley.

— Tu lui avais donné ton numéro, tu te souviens ?

— Oui, je me souviens. Et lui aussi. (Dean s'esclaffa de nouveau, un rire aigu, violent... il s'arrêta net.) Il voulait s'assurer que tu allais bien.

— Qu'est-ce que tu lui as dit ?

— Rien. Je ne savais rien. A l'époque.

— Tu ne dois avoir aucun contact avec lui. Aucun.

La voix de Dean était douce, glaciale.

— Il te pose un problème ?

— Non : il ne fait pas partie du jeu.

— Ah !

A l'intérieur de la cabine téléphonique dans le désert, Jud s'épongea le front, ferma les yeux.

— Ma jambe va mieux, chuchota Dean. Je suis en forme.

— Reste cool.

— Où tu es ?

Jud ouvrit les yeux.

— Si quelque chose bouge, reprit Dean, faut que je puisse te prévenir.

Derrière les vitres du restaurant, Jud vit Nora rire avec Carmen.

314

— On ne peut pas me joindre, dit-il.

— C'est pas malin.

C'était vrai. C'était vrai et c'était faux. C'était Dean, et Jud le savait. Sa tête l'élançait, ballottée par les vagues alcooliques, son cœur disait non, mais Dean le dingue était dans le vrai, alors Jud fit ce qui lui paraissait le mieux.

— Je vais te donner le numéro d'une cabine téléphonique, dit-il. Je n'y suis pas, mais j'y viendrai tous les matins à six heures. Si je ne réponds pas, ne dis rien.

— Détends-toi, dit Dean. Je suis là.

Le téléphone de la cabine n'avait pas sonné depuis ce jour. Jud n'avait appelé personne d'autre, pas même Nick. Que lui aurait-il dit ? Nick était en dehors de tout ça, blanc comme neige. Il avait une vraie vie. Jud ne voulait pas l'entraîner là-dedans.

Détends-toi, se dit Jud, couché dans le lit de Nora. Ta piste est effacée, tes traces ont disparu. Ils ne peuvent pas te retrouver, ils ne peuvent pas t'atteindre. Il jeta un regard vers la fenêtre garnie de rideaux, et la nuit au-delà. Il n'y avait rien dehors. Rien qu'il puisse apercevoir.

Mais quelque chose le tracassait. Une chose qu'il avait peut-être faite, une excentricité perdue au milieu de substances chimiques et de cellules du cerveau endommagées au combat, une vibration qui bourdonnait au plus profond de ses instincts à cause d'un faux pas dont il n'arrivait pas à se souvenir, à retrouver la trace.

Il y a quelques années, tu t'en serais souvenu, se dit Jud. *Mais il y a quelques années, jamais tu n'aurais eu à te souvenir d'un faux pas.*

— Carmen a acheté des provisions, dit Nora en revenant dans la chambre. (Toujours nue, portant un sac d'épicerie en papier marron.) Regarde, il y a tout ce qu'il faut !

Elle grimpa sur le lit, tira le drap sur ses jambes.

— Le plancher est froid, dit-elle en sortant une cartouche de cigarettes du sac.

Elle prit un paquet, déchira la Cellophane avec l'ongle de son pouce et tendit à Jud une bouteille d'eau minérale.

— On a même... (Elle sortit du sac un journal tabloïd.)... la vérité sur le monde !

The Americain Enquirer. Le plus grand hebdomadaire au format tabloïd du pays ; on le trouvait aussi bien chez le primeur coréen dans le haut de Manhattan à New York, qu'à Manhattan dans le Montana, dans une station-service épicerie.

— Je ne veux pas voir cette chose, déclara Jud d'un ton brusque en se redressant dans le lit et en détournant le regard.

— Allez ! (Nora alluma une cigarette.) C'est amusant !

— Je sais déjà ce qu'ils racontent.

— Ah oui ? Je demande à voir !

Jud ferma les yeux, la tête baissée. Quand il la regarda de nouveau, elle sentit un frisson dans son regard.

— Ouvre-le à la page neuf, dit-il. A la rubrique astrologie. Elle est à la même place depuis vingt ans, toujours à la même page. Avec le même type ; ils ne changent jamais sa photo.

— O.K., dit-elle en feuilletant le journal jusqu'à la page en question. Tu veux connaître ton horoscope ?

— Quel est le signe du jour ? demanda-t-il.

— C'est... Poisson.

— Bon, admettons que ce signe soit le zéro. Avance par ordre chronologique. Quel est le signe correspondant au numéro sept ?

Nora compta...

— La Balance.

— Quelque part dans la Balance, tu vas trouver « mer agitée ».

— Balance... (Nora lut à voix haute.) Du 23 septembre au 22 octobre. Cycle de lune haute. Amour en perspective. Prudence financière conseillée. Mer…

Elle le regarda. Le visage de Jud était impassible.

— … « Mer agitée. » Comment tu le savais ?

Il eut un sourire sans joie.

— Un coup de chance.

— C'est parce que tu es un espion.

La cigarette oubliée dans sa main laissa tomber une longue cendre sur le journal contenant la vérité sur le monde.

— Je ne suis pas censée poser des questions, c'est ça ? dit-elle.

— Personne n'est censé poser des questions, murmura-t-il.

— Et toi, qu'es-tu censé faire ?

— Obéir aux ordres. Entrer en contact.

— Qu'est-ce que tu vas faire ? demanda-t-elle à voix basse, avant de pouvoir s'en empêcher.

Il s'était assis au bord du lit. Il fit non de la tête.

Ils restèrent comme ça un long moment. En silence. Nora fuma sa cigarette et l'écrasa. Elle posa le journal par terre, de son côté. Et elle éteignit la lumière.

Dans les failles

Dans la douce lumière de l'aube, Nick Kelley regardait dormir son fils. Le bébé était couché dans son berceau, douillettement enveloppé dans sa grenouillère jaune, sa couverture en coton adorée, à carreaux bleus et blancs, roulée en boule à côté de lui.

Le bébé remua. Il se frotta le nez avec son poing qui pouvait à peine faire le tour du doigt de son père. Il entrouvrit ses yeux bleus.

— Bonjour, Saul, chuchota Nick.

L'enfant plissa le front, prenant peu à peu conscience du monde.

Le chien aboya ; la porte d'entrée s'ouvrit et se referma ; « Bonjour ! » lança Juanita, et Sylvia qui se brossait les cheveux dans la chambre lui répondit. La chambre d'enfant sentait le lait séché et les couches trempées. Les couvertures chaudes.

Saul se releva tant bien que mal et longea à petits pas les lattes de son berceau vers « Papa ». Soudain, l'enfant s'arrêta, captivé par le soleil qui se déversait par sa fenêtre. Sa main minuscule lâcha le berceau et s'ouvrit pour saisir la lumière.

La beauté éphémère de cet instant submergea Nick. Ses yeux se mouillèrent. Arrivé à l'âge mûr, il ressentait dans son cœur ce qu'il avait découvert avec son esprit quand il était adolescent : le prix de la vie réside dans la chance que l'on reçoit et les amours que l'on saisit ;

que les choix d'hier créent les occasions d'aujourd'hui, et que chaque jour nous offre la terrible liberté de choisir de nouveau, avec cette seule certitude que nous avons davantage à perdre. Pourtant, Nick croyait à l'existence d'une force sans nom proche de la pesanteur et qui gouvernait la rédemption que pouvait offrir la vie, une force à laquelle il se sentait lié par le bon sens et le simple honneur ; une force qui l'obligeait à être loyal, à tenir bon.

— Je suis désolé, Saul, murmura Nick. Je ferai de mon mieux.

Dans son dos, Sylvia dit :

— Voilà mes deux hommes !

Nick se retourna pour voir son sourire disparaître lorsqu'elle découvrit son expression.

— Il faut que je te parle, dit-il.

Une heure plus tard, ils étaient assis à la table de la cuisine, les journaux encore dans leur plastique, leurs tasses de café vides. De l'étage leur parvenaient les rires de Saul et Juanita.

Il avait tout dit à Sylvia, tout ce qu'il pouvait faire sortir de sa bouche, les détails qui coloraient l'exposé succinct de ses journées depuis l'ultime appel de Jud. Il lui parla de Dean, de sa rencontre avec son ami de la CIA. De Jack Berns, et du vieil homme à la bibliothèque.

— Ce n'étaient pas des coïncidences, dit-il.

— Ça pourrait être ton imagination, dit-elle. Nos vies ne ressemblent pas à tes romans. Je sais que tu les voudrais excitantes...

— Sans danger, dit-il, je voudrais qu'elles soient sans danger.

Elle secoua la tête.

— C'est la faute de Jud... quoi qu'il en soit.

— J'ai ma part de culpabilité.

— Pour quelle raison ? De quoi s'agit-il, hein ? De

la paranoïa ? De mystérieux inconnus ? De politique ?
Quelle est la vérité ?

— A mon avis, quelqu'un s'inquiète de ce que je
fais... cet article, le fait que je connaisse Jud, le lien
entre les deux.

— Quel article ? Cette enquête bidon pour Peter
Murphy ?

— Personne ne sait que c'est bidon.

— C'est du vent. Où est ta responsabilité ?

Mon épouse, l'avocate, songea-t-il.

— Les squelettes dans mon placard. Les droits du
journaliste devraient m'éviter de comparaître devant
un grand jury. A moins qu'ils ne soient aux abois et
sachent jusqu'où j'ai franchi la frontière.

— Nul n'est au courant à part Jud, dit-elle.

— Ils ne le laisseront jamais témoigner devant un
grand jury.

— Alors, pourquoi t'inquiéter ? Tu as peur d'être
mal vu des bureaucrates ou des clients de ce détective
privé ? Qu'ils aillent au diable ! Personne ne s'intéresse
à toi personnellement, et sur le plan professionnel, les
règles de cette ville te protègent.

— A condition que tout le monde suive les règles,
dit Nick.

Il craignait de mettre des noms sur ses peurs les
plus profondes, pour ne pas transmettre ses craintes
et sa paranoïa à la femme qu'il aimait. Et le doute à
son sujet, car Nick savait qu'elle ne croyait pas au
pouvoir des ombres sur la matière.

— Chéri... (Elle secoua la tête.) Nous sommes dans
les années 90. Hoover est mort, le Watergate est
terminé... On vit une époque différente.

— Et cet article est mon meilleur bouclier, dit-il.

Sa femme poussa un soupir.

— Tu n'as pas besoin de bouclier si tu restes à
l'écart de types comme Jud.

— Désolé d'avoir apporté toute cette histoire dans
mes bagages.

Elle passa la main dans ses cheveux bruns veinés de mèches grises et sourit.

— Hé ! moi je t'ai bien imposé ma mère.

Leurs rires chassèrent la tension de la cuisine.

— Que vas-tu faire maintenant ? demanda-t-elle.

— Je ne sais pas.

Sylvia sourit.

— J'ai une idée.

Nick et la vieille femme se retrouvèrent pour déjeuner dans un restaurant mexicain si éloigné de Pennsylvania Avenue qu'il était presque en dehors de Capitol Hill. Dès qu'ils furent assis, elle commanda une bière.

— Américaine, précisa-t-elle, une vraie, pas une de ces saloperies sans goût. Et vous pouvez garder le citron.

Nick commanda la même chose. Tous les deux prirent de la viande hachée et du fromage dans d'épaisses galettes de maïs frites, avec du riz et des haricots rouges.

Elle avait des cheveux blancs, un visage mince avec des rides bronzées. Elle se prénommait Irène ; ses yeux vifs étaient couleur ambre.

— Merci de m'aider, dit Nick.

— Je n'ai encore rien fait, répondit Irène. Votre épouse est une femme intelligente. Elle travaille pour le Congrès, je travaille à la bibliothèque, elle m'a appelée.

— Le service de documentation du Congrès fait un excellent travail.

— Arrêtez la pommade. Je vous dirai ce que je sais, sans doute pas grand-chose.

Le serveur déposa deux bouteilles de bière et des verres mouillés sur la table. Un quartier de citron vert était coincé dans le goulot de chaque bouteille.

— Plus moyen d'avoir ce qu'on veut de nos jours, soupira Irène en jetant le quartier de citron dans le cendrier. Alors, qu'est-ce qui vous intéresse ? Ce qui va se passer maintenant que le Mur de Berlin n'est plus qu'un tas de ruines ? Un rapport sur Ralph Denton, le nouveau grand manitou de la CIA ?

— Je veux bien deux ou trois petits tuyaux de ce genre, mais je suis sur quelque chose de plus important. Seulement, j'ignore de quoi il s'agit.

— Galaad lui au moins savait qu'il cherchait le Saint-Graal.

— Je doute qu'il y ait quoi que ce soit de saint dans tout ça. Quelque chose a mal tourné quelque part. Je ne sais pas quoi.

— Hé ! je ne suis qu'un larbin du Congrès, et le Congrès est toujours le dernier à savoir ce qui se passe.

— Et les deux commissions de contrôle des services de renseignements ?

— Une fumisterie, dit-elle. Le Congrès sait seulement ce qu'elles veulent bien nous dire. C'est comme si les renards indiquaient aux poulets ce qu'il y a au-dehors du poulailler.

— Où chercheriez-vous les traces d'un truc qui a mal tourné ? demanda Nick. Sans doute une petite opération. Confidentielle, à un haut niveau, et très compartimentée.

— Quel vocabulaire !

Ils rirent en chœur, alors que le serveur déposait leurs assiettes devant eux. Irène commanda une autre bière, Nick en fit autant.

— Dans un secteur bien précis ? demanda-t-elle.

— Ça peut venir de n'importe où. Avec peut-être une histoire de cambriolage, mon type... enfin, ces gens sont des spécialistes des effractions. Mais il peut s'agir de n'importe quoi, depuis un assassinat jusqu'au trafic de drogue, et ça a tourné au vinaigre.

— On n'imagine pas combien nos espions peuvent mal tourner avant de les muter aux stups. Vous avez des noms ?

— Non.

— Si vous ne jouez pas franc-jeu, moi non plus.

— Ce nom ne vous dirait rien.

Irène but une gorgée de bière.

— Tout le monde croit que barbouzes égale CIA. Mais prenez le Pentagone. Tous ces bureaux, une douzaine d'agences, des milliers de personnes, et un budget qui se compte en milliards.

— Logique.

— Alors... Panama ? Nicaragua... même si nos gars ont remporté les élections, ça reste un monde neuf tout pimpant et très agité. La Chine, la Russie, Beyrouth, le Salvador... choisissez.

— La Californie, répondit Nick.

Elle ne rit pas. Ils poussèrent le riz et les haricots sur le bord de leur assiette. Nick laissa le silence chuchoter à l'oreille d'Irène.

— Une histoire d'espionnage interne ? (Elle fronça les sourcils.) On déjeune dans un restaurant mexicain, et à l'autre bout de la ville, un amiral est jugé à cause de la contra iranienne.

— Ça pourrait avoir un rapport avec ça, dit Nick, à supposer qu'il y ait autre chose derrière ce procès.

— Il y a un tas d'autres choses, dit la vieille femme. C'était une arnaque de plusieurs millions de dollars. Supposez que quelque chose soit passé entre les mailles des enquêtes. Quelque chose ou quelqu'un qui court toujours un grave danger. Vous cherchez un truc qui a mal tourné ? Cherchez ceux qui sont dans les failles de la contra iranienne.

Mais Nick devait d'abord chercher là où tout cela avait commencé pour lui. Il devait rechercher Jud.

Il ne voulait pas rappeler Dean. Si un premier coup de téléphone n'avait servi à rien, un second ne pouvait que faire du mal. Nick ressentait des picotements dans la nuque chaque fois qu'il songeait à Dean.

Après son déjeuner avec Irène, Nick resta assis devant son bureau à observer le monde derrière ses

323

fenêtres. Les branches des arbres étaient émaillées de bourgeons verts. Il faisait un temps splendide.

Il n'y avait qu'une seule autre personne capable de le mettre en contact avec Jud : Lorri, la femme de Jud.

« L'ex-femme » songea Nick. Depuis combien de temps ? Cinq ou six ans. Il l'ignorait. Mais quelque part au milieu des années 80, Jud s'était débarrassé de la jeune femme qu'il avait trouvée à Los Angeles.

Lorri. Perdue, volée, ou égarée.

Ou bien morte.

Jud lui avait dit qu'ils s'étaient séparés ; elle était partie, elle avait déserté, foutu le camp, elle avait fui, il l'avait bannie. Du grand drame. Une simple disparition. Au téléphone, Nick avait eu droit à une douzaine de versions différentes, mais toutes de son ami Jud : le jour où Lorri était sortie de la vie de Jud, elle était sortie de celle de Nick. Les deux seules constantes dans les histoires de Jud étaient l'absence de Lorri et sa douleur. Nick se fichait de savoir qui était la victime, qui était le méchant, et il n'était pas certain que ces rôles soient cohérents ou exempts de toute fatalité qui rendait vaines ces étiquettes.

Mon Dieu comme elle était belle.

Nick s'en souvenait... quand était-ce ?... 1978 ou 1979, avant l'époque de folie... du moins, avant qu'ils en prennent conscience. A L.A., la douce ville des anges qui vous suce l'âme.

Nick s'y était rendu en avion pour une séance de scénario. Après la première réunion, il comprit qu'aucun film ne verrait le jour, mais il joua le jeu jusqu'au bout : pour le fric, pour la carte de pointage qui lui conférait le statut de scénariste de film, pour la possibilité de se trouver à L.A. aux frais de quelqu'un d'autre. Pour la possibilité de revoir Jud, et au milieu de leur camaraderie et de leurs conneries, d'en apprendre un peu plus sur le monde obscur que personnifiait Jud. Le lustre de Hollywood aguichait Nick, avec cette possibilité de réaliser des films et d'être aimé par de jolies blondes, mais il savait qu'il ne connaîtrait ni l'un ni l'autre. Ce qui l'excitait, c'était de déambuler dans les rues de la ville, dans le sillage de Jud : une réalité électrique, non pas de celluloïde, glissant sur le fil du couteau, sans se blesser.

Jud amena Lorri à l'hôtel de Nick pour lui présenter son fameux ami écrivain. Lorri : crinière fauve, seins lourds, taille fine, hanches rondes, la peau claire et un petit sourire en coin. Elle écoutait Jud raconter des histoires que devait confirmer Nick.

Les entretiens de Nick s'achevèrent à trois heures le lendemain. Jud *réglait quelques affaires*. Lorri conduisit Nick au bord de l'océan.

— Je viens de l'endroit le plus éloigné de l'océan, dit-elle alors qu'ils sortaient d'un parking à Redondo Beach.

— Lequel ?

— Le Nebraska. (Elle gloussa.) Lorri Lane du Nebraska. Ça fait plouc. On dirait la fiancée de Superman.

— Comment as-tu rencontré Jud ?

— Je travaillais chez un coiffeur à Santa Monica. Je répondais au téléphone, je prenais les rendez-vous. A l'époque, il travaillait encore dans cette serrurerie ; et il est venu à la boutique changer les serrures...

Elle haussa les épaules.

— Il était drôle. Sympa. Pas question de lui dire non. Il m'a empêché de faire des bêtises. Je prenais pas mal de saloperies, et Jud... Il s'est occupé de moi. Il m'a sortie de là.

Lorri pencha la tête sur le côté.

— Il n'y a jamais aucun... C'est comme s'il savait toujours tout. Il n'est jamais coincé. Ni perdu.

Elle alluma une cigarette avant qu'ils n'atteignent la plage.

— N'espère pas me faire arrêter, dit-elle.

— Je ne t'ai rien demandé.

— Tant mieux. (Elle rit.) Voilà l'océan.

Des rouleaux gris-vert, seulement une poignée de gens sur le sable en cette froide après-midi de semaine.

— Jud dit qu'il est tombé amoureux de toi dès qu'il t'a vue.

— Eh ! bah... (Elle haussa les épaules.) Je suppose que j'ai eu de la chance. On s'amuse beaucoup. Il est très intelligent. Beaucoup plus fort que tous les gens que je connais... Et je ne parle pas que de ses muscles.

— Je sais.

— Il a vraiment fait toutes ces choses ? demanda-t-elle.

— Quelles choses ?

— Allez, je ne te cafterai pas. (Elle laissa Nick se débattre avec la réponse, avant de rire.) Laisse tomber. C'est ton copain, pas vrai ? Il dit que tu le comprends mieux que tout le monde à part moi, c'est chouette, je trouve, parce que moi, je comprends rien à ces histoires de Washington.

— Comme la plupart des gens.

— Hé ! pas la peine de me faire de la lèche, dit-elle. Je suis allée qu'au lycée, mais je suis pas stupide à ce point.

— Qui a dit que tu étais stupide ?

— Certains le pensent.

— Ils ont tort.

— Ouais ! (Elle sourit à l'océan.) Je débarque du Nebraska, pas vrai ?

— Pourquoi ici ?

— Il y a la mer. (Elle perdit son sourire.) Y a plus de chances de devenir quelqu'un ici. Dans le Nebraska, vous êtes sûr d'être personne. Rien du tout. Ou seulement ce qu'ils veulent bien que vous soyez.

— Qui voudrais-tu être ?

Elle rit.

— Comment je pourrais le savoir ?

Il rit avec elle. Ils s'approchèrent de l'eau.

326

— Les gens chez moi me trouvaient jolie.

— Tu l'es.

— Ouais ! la belle affaire. Et je me retrouve ici. Je voulais... (Elle incline la tête, avec un grand sourire, faisant semblant de photographier Nick avec un appareil imaginaire.) Des photos, tu vois ? A Hollywood.

Elle contempla la mer.

— En voyant le smog, j'ai compris que je trouverais jamais les portes. Et je saurais pas quoi faire, même si j'arrivais à entrer. A part ça, c'étaient les mêmes propositions que dans le Nebraska. C'étaient les mêmes types, sauf qu'ils ne conduisaient pas des pick-up et ne portaient pas de casquettes. Mais ici, il fait plus beau, et il y a l'océan.

— Et ensuite, tu as rencontré Jud.

— Ouais ! dit-elle avec un sourire. J'ai rencontré Jud... Hé ! s'exclama-t-elle en sortant un Polaroïd de son sac. Je suis à Hollywood ! Prends-moi en photo !

Le soir précédent, elle avait photographié Jud et Nick ; deux copains assis côte à côte sur un canapé rouge.

Nick prit l'appareil. L'espace d'un instant, ils faisaient l'histoire, de l'art, ou du moins du divertissement. Des professionnels du cinéma. Il se campa sur ses deux pieds. Elle tournoya sur le sable, entre lui et la mer, ses cheveux auburn flottant comme des vagues, en adressant un sourire à l'œil noir magique : ni provocant, ni sarcastique, ni sournois, ou d'une perfection froide. Le visage d'une jolie fille qui n'avait pas été portée par cet océan.

Clic.

Une minute plus tard, l'appareil cracha une photo encore chaude.

— Superbe, dit-il.

— Qu'est-ce qu'on en fait ? demanda-t-elle en regardant Nick.

— Donne-la à Jud. Fais-lui la surprise.

— D'accord, dit-elle après une brève hésitation. Ça lui plaira.

Des années plus tard, assis dans son bureau de Washington, Nick se demandait : *Que sont devenues ces photos ?*

Et Lorri ?

Quand votre vie se brise, vous revenez en titubant là où tout a commencé, vous appelez ça votre maison, ou n'importe quoi ; si vous pouvez y retourner, vous retrouvez l'endroit où vous étiez encore sain et sauf.

Le Nebraska.

Nick prit un atlas sur l'étagère, l'ouvrit à la carte de la double page centrale. L'Etat était blanc, avec des routes rouges, vertes et noires, et un millier de villes.

Alors il *se souvint* : une nuit. Jud et l'appartement de Lorri à L.A. Jud était absent. Nick donnait un coup de main à Lorri dans son nouveau boulot, traînant dans le salon une housse à vêtements, ouvrant la fermeture Eclair pour compter et mettre en liasse sept cent cinquante mille dollars en billets de cinquante et de cent, et fourrer les petites coupures dans le tiroir de la cuisine. Ils avaient fumé un joint, ce qui les obligeait à recommencer sans cesse leurs calculs. En riant, elle lui dit qu'elle venait de...

« ... Un trou paumé tellement au sud de Lincoln que c'est presque dans le Kansas. »

Elle lui dit le nom, et lui, complètement défoncé, il poussa un cri, et il lui dit qu'un écrivain portait le même nom.

Lequel ?

Dans son bureau, Nick posa le doigt sur la capitale de l'Etat du Nebraska et parcourut l'espace blanc en dessous, les minuscules cercles nommés Crete, Cortland, Tecumseh...

Conrad.

L'opératrice lui apprit qu'il y avait trois Lane sur

la liste des abonnées de Conrad : Byron, Mary et Jack. Pas de Lorri. Pas de L.

Nick consulta sa montre : midi dans le Nebraska.

Le téléphone de Mary sonnait occupé. Personne chez Byron. Chez Jack, un homme répondit « Ouais ? » après la troisième sonnerie. Nick entendit des enfants hurler en arrière-plan, une femme qui criait, une télévision.

— C'est un appel longue distance, dit Nick. Alors prenez-moi au sérieux, aidez-moi. Je cherche une amie, Lorri Lane. Elle habitait autrefois à Conrad.

— Si c'est pour lui réclamer de l'argent, vous tombez mal, et moi je paye plus ses factures.

Famille nombreuse, lui avait dit un jour Lorri. *Que des garçons. Mes oncles et mes frères me cognaient parfois. Rien d'exceptionnel.*

— Elle ne me doit rien, répondit Nick. Je veux juste lui parler. Pouvez-vous me dire où elle est ?

— Elle est ici.

— Elle vit chez vous ?

— Hé ! j'suis pas idiot à ce point, mon gars... *Fermez-la où je vous en colle une !...* Faites pas attention, c'cst lcs gosses. Vous comprenez.

— Oui, répondit Nick, imaginant la scène qu'il ne pouvait voir. Où est Lorri ?

— Elle habite dans la caravane de cet abruti de Jensen à l'est de la ville. Nuit et jour, si vous voulez la voir, elle est là, mais maintenant il n'y a plus de queue devant sa porte.

— A-t-elle le téléphone ?

— Et comment y feraient à la sécu sinon, avant de lui envoyer ses allocations. D'ailleurs, faut qu'elle appelle chez Grearson pour qu'ils lui livrent des macaronis et du vin... *Je vous ai dit de la fermer !*

A l'autre bout du fil, Nick entendit claquer une gifle, les cris d'un jeune garçon se transformèrent en gémissements qui quittèrent rapidement la pièce.

— Ecoutez, j'ai pas qu'ça à faire. Vous voulez son numéro ?

Il débita quatre chiffres, à Conrad, inutile de composer l'indicatif.

Il fallut quinze minutes à Nick pour composer les onze chiffres sur son téléphone. Il fallut six sonneries pour qu'elle réponde.

— Allô !

C'était une voix de femme rauque, timide.

— Lorri ? C'est Nick.

— Allô !

A l'arrière-plan, le son d'une télévision s'atténua.

— Nick Kelley. L'écrivain de Washington. Tu te souviens ?

— Oooh ! (Voix douce. Heureuse.) Nick ! Nick ! Oui, je me souviens ! Comment ça va ? Tu es ici ? Tu vas venir me voir ? Qu'est-ce... *Il t'a dit ?* hurla-t-elle. Il sait où je suis ? Il t'a dit ? Qu'est-ce qu'il veut ? Je suis pas là ! Je ne...

— Personne ne m'a rien dit ! hurla Nick pour couvrir sa panique. Personne. C'est toi. Je me suis souvenu de ce que tu m'avais dit sur le Nebraska, Conrad, l'océan.

— L'océan... dit-elle, plus calme soudain. Oui, je m'en souviens maintenant. Mais il sait pas où je suis, hein ?

Plus calme, plus froide.

— Je l'ignore.

— Parfait, dit-elle. Parfait. Je crois pas. Parfait.

Nick perçut le frottement d'une allumette, le soupir d'une cigarette qu'on allume.

— Alors... Comment vas-tu ? demanda-t-il.

— Ça va.

— Je... je suis marié, avoua-t-il. J'ai un enfant, un garçon.

— Un enfant, chuchota-t-elle. Un enfant.

— Je suis au courant pour... le divorce.

— Je reviendrai pas, je veux pas, je peux pas, psalmodia-t-elle. *Non.*

— Personne ne t'y oblige.

— Tu diras rien à personne, hein ?

— Non, promit Nick. Non.

— Pourquoi... pourquoi tu m'appelles ? Je... je te manque ?

— Je n'ai pas oublié les bons moments, dit-il.

— Il y en a eu ? répondit-elle en riant.

— De quoi vis-tu ?

— Oh ! tu sais. (Il l'entendit déglutir.) Après avoir quitté ma dernière place, je... je me suis retrouvée ici. (Elle rit.) Je connaissais le chemin. Je connaissais les règles... Y a eu ce type... d'autres gars d'abord, mais après y a eu Paul, Paul Jensen... Cette caravane est à lui, il... on... Oh ! à quoi bon, hein ? Ça n'a pas marché non plus.

Son rire se transforma en toux, en étranglement.

— Ne t'inquiète pas, dit-elle d'une voix haletante. Si tu signes assez de paperasses disant que t'es malade, ils t'envoient de l'argent. Tant que tu vas pas mieux, tout va bien... Attends une minute...

Elle posa le combiné sur une table.

Nick entendit ses pas s'éloigner, puis revenir. Quelque chose cogna sur le bois à côté de l'appareil dans le Nebraska. Il entendit un bruit sec de plastique, puis un liquide qui gicle. Il vit son reflet dans la fenêtre de son bureau et il eut envie de vomir.

— Me revoilà, dit Lorri. (Nouveau frottement d'allumette, nouvelle inspiration.) Encore un gars qui faisait le Casper. Tu te souviens ? Jud appelait ça faire le Casper à cause du dessin animé, avec le fantôme sympa qui s'appelait...

— Je m'en souviens, dit Nick.

— Tant que je pense à mettre un peu de fric de côté pour le téléphone, je suis pas obligée de sortir. J'ai un toit. Je connais les règles.

— Tant mieux, Lorri.

— Pourquoi t'as appelé, Nick ? On n'a pas pu aller à ton mariage.

— Je suis à la recherche de Jud. Je pensais...

— *Je sais pas où il est !* Je t'ai dit que j'en savais rien et je veux pas savoir où il est, ni qui il est ! Les aiguilles, les draps mouillés, les électrochocs... rien m'obligera à savoir quoi que ce soit ! Me dis rien ! Lui dis rien ! *Et d'abord qui tu es, hein ?* D'abord ?

— Lorri, si Jud appelle...

— Non, empêche-le ! Empêche-le de venir me chercher !

— Il ne viendra pas te chercher, Lorri. Tu sais bien qu'il ne te fera pas de mal.

— Qui fait du mal à qui ? Hein ? Comment ça se passe ?

— Lorri, je ne crois pas qu'il viendra. Mais il pourrait t'appeler bientôt. S'il t'appelle, je veux que tu me promettes quelque chose.

— Non ! S'il appelle, il... Une promesse ?

— Je t'en prie, c'est important.

— Tu as toujours été important, Nick. Et tu étais réel.

— S'il appelle, si tu l'as au téléphone, promets-moi de lui dire qu'il faut que je lui parle. Je t'en prie, Lorri, promets-le moi.

— Promettre ? (Il entendit son rire, il entendit ses sanglots.) Te le promettre, Nick ? Ouais, d'accord, je te le promets.

— Merci ! Merci, je... Lorri ?

— Hmm ?

— Est-ce que... Tu as besoin.. Puis-je faire quelque chose pour toi ?

— Quelque chose pour moi ?

Sa voix se perdit dans le silence. Un long moment s'écoula. Il l'entendit tirer sur sa cigarette, le bruit d'un cendrier. Puis elle dit :

— Non, Nick, tu peux rien faire pour moi.

Danse avec un ange

Un seul coup d'œil à la maison, et Wes sut qu'il était au bon endroit.

C'était une de ces dizaines de milliers de maisons ordinaires dans un quartier de Los Angeles connu pour ses maisons ordinaires. Le toit était d'un noir délavé, les murs blancs s'écaillaient. Des plaques d'herbe jaunie et de terre compacte composaient le jardin de devant. Une allée longeait un des côtés de la maison. Sur l'arrière, devant le garage ouvert, un homme vêtu d'un pantalon et d'une chemise en jean bricolait une moto.

Dean Jacobsen, songea Wes. *Nick Kelley ne t'a pas appelé parce que tu es un nabab du cinéma ou un éditeur.*

Malgré l'excitation, Wes ne put réprimer un bâillement. Beth l'avait embrassé deux fois en le déposant à l'aéroport Dulles de Washington.

Une fois pour la chance, une fois pour moi, avait-elle dit, avant d'éclater de rire et de repartir avec sa voiture.

Wes avait dormi de façon intermittente dans l'avion qui l'emportait vers l'ouest à travers la nuit. Il avait fait des rêves chauds remplis de lumière jaune. A L.A., il avait loué une voiture et roulé dans des rues qu'il avait l'impression d'avoir quittées des années auparavant, alors que c'était il y a moins de deux jours.

A.B., songea-t-il. *Avant Beth.*

Quand Wes se gara de l'autre côté de la rue, en face de la maison, l'homme continua à bricoler sa moto. Il ne ressemblait pas aux photos de Jud Stuart.

Une goutte de pluie s'écrasa sur le pare-brise de Wes. Des nuages gris filaient dans le ciel, absorbant le smog de la ville. Une bourrasque glacée secoua la voiture. Wes songea à enfiler son imperméable, mais finalement, il le laissa sur le siège arrière et descendit de voiture.

On ne distinguait personne derrière les fenêtres de la maison.

Dans le vent, Wes perçut le babillage des programmes de la télé. Une fillette sur un tricycle pédalait sur le trottoir, elle fit tinter la sonnette fixée sur son guidon.

Wes traversa la rue, remonta l'allée.

— Excusez-moi ! lança-t-il à l'homme qui bricolait la moto. Etes-vous monsieur Dean Jacobsen ?

— Et vous, qui vous êtes ?

Il était aussi grand que Wes, et plus large de carrure. Avec des cheveux blond filasse. Il tenait une clé à molette.

— Je suis avocat, répondit Wes. Etes-vous Dean Jacobsen ?

— Pourquoi ?

— Rassurez-vous, je ne viens pas pour vous.

Les yeux vifs de l'homme balayèrent l'allée.

— Apparemment, y a que nous deux par ici. (Il eut un grand sourire pincé.) O.K., c'est bien moi.

Il ne posa pas la clé.

— Je suis avoué.

Wes tendit sa carte plastifiée de l'Association du Barreau américain. La carte confirmait simplement qu'il en était membre. Pendant que Dean y jetait un œil, Wes ajouta :

— J'ai une bonne nouvelle.

— Les avocats n'ont jamais de bonnes nouvelles.

Une femme souleva une fenêtre dans la maison voisine. Ils la regardèrent. Elle referma sa fenêtre et baissa le store.

— Un de vos amis vient d'hériter, dit Wes. Malheureusement, nous avons du mal à le localiser, nous pensions que vous sauriez peut-être où le trouver.

— Qu'est-ce qui vous fait croire que j'ai un ami ?

— Mon collègue a eu votre nom par quelqu'un qui vous connaît tous les deux. Je crois qu'il s'agit d'une femme.

— Faut se méfier de ce que racontent les femmes, répondit Dean. D'où vous êtes ?

— Pennsylvanie.

Wes possédait une carte du Barreau de cet Etat qui ne précisait pas l'endroit où il travaillait.

— Qui est ce soi-disant ami ?

— Un certain Jud Stuart.

— Oh !

Une goutte de pluie glacée frappa la chemise de Wes. Le ciel au-dessus du garage bouillonnait de nuages gris prêts à éclater.

— Il faut juste que je lui parle, dit Wes. Pour le mettre au courant de l'héritage, et régler quelques détails.

— Qui est mort ?

— Je regrette, cela est confidentiel.

Dean rit. Il jeta la clé dans une boîte à outils.

— Vous êtes un type chanceux et malin, Wesley, dit-il avec un grand sourire.

Il observa le voisinage ; la maison où la femme avait baissé son store. Le vent faisait voler des détritus dans son garage. Sur le trottoir d'en face résonna la sonnette d'un tricycle.

— Pourquoi ça ? demanda Wes.

— Vous êtes malin, car comme vous l'avez dit, Jud est mon ami. Et chanceux, car je dois justement aller le voir. Maintenant.

Ne le laisse pas filer ! se dit Wes.

— Je vous accompagne, dit-il. Ça évitera des tracas-
series à tout le monde. Je vais lui annoncer la bonne
nouvelle.

Dean sourit.

— Comme vous voulez.

— On prend ma voiture, dit Wes.

— Je vais chercher mon manteau.

Un coupe-vent bordeaux était suspendu à la clôture.
Wes le désigna du doigt.

— Et ça, c'est quoi ?

— Oh ! fit Dean en secouant la tête. Comment ai-
je pu l'oublier ?

Dean enfila son blouson et rangea la boîte à outils
dans le garage. Il abaissa la lourde porte d'une seule
main.

— Allons faire un tour en voiture, dit Dean.

Sur l'autoroute, Wes demanda :

— Où va-t-on ?

— Suffisamment loin.

D'une autoroute à une autre. Le trafic était fluide.

— Où va-t-on ? répéta Wes.

— Dans un endroit public. Un endroit sûr. Jud est
un homme prudent.

— Pour moi, il n'est qu'un nom. Parlez-moi de lui.

— C'est un homme, chuchota Dean. C'est le *meilleur*. D'autres affirment qu'il *est,* tout simplement. Il
sait.

— Que sait-il ?

— Le grand secret.

Dean sourit.

— C'est-à-dire ? demanda Wes, le cœur battant.

Les yeux noirs de Dean se détachèrent du pare-brise,
le feu dansait dans ses prunelles lorsqu'ils se posèrent
sur Wes.

— Tout le monde meurt, murmura Dean.

Les voitures les dépassaient à toute allure. La pluie

336

constellait le pare-brise. La vitesse aspirait les gouttes d'eau vers le haut.

— Prenez cette sortie, dit Dean.

Le panneau indiquait Barham Boulevard. Des maisons s'accrochaient aux collines au bord de l'autoroute. Une grande tour noire perçait les nuages. Des routes et des maisons disparaissaient dans la brume.

— Dans le temps, je parlais pas autant, dit Dean.

Un fossé bétonné longeait la route. Au-delà se dressaient des bâtiments ocres en forme de hangar. D'immenses affiches de films étaient perchées sur ces toits plats. Une herbe humide vert émeraude recouvrait les collines sur leur droite.

— Comment avez-vous connu Jud ? demanda Wes.

— Des gens nous ont mis en contact. (Dean sourit.) Il m'a frappé un jour. Dans son vieil appart près de la plage. J'avais trahi sa confiance. Je savais pas qui il était vraiment. Il m'a fait descendre dans le garage. C'était comme danser avec un ange. Après, j'ai su.

— Que c'était le meilleur, dit Wes.

Dean haussa les épaules.

— Faut bien que quelqu'un le soit.

— Quel genre d'homme ?

— Si vous posez cette question, vous pouvez pas savoir.

Je ne veux pas savoir. Wes craignait d'avoir traversé tout le pays uniquement pour rouler sans but sur une fausse piste. Ils passèrent devant le cimetière de Forest Lawn, avec ses mausolées de pierre blanche.

— Qu'est-ce qu'il faisait à l'époque ? interrogea Wes.

— Tournez à droite, ordonna Dean en désignant l'entrée d'un parc.

La route pavée montait et descendait dans le parc comme des montagnes russes. Ils passèrent devant des emplacements pour pique-niquer avec des barbecues. Wes aperçut cinq types qui chevauchaient au milieu

337

des arbres. L'homme de tête portait un ciré jaune et un chapeau de cow-boy.

Dean ricana.

— Voilà la cavalerie.

Un kilomètre et demi plus loin, ils atteignirent un champ grillagé avec un bâtiment de deux niveaux tout au fond. Des centaines de balles blanches parsemaient le terrain derrière le grillage. Au moment où ils passaient devant le parking, quatre Japonais vêtus de tenues bigarrées et coiffés de casquettes blanches déchargeaient des sacs de golf d'une Toyota.

— Je n'ai plus beaucoup de temps, dit Wes.

— On y est presque, répondit Dean. Prenez par là.

Une rue résidentielle. Ils tournèrent à droite ; la route grimpait au milieu des élégantes demeures de style espagnol et Tudor. Un jardinier mexicain qui tondait la pelouse les regarda disparaître dans le brouillard.

— C'est l'endroit idéal, commenta Dean lorsqu'ils arrivèrent au sommet de la colline.

Les arbres verts s'arrêtaient à cet endroit. Un immense parking s'étendait sur leur droite. Sur leur gauche, sur une crête, se dressait un château.

Pas exactement un château. Une construction de pierre grise avec une double porte en cuivre, des vitraux, un gigantesque dôme de cuivre vert qui coiffait la tour centrale et des dômes en cuivre plus petits à chaque extrémité.

— Quel est cet édifice ? demanda Wes.

— L'Observatoire Griffith.

— Jud est *ici* ?

— C'est l'endroit idéal, répéta Dean. Vous verrez. On y est.

Un car scolaire orange était le seul autre véhicule sur le parking. Au moment où Wes se garait, la porte du car s'ouvrit et une trentaine d'adolescents jaillirent dans le froid.

— Un jour comme aujourd'hui, commenta Dean, je pensais qu'on serait seuls ici.

— Où est-il ?

— Quelque part derrière. En train de guetter pour s'assurer que c'est bien moi et que tout va bien. Quand il aura vérifié, on le verra apparaître.

— J'espère, dit Wes. Où est sa voiture ?

— Aucune idée.

Alors qu'ils traversaient la pelouse, Wes remarqua que Dean boitait. Dean vit le regard de Wes.

— Il y a longtemps, expliqua-t-il, j'ai eu un accident de moto. Avec ce temps orageux, ma jambe se raidit et je souffre.

Deux adolescentes les dépassèrent en courant, puis s'arrêtèrent un peu plus loin.

— O.K., dit la boulotte, et maintenant ?

Sa copine était mignonne, avec des cheveux châtains.

— Tu restes là, tu vois, et moi je me mets comme ça... (Elle tourna le dos aux collines, se déhancha et leva la main droite à hauteur d'épaule, paume vers le ciel.) Tu me prends en photo et on aura l'impression que je tiens la pancarte dans le creux de la main.

Derrière sa main, dans les collines, se dressaient les gigantesques lettres blanches : HOLLYWOOD.

— Venez, dit Dean, on va faire le tour par la droite.

Côte à côte, ils suivirent l'allée de béton rouge qui longeait le mur blanc de l'Observatoire.

— Où est-il ?

— Un peu plus loin.

L'allée suivait la courbe du dôme central. Un parapet de pierre blanche à mi-hauteur surplombait la ville. L'Observatoire trônait sur la crête d'une colline ; l'allée dominait la cime des arbres. Dean fit courir sa main sur un télescope à pièces en cuivre.

— Sacrée vue, hein ? dit-il.

Au-delà du parapet, sous un brouillard gris et froid, s'étendait à l'infini un échiquier urbain. Dean vint se placer devant Wes et désigna un immeuble au loin dont le sommet se perdait dans la brume.

— Dans le temps, ils construisaient pas des grands immeubles comme ça à cause des tremblements de terre, dit-il.

Wes tourna la tête vers le gratte-ciel.

Dean enfonça son poing dans l'estomac de l'avocat.

Wes en eut le souffle coupé. Il recula en titubant, alors qu'un second coup de poing lui défonçait la poitrine. L'esprit en feu, il s'effondra dans les bras de Dean.

L'espace d'un instant, Wes perdit toute notion. Il retrouva ses esprits en même temps que son souffle. Les mains de Dean s'étaient glissées sous sa veste et remontaient le long de ses côtes, dans son dos.

Il cherche mon arme, songea le Marine.

Dean avait coincé sa proie contre le parapet. Wes le repoussa de toutes ses forces, avec un coup d'épaule dans le torse de son agresseur, le projetant contre le mur de pierre arrondi.

Mais Dean rebondit contre les pierres, en jouant des poings. Une fois, deux fois, trois fois, ses coups atteignirent leur cible, ses bras simiesques et ses mains énormes lui permettaient de rester hors d'atteinte du Marine. Dean passa aux enchaînements, double direct dans les côtes, puis de nouveau au visage.

Une fureur primitive que n'avait pas éprouvée Wes depuis une dizaine d'années le submergea. Il chargea à travers un barrage de coups de poing.

Les deux hommes s'agrippèrent, tournoyant, rebondissant contre le dôme, contre le parapet. La ville tourbillonnait autour d'eux. Dean saisit la cravate de Wes ; Wes enfonça son coude dans le visage de Dean. Dean plaqua violemment Wes contre un pilier ; Wes fit pivoter un télescope dans la tête de son adversaire, puis enchaîna par un coup de pied dans sa jambe d'appui, et remonta son genoux en visant le bas-ventre.

Manqué. Dean s'empara de la cuisse levée de Wes. Il le souleva de terre et l'allongea en travers du parapet de pierre large d'une trentaine de centimètres.

Le monde se renversa ; Wes avait la tête et les épaules dans le vide. Il noua ses jambes autour de Dean et serra, pour s'accrocher, tout en essayant de saisir les poings qui le rouaient de coups. Et tentaient de le faire basculer.

Dans le vide.

— Tu cherches le Meilleur ! hurla Dean. Tu vas l'attendre en enfer !

Dean martela de coups de poing l'estomac de Wes... ses cuisses... Il lui écarta les jambes.

Et il le balança par-dessus le parapet de l'Observatoire Griffith.

Wes tomba d'une hauteur de huit, dix mètres. Il traversa les branches d'un sapin, retomba dans un buisson touffu. Et s'écrasa au sol.

Le soleil de l'après-midi filtrait par les fenêtres du salon d'une maison ordinaire dans un quartier de Los Angeles connu pour ses maisons ordinaires. Les murs du salon étaient nus, la peinture jaune s'écaillait. Un canapé miteux occupait tout un mur. A l'autre bout de la pièce trônait un téléviseur couleur. Des journaux et des magazines étaient éparpillés sur le plancher. Une chaussette rouge roulée en boule traînait dans l'entrée conduisant à la chambre et à la salle de bains. Une mouche bourdonnait dans la cuisine ; elle se tut.

— Police ! hurla une voix dans l'allée.

La porte d'entrée s'ouvrit avec fracas.

Le premier homme se rua à l'intérieur, plié en deux, tenant son arme à deux mains. D'un bond il s'écarta de la porte, se plaqua contre le mur, pointant son pistolet sur tout ce qui bougeait. Il avait une barbe, des cheveux longs et portait un blouson en nylon avec la mention L.A.P.D.

Le second homme fit irruption, arme au poing,

341

courut vers la porte de la cuisine et se plaqua contre le mur, juste au coin. Le troisième homme fit la même chose dans le couloir menant à la salle de bains et à la chambre.

Le quatrième homme à franchir la porte fut l'inspecteur Rawlins de la brigade criminelle de L.A. Le flic noir avait sorti son 9 mm, son visage était tendu.

Deux autres flics en blouson entrèrent précipitamment derrière Rawlins. Le premier pointa son arme vers la cuisine, le second la braqua en direction de la chambre.

Le flic barbu qui avait fait irruption le premier dans la maison, murmura : *Go !*

Il bondit dans la chambre. Rawlins ouvrit la porte de la salle de bains d'un coup de pied. Un troisième flic inspecta la cuisine.

Une minute plus tard, le barbu s'écria :

— Personne !

Un des flics transmit l'information dans son talkie-walkie.

— Personne non plus dans le garage, annonça-t-il à ses collègues dans la pièce.

— Laissez-le entrer, dit Rawlins en rengainant son arme.

Le flic barbu émergea de la chambre, haletant et pâle, le visage en sueur.

Wes entra dans la maison d'un pas traînant.

Son beau visage était un horrible arc-en-ciel, mélange de noir, de bleu, d'éraflures rouges, d'antiseptique orange sous les pansements de premiers secours autour de son front, sa joue, sa mâchoire. Sa vieille cicatrice au menton était un trait noir sur sa peau pâle. Incapable de se tenir droit, il faisait porter tout son poids sur sa jambe gauche. Il avait du mal à respirer. Sa cravate avait disparu. Ses vêtements étaient maculés de terre et déchirés.

Après sa chute, il était resté inconscient pendant cinq minutes, lui sembla-t-il. Les élancements dans son crâne l'avaient réveillé. Il était couché à plat ventre dans un buisson écrasé. Il s'était relevé à genoux, et avait vomi. Avant de lever les yeux.

Le parapet était désert.

Il mit vingt minutes pour remonter la pente de la colline en rampant et en titubant, jusque derrière l'Observatoire.

Sa voiture de location n'était plus sur le parking.

A l'Observatoire, il supplia la femme qui tenait la boutique de souvenirs d'appeler l'inspecteur Rawlins de la criminelle de L.A. plutôt qu'une ambulance. Avec l'aide d'un vieil homme en costume gris et fine cravate noire, elle le nettoya avec des serviettes trouvées dans les toilettes.

Il leur expliqua qu'il était tombé en voulant admirer le paysage.

La femme et le vieil homme chuchotèrent quelques mots où il était question de suicide.

Rawlins le conduisit à l'hôpital. Wes le convainquit de l'aider, mais trois heures déjà s'étaient écoulées entre le moment où Dean l'avait agressé et celui où le flic barbu avait enfoncé la porte de cette maison ordinaire.

— Vous êtes sûr que c'est la bonne maison ? demanda Rawlins tandis que Wes regardait autour de lui.

— Ma voiture est garée devant, marmonna ce dernier. Fracturée.

Dieu soit loué, j'ai laissé tous mes dossiers à Washington, et les photos de Jud dans ma poche de veste, songea Wes. Après avoir fouillé sa voiture, Dean n'en savait pas plus que ce que lui avait dit Wes. Même le contrat de location du véhicule était en sécurité dans sa veste.

— Qui est ce type ? demanda le flic barbu. Y a des saloperies dans la baignoire. De la bière dans le frigo, du pain moisi, des mouches sur des boîtes de sardines dans la cuisine. Des draps sales et des vieilles fringues,

343

des outils, des cartouches, des bouquins de cul pour détraqués. Putain, même les clodos ont plus de merdes dans leurs caddies !

Il balança un coup de pied dans la télé. Elle se mit en marche à plein volume, les faisant sursauter.

— La moto a disparu, dit Wes. Avec tout ce qu'il possédait, deux ou trois sacs, toujours prêts.

— Vous en faites pas, dit le flic barbu. On va lancer un avis de recherche sur ce salopard. Agression sur un représentant des forces de l'ordre. Tous les flics à l'ouest du Mississippi voudront coincer ce fils de pute.

— Non, répondit Wes.

Le flic barbu haussa les sourcils.

— Quoi ?

— Pas d'avis de recherche. Pas de mandat, rien. On l'a loupé ici, on ne peut pas mettre tout le monde sur les rangs.

— Et pourquoi pas ? répliqua le flic barbu.

— Merci pour votre aide, mais...

— Allez vous faire foutre, mec ! s'écria le barbu. (Un de ses collègues le retint par le bras.) J'ai défoncé une putain de porte pour vous ! Bon Dieu de merde, un flic se fait amocher par une espèce de dingue ! Faut se le faire ! Je me contrefous de toutes ces histoires de procédure à la con : faut défoncer la porte ! Vous croyez peut-être que ce gilet arrêterait une balle de fusil de chasse ? Un AK-47 ? Hé ! j'ai pas de gilet sur la gueule et je suis entré par cette putain de porte ! Et maintenant, vous me demandez de laisser tomber ? Hé ! allez vous faire voir, mec, vous et vos saloperies de magouilles fédérales à la con !

Le flic barbu se retourna vivement vers Rawlins.

— Vous avez une sacrée dette envers moi et mes gars !

Il reporta son regard sur Wes et cracha :

— Et vous, agent fédéral de mes deux, je vous conseille de plus jamais vous trouver dans mes pattes !

Le flic barbu précéda ses hommes vers la sortie. Wes entendit leurs voitures repartir en vrombissant dans un crissement de pneus.

La porte défoncée claqua dans le vent.

Rawlins arracha le filtre de sa cigarette et le lança vers la chambre. Il l'alluma et laissa tomber l'allumette sur le plancher. A la télé passait une pub pour un laxatif. Le flic de la criminelle inspira une longue bouffée, recracha la fumée et dit :

— Je pense que Jesse a parfaitement résumé la situation.

— Je n'avais pas les idées claires, dit Wes. Quand j'ai réclamé la cavalerie, j'ai peut-être outrepassé mes compétences.

— En tout cas, vous n'avez pas outrepassé vos conneries.

— J'ai besoin de votre aide.

— Va falloir que je rende des comptes pour tout ce raffut que vous avez déclenché.

— Je sais que...

— Vous savez que dalle. Vous avez des côtes enfoncées à droite, une côte fêlée à gauche. Votre tibia gauche est certainement cassé. Vous tenez à peine debout. Votre commotion n'est pas bénigne, elle devrait être fatale. Vous avez les boyaux dans tous les sens, le cerveau en bouillie et vous en semez partout sur mon territoire.

— Ce n'était pas mon jour de chance, répondit Wes.

— Ça ne risque pas de s'arranger. Je n'ai pas besoin de votre permission pour lancer un avis de recherche concernant cet enfoiré.

— Ne faites pas ça.

Wes chancela. Le feuilleton de la télé comportait une scène d'amour montée avec talent.

— Mais vous savez pourquoi je ne le ferai pas ? dit enfin Rawlins. Je m'enfoncerais davantage dans vos histoires à la con, et je n'ai qu'une envie, vous voir foutre le camp. Il y a un vol de nuit pour Washington. Vous allez le prendre.

— J'ai besoin de votre aide.

— Vous l'avez eue.

— Non... autre chose. Une simple recherche. On peut aller à votre bureau. Et ensuite, vous m'accompagnerez jusqu'à l'aéroport.

Rawlins tira sur sa cigarette.

— Sinon, je suis obligé de rester, dit Wes.

Le flic de la criminelle regarda l'homme blessé vaciller devant lui. D'une pichenette, il balança sa cigarette sur le plancher, et l'écrasa avec le bout de sa chaussure noire.

— Eteignez cette télé, dit-il.

L'avion déposa Wes à l'aéroport de Washington à vingt-deux heures. Une hôtesse inquiète l'aida à descendre la passerelle et resta assise à ses côtés dans le car qui conduisait les passagers de l'avion au terminal.

Noah Hall l'attendait derrière le détecteur de métal, un imperméable beige bon marché jeté sur l'épaule, un attaché-case à la main. L'adjoint du directeur de la CIA fronça les sourcils en voyant Wes avancer d'un pas traînant au milieu de la foule des passagers et des amis venus les accueillir.

— Où est le directeur ? demanda Wes. Au téléphone, j'ai dit que je voulais voir Denton dès mon arrivée.

— Dans ce cas, trouvez un avion pour la France, répondit Noah. Il est en visite secrète prolongée. Venez.

Le bull-dog conduisit Wes vers une rangée de sièges en plastique à l'autre bout du terminal au plafond haut et aux murs de verre fumé.

Wes se laissa tomber dans le fauteuil du bout. Noah s'assit à ses côtés. Il posa l'attaché-case sur le sol dallé entre leurs jambes. De la musique en conserve flottait dans l'aéroport. Dans un coin, un type de l'entretien nettoyait le sol gris à l'eau savonneuse citronnée. Les haut-parleurs annoncèrent l'arrivée d'un vol en provenance de Hawaï.

— J'ai passé toute cette foutue journée à éteindre les putains d'incendie que vous avez allumés à L.A., dit Noah d'un ton mordant. La prochaine fois, je vous balance dans les flammes.

— Il faut que je parle au directeur Denton, marmonna Wes.

— Il faut surtout que vous fassiez votre boulot... qui n'est pas de nous causer des emmerdes.

— Je n'ai pas provoqué les ennuis, je les ai trouvés, répondit Wes.

— Qu'avez-vous découvert sur ce Jud Stuart ?

— C'est quelqu'un. Et nous ne sommes pas les seuls à nous intéresser à toute cette merde.

— C'est *tout* ?

— J'ai besoin d'aide, dit Wes. Vous vous débrouillez pour étouffer le coup, mais il me faut davantage de pouvoirs officiels, et des hommes, des...

— Je vous ai donné Jack Berns. Arrangez-vous avec lui.

— Qu'il aille se faire foutre ! Vous ne m'avez pas donné Berns, vous m'avez donné à lui.

— Je vous ai donné tout ce que vous aurez. Votre seule raison d'exister c'est de tenir tous les gratte-papier, les cinglés du formulaire et les maniaques du rapport à l'écart des affaires du boss.

... Qu'est-ce qui vous arrive, Wes ? La vie devient trop dure pour vous ? Vous revenez à Washington en rampant auprès de Maman et de Noah pour qu'ils sèchent vos larmes ?

Wes avait envie de le frapper, et Noah le savait.

— Nous qui pensions avoir engagé un type capable, reprit Noah. Avec des tripes et de la matière grise, et les épaules assez larges pour assumer ses actes.

— Jusqu'à présent, dit Wes d'une voix sifflante, j'ai découvert des embrouilles au Pentagone, un lien très mince avec la Maison Blanche, et les dossiers de renseignements de la police de L.A. concernant un dingue très proche de Jud, et qui pourrait servir de porte-flingue pour des trafiquants de drogue et la pègre...

— La ferme ! s'exclama Noah. Epargnez-nous toutes les merdes dans lesquelles vous mettez les pieds ! Découvrez quel est le lien entre Jud Stuart et notre programme, réglez le problème, et faites votre rapport seulement une fois que tout sera terminé. Si on veut en savoir plus, on vous le demandera.

Trois hôtesses japonaises passèrent devant les « gaijin » en poussant leurs chariots à bagages. Elles gloussèrent. L'une d'elles regarda Wes, cligna des paupières. Et s'éloigna rapidement.

— Je vous prenais pour un type bien, dit Noah. Intelligent et ambitieux. Qui en avait marre d'être gratte-papier. Le boss croit que vous avez accepté parce que le devoir vous l'ordonnait. La bannière étoilée pour toujours, ce genre de conneries. Mais quand ça commence à chier, que fait notre Marine ?

Les haut-parleurs annoncèrent un vol à destination de San Francisco.

— J'ai besoin de soutien, dit Wes. D'une manière ou d'une autre.

— Il y a cent mille dollars supplémentaires dans cette mallette, répondit Noah.

Wes regarda l'attaché-case posé entre eux.

— L'argent, ajouta Noah. Le grand remède. La combinaison de la serrure est à votre nom. Wes. C'est suffisant pour obtenir ce dont vous avez besoin, et vous n'aurez rien d'autre.

Deux autres avions au départ furent annoncés.

— Ça risque de devenir encore plus délicat, dit Wes.

— Faites en sorte qu'il n'y ait pas d'éclaboussures.

— Donnez-moi un bon pour l'argent, demanda Wes.

Le bull-dog se leva, boutonna son imperméable bon

348

marché. La musique instrumentale jouait une chanson des Beatles. Noah adressa un sourire à l'homme meurtri assis sur ce siège en plastique de l'aéroport Dulles.

— Allez vous faire voir, major, répondit Noah.

Et il s'en alla. Laissant la mallette aux pieds de Wes.

Compte tenu de l'état de Wes, personne n'accepterait de lui louer une voiture. Il passa un coup de fil et prit un taxi jusqu'à un ensemble d'immeubles situé à une vingtaine de minutes de l'aéroport. Il remonta le trottoir d'une démarche chancelante, en transportant la lourde mallette remplie d'argent.

La femme brune en peignoir qui vint lui ouvrir la porte laissa échapper un petit cri en l'apercevant.

— Oh ! Wes !

Derrière elle se tenait son mari, l'agent du contre-espionnage du N.I.S., Frank Greco, vêtu d'un pantalon kaki et d'un sweat-shirt gris. Ils le firent entrer dans un bureau lambrissé encombré de livres et de photos, de trophées de tir et de récompenses militaires. Wes s'enfonça dans le fauteuil rembourré ; Greco s'assit derrière le bureau en bois.

— Tu veux un café ? demanda son épouse, avec toute l'Amérique latine dans sa voix. (Son père était un médecin cubain qui avait fui la révolution de Castro.) Une aspirine ?

— Non, je fonctionne à la douleur, marmonna Wes.

Cela ne la fit pas sourire. Elle laissa les deux hommes en tête à tête.

— Tu as perdu une oreille ? demanda Greco après son départ.

— Pire. J'ai perdu mon type.

— Ce n'est pas ton domaine. Tu peux emmener un peloton dans la jungle, retrouver Charlie et le flinguer, mais cette guerre-là est terminée. Le monde a changé.

— Et j'ai besoin d'aide.

349

— On ne travaille pas pour les mêmes personnes.

— Bien sûr que si, répondit Wes.

— Souviens-toi de ce que je t'ai dit au sujet de tes amis de l'autre côté du fleuve qui t'abandonnent en eau profonde.

— Je suis au milieu du courant, Frank. Et les méchants m'ont bombardé avec de la merde. Je ne peux pas faire demi-tour, et ma mission est devant moi.

— Les jours de gloire sont révolus.

— Je ne cherche pas la gloire. Je cherche à faire un travail qui doit être fait. Tu veux bien m'aider ?

— Comment ?

— Il me faut une équipe... de reconnaissance. Pour couvrir une zone de six blocs à Los Angeles. Il leur suffira d'ouvrir l'œil.

— Pour retrouver le type que tu as perdu.

— Sa moto. (Wes lui tendit les notes qu'il avait prises à partir des données de l'ordinateur du LAPD que Rawlins lui avait fournies à contrecœur.) Cette moto, avec cette plaque d'immatriculation, a récolté six contraventions dans ce quartier au cours des quatre derniers mois.

— Il habite dans le coin ?

— Non, mais quelqu'un d'autre. C'est à Westwood, tout près de UCLA. Des immeubles d'habitation principalement, et quelques boutiques. Certaines de ces contraventions ont été dressées la nuit, donc il ne faisait pas simplement ses courses.

— Tu as une photo du type ?

Wes lui donna la photo du permis de conduire de Dean Jacobsen transmise par bélino.

— Pourquoi ne pas demander à Mike Kramer du service de sécurité de la CIA ?

— Il se ferait un plaisir de me descendre, répondit Wes. Il est en dehors du coup, totalement. Tout le monde est en dehors du coup. Officiellement. Aucun

350

dossier d'ouvert, aucune nomination, aucune mission. Rien.

— Ce n'est pas « rien » qui t'a mis dans cet état.

— J'ai besoin d'hommes, Frank. Officieusement. L'argent n'est pas un problème.

— L'argent n'est pas un problème ? Dans ce cas, c'est que tu ne travailles plus pour l'Oncle Sam.

— C'est toujours lui qui signe mes chèques. Peux-tu m'aider ?

L'ancien flic secoua la tête.

— Tu as bien les pieds sur terre, hein, Wes ?

La pendule digitale sur le bureau égrena trois minutes.

— Tu es mon ami, reprit le maître de maison. L'amiral et commandant Franklin nous a ordonné de t'apporter toute l'aide possible dans tes nouvelles fonctions. Mais si tu me joues un sale tour, je te grille. Je te brûle. Je serai obligé. Je joue ma place. Et ma peau.

— Merci.

— Ce soir, je peux ordonner une mission d'entraîne-ment surprise du N.I.S. du secteur de L.A. Localisation d'une moto. Ça devrait nous couvrir pour vingt-quatre heures. Et que fait-on si on tombe sur la moto ou sur le gars ?

— Vous observez, vous le suivez et vous faites votre rapport : à moi. Surtout s'il rencontre un autre homme.

— Tu ne seras pas en état d'entendre quoi que ce soit avant un petit moment. Je te ramène chez toi.

— Je peux prendre un taxi.

— Tu habites sur le chemin du centre. Faut que j'y aille pour passer des coups de fil et mettre sur pied cette « mission d'entraînement ». Les agents de L.A. *adorent* ces exercices à la con qui viennent du Q.G.

— Désolé de gâcher ta nuit.

— C'est pas la première fois. (Frank attendit, mais Wes ne fit aucun effort pour se lever.) Quoi d'autre ?

— Il me faut une arme.

Comme Greco ne disait rien, Wes ajouta :

— Tu m'as vu en uniforme, avec mon insigne de tireur d'élite. Demain, je peux demander au commandant l'autorisation de porter une arme. Mais je veux autre chose qu'un revolver à six coups du N.I.S.

— Je croyais que tu possédais ta propre arme.

— J'ai toujours pensé que les Marines me donneraient ce dont j'avais besoin.

Greco grogna et quitta le bureau. Wes ferma les yeux. Le martèlement dans sa tête était insupportable. Son estomac se soulevait. Chaque partie de son corps le faisait souffrir.

Quelque chose cogna sur le bureau. Wes rouvrit les yeux.

Un automatique noir était posé sur le bois rayé.

— C'est un Sig Sauer P226, dit Frank en se rasseyant. Un 9 mm. Quinze balles dans le chargeur, une autre dans le canon. Deux chargeurs supplémentaires. Mais il te faut plus que ça, il te faut toute une escouade. Ces points verts sur le viseur ? C'est du tritium radioactif. Ça luit dans l'obscurité la plus complète pour te permettre de voir où tu vises.

Frank déposa deux boîtes de balles et des chargeurs supplémentaires à côté du pistolet.

— Une boîte de cartouches pour l'entraînement sur cible. Je règlerai la portée quand tu seras prêt. L'autre boîte contient des Hydra-Shoks à tête creuse. Si tu atteins ta cible, on n'en parle plus.

... N'oublie pas : que tu vides un chargeur ou que tu tires une seule balle, faut remplir les mêmes paperasses. Si tu es fataliste et si tu ne tires qu'une fois, ce qui risque d'être fatal, c'est la cible que tu loupes.

L'ex-flic sortit un mouchoir de sa poche pour effacer ses empreintes sur l'arme.

— C'est une arme propre. Saine. Elle a été trafiquée. La pression de la gâchette n'est que d'un kilo et demi.

Il suffit de penser et le coup part tout seul. Meilleure puissance de tir, moins de recul.

Wes ouvrit la mallette pleine d'argent.

— Je n'étais pas censé voir ça, dit Greco.

— Moi non plus.

Wes posa sa nouvelle arme sur les liasses de billets.

Minuit. Arrivé à mi-chemin de l'escalier de son immeuble, Wes regretta de n'avoir pas laissé Greco l'aider. La tête lui tournait et la mallette pesait des tonnes. Assis sur une marche, il s'appuya contre la rampe, essayant de rassembler ses dernières forces pour monter jusque chez lui.

Impossible. Il se mit à ramper, tirant et cognant l'attaché-case dans l'escalier.

L'appartement de Beth. La porte de Beth.

Il ne fallait pas qu'elle le voie dans cet état.

Il traversa le couloir à quatre pattes jusqu'à sa porte. Il retint son souffle, agrippa la poignée et se redressa. Il renversa la mallette avec un grand bruit sourd. Il chercha ses clés. Il réussit à introduire la bonne clé à moitié dans la serrure. Il laissa tomber le trousseau.

Derrière lui, une porte s'ouvrit ; il entendit Beth rire et dire :

— Qu'est-ce qui t'arrive ? Tu ne sais plus frapper ?

Il se retourna ; elle était magnifique.

— Oh ! mon Dieu ! s'exclama-t-elle.

Elle se précipita pour le soutenir, alors que sa jambe se dérobait. Elle l'aida à entrer chez lui.

— Ne dis rien, dit-elle. Tu me raconteras plus tard.

Ils atteignirent son lit. Elle l'allongea, le déshabilla. Elle poussa un soupir en apercevant les bandages par-dessus les deux œufs de pigeon sur son tibia gauche ; elle découvrit la bande qui entourait ses côtes. A l'aide d'un sac en plastique et d'un gant de toilette, elle confectionna une poche à glace qu'elle appliqua contre son tibia, avant de disparaître. C'était si bon d'être là, chez lui, dans son lit. Avec elle. La chute... Wes repensa à sa chute, et il se mit à trembler, ses yeux se mouillèrent de larmes, et il lâcha prise, il se laissa aller.

Beth revint avec un verre de lait chaud, trois aspirines et un valium qu'elle était allée chercher chez elle. En se demandant ce que diraient les médecins des urgences, Wes avala les quatre cachets avec le lait chaud pendant qu'elle lui soulevait la tête et tenait le verre.

Les draps, les draps frais l'enveloppaient, l'édredon léger mais chaud de Beth posé sur ses draps. Le gant de toilette était mouillé et frais ; elle essuyait son front, elle l'épongeait avec sa manche de chemise. Elle embrassa son front, ses cheveux frôlèrent sa joue.

— Tout va bien, dit-elle. Endors-toi. Tu ne crains rien.

La dernière passe

Jud et Nora étaient assis sous le soleil chaud de la fin de journée, deux vieux chats dans des fauteuils de jardin devant chez elle, la route déserte sur leur gauche, le restaurant devant eux, fermé pour la journée. Le ciel rose et pourpre miroitait. Ils avaient les yeux fermés, le visage levé.

Nora soupira.

— Voilà ce que j'aime maintenant. La tranquillité.

Le sable du désert était immobile.

— Pas besoin d'être qui que ce soit, ajouta-t-elle, pas besoin d'être quoi que ce soit. Juste rester assis. Inspirer. Expirer. Respirer l'odeur de l'armoise. Tu comprends ?

— Oui, répondit Jud.

Et c'était bon. Tellement bon.

— Evidemment, dit-elle, j'aimerais bien revoir New York. Mais pas maintenant.

— Je n'ai plus envie d'aller nulle part, dit Jud.

— Tant mieux.

Ils laissèrent reposer cette découverte à leurs pieds, sans lui donner de nom. Mais leur silence était serein, et tous les deux le sentaient. Ils gardèrent les yeux fermés.

— A moins, dit-elle, que tu aies envie de boire de la limonade qui est dans le broc en haut du réfrigérateur.

— Adaptation aux événements, dit-il.

— Comme tu voudras. Enfin, si tu as envie de boire.

— De la limonade. En haut du frigo.

— Ouais ! par exemple.

Jud soupira.

— Non, je n'ai besoin de rien.

Nora rit.

Une minute s'écoula.

— J'ai une idée, dit Jud.

— Quoi ?

— Il y a de la limonade dans un broc en haut de ton frigo. Si j'allais t'en chercher un verre ?

— Si tu veux, répondit-elle. Bonne idée.

— Merci, dit-il, et elle l'entendit entrer dans la maison.

Les yeux fermés, elle gloussa et lui lança :

— Pourquoi tu n'en prends pas un verre toi aussi ?

Le passage du jour à la pénombre faisait vibrer l'air autour de Nora. Elle sentait la chaleur du soleil encore prisonnière du sable et des pierres, des murs en brique de sa maison.

Un verre glacé et mouillé s'appuya dans son cou.

— Seigneur ! hurla-t-elle en se redressant d'un bond.

— Non, moi c'est Jud, dit-il en lui tendant un grand verre de limonade, avant de se rasseoir avec le sien et un grand sourire de crétin.

Elle lui fit les gros yeux, mais l'un et l'autre savaient que c'était pour rire.

— Je parie que tu n'as pas apporté les cigarettes, dit-elle.

— Mon Dieu, protégez-moi d'une femme jamais satisfaite.

— Descends de ta croix, chéri. On a besoin du bois.

Le rire de Jud résonna parmi les broussailles. Il s'arrêta pour boire une gorgée de limonade. Il fit la grimace.

— Ça vaut pas cette bonne vieille eau de feu, hein ? dit Nora.

Il haussa les épaules, soupira. Il plongea la main dans sa poche de chemise pour sortir un paquet de cigarettes et un Zippo.

— Bon sang, rien n'est jamais simple avec toi ! dit-elle pendant qu'il secouait le paquet pour faire tomber une cigarette qu'il lui tendit.

— Non, mais je partage.

Un déclic du Zippo suffit à allumer leurs deux drogues.

— Ah ! (Elle regarda autour d'elle l'endroit où elle vivait désormais.) Pas mal. Belle journée. Profites-en pendant qu'il est temps. Bientôt, la chaleur va venir. Oh ! ça me fait penser : rappelle-moi d'appeler la compagnie du téléphone demain, d'accord ?

— Pourquoi ?

— Quelqu'un a défoncé la cabine près de la route à coups de tournevis. Elle est complètement foutue.

— *Je ne savais pas,* chuchota Jud. Quand ?

— Aucune idée. Un gars est venu me voir hier pendant que tu jetais les ordures. Il avait trouvé l'appareil dans cet état. Ils ont même pété le combiné.

... Sales gamins, ajouta-t-elle. Ils pourraient quand même trouver quelque chose de plus original.

— Je n'avais pas remarqué, dit-il. Je n'ai pas... J'aurais dû aller vérifier tous les matins à six heures, j'ai... je suis...

— Ne t'en fais pas pour ça, dit-elle. Ce n'est pas ton boulot.

A cette distance, la cabine vitrée semblait en parfait état. Jud avait l'estomac vide, l'esprit aussi.

— On ne peut pas être responsable de tout dans la vie, dit Nora.

Je ne peux rien faire maintenant, songea Jud. *Je ne dois pas m'en préoccuper. Ça n'a aucune importance. Aucune. Intéresse-toi à quelque chose de plus important.*

— Pourquoi as-tu arrêté de te prostituer ? demanda-t-il.

Nora tira sur sa cigarette, s'agita sur sa chaise, les yeux fixés sur lui, les yeux dans le lointain.

— Ma dernière passe, dit-elle.

— Quand ?

— En 78. Au mois d'août. Je vivais à Vegas, j'avais une clientèle peu nombreuse, mais chic. J'amassais du fric. J'avais pas encore admis que c'était l'alcool qui m'engloutissait et non le contraire.

... J'avais un client, un habitué quand il était de passage ; il me faisait prendre l'avion pour venir le retrouver. Une grosse légume, avec sa photo dans *Time magazine*. Il m'a emmenée à Philadelphie. Aller-retour en première classe, le meilleur hôtel. Vingt-cinq minutes. Dix mille dollars.

Le ciel était gris, les ombres prenaient consistance.

— Qu'est-ce que tu as fait ? demanda Jud.

Nora contempla le bout incandescent de sa cigarette.

— Je l'ai enflammé.

Ils restèrent silencieux jusqu'à ce que la lumière disparaisse du ciel.

— Après ça, dit-elle, j'ai senti ce... bon côté en moi qui s'effritait. Le côté gentil. Celui qui pouvait encore aimer. Je devais lui inventer des trucs plus... exotiques, plus originaux à chaque fois. Après Philadelphie, j'ai compris que là où me conduisait ce genre de choses, je ne pourrais pas rester moi-même. Alors, j'ai laissé tomber.

— Et ensuite ?

— Je me suis fait baiser par l'inspecteur du fisc. Son but était de faire de moi un exemple, de me dépouiller la peau du cul. Il aurait même eu mon cul, sans ce chouette avocat de Vegas. Il a convaincu le type du fisc qu'en se montrant impitoyables avec moi, ils m'obligeraient à retomber dans la délinquance, et ce n'était pas très malin. Alors, à la place, ils m'ont simplement pris tout ce que je possédais.

— Tu n'es pas douée pour garder l'argent, dit-il.

Elle fronça les sourcils, mais ne dit rien. La froidure de la nuit tomba sur eux. Ils ne distinguaient plus les traits de leurs visages. Leurs cigarettes allumaient deux points orange dans l'obscurité.

— Quand as-tu commencé à boire *pour de bon* ? demanda-t-elle.

— Ça ne s'est pas fait brusquement.

— Mais la première fois, dit-elle, pas la première fois où tu as fait la fête, ni vomi dans les toilettes, mais *la première fois,* la première fois où ça *voulait dire quelque chose.*

— Hé ! on est chez les Alcooliques Anonymes ou quoi ?

— Tu n'es pas anonyme, chuchota-t-elle. Et il y a toujours une première fois.

Un criquet grésilla, un routier passa à toute allure et fit retentir sa corne de brume en voyant les lumières de la maison au bord de la route. Avant de disparaître en rugissant dans le grand nulle part.

— Il y a longtemps, dit Jud. Très loin d'ici.

Assis et fumant dans l'obscurité froide du désert, Jud entendit la voix d'un homme nommé Willy à Santiago, au Chili, dans une chambre d'hôtel : le 11 septembre 1973.

— Ça sent le roussi, dit Willy. Dans la zone *moins.*

Il était quatre heures de l'après-midi. Ils étaient trois dans cette chambre d'hôtel de Santiago :

Jud, debout devant leur fenêtre du quatrième étage, regardant la fumée qui montait dans le ciel depuis le Palais Moneda.

Luis, ou quel que soit son véritable nom ; ils ne se connaissaient pas quand ils s'étaient retrouvés à Miami, et Jud supposait que chacun utilisait un pseudonyme. Lui-même prétendait s'appeler « Peter ». Luis était un Cubain grisonnant qui ne pouvait pas être aussi vieux qu'il y paraissait. Allongé sur le lit, il contemplait le plafond, le téléphone posé à côté de lui. Attendant qu'il sonne.

Willy était un type sec avec des cheveux bruns et une vilaine peau sous sa barbe. Il avait environ vingt-cinq ans, et tout dans sa façon de parler indiquait *Vietnam*, mais aucun n'était assez bête pour poser de vraies questions.

Des coups de fusils retentirent un peu plus haut dans la rue, auxquels répondit une rafale de mitraillette.

Jud regarda vers le coin où il avait vu un tank une demi-heure auparavant, mais cette rue semblait déserte.

Willy pianotait sur la table ; de l'autre main il manipulait le curseur de la radio AM de la chambre. Il ne captait que de l'électricité statique. C'était le spécialiste en communications. Ses talents dépassaient largement une occupation aussi primaire, mais il n'avait rien d'autre à faire.

A part attendre.

Attendre que se manifeste le quatrième membre de l'équipe. Qu'il appelle. Attendre d'y aller, attendre d'agir, attendre de pouvoir dire *sayonara* Amérique du Sud, *adios* Chili, c'était sympa, mais pas fâchés de repartir.

Le quatrième homme était Braxton, Braxton le costaud aux cheveux blonds et à l'élocution lente. C'était lui le chef. Jud était le numéro deux. Willy s'occupait des communications, et Luis était le spécialiste local, celui qui parlait l'espagnol et aidait Braxton qui parlait couramment le tex-mex. Luis savait se servir d'une arme, tireur formé dans la Sierra Madre avec Fidel, puis études supérieures au Guatemala dans le camp d'entraînement de la CIA pour la brigade 2506 qui combattait Fidel.

Leurs armes étaient cachées dans des sacs étanches dans le réservoir des toilettes. Difficile de tirer la chasse d'eau. Les toilettes avaient été le théâtre d'un entraînement depuis qu'ils avaient reçu *le message* la veille à dix heures du soir. Ils avaient commandé les derniers repas servis à l'étage, avalé des pilules de Dexedrine et établi le centre de commandement dans la chambre de Jud. Willy installa son émetteur à longue portée dissimulé dans un transistor AM/FM de *turista,* mais c'était le silence radio, personne ne les appelait, personne ne leur répondait. *Et merde,* cracha Willy, *vive la technologie de pointe.*

Braxton était parti depuis seize heures, treize heures de retard pour un rendez-vous, juste là, en ville.

Santiago, capitale du Chili. Une vieille ville aux constructions basses de style colonial, entourée par les « pablaciones », les bidonvilles, et poussée par *la cordillera*, les montagnes. Presque trois millions d'habitants. Une immense pauvreté, mais un pays riche en poètes, en artistes et musiciens, un pays qu'adoraient les compagnies minières Anaconda et Kennecott qui puisaient des milliards dans les mines de cuivre du Chili, ainsi que la société International Telephone and Telegraph qui possédait soixante-dix pour cent de la compagnie du téléphone du Chili. Dans ce pays, la politique était passionnée. Trois ans plus tôt, un marxiste nommé Salvador Allende avait été élu président, un triomphe politique personnel pour cet homme qui briguait ce poste depuis 1952 ; en 1964, la CIA avait versé en douce trois millions de dollars à ses adversaires politiques élus.

La victoire d'Allende aux élections de 1970 avait déclenché une onde de choc à travers toute l'Amérique. Nixon et Kissinger étaient furieux ; ITT avait dépensé presque un demi-million de dollars pour empêcher l'élection d'Allende. Les responsables des multinationales américaines et les hauts fonctionnaires du gouvernement américain s'arrachaient les cheveux en déplorant l'arrivée d'un nouveau régime marxiste dans le jardin de l'Amérique. ITT contribua pour un million de dollars aux efforts de la CIA en vue de *contrôler* Allende ; à l'époque du Watergate, ITT deviendrait célèbre pour ce genre de « contributions » politiques, sans oublier les 400 000 dollars que versa la société au parti du président des Etats-Unis.

Après l'élection d'Allende en 1970, le président américain lâcha ses faucons de l'espionnage et ses chiens de la diplomatie.

Ces hommes compartimentèrent leur croisade.

Le Plan I se composait d'une propagande anti-Allende, d'un programme économique et d'efforts diplomatiques de la part de l'ambassadeur pour empêcher le Congrès chilien de confirmer Allende au poste de président. Même si les effets du Plan I étaient souvent apparents, sa dynamique demeurait inconnue du peuple américain.

Le Plan II resta un secret pour l'ambassadeur américain, le département d'Etat, et même le Comité 40 de la Maison Blanche censé contrôler la politique étrangère de l'Amérique et les opérations d'espionnage. Des agents de la CIA munis de faux passeports s'infiltrèrent au Chili pour contacter des militaires d'extrême-droite et les inciter à fomenter un coup d'Etat au cas où Allende parviendrait à accéder à la présidence après son élection populaire. Les acteurs du Plan II étaient autorisés à apporter leur assistance directe à une telle opération, mais cela devait rester une affaire chilienne.

Le Plan III n'existait pas.

Jud et son équipe, le groupe du Plan III, se trouvaient à Santiago depuis neuf jours, voyageant avec des papiers qu'ils avaient depuis longtemps brûlés, les faisant passer pour une équipe de télévision, transportant des caméras fragiles que des douaniers fatigués n'avaient aucune envie de démonter. Alors qu'il accomplissait sa mission dans cette capitale d'un pays ravagé par les grèves, une inflation de trois cents pour cent et des affrontements de rues liés à la politique, Jud fut submergé par le sentiment que cette nation était embarquée sur un train qui prenait de la vitesse et fonçait vers une destination inconnue.

Et il faisait partie du voyage.

— Merde, l'opération est foutue, grommela Willy.

— La ferme, ordonna Jud debout devant la fenêtre.

Comme Willy, il s'était laissé pousser la barbe pour la mission, et ses cheveux cachaient ses oreilles. Au Chili en 1973, comme en Amérique, les cheveux longs étaient à la mode. Ça faisait anti-militariste.

— Braxton devrait déjà être revenu, merde ! dit Willy. Sans lui, pas de couverture.

Des mitraillettes crépitèrent devant leur hôtel.

L'homme avec qui avait rendez-vous Braxton devait lui remettre des papiers d'identité pour le commando. Au cas où. Pour des raisons de sécurité, lors d'un coup d'Etat les papiers d'identité ne pouvaient être fournis qu'au tout dernier moment.

Couché sur le lit, Luis déclara :

— Tous ces événements se déroulent à leur rythme. Des choses se produisent. Se développent.

— C'était pas dans le plan, mec, grogna Willy.

Leur mission comportait deux niveaux.

Il y avait un officier politique parmi le personnel de l'ambassade, liaison clandestine avec le Plan III, et il y avait un indic local, un général chilien. Ces deux hommes reliaient certains éléments au sein du haut commandement militaire de chaque pays. Liaisons. Juste au cas où. Assurer la sécurité du diplomate/espion américain constituait le premier niveau de la mission. Jud pensait que l'homme de l'ambassade ignorait qui le protégeait, et de quelle manière : dénégation, sécurité du contre-espionnage. Logique.

Le deuxième niveau était le scénario catastrophe : la terre brûlée. *Si* un coup d'Etat tournait mal, se transformait en débâcle, si Allende ralliait tout le pays pour chasser les alliés américains, *alors* il devenait crucial d'effacer les traces de l'Oncle Sam. Protéger la pureté du drapeau. Couvrir. Brûler. Quelqu'un devait se trouver sur place, *les gars qui restent derrière*,

363

l'arrière-garde de la retraite. Des gars capables de faire ce qui devait être fait. L'équipe de nettoyage !

Le téléphone posé à côté de Luis sonna. Il avait déjà la main dessus, mais il le laissa sonner une seconde fois.

— *Si ?* répondit-il.

Jud et Willy regardaient Luis allongé sur le lit, le téléphone plaqué contre l'oreille. Il raccrocha sans ajouter un mot de plus.

— Il peut pas rentrer tout de suite, dit Luis. Il nous demande de pas bouger, de rester planqués.

— Formidable ! s'exclama Willy. Pourquoi est-ce qu'on disparaît pas tous dans cette putain de douche ! Merde, on a qu'à grimper dans les chiottes ! On tire sur cette putain de chasse d'eau et adieu tous nos soucis !

— Et pour le sujet ? demanda Jud.

Le diplomate/espion.

— Braxton n'a rien dit, répondit Luis. A priori, pas de changement.

— Merde, dit Willy, on a suivi ce trouillard jusqu'à la grille de l'ambassade hier soir ! Ce type n'est pas con au point de mettre le nez dehors alors que ça chie de tous les côtés !

... Bon, et qu'est-ce qu'on fait maintenant ? demanda-t-il à Jud. On dirait que c'est toi le « keemo sabe ».

— On attend, répondit Jud.

— Ça, je sais faire ! répliqua Willy en se dirigeant vers la salle de bains.

Jud se retourna vers la fenêtre dominant cette ville qu'il observait depuis l'aube. Ils attendaient depuis que Braxton avait reçu l'appel et était parti à dix heures du soir la veille.

A 5 h 45 du matin, quelques lignes téléphoniques sélectionnées furent coupées par un commando de la Navy. Des troupes rebelles s'emparèrent de postes stratégiques dans tout le pays et roulèrent vers Santiago.

Entre 6 h 15 et 6 h 20, un général fidèle au gouvernement appela le président Allende chez lui pour l'avertir du coup d'Etat. A 7 h 15, accompagné par un cortège de cinq Fiat à l'épreuve des balles, un camion et deux voitures particulières blindées remplies de gardes du corps *carabinero*, Allende fonça vers son bureau au Palais Moneda, un bâtiment de style monastère espagnol vieux de deux cents ans situé en face de Constitution Square, diagonalement opposé à l'ambassade américaine.

A 7 h 20, une radio fit état de « mouvements de police inhabituels ». En milieu d'après-midi, la plupart des stations avaient cessé d'émettre.

Peu après huit heures du matin, Allende apparut sur un balcon de la Moneda. Un journaliste le prit en photo. A huit heures trente, des tireurs embusqués appartenant à des groupes para-militaires gauchistes tiraient sur des soldats aux abords du Palais Moneda.

A 9 heures, des avions de l'Air Force bombardaient des cibles pro-Allende en ville, principalement les stations de radio. Des fusillades éclataient à tous les coins de rue. Des tanks encerclèrent le palais présidentiel. Des troupes installèrent des barrages. Des hélicoptères vrombissaient dans le ciel. Des drapeaux chiliens commencèrent à apparaître sur les maisons, aux fenêtres des appartements.

A 9 h 30, Allende refusa les offres réitérées des militaires de se rendre pour être ensuite conduit en sécurité. Il délivra à la radio un message patriotique de défi : « Mes dernières paroles... » L'armée ouvrit le feu sur le palais. Allende et ses hommes ripostèrent à coups de bazooka et de mitraillette. La fusillade fit rage jusqu'à onze heures, heure à laquelle les troupes gouvernementales se retirèrent. Pour se mettre à l'abri.

Deux jets apparurent dans le ciel bleu au-dessus du Palais Moneda et de l'ambassade américaine, oiseaux argentés volant en formation. Les jets décrivirent un large cercle et disparurent derrière la colline de San Cristobal.

Pour revenir en rugissant. Et plonger. De plus en plus bas. Arrivés à la verticale de la gare de Mapocho, ils larguèrent des roquettes. Les missiles atteignirent l'aile nord du Palais Moneda. Les deux jets effectuèrent six autres raids au cours des vingt minutes suivantes : bombes, roquettes, mitraillage en rase-mottes. Lorsqu'ils repartirent, le palais présidentiel était en flammes.

Jud, Willy et Luis observaient la scène depuis leur chambre d'hôtel.

A 13 h 33, les troupes rebelles investirent le Palais Moneda.

Des coups de feu éclatèrent à travers la ville durant tout l'après-midi. A seize heures, quand Braxton put enfin joindre Jud et les autres à l'hôtel, la Moneda était toujours la proie des flammes. D'une dizaine d'autres endroits s'élevaient des nuages de fumée.

— Tenez, dit Luis en se levant du lit. (Il tendit à Willy et Jud des crucifix bon marché montés en pendentifs. Voyant la grimace de Willy, il lui expliqua :) Les communistes ne portent pas de croix.

— Encore une chance que je sois pas juif, dit Willy.

Il rit ; il se détendait. Il se passa la croix autour du cou.

Vingt minutes plus tard, Willy trouva enfin une radio qui émettait. De la musique militaire, des chants patriotiques chiliens soigneusement sélectionnés. Une junte militaire annonça que les forces du bien avaient triomphé ; la libre circulation était autorisée en ville jusqu'à dix-huit heures, avant l'instauration d'un couvre-feu inviolable.

A 17 h 30, Jud entendit un cri à un étage inférieur. Des coups répétés. Puis un grand bruit et des hurlements, alors qu'on enfonçait une première porte, puis une seconde.

— Yo, *keemo sabe ?* lança Willy, figé entre le réservoir des toilettes et la porte de la chambre.

— On y va ! s'écria Jud.

Ils sortirent en courant, avec leurs vestes qui ne cachaient aucune arme, se précipitant vers l'extrémité du couloir, vers la fenêtre qu'avait déjà repérée et déverrouillée Jud en vue du E&E. Le soleil couchant rougissait les carreaux. A l'étage du dessous, quelqu'un poussa un hurlement. Quelqu'un tira un coup de feu. Jud et ses hommes gravirent à toute vitesse l'échelle d'incendie, deux étages jusqu'au toit ; silhouettes pliées en deux qui courent dans la lumière déclinante, qui foncent de toit en toit, en faisant le moins de bruit possible. Sur des toits éloignés claquaient les coups de feu de tireurs embusqués. Des hélicoptères vrombissaient dans l'obscurité au-dessus de leur tête. Jud risqua un œil par-dessus le bord de l'échelle d'incendie à l'extrémité du pâté d'immeubles : une ruelle. La fumée flottait dans l'air, des cris résonnaient dans les canyons de la ville, mais cette ruelle était déserte.

— Maintenant ! ordonna-t-il.

Descente, jusqu'en bas, au milieu des ordures. Des rats.

— Pas de précipitation, murmura-t-il, en conduisant ses hommes vers la sortie. Décontractés, rassurants. Souriants.

— Bon Dieu, c'est quoi ce truc-là ? marmonna Willy.

Un scintillement orange colorait la nuit à l'entrée de la ruelle.

— Dispersez-vous, ordonna Jud.

Des individus isolés étaient moins menaçants qu'un groupe, et plus difficile à atteindre.

Ils débouchèrent dans Santiago en plein coup d'Etat.

Au coin de la rue, un bûcher flamboyait, entouré de plusieurs dizaines de soldats avec des casques qui leur couvraient les oreilles, des uniformes verts, des foulards mauves et des bottes noires, des fusils d'assaut

367

en bandoulière. Les soldats clamaient leur approbation devant les flammes, hypnotisés par cette lueur infernale, tandis que d'autres sortaient en courant de magasins aux vitrines brisées avec de l'essence pour alimenter le brasier.

Des livres. Des centaines de livres.

— Ils ne nous ont pas encore vus, chuchota Jud.

Dans la direction opposée, à l'extrémité du bloc, il aperçut des lumières, des phares de voiture, des dizaines de silhouettes ; il entendit des cris. Dans la ruelle, derrière eux, des bottes résonnaient sur les barreaux en fer de l'échelle d'incendie.

— Faites votre plus beau sourire, les gars, ordonna Jud en désignant le bûcher d'un mouvement de tête. *Viva Chile !* Joignons-nous à eux avant qu'ils nous découvrent.

— Non, murmura Luis.

— C'est notre meilleure chance ! insista Jud.

— Je n'ai pas de papiers et j'ai l'accent cubain, dit-il. (Il sourit.) *Vaya con Dios.*

Luis s'éloigna rapidement, longeant les devantures des magasins et des cafés fermés, les yeux fixés devant lui, sans regarder les soldats pour ne pas leur envoyer un signal mental. Un demi-bloc jusqu'au coin de la rue, une dizaine de portes closes à franchir.

— Ne bouge pas, chuchota Jud à Willy. Ne dis rien.

Plus que sept portes.

— *Alto !* cria une voix près du bûcher.

Luis se mit à courir, à toutes jambes, sans se retourner. Jusqu'au coin.

Une mitraillette crépita.

Comme une marionnette dont on a coupé les fils, Luis s'effondra. Mort.

— *Alto !* hurlèrent une dizaine de voix.

Des soldats se ruèrent vers Jud.

— *Manos arriba !*

Ils s'emparèrent de lui, le jetèrent avec Willy face

368

contre terre sur le bitume, les rouèrent de coups de pied. Des canons de fusil s'enfoncèrent dans leur nuque, des mains tâtèrent leurs poches vides, les obligèrent à se relever.

— Américain ! s'écria Jud. Tout va bien ! Je suis américain !

— *Silencio !*

L'officier le frappa avec son pistolet.

Un camion à bestiaux chargé d'individus hébétés apparut. Les soldats jetèrent Jud et Willy à l'arrière. Le camion repartit en cahotant, suivi de près par une Jeep surmontée d'une mitrailleuse.

Le camion les conduisit au gigantesque stade national, cette arène en plein air où des milliers de Chiliens s'enivraient de football.

Ce soir-là, les gradins se remplissaient de chargements de prisonniers arrêtés lors de rafles effectuées par l'armée et la police. Au cours du coup d'Etat, sept mille personnes seraient ainsi détenues dans l'enceinte du stade. Des soldats remplissaient le terrain et contrôlaient les accès aux gradins. Les salles d'échauffement et les vestiaires étaient transformés en centres d'interrogatoire. Le droit d'aller aux toilettes pour les prisonniers était rare, les coups fréquents, *traitements à l'eau*. Après de nombreux interrogatoires, des coups de feu résonnaient dans les recoins obscurs du stade. Tout le monde était coupable, puisqu'ils se trouvaient là.

Les gardes remarquèrent rapidement Jud et Willy qui affirmaient ne parler que l'anglais.

Le crépitement des coups de feu invisibles traversait Jud comme une décharge électrique. Chaque salve était plus terrible que la précédente.

— Continue de sourire, glissa-t-il. Montre-leur que nous n'avons rien à nous reprocher.

Des lampes à arc projetaient une lumière spectrale sur les gradins surpeuplés et les soldats qui arpentaient le terrain. Les deux Américains révisaient leurs réponses. Ils dormirent par intermittence sur les bancs en bois inconfortables. Avec pour berceuses les sanglots des inconnus autour d'eux. Bientôt, les salves du peloton d'exécution ressemblèrent à des ongles qui s'enfonçaient dans leurs nerfs, comme des fers rouges tout d'abord, puis de simples coups sourds les uns derrière les autres.

Le premier interrogatoire de Jud eut lieu à onze heures le lendemain matin.

On le conduisit à travers de longs couloirs en ciment où étaient accrochés des posters de célèbres footballeurs et des publicités pour des marques de bière. Les couloirs empestaient l'urine et la merde. Ils traversèrent une douzaine de flaques sombres.

Jusqu'à une pièce sans fenêtre qui sentait l'embrocation, avec une table derrière laquelle était assis un officier, deux gardes, et un tabouret en bois inoccupé. Le sergent qui escortait Jud le frappa et l'obligea à s'asseoir sur le tabouret.

— Vous êtes américain, dit l'officier.

Un capitaine, songea Jud. *De l'armée régulière.*

— Oui, répondit-il, je suis...

L'officier hocha la tête. Le sergent donna une taloche à Jud.

— Répondez les questions, *no mas.* Pourquoi être au Chili ?

— Je suis étudiant, dit Jud.

— Etudiant ? Quoi ? Où ?

— En géologie. (Une matière sans risques.) Université George Washington. A Washington.

— Pourquoi venir au Chili ?

— Je suis en vacances. Le Chili est un beau pays.

— *Documentos. Donde estan* vos *documentos ?*

— Nous les avons confiés au chasseur de l'hôtel. Il a dit qu'il les mettrait dans un endroit sûr.

— Vous avez donné *documentos* à un inconnu ? Vous *loco ?*

— Je suis américain, répéta Jud.

— Un homme était avec vous au moment arrestation. Il a attaqué des soldats. Qui est-ce ?

— Il n'était pas avec nous, répondit Jud. Nous l'avons vu s'enfuir dans la rue, mais nous ne le connaissions pas.

— C'est ce que vous dites. Qu'avez-vous vu dans la rue ?

— Il n'a pas obéi.

L'officier cligna des yeux.

— Vous savez ce qui s'est passé ?

— Non.

— Le président est mort. Vous le savez ?

— Non. Mais vous avez pris les rênes, alors tout va bien, non ?

L'officier le renvoya. De retour dans les gradins, Jud constata qu'on avait emmené Willy.

Une heure plus tard, ils revinrent chercher Jud.

Même bureau. Un autre officier. Un colonel. Avec un uniforme de la police. Il sentait l'ail.

— Votre nom ? demanda le colonel.

Jud lui donna son nom de code.

— Date d'arrivée au Chili ?

Une semaine plus tôt, répondit Jud. Il lui donna son âge véritable. Il répéta les mensonges concernant ses études de géologie.

— Avez-vous déjà lu ou introduit de la littérature marxiste au Chili ?

— Non.

— Avez-vous lu ou introduit de la littérature concernant Che Guevara ?

— Non.

— Que savez-vous des marxistes ?

— Ce qu'on m'en a dit à l'armée.

— Vous avez été soldat ? Dans l'armée américaine ? (Jud acquiesça.) Prouvez-le.

— Mon gouvernement a conservé tous les documents, répondit Jud. Je peux vous indiquer ce qu'il faut demander.

— Que vous a-t-on appris sur les communistes ?

— Ce sont nos ennemis. Ils ont tué plusieurs de mes amis. Au Vietnam.

Un coup de feu résonna dans le couloir à l'extérieur.

— La guerre est partout, dit l'officier.

— Oui.

Ils l'emmenèrent dans le couloir. Il y avait du sang sur les murs. On le fit attendre. Lorsqu'ils le ramenèrent dans le bureau, l'officier demanda :

— Qu'avez-vous vu ici ?

— Des soldats qui font leur travail, répondit Jud.

Ils le conduisirent hors du stade et l'installèrent à l'arrière d'une voiture. Un chauffeur et un garde étaient assis à l'avant. Quelques minutes plus tard, ils amenèrent Willy. Un officier monta à l'arrière avec eux. Tandis que la voiture s'éloignait, des coups de feu crépitèrent dans l'enceinte du stade.

Ils déposèrent les Américains à leur hôtel et repartirent.

Braxton était dans sa chambre.

— Ça pue le roussi, dit Willy au chef de la mission.

Braxton les renifla.

— Vous avez une heure pour vous laver. Vos chambres sont sens dessus-dessous. Prenez uniquement ce que vous pouvez porter, et retrouvez-moi ici. Un boulot nous attend.

Il leur tendit à chacun une carte jaune de la police sur laquelle on avait collé les photos de leurs passeports brûlés.

— Où étiez-vous ? demanda Jud alors que Braxton décrochait le téléphone. On a perdu Luis parce que vous n'êtes pas venu.

— Il connaissait les risques, répondit Braxton. C'est la vie. C'est devenu dingue par ici, la situation nous a échappé.

— Vous étiez le responsable, dit Jud. Le chef.

— Je le suis encore, *cow-boy,* dit Braxton en

372

composant son numéro. Et tu as cinquante-huit minutes pour te mettre en selle.

Jud surprit Willy en train de récupérer son arme dans le réservoir des toilettes.

— Pas question de traîner dans ce coin avec juste ma queue dans les mains.

Une heure plus tard, Jud et Willy attendaient devant leur hôtel, en compagnie de Braxton. Willy et Jud portaient des sacs en bandoulière, ils avaient des costumes, mais pas de cravate. Le costume et la cravate de Braxton étaient impeccables. Il tenait une valise. Les trois soldats en uniforme qui montaient la garde à l'entrée ne leur prêtaient pas attention. Un tank passa bruyamment dans la rue.

Une berline grise s'arrêta à leur hauteur. Trois Chiliens habillés en civil en descendirent. Un quatrième passager resta assis à l'arrière. Un des hommes tendit à Braxton un papier et les clés du véhicule. Tandis que les Chiliens s'éloignaient, Braxton lança les clés à Willy et grimpa à l'avant. Jud prit place à l'arrière, à côté du passager.

L'homme avait l'âge de Jud. Des cheveux bruns bouclés, un visage de papier mâché et une barbe de plusieurs jours. Il portait un costume qui ne lui appartenait pas par-dessus une chemise beige. Il sentait la sueur et la fumée. Ses yeux étaient rouges, ses mains tremblaient.

— Vous êtes américains, oui ? demanda-t-il avec ardeur, mais d'une voix tremblante. Nous sommes amis, hein ? Tant mieux. Je m'appelle Rivero. Lieutenant Javier Rivero. *Perdòn,* je suis monté en grade : capitaine. Vous pouvez m'appeler...

— Tout va bien, fils, intervint Braxton sur le siège avant. *Estamos todos amigos aquì.*

— Anglais, *sì yo hablo...* Je parle anglais. J'ai étudié avec vos militaires. En Georgie.

— Conduis-moi au train de la liberté, dit Willy.

— Roule, ordonna Braxton. (Willy s'engagea dans

373

la rue déserte.) Nous allons dans un appartement situé dans un quartier nommé Providencia. A la tombée de la nuit, nous prendrons tous les quatre un avion pour le Paraguay. A bord du jet privé d'une société, une faveur de quelques amis.

— Oui, oui, je sais, dit Javier. Je dois absolument partir.

— Une seule chose à la fois, *amigo,* dit Braxton. D'abord, on se trouve une planque, on reste peinards et on se repose. Pas de quoi paniquer, hein ? Savez-vous aller à Providencia ?

— Evidemment ! répondit Rivero. C'est chez moi ! C'est ma ville ! C'est mon pays !

Il donna à Willy des indications complexes et précipitées.

— Si vous avez besoin de quelque chose, dit Rivero, demandez. Je vous aiderai. Je ferai ce qu'il faut faire. Je peux. Je peux.

— Pas de problème, Tonto, dit Willy qui avait réussi à s'y retrouver dans les indications frénétiques de Rivero, suffisamment pour piloter la voiture.

— *Quien es tonto ?* demanda Rivero. En espagnol, *tonto* veut dire fou.

— Autre langage, autre signification, répondit Braxton.

Rivero se laissa retomber à côté de Jud.

— Je suis un soldat, dit-il à Jud. Un bon soldat. Pas un fou.

Rivero sortit des cigarettes de sa poche. Il voulut secouer le paquet pour en faire glisser une, mais ses mains ne cessaient de trembler et les petits bâtonnets blancs mortels se répandirent sur ses genoux. Jud en coinça un entre les lèvres sèches de Rivero. La cigarette montait et descendait devant la flamme du briquet de Jud, tandis que la voiture roulait en douceur dans les rues de Santiago, mais il réussit enfin à l'allumer. Rivero le remercia d'un hochement de tête.

Willy alluma l'auto-radio. Les stations avaient

374

recommencé à émettre, mais uniquement de la musique militaire et patriotique. Ni Beatles, ni jazz. Des publicités, mais aucune information. Willy conduisait avec sa carte jaune entre les doigts, les mains placées bien en évidence sur le volant. Ils durent s'arrêter à un barrage de police — deux hommes dans une voiture avec des cheveux longs et des barbes, deux autres hommes qui ne leur ressemblaient pas — mais les cartes jaunes magiques écartèrent toutes les armes.

Ils roulaient avec les vitres baissées. L'air chaud charriait la puanteur de la pierre carbonisée, du napalm.

Les drapeaux chiliens pendaient partout, aux devantures des magasins fermés, aux balcons des appartements, aux lampadaires. Les bus ne circulaient pas, le trafic était fluide. Quelques personnes marchaient timidement le long des trottoirs, à la recherche d'une épicerie ouverte, ou tentant de rentrer chez eux avant le couvre-feu. La police et l'armée étaient partout, à bord de Jeeps, aux barrages, patrouillant dans les rues.

— On a gagné, dit Rivero. On a gagné. *Viva Chile !*

Aucun des Américains ne lui répondit.

Ils s'arrêtèrent à un feu rouge. Soudain, ils entendirent des cris, des pleurs ; ils regardèrent sur leur gauche.

Sur le trottoir, à environ cinq mètres de là, des soldats tenaient une femme pendant qu'un officier lacérait les jambes de son pantalon à l'aide d'une baïonnette.

— Au Chili, hurla l'officier, les femmes portent des robes !

Les soldats jetèrent la femme dans le caniveau. L'officier regarda la voiture avec les quatre hommes à l'intérieur. Braxton et Willy agitèrent leur carte jaune. L'officier les salua ; ils redémarrèrent.

Rivero se dévissa le cou pour voir les soldats ligoter les mains de la femme agenouillée dans le caniveau.

L'officier lui cracha dessus. Rivero avait la bouche grande ouverte, les yeux écarquillés.

Ils durent faire deux détours afin d'éviter des affrontements entre des militants gauchistes et les troupes de la junte.

L'appartement était situé au quatrième étage d'un immeuble de huit logements. La vieille femme qu'ils croisèrent dans le hall détourna rapidement la tête lorsqu'ils s'engagèrent dans l'escalier.

L'appartement était encombré de jolis meubles de famille. Willy découvrit un poulet cuit dans le réfrigérateur. Jud et lui se jetèrent dessus comme des rapaces. Braxton et Rivero répondirent qu'ils n'avaient pas faim, mais Rivero prit une des bouteilles de bière au frais.

— Ce type s'emmerde pas, soupira Willy en sirotant sa bière.

— Il y a deux chambres, dit Braxton. Willy, va roupiller en premier.

— J'y vais, *keemo*, répondit celui-ci en disparaissant dans une des chambres.

Rivero affirma qu'il n'était pas fatigué. Braxton haussa les épaules.

— Je vais téléphoner dans l'autre pièce, dit-il à Jud.

Rivero était assis sur le canapé, la bouteille de bière tremblait entre ses mains. Jud se laissa tomber dans un fauteuil face à lui. Il sourit.

— Vous êtes américain, dit Rivero.

— Oui.

— J'aime mon pays. Vous aimez votre pays ?

— Oui.

— Je suis soldat, c'est bien ça l'important, hein ?

— Oui, répondit Jud. Etre soldat.

— J'ai un métier. Un devoir. (Il secoua la tête.) Ça ne me gêne pas d'en parler.

Les fenêtres au fond de la pièce dominaient la ville. Un hélicoptère survolait les toits.

— Vous avez visité beaucoup de pays ? demanda Rivero.

— Quelques-uns, répondit Jud.

— Vous croyez... Est-ce que les communistes auraient envoyé nos enfants dans des écoles à Cuba ? Ils auraient obligé les femmes... Et l'église, vous croyez qu'ils auraient détruit l'église. Ils font des choses comme ça partout, n'est-ce pas ?

— Je ne suis pas allé partout, dit Jud. (Il hocha la tête.) Ce sont des sales individus.

— Oui. *Oui.*

Ils entendaient Braxton marmonner au téléphone dans la pièce voisine.

— Mes compatriotes... reprit Rivero, se sont laissés fourvoyer.

— Ça arrive, dit Jud.

— Il aurait dû se rendre... Enfin... dit-il avec un rictus de tête de mort, le regard ardent, voyez les choses logiquement, réfléchissez en soldat. Il y avait... Il était encerclé, nous l'avions coincé. Personne pour venir à son secours. Notre puissance de feu supérieure. Rien à gagner, il... Logiquement, il aurait dû se rendre. Un avion l'attendait, sauf-conduit garanti ! La parole d'un militaire ! Il aurait dû se rendre ! Monter dans cet avion !

— Comme nous, répondit Jud d'un ton neutre. Comme nous tout à l'heure. Cette nuit.

— Oui, oui. (Il secoua la tête.) Je suis un soldat. J'obéis aux ordres. Je fais de mon mieux. Je fais mon travail. J'ai un devoir. Je suis loyal.

Ses mains tremblaient, mais il alluma lui-même sa cigarette.

— Votre croix là... dit Rivero. Vous croyez en Dieu ?

— Evidemment, mentit Jud.

— La rédemption. Le pardon. Tant que vous conservez la foi. (Il secoua la tête.) Peut-être que vous n'avez même pas besoin de Dieu du moment que vous *croyez.*

— Calmez-vous, dit Jud. Vous êtes fatigué.

— C'était une bataille militaire, insista Rivero. Une attaque aérienne, puis moi et mes hommes avons reçu l'ordre d'attaquer. Ils nous ont tiré dessus ! Mitrailleuses, gaz lacrymogènes, c'était… Une bataille est un immense chaos, vous savez ? L'instinct et la folie.

— Oui, je sais.

— Vous êtes soldat. Voilà ce qui compte, être soldat. Le Palais Moneda, les coups de feu, le combat, les hommes en fuite, je n'arrivais pas à y croire, et puis ils se sont tournés vers moi — pas mes soldats — et j'ai tiré. J'ai tiré. Il est tombé.

— Plus tard, on l'a découvert…

— Quelle importance qu'il s'agisse d'un suicide ou pas ? dit Rivero. *Evidemment que c'était un suicide !* Il a voulu rester alors que toutes les chances étaient contre lui. Il a refusé de se rendre. Il s'est condamné lui-même. Quelle différence s'il a placé la mitraillette de Fidel sous son menton ou… si c'est moi qui l'ai tué ? Un suicide, c'était un suicide et il est mort.

Un énorme poids écrasa l'homme sur le canapé, le laissant tremblant. Jud se pencha vers lui, mais Rivero le repoussa.

— Je suis un soldat. J'ai fait ce qui devait être fait. Voilà tout. Je ne suis pas un meurtrier. Non ! Je ! Ne ! Suis ! Pas ! Un ! Meurtrier !

— Je connais des meurtriers, dit Jud. Vous n'en êtes pas un.

Braxton entra avec prudence dans le salon, les yeux fixés sur l'homme qui venait de hurler.

Voyant le regard désapprobateur de l'Américain, Rivero baissa le ton.

— Il est préférable pour l'histoire que tout le monde sache que c'est un suicide qui a tué le président. Pas nous. Pas moi. Un suicide. Il a choisi de rester, il a choisi de mourir, et c'est un suicide. En faisant ce choix. L'ultime choix, hein ? On a soudé le cercueil.

Mais c'est mieux ainsi, car c'est la vérité, c'était un suicide.

— Oui, dit Jud, certainement.

— Voilà pourquoi je dois partir, dit Rivero. Pour ne pas démentir l'histoire. En restant, je pourrais... Je pourrais faire une gaffe ou... il faut que je parte.

— Je comprends.

— Vous croyez que... Quand pourrai-je rentrer chez moi ?

— Dès que possible, répondit Braxton.

— J'aimerais appeler ma mère. Vous parlez avec votre mère ?

— Non, dit Jud.

— Vous avez tort. Vous devriez. (Rivero secoua la tête.) Il y a tellement de choses qu'on devrait faire. De choses qu'on ne devrait pas faire.

Willy sortit de l'autre chambre, l'air hagard.

— Putain, pas moyen de fermer l'œil avec cette saloperie de Dexedrine.

— Je suis fatigué maintenant, dit Rivero.

Braxton se pencha vers Willy :

— Il y a un téléphone dans la chambre ?

Willy fit non de la tête.

— Allez donc vous allonger, capitaine. Nous vous réveillerons quand nous aurons besoin de vous.

Rivero acquiesça. Il entra dans la chambre d'un pas traînant et se retourna vers les trois étrangers.

— Ma patrie, dit-il.

Puis il referma la porte.

Pendant un moment, les trois hommes restèrent affalés dans le salon, écoutant les sanglots derrière la porte fermée. Braxton passa d'autres coups de téléphone dans la seconde chambre. Willy et Jud contemplaient les murs d'un œil absent, les yeux ouverts, l'esprit vide. Le temps s'était immobilisé.

— C'est quoi ce bruit ? demanda soudain Jud.

Willy s'était relevé, l'arme au poing.

— Hé !

Silence. La porte de Rivero était verrouillée.

— Braxton ! beugla Jud, et il enfonça la porte d'un coup de pied.

La fenêtre de la chambre était ouverte.

Quatre étages plus bas gisait une silhouette ratatinée.

— Il aurait mieux fait d'attendre l'avion, commenta Willy.

— On fout le camp d'ici, ordonna Braxton.

Sur le trottoir, une poignée de gens étaient sortis pour regarder, sans trop s'approcher. Une patrouille de soldats se précipita vers ce défi à la loi et à l'ordre. Braxton adressa un signe de tête à Jud lorsqu'ils débouchèrent dans la rue.

— Va vérifier.

Jud lui jeta un regard noir.

— Bon Dieu, ce type n'avait pas de parachute !

Braxton le regarda dans les yeux et aboya :

— Willy ! Vas-y !

Sans même un regard, Willy s'éclipsa pour exécuter les ordres.

— C'est moi le responsable ici, cracha Braxton.

— De quoi ? demanda Jud. De qui ? Mes ordres disent que je dois exécuter un certain travail pour faciliter une situation. C'est fait, *boss,* et vous nous avez beaucoup aidés. Mais vous avez fini de commander.

— Cet homme faisait partie de la mission, et tant que nous l'avions pas ramené au Paraguay, nous aussi !

— Luis également, mais lui aussi vous l'avez laissé crever.

Braxton accusa le coup.

— Qui êtes-vous d'abord, hein ? demanda Jud.

Willy était agenouillé près du corps ; il se tourna vers eux, un petit signe avec le pouce renversé et il s'éloigna d'un pas tranquille. Un soldat l'arrêta, mais Willy lui colla sa carte jaune sous le nez et regagna la voiture.

— Tu veux savoir qui on est, héros ? dit Braxton d'un ton cinglant. Nous sommes les types qui doivent prendre un avion pour le Paraguay ce soir. Et on devait l'emmener avec nous. Nous sommes les types qui devaient organiser une séance de debriefing avec quelques amis, et parler de tout ça avec notre cher capitaine Rivero, le sauteur sans parachute.

... Mais ne l'appelle pas comme ça, ajouta Braxton. Appelle-le Lee Harvey. Appelle-nous Jack Ruby.

Braxton grimpa en voiture.

Jud repensa au stade, aux pelotons d'exécution. La femme dans la rue. La Maison Blanche du Watergate. Etre soldat.

Lentement, il monta à son tour en voiture.

Cette nuit-là, après que le jet de la Gulfstream les ait déposés tous les trois à Asunciòn — *mission terminée, plus de danger* — Jud acheta une bouteille de scotch et se soûla pour oublier.

Métro

Bien que totalement amoureux de sa femme, Nick Kelley tomba sous le charme de la réceptionniste du quatrième étage de l'immeuble de Washington où les « Plombiers » du Watergate avaient projeté de lancer une bombe incendiaire. Elle avait une peau chocolat au lait, des cheveux noirs qui bouclaient sur ses épaules, des yeux couleur ébène, et un sourire permanent. Elle était mince. Gracile. Et elle avait facilement quinze ans de moins que lui.

— Puis-je vous aider ? demanda-t-elle lorsqu'il sortit de l'ascenseur.

— Je viens voir Steve Bordeaux, dit Nick, en se demandant si elle avait conscience du mélange de culpabilité et d'innocence de son regard appuyé.

— Dois-je vous montrer le chemin ?

— Je me perds facilement, répondit-il, sans mentir.

Il suivit ses hanches minces à travers un dédale de cloisons bon marché, de tables de conférence, de piles de documents et de livres. Sur les murs étaient scotchés des caricatures de une, des cartes d'Amérique centrale et les organigrammes des Affaires étrangères des Etats-Unis. Les hommes installés devant les terminaux d'ordinateur portaient des blue-jeans et des cravates. Nick sourit en repensant à sa période de révolte lorsqu'il dénichait les scandales pour Peter Murphy.

La plupart d'entre vous étiez encore à l'école

382

primaire. Il avait envie de leur dire un millier de choses ; il aurait voulu qu'ils sachent qui il était, qu'il était allé *là-bas*. Qu'il y était toujours. Ils le regardèrent passer : un type mince avec une veste sport gris acier et non pas un costume, un homme dont les cheveux grisonnants et le regard dur l'excluaient d'office de leur génération qui n'avait pas connu la guerre, un type banal, pas trop grand et plutôt maigre. Son visage fatigué ne figurait pas dans leurs précieux albums de personnages. L'expression de leurs yeux exempts de cicatrices indiquait qu'ils écouteraient ses paroles de sagesse, sans y prêter attention.

Le vieux, songea-t-il, et il éclata de rire.

— Je vous demande pardon ? dit la jolie fille.

Son parfum était musqué.

— Rien, dit-il. La nostalgie.

— Voici Steve, dit-elle en désignant un bureau ouvert, avant de repartir d'un pas léger.

Un homme d'environ trente-quatre ans était assis derrière un bureau encombré, chemise bleue, cravate desserrée, pantalon noir, lunettes, et coupe de cheveux au rabais. Il posa les épreuves qu'il était en train de corriger pour lui tendre la main.

Nick prit la chaise près du bureau. Un interphone annonça qu'on réclamait Tom et Malcolm pour la réunion.

— Merci de me recevoir, dit Nick.

— Hanson m'a dit que vous étiez un type bien, répondit Steve. Vous connaissez Hanson, il me connaît. Dans cette ville, les gens que vous connaissez décident de ce que vous faites.

— Mon problème, c'est que je ne sais pas qui je connais. Voilà pourquoi je viens vous trouver ici aux Archives.

Les Archives de la sécurité nationale sont une créature des années 80, un de ces nombreux groupes sans but lucratif de la capitale qui se démènent pour pousser le rocher de Sisyphe du gouvernement. Les

Archives louent un espace dans l'immeuble plus ancien et plus prestigieux qui a enflammé les hommes du Watergate, vivent de subventions et existent pour mettre à jour des informations concernant la politique étrangère de l'Amérique.

— Je cherche des recoupements, expliqua Nick. J'ai plusieurs sujets. Je voudrais trouver des liens avec la contra iranienne. Et identifier les acteurs.

— Vous pensez à quelqu'un en particulier ?

— Un ancien informateur. (Nick haussa les épaules.) J'ai entendu quelques théories insensées auxquelles je refuse de croire.

Steve fronça les sourcils.

— Par exemple ?

— Comme la cocaïne. Je ne pense pas que les contras en faisaient leur politique, ni que la CIA avait assez d'imagination pour financer leur guerre secrète au Nicaragua, mais...

— *Mais...* (Steve sourit.) Chaque fois que vous êtes en présence d'une opération secrète à grande échelle comme les contras, vous avez des gars qui font leurs petites affaires en profitant du silence et de la furie. Comme ces types de l'ancienne Brigade 2506 qui ont participé à la dernière croisade anti-communiste. Ils se servaient d'une entreprise de pêche pour surveiller les côtes du Nicaragua jusqu'à ce que les douaniers de Miami décongèlent des blocs de crevettes et découvrent des sachets de coke. Et certains des mémos d'Oliver North parlent des « Enfants Terribles », un groupe de contras qui trafiquaient de la coke. C'est le genre de trucs qui vous intéresse ?

— Non, trop banal, répondit Nick.

Ils rirent.

— Qui est ce type après qui vous courez ?

— Je ne lui cours pas après, je le cherche. Il est peut-être mêlé à une histoire de drogue, mais dans ce cas, c'est certainement... un truc tordu. Et très astucieux.

— Comme le coup de Barry Seal ? demanda Steve.

— Ce nom ne me dit rien.

— Vous n'êtes pas le seul, hélas ! dit Steve. Un type de la Louisiane. Comme moi, sauf que lui était de Baton Rouge, et moi je suis né à Catahoula.

— Sacrée différence, en effet, dit Nick, et Steve rit.

— Barry était pilote. On le surnommait « Cuisses de Tonnerre ». Il s'est fait coincer par des flics de Louisiane qui savaient qu'il trafiquait de la coke et refusaient de marcher dans sa combine d'*agent infiltré* ou d'*indic de la CIA*. En 1984, il était sur le point de se retrouver en taule, lorsqu'il débarque à la brigade anti-drogue de Floride du vice-président en affirmant être en mesure de prouver que les sandinistes fourguent de la came.

... Branle-bas de combat à la Maison Blanche. Nos barbouzes ont planqué des appareils photo dans l'avion de Barry, et il a ramené des clichés qui *d'après lui* montraient un haut responsable nicaraguayen en train de charger de la coke à bord de son avion. Evidemment, la cargaison était dans des sacs, et peut-être qu'il ne s'agissait pas d'une mission sandiniste officielle, mais merde, c'était de la propagande de première et nos gars de la contra iranienne s'en sont servi.

— Qu'est devenu Barry Seal ?

— La loi s'est désintéressé de son cas pendant quelque temps. En 1986, deux types l'ont mitraillé à bord de sa Cadillac blanche.

— Rien de bien exceptionnel, dit Nick.

— Ce n'est pas tout. Un avion appartenant à un ancien de la CIA a été abattu au-dessus du Nicaragua alors qu'il larguait des vivres aux contras. Les sandinistes ont capturé un survivant. Il a parlé, il a avoué travailler pour la CIA, et c'est ainsi qu'a éclaté le scandale de la contra iranienne.

— Je me souviens de cette histoire d'avion, dit Nick.

— Barry Seal a vendu cet avion à nos gars de la

385

contra iranienne. Il s'en était servi pour transporter de la came.

— Ironie du sort, mais ce n'est pas une histoire pour moi, dit Nick.

Steve haussa les épaules.

— Et l'autre partie du scandale, le côté Iran ?

— Mon type a un lien avec l'Iran, répondit Nick. Mais c'est vieux.

— Vous êtes historien ou journaliste ?

— Je suis romancier.

— Dans ce cas, vous n'avez qu'à inventer.

— Ouais !

Les deux hommes sourirent.

— A la fin du printemps, annonça Steve, nous publions un index de la contra iranienne. Nous avons établi des renvois entre tous les documents, les noms de quasiment toutes les personnes citées à un moment où un autre durant les six années clés du scandale, plus un glossaire des organismes...

— Des biographies également ? l'interrompit Nick.

— Succinctes. Quelques centaines de noms sur trente pages.

— Pourrai-je en avoir un exemplaire ?

— Bien sûr, mais il est facile de vérifier si votre type s'y trouve.

— Non, il n'apparaîtra sur aucune liste, dit Nick.

Il hésita, puis se décida. *Tu n'as rien à perdre à part cette occasion de découvrir la vérité.*

— Avez-vous quelque chose concernant plus particulièrement les opérations d'espionnage contre le cartel de la cocaïne ? demanda-t-il. Pas les interventions policières : du stratégique. Des liens avec la politique, les terroristes. En remontant à une dizaine d'années.

— Il y a dix ans, personne n'employait le mot cartel. (Steve fronça les sourcils.) Accordez-moi une minute.

Il quitta le bureau.

Nick regarda par la fenêtre de Steve les cages à

poules de sept étages en verre et en brique, remplies d'avocats qui travaillaient soixante heures par semaine à la lumière des néons. Il ferma les yeux, et parmi les odeurs d'encre, de papier et de poussière qui se consumaient dans l'électricité des ordinateurs, il imagina qu'il sentait le parfum musqué.

— Je l'ai trouvé ! s'exclama Steve en rentrant dans le bureau d'un pas énergique, avec entre les mains une chemise bulle ouverte.

... C'est un projet que je n'ai jamais achevé. Des câbles du département d'Etat, des coupures de presse, des témoignages du Congrès. Rien concernant des *opérations* d'espionnage, mais un *produit* de l'espionnage.

— Sur le cartel ? demanda Nick, l'oreille tendue pendant que l'archiviste feuilletait le dossier, guettant le nom de Jud.

Steve fit un geste de la main.

— Sur la drogue *et* les terroristes : des guerrilleros colombiens de gauche qui servent de gros bras à des trafiquants de drogue. Des extrémistes de droite du Salvador qui utilisent l'argent de la drogue pour commanditer l'assassinat du président du Honduras. Des rapports concernant des officiels cubains et nicaraguayens mêlés au trafic de cocaïne. Le mouvement d'extrême-droite des Loups Gris en Turquie qui vend de l'héroïne et traite conjointement avec les services d'espionnage communistes de Bulgarie. Plus un truc au début de 1982 sur le Sentier Lumineux au Pérou qui rackette les producteurs de coca.

— Même jungle, dit Nick. Il est logique que les espions, les révolutionnaires et les trafiquants de drogue suivent les mêmes chemins.

— Que signifie un nom ? dit Steve. Caïd de la drogue ou terroriste, des groupes disparates se retrouvent dans les mêmes tactiques. Un moment, j'ai envisagé d'écrire un article pour montrer comment la drogue finirait par transformer les révolutionnaires en capitalistes, comme cela s'est produit en Birmanie avec l'héroïne et les Shans, mais... d'autres priorités.

— D'où provenaient les informations contenues dans ces télégrammes et ces articles ?

— Depuis 83, ça ne manque pas : opérations de police, informateurs. Rétrospectivement, la drogue et le banditisme politique étaient des frontières historiques qui attendaient d'être franchies. Comme vous l'avez dit : c'est la même jungle.

— Mais avant que l'inévitable devienne évident, insista Nick, d'où venaient les *premiers* renseignements ?

— Aucune idée, répondit l'enquêteur qui avait rassemblé toutes ces informations. La drogue est un commerce qui rapporte quatre-vingt milliards de dollars par an. Les gens s'intéressent à ce genre de profits.

— L'argent fait tourner le monde. (Nick plissa le front.) Et l'argent de la contra iranienne ? Près de vingt millions de dollars. Qui les a empochés ?

— Le scandale a éclaté trop tôt pour permettre d'énormes profits. Mais il y a les bénéfices sur les armes et la nourriture, les honoraires de conseiller des groupes de relations publiques et des intermédiaires, les notes de frais gonflées... et merde, le prestige de travailler pour la Maison Blanche : on ne saura jamais ce que ça a rapporté aux méchants.

— Ni ce que ça a coûté aux autres, dit Nick.

Il prit le métro jusqu'à Capitol Hill, sa mallette posée sur les genoux. Le métro n'était pas l'endroit idéal pour consulter les cinquante pages denses des glossaires des noms et des organismes de la contra iranienne qu'il avait photocopiées aux Archives.

Un Noir avec un costume bleu et une chemise blanche, un attaché-case posé à ses côtés, était assis dans la rangée voisine.

Cadre commercial, décida Nick, sans trop savoir ce

que signifiait ce terme, inventant une vie à cet homme qui voyageait dans le même wagon. Une vie innocente.

Une jolie femme avec un visage d'aigle et des cheveux mi-longs d'un blond ardent monta à l'arrêt suivant. Elle avait la quarantaine, avec des yeux bleus éclatants, des vêtements bon marché, mais tape-à-l'œil.

Militante dans un groupe de bienfaisance, se dit Nick. *De gauche, mais possédant le sens de l'humour. Pas d'alliance, n'a pas l'air d'une lesbienne, et ne donne pas l'impression d'être délaissée.*

Elle ne remarqua pas Nick.

Trois adolescentes, sac à dos, jeans déchirés, avec tout l'ennui du monde sur le visage, s'affalèrent sur les derniers sièges libres du wagon. Alors que le métro quittait la station, elles se mirent à jacasser à voix haute : « ... et tu vois, y a vraiment des cons, tu vois, putain, ah ! je suis stressée, putain. » Elles prenaient bien soin de prononcer le mot « putain » au moins une fois par phrase.

La femme au visage d'aigle sourit en écoutant les propos des adolescentes.

Trois ouvriers du bâtiment larges d'épaules encombraient l'allée, se tenant au poteau en aluminium avec leurs bras épais, leur casque en plastique bleu posé de travers sur leur front en sueur.

Le métro brinquebalait dans les tunnels sous les rues de Washington, transportant des touristes venus de l'Indiana et de Kyòto. Une bonne d'enfants chinoise avec deux fillettes ricanantes aux cheveux blond filasse. Nick se demanda ce que Juanita et son fils faisaient à cet instant. Dans son wagon, les attaché-cases l'emportaient sur les sacs à provisions, et une dizaine de passagers portaient autour du cou des chaînes en argent avec des badges d'identification : un vendredi en milieu d'après-midi dans une ville caractérisée par le travail.

Nulle part, aussi bien dans le wagon que sur le quai

des stations, il n'aperçut un homme aux cheveux blancs avec un pardessus en laine bleu.

Nulle part il n'aperçut le détective Jack Berns.

Il prit la correspondance à Metro Center, se frayant un passage parmi les voyageurs empressés, sautant dans la rame au moment où retentissait le signal sonore, juste avant que les portes ne se referment. Il regarda autour de lui et ne vit aucun passager de la précédente rame : la femme au visage d'aigle avait dû rester dans l'autre train.

Un homme qui agitait des pièces dans un gobelet de Coca de chez MacDonald se tenait au sommet de l'escalator qui ramena Nick à la surface. Nick était descendu à l'arrêt proche du Capitole afin de passer devant les bars et les restaurants de Pennsylvania Avenue, et voir les acteurs du Congrès déambuler à l'air libre. Les vitrines de la librairie bien achalandée où l'on ne trouvait pas ses romans ne réflétaient aucune silhouette suspecte dans son dos.

Une femme enveloppée dans une couverture marron crasseuse lui lança :

— Hé ! file-moi donc un « quarter » !

Le regard de Nick la transperça. Elle s'en moquait. Soudain, Nick aurait aimé posséder tous les « quarters » du monde pour les distribuer, et tant pis s'ils servaient à acheter du vin, du crack, ou de la nourriture pour des enfants affamés.

Trois jeunes Marines aux cheveux coupés à la tondeuse, avec des shorts rouges et des T-shirts gris, affectés à la caserne du commandant à plus d'un kilomètre de là, couraient en petites foulées vers le Capitole. Aucune des jolies filles dans la rue ne leur prêtait attention.

Le pâté d'immeubles où Nick avait son bureau était entouré de voitures, mais pas le moindre piéton. Il gravit les cinq marches du perron, glissa sa clé dans la serrure de la porte d'entrée de l'immeuble.

Il se retourna brusquement : personne dans la rue.

Personne.

Uniquement de l'électricité statique dans l'air, se dit-il.

Tout paraissait en ordre dans son bureau. Le seul message sur son répondeur provenait de Sylvia qui lui demandait de penser à acheter du lait en rentrant, concluant par un *Je t'aime* discret. Il repensa au parfum musqué, à la peau couleur chocolat, et il rit de son sentiment de culpabilité injustifié.

Il lui restait un bloc de feuilles intact dans ses réserves. Il se munit d'un stylo et sortit les photocopies des glossaires.

Les Archives n'avaient pas relevé le nom de Jud Stuart.

Le glossaire des noms par ordre alphabétique se composait de biographies allant de deux phrases à quatre paragraphes condensés. Nick cherchait des points communs entre les noms et les légendes qu'il associait à Jud : Vietnam, Forces Spéciales ou autres groupes militaires d'élite, Iran, Chili (qu'était-il allé faire au Chili ?), Watergate, trafic de drogue.

Sur le bloc, il inscrivit le nom du responsable local de la CIA à Beyrouth qui avait été kidnappé et torturé à mort, mais pas celui du journaliste américain enlevé dans cette même ville. Les otages représentaient l'aspect rationnel derrière la partie iranienne du scandale dont traitait ce glossaire, mais Nick n'associait pas Jud aux victimes choisies au hasard.

Un agent de la CIA compromis dans un scandale de vente d'armes compléta la liste de Nick, ainsi qu'un colonel de l'Air Force à la retraite qui avait créé un ensemble de sociétés pour obtenir des contrats d'approvisionnement avec les contras. Vinrent ensuite deux marchands d'armes iraniens, peut-être Jud les avait-il rencontrés au cours de sa mission auprès du gouvernement du Shah. Un Américain propriétaire d'un ranch au Costa Rica, lié aux contras et qui avait ensuite fui la brigade des stups de ce pays, rejoignit la liste, tout comme un amiral travaillant pour l'état-major, le même groupe qui durant le Watergate s'était trouvé impliqué dans le réseau d'espionnage de la Maison Blanche. Nick nota ensuite le nom d'un gros propriétaire de magasins d'alimentation, ancien du Vietnam, ex membre du Ku-Klux-Klan et fondateur d'un groupe de mercenaires qui travaillait avec l'équipe secrète de la Maison Blanche et envoyait des « missionnaires-mercenaires » pour aider les contras.

Une poignée de Cubains-Américains figurèrent également sur la liste, principalement des membres d'organisations d'extrême-droite ou des anciens de la Brigade 2506.

Un agent de la CIA ayant servi au Laos et lié à un renégat de la Force d'Intervention 157, aujourd'hui en prison, attira l'attention de Nick, ainsi qu'un général américain à la retraite, conseiller pour la question iranienne, spécialiste de la guerre secrète, et fondateur de sociétés vendant des armes aux contras. Nick nota également le nom d'un ancien major dans l'unité de commando anglaise la plus prestigieuse qui avait organisé en 1985 une mission au Nicaragua pour faire sauter un dépôt militaire et un hôpital.

La plupart des hommes figurant sur la liste de Nick avaient des noms de code ; beaucoup d'entre eux avaient acquis la célébrité en étant impliqués dans le scandale : amiraux, généraux, conseillers de la Maison Blanche, officiers de l'armée, financiers, et marchands d'armes iraniens, tous reconnus coupables de crimes tels que fraude fiscale, mensonge devant le Congrès, destruction de propriété gouvernementale, corruption et conspiration.

Il fallut deux heures à Nick pour éplucher le glossaire des noms. Après quoi, il s'attaqua au glossaire des organismes.

Douze pages de paragraphes compacts concernant une centaine d'organismes allant de compagnies de transport aérien à des sociétés appartenant à la CIA.

Depuis la CIA jusqu'à une demi-douzaine de fondations et de comités de tendances conservatrices et exonérés d'impôts qui avaient réuni des millions de dollars pour les contras, qu'ils dépensaient parfois pour calomnier illégalement des membres du Congrès. Quelques banques suisses figuraient elles aussi dans le glossaire, ainsi que des compagnies écran servant à vendre secrètement des armes au gouvernement iranien anti-américain pour réinvestir ensuite les profits dans les mouvements de contras ou d'autres opérations secrètes.

Dissimulation d'assistance complexe, songea Nick. Est-ce Jud qui lui avait appris cette maxime, ou l'avait-il trouvée seul ?

Il se frotta les yeux, consulta sa montre : il était presque l'heure de rentrer. Il ne savait pas de quelle manière classer les organismes.

La lumière de l'après-midi qui entrait par la baie vitrée était grise, comme un torrent dans une ville d'acier. Il contempla les toits et les arbres bourgeonnants de la plus belle démocratie du monde.

Il ne vit personne dans la rue.

Mais il se sentait nu. Exposé. Observé. Cette sensation était si forte qu'il avait l'impression qu'un train invisible fonçait sur lui, un train dans lequel il se trouvait, un métro.

Dans son wagon, aucun passager n'avait de visage.

Cœur en mal d'amour

Wes mit trois jours à se rétablir.

Beth était présente lorsqu'il se réveilla le vendredi ; même si elle n'était pas dans la chambre, il sentait sa présence, son contact apaisant, il sentait sa peau, ses cheveux.

— Je pensais que nos premières semaines au lit seraient légèrement différentes, dit-elle, assise au bord du lit, le lendemain matin après son retour.

Elle lui tenait son assiette d'œufs brouillés. Une poche de glace était posée sur sa jambe.

— Elles le seront, répondit-il.

— A supposer que tu sois encore là.

Son regard se tourna vers la fenêtre, revint se poser sur lui, observa son visage pâle et tuméfié.

Wes lui caressa la joue du bout des doigts.

— Les journaux annoncent que la paix est signée, dit-elle, et pourtant tu me reviens blessé. J'ignore pour quelle raison. L'uniforme je peux l'accepter, bon sang, tu ne sais pas à quel point je rêve de *semper fidelis*, « toujours fidèle ». C'est vrai. Peut-être que je peux tout supporter, même si tu devais partir... Si cela pouvait arrêter Hitler, nous partirions tous les deux.

— Je doute que le commandant soit d'accord.

— Qu'il aille se faire foutre, je n'aime pas ce commandant !

Le ciel s'ouvrit pour Wes. Il prit le visage de Beth

entre ses mains, sentit ses larmes couler sur ses doigts et chuchota :

— Je t'aime moi aussi.

Elle enfouit son visage dans son cou.

— A quoi tu joues ? murmura-t-elle. De quoi s'agit-il ? Pourquoi es-tu blessé ?

— Une seule fois, dit-il, c'est l'affaire d'une seule fois. Ensuite, ce sera terminé.

Elle se laissa aller en arrière, le regard humide et heureux, effrayé.

— Quoi ?

— J'ai quelque chose à découvrir. Quelque chose à faire.

— *Quoi ?*

— Je ne peux pas te le dire.

— Ne fais pas ça, dit-elle. Ne meurs pas. Il ne faut pas.

— Je ne mourrai pas. *Crois-moi.* Surtout maintenant, je ne mourrai pas.

— Ouais ! regarde-toi, tu es en pleine forme.

Elle renifla.

— Ecoute, mon ange, j'ai choisi les Marines pour faire ce qui devait être fait. Voilà à quoi je veux consacrer ma vie. Je veux être une partie de la solution. Etre certain que... mes parents, mes neveux... toi, vous soyez tous en sécurité. Faire en sorte que tout fonctionne. Je ne peux pas laisser faire le hasard, je suis obligé d'assumer ma part de responsabilité. Je fais partie de la bonne équipe, et je joue aussi pour moi. Chez les professionnels. Si tu veux jouer, va jusqu'au bout. Cette... mission : voilà de quoi il s'agit.

... Ce n'est pas moi qui ai défini le combat, mais je ne peux pas faire comme si de rien n'était. Je ne peux pas laisser quelqu'un d'autre s'en occuper.

— Pourquoi *toi* ?

— C'est ma piste. Ma jungle.

Quelqu'un frappa à la porte.

Beth sortit de la chambre. Il entendit Greco qui

demandait à le voir, et Beth qui se présentait. Greco lui donna son nom. Wes dissimula la poche de glace et s'efforça d'avoir meilleure mine. Elle conduisit Greco dans la chambre.

— Il y a du café au chaud, dit-elle à Greco qui affichait un air poli. Si vous en voulez tous les deux.

Elle s'adressa ensuite à Wes :

— J'ai des coups de fil à passer.

Elle l'embrassa avec douceur, remplie d'inquiétude, et quitta l'appartement.

— Qui est-ce ? demanda Greco.

— Beth est... (Wes eut un grand sourire.) Quelqu'un de spécial.

— Elle habite en face ?

Wes acquiesça.

— C'est pratique. Tu la connais depuis combien de temps ?

— Depuis toujours.

— Ah ! fit Greco en prenant une chaise, rien ne vaut les vieux amis. N'oublie pas ça.

— Merci.

— Ton sujet n'a toujours pas refait surface, annonça l'agent du contre-espionnage du N.I.S. Mes gars peuvent continuer à chercher pendant encore sept heures avant que ça commence à sentir mauvais. Après, à toi de te démerder.

... Tu as déjà entendu parler des G ? demanda Greco.

Wes secoua la tête.

— Ils sont dirigés par le FBI. Special Support Group, les SSG. Une main-d'œuvre de fonctionnaires. Des individus trop gros, trop petits ou trop myopes pour devenir des agents, mais qui veulent quand même être de la partie. Ils sont très mal payés. Ils travaillent au coup par coup. Pas d'interventions, aucune arme, aucune gloire. Moins chers pour les surveillances. Et très difficiles à repérer. Les méchants ne se méfient pas des grosses bonnes femmes.

... Ils n'ont pas le droit de travailler pour des affaires privées. En périodes creuses, le Bureau les prête à d'autres agences, à condition qu'elles paient la note.

Greco haussa les épaules, et reprit :

— Ton histoire de prêt entre le N.I.S. et la CIA est légitime : hasardeux, mais autorisé. J'ai passé quelques coups de fils. Le Bureau possède plusieurs G à L.A. qu'il n'utilise pas. L'un d'eux s'appelle Seymour, j'ai déjà fait appel à ses services. Il peut te fournir ce dont tu as besoin. Si tu as de quoi payer.

— Très bien.

— Si tu as de quoi payer, répéta Greco. (Il tendit à Wes le numéro de téléphone du G.) Mes agents peuvent fournir à Seymour des doubles de la photo du permis de conduire dans l'heure qui suit.

— J'ai d'autres photos dans ma veste de costume sur la chaise, dit Wes.

Greco trouva les photos en question. Ignorant si elles avaient une quelconque valeur, mais par principe, il demanda :

— Tu les gardes comme ça ?

— Il m'a semblé que c'était l'endroit le plus sûr.

Wes déchira un bout du rouleau de sparadrap posé près du lit et le colla sur le visage de Nick Kelley sur le Polaroïd montrant l'écrivain en compagnie de Jud Stuart.

— Le gars sur ce Polaroïd et sur la photo prise en cachette au restaurant est la cible principale, dit Wes. Peux-tu envoyer des doubles de ces deux clichés à Seymour ? A tes hommes également. S'ils repèrent le type à la moto, ils lui collent au train, mais s'ils doivent choisir, qu'ils suivent la cible principale.

Greco frotta son pouce sur le morceau de sparadrap.

— Combien de chemins un homme doit-il suivre ? dit-il en parodiant une chanson que Wes n'aurait jamais cru qu'il connaissait.

— Il faut que j'aille à la salle de tir demain, dit Wes.

— A ta place, je resterais couché encore quelques jours, dit Greco. Tu pourras y aller lundi.

— Je serai déjà parti d'ici là. J'aurai quitté la ville.

Greco observa d'un air hébété l'homme couché dans le lit.

— Ne t'inquiète pas, dit Wes. Rien de bien important.

— Ne tire pas trop sur la corde, dit Greco.

— Je ne vais pas dans la zone de combat.

— Tu pars avec cette fille ?

— Non.

— Alors tu vas dans la zone de combat.

Après le départ de Greco, Wes appela Seymour à L.A.

— Hé ! c'est la providence qui vous envoie ! dit Seymour. (Il parlait du nez.) Entre la *glasnost* et les budgets Graham-Rudman on n'a plus beaucoup de travail. C'est pas une histoire de drogue, hein ? Mes gars touchent pas à la came.

— Non, répondit Wes en s'agitant dans son lit à Washington.

— Ni une histoire de gangs ? Y a trop de fusils de chasse et de AK-47.

— Non, pas de gangs. Rien que la procédure habituelle. Un beau petit boulot. Surveiller six pâtés de maisons à Westwood, deux types, une moto, repérage et surveillance permanente.

Seymour pianota sur une calculatrice de poche.

— Il vous faut deux gars à trente dollars l'heure chacun, vingt-quatre heures sur vingt-quatre, soit mille quatre cent quarante dollars. Disons quinze cents avec les frais. Plus deux cent cinquante par jour pour les véhicules et les émetteurs ; les types des locations me font une ristourne parce que je prends uniquement des bagnoles sales, ajouta Seymour en riant. Si vous fournissez les émetteurs, pas besoin de les louer.

— Louez-les, dit Wes.

— Je connais un gars à Torrance. Je compte quarante dollars de l'heure pour moi et ma collaboratrice au centre de contrôle, on se servira de mon appart, pas de frais. Dix dollars de plus par heure pour nous parce qu'on commande toutes les manœuvres, O.K. ?

— O.K.

— Ma collaboratrice habite avec moi, donc pas de problème pour la radio et le téléphone quand je suis sur le terrain. Aucun risque qu'un inspecteur général vienne crier au népotisme, nous ne sommes pas mariés. Je pense qu'on peut vous compter seize heures nettes pour tous les deux à temps plein, correct ?

— Correct.

— Hé ! vous êtes chouette vous ! Pas de comités, pas de demande de soumission. Est-ce que vous avez les autorisations ?

— On s'en occupe, mentit Wes. (Greco l'aiderait à établir des documents légaux.) Mais vous serez certainement hors-circuit avant de les recevoir.

— Comme toujours, non ? Donc, ça nous fait six cent quarante dollars par jour pour moi et ma compagne.

— Conservez tous les reçus et les documents préparatoires pour...

— Hé ! vous avez pas idée comment j'enfonce tous les gratte-papier !

— J'espère, dit Wes.

— Si vous êtes vraiment le pivot central dans cette histoire, procurez-vous un téléphone portable.

— Entendu.

— Donc, on réclamera à l'Oncle Sam deux mille trois cent quatre-vingt-dix dollars par jour. On est bien d'accord ?

— Je vous envoie dès aujourd'hui une avance de dix mille dollars en liquide.

— En liquide ? Hé ! vous êtes formidable comme mec !

Wes demanda à Beth de porter l'enveloppe scellée au bureau de Federal Express. Ça ne la gênait pas, elle l'embrassa avant de sortir.

Il se leva en étirant timidement sa grande carcasse. Il avait mal partout, mais sa jambe pouvait supporter le poids de son corps du moment qu'il faisait attention. Il se regarda dans le miroir de la salle de bains. Ses hématomes commençaient à perdre leur couleur et à dégonfler. Son visage pas rasé était blême, et sa vieille cicatrice d'éclat d'obus ressemblait à un tatouage marron dentelé. Il trouva une balle de base-ball dans son placard et la rapporta avec lui dans le lit pour la presser dans sa main pendant qu'il téléphonait.

Au siège de la CIA, Noah était *absent*. Mary, la secrétaire particulière du directeur était occupée, Denton également.

Au N.I.S., le commandant accepta de signer les documents autorisant Wes à porter une arme à feu dissimulée pour *raisons fédérales*. Des interrogations perçaient dans la voix du commandant, mais il ne posa aucune question.

Wes passa une grande partie de l'après-midi à dormir. Quand il se réveilla, sa migraine avait disparu, bien que tout son corps soit encore endolori. Beth lui prépara un dîner, l'aida à prendre son bain, changea ses bandages. Elle dormit à ses côtés. L'un et l'autre prirent soin de ne plus prononcer le mot *amour*.

Je redeviens prudent, songea Wes. Mais il se sentait curieusement libre, heureux de ce risque, bien que terrifié par le danger.

Le lendemain, il se leva avant que Beth ne se réveille, il fit le café et lut la moitié du journal, avec un sourire florissant. Après l'avoir envoyée à son travail, il s'habilla et se rendit en voiture jusqu'au quartier général du N.I.S. pour récupérer son permis de port d'arme. Au stand de tir du N.I.S., l'instructeur, un type costaud qui servait dans les commandos anti-terroristes et les services de protection individuelle travailla pendant une heure avec Wes.

Les Marines lui avaient appris à manier une arme en tenue de combat, l'instructeur du N.I.S. lui enseigna les techniques en civil : holster à la hanche pour dégainer comme les agents du FBI, la position Weaver. Wes tira toute sa boîte de balles d'entraînement, en s'améliorant du début à la fin. Sa jambe gauche supportait sa part de charge, ses côtes le faisaient souffrir, mais il avala des aspirines et décida d'ignorer la douleur. Il aimait la sensation de l'arme dans sa main : elle se cabrait, rugissait et crachait du plomb à chaque pression de son doigt sur la détente.

Il tirait sur des cibles en forme de silhouettes humaines.

Cette nuit-là, il fit l'amour avec Beth, blotti dans ses bras tandis qu'elle remuait doucement d'avant en arrière, assise sur lui. Il prononça son nom à voix haute et chuchota les mots dans son cœur. Le dimanche, ils se reposèrent et elle ne put le dissuader de s'en aller.

Le lundi matin, il prit un taxi jusqu'à l'aéroport, refusant qu'elle l'y conduise en voiture, de peur qu'elle le serre dans ses bras après qu'il ait attaché son holster dans les toilettes de l'aéroport, pour qu'elle ne le voie pas remplir les formulaires d'*officier de paix armé* au comptoir de la compagnie.

San Francisco est la plus belle ville d'Amérique, avec ses ponts, ses collines en forme de montagnes russes, Chinatown et Coit Tower, Alcatraz, ses fleurs, son ciel bleu et vif, ses habitants souriants.

C'est à San Francisco que vivait Mathew Hopkins, ancien de la Navy qui travaillait à la Maison Blanche et avait trouvé la mort dans le toril d'un bar à poivrots de L.A.

Le bureau des anciens combattants lui envoyait ses chèques de pension d'invalidité à cent pour cent dans un quartier paisible de maisons mitoyennes, suffisamment proche de l'océan pour entendre les cornes de brume. Wes atterrit à San Francisco en milieu de matinée, et avant midi il découvrit que l'adresse correspondait à un appartement au rez-de-chaussée d'une maison en stuc gris. Toutes les fenêtres du rez-de-chaussée étaient protégées par des grilles tarabiscotées. La porte d'entrée elle aussi munie de barreaux, se situait sous l'escalier en béton qui menait à l'habitation principale. Entre les barreaux et la porte verrouillée garnie de rideaux, Wes découvrit la carte de visite tachée d'un policier de San Francisco qui avait cherché à transmettre le message de la police de L.A. et prévenir celui ou ceux qui habitaient là que Mathew Hopkins était mort.

— Il est pas chez lui, dit une voix de femme.

Wes pencha la tête en arrière et découvrit une femme rondouillarde qui l'observait du haut de l'escalier. Elle tiqua en apercevant ses hématomes.

— Vous habitez à l'étage ? demanda Wes.

Il tenait sa mallette en Gore-Tex dans la main gauche.

— Qui pose la question ?

Elle se rapprocha de la rampe.

Wes lui montra sa carte du N.I.S., regrettant de ne pas avoir de plaque.

— La police, hein ? J'aurais dû m'en douter. On dirait que vous êtes tombé sur un méchant.

— En effet.

— Matt va bien ?

— Matt ?

— Matt Hopkins, le gars devant chez qui vous rôdez. J'habite au-dessus, je suis sa propriétaire. Je suis veuve.

— Quand l'avez-vous vu pour la dernière fois ?

— Hé ! qui se préoccupe du temps qui passe ? Voyons voir... il m'a envoyé son chèque du loyer, disons... six ou sept semaines.

402

... Il est du genre calme, ajouta-t-elle. Il fume trop, il mange trop de viande rouge et de plats surgelés, mais c'est un célibataire, hein ? Pas facile de cuisiner pour une seule personne. Vous vivez seul ?

— Oui, répondit Wes, est-ce...

— Vous avez tort. Regardez-vous : il vous faudrait quelqu'un pour s'occuper de vous. Vous voulez du café ? J'ai des choux de Bruxelles en salade pour midi.

— J'ai une mauvaise nouvelle pour vous : monsieur Hopkins est mort.

Elle accusa le coup.

— Mais... il n'était pas malade, si ?

— Un accident, dit Wes. A L.A.

— Merde alors. Pas étonnant qu'on le voie plus.

— Je travaille pour le gouvernement fédéral et...

— Je me doutais que vous étiez un flic.

— Je suis plus que ça, je suis avocat.

— Oh ! fit-elle avec un sourire.

— Nous devons nous occuper des biens de monsieur Hopkins. Auriez-vous la clé de son appartement ?

— Evidemment. Mais il ne veut jamais me laisser entrer.

— Il ne dira rien.

— Oh ! vous avez raison. (Elle lui adressa un clin d'œil.) Attendez-moi là.

Cinq minutes plus tard, elle descendit rapidement l'escalier en béton avec un trousseau de clés. Elle s'était coiffée.

— Il avait fait installer tous ces verrous, dit-elle en utilisant trois clés différentes. Et vous devriez voir derrière ! Des barreaux à toutes les fenêtres ! Mais je lui ai donné la facture et j'ai exigé d'avoir un double de toutes les clés.

— C'était une bonne idée, dit Wes.

Elle rit et ouvrit la porte.

L'air qui s'échappa de l'appartement sentait le renfermé. Une odeur de pourriture assaillit leurs narines.

La veuve renifla, ouvrit la bouche pour dire quelque chose, puis la referma. Elle mit un pied à l'intérieur, mais recula aussitôt.

— Il est mort, hein ?

— Oui.

— J'aime pas les morts, dit-elle. Ils me font peur... Ecoutez... vous pouvez faire ça sans moi ? Je n'ai pas envie de... pas tout de suite. Je vous attends en haut. J'ai pris son courrier. Rien que des prospectus, mais vous les voudrez peut-être. Vous n'avez qu'à sonner... Annie McLeod. Je vais faire du café. D'accord ?

— Ça ira, dit Wes, et il lui adressa un sourire qui la fit remonter précipitamment, soulagée.

Il attendit que la porte du haut se referme, puis il entra dans l'appartement et alluma la lumière.

Des livres. Des centaines de livres, quatre étagères métalliques surchargées qui dépassaient du mur et faisaient ressembler la pièce à une bibliothèque. Des piles de livres sur le sol. Des beaux ouvrages publiés à New York, des auditions du Congrès brochées avec des couvertures marron, vertes et blanches, des ouvrages d'éditeurs dont Wes n'avait jamais entendu parler. Quelques livres en français et en espagnol. Les titres étaient pleins de mots tels que *barbouze, secret, espion, complot, assassinat, pouvoir, ennemis, patriotes, mensonge.* Ils étaient cornés, surlignés en jaune ou soulignés à l'encre, avec des annotations dans les marges et des numéros de page sur la page de garde. Entre les étagères étaient empilés des magazines et des journaux. Deux classeurs étaient remplis de coupures de presse. Il y avait un bureau près de la baie vitrée masquée par un rideau, mais Wes passa devant sans s'arrêter pour faire le tour de l'appartement... et examiner les murs.

Pas étonnant que Mathew Hopkins refuse de laisser entrer sa propriétaire.

Des photos découpées dans les journaux étaient scotchées sur les murs, à côté d'autres photos prises dans des livres. Des photos en noir et blanc de soldats dans la jungle, des hommes devant des bâtiments d'aspect administratif. Des portraits officiels. Des hommes qui avaient des têtes d'Américains, des Asiatiques, des Africains, des Européens basanés, des Latino-Américains. Des photos de groupes dans la jungle ou dans des rues encombrées, sur lesquelles des visages grands comme un trou de serrure étaient entourés d'un cercle à l'encre rouge. Des collaborateurs de la Maison Blanche assis devant des micros, le visage crispé, tandis que des avocats leur glissaient quelques mots à l'oreille. Des inculpés sortant des tribunaux en faisant de grands gestes, poursuivis par des journalistes. La photo d'un homme souriant vêtu d'un pardessus dans Red Square. Un homme de grande taille au visage déformé par un rictus, les menottes aux poignets, qu'on emmène devant la porte d'une prison. Wes reconnut la photo tirée d'un magazine montrant un lieutenant-colonel des Marines levant la main et jurant de dire toute la vérité devant le Congrès.

Mais c'étaient surtout les tableaux qui stupéfiaient Wes.

Des feuilles de blocs de dessin couvertes de notes, de noms et de dates au feutre : SOG [1], CRP [2], JADE et Projet 404. DELTA et B-56, FANK [3] et Corbeau. Etoile Blanche. TF/157. Equipe B. Nugan Hand. Mangouste. FRUIT JAUNE. Castle Bank. Voile. Des listes d'agences d'espions et d'opérations de guerre secrète, depuis l'Intelligence Support Activity de l'armée, jusqu'au SEAL [4] de la Navy. Des dizaines de sociétés, de fondations, de groupes politiques et de groupes de pression figuraient sur les murs de Hopkins. Les listes comprenaient des centaines de noms, certains célèbres, certains

1. Studies and Observation Group. (N.d.T.)
2. Combat & Reconnaissance Platoon. (N.d.T.)
3. Forces Armées Nationales Khmères. (N.d.T.)
4. Sea, Air and Land (Terre, Air, Mer). (N.d.T.)

notoires, inconnus de Wes pour la plupart, certains accompagnés d'astérisques ou de points d'exclamation à l'encre, d'autres avec des points d'interrogation, ou bien des dates de décès.

Des traits verts, rouges, bleus, noirs et jaunes au marqueur fluorescent partaient des tableaux et couraient sur les murs blancs pour relier ces noms à d'autres tableaux, des photos. Ou pour s'achever nulle part.

L'ancien espion de la Force d'Intervention avait expliqué à Wes comment la folie frappait parfois ceux qui travaillaient dans le domaine de l'espionnage.

— Qui cherchais-tu ? demanda Wes en s'adressant aux murs.

Nulle part il ne vit le nom de Jud Stuart.

Les ordures empestaient la cuisine, le réfrigérateur était plein de givre.

La chambre était parfaitement bien rangée. Les vêtements étaient suspendus de manière symétrique dans la penderie, soigneusement pliés dans les tiroirs de la commode. Wes savait qu'il aurait pu faire rebondir une pièce sur le dessus de lit tendu au carré comme à l'armée.

Sa jambe et ses côtes le faisaient souffrir. Il s'assit sur le lit. Il entendit un bruit métallique près de la tête de lit. Il glissa la main derrière l'oreiller, longea le matelas.

Ses doigts se refermèrent sur un revolver à cinq coups à chien caché. Chargé.

Dans le salon trônait un magnifique et vieux bureau à rouleau avec des dizaines de cases. Wes découvrit des relevés de téléphone, sans aucun appel longue distance. Il ouvrit le tiroir du milieu.

Il découvrit un colt 45 chargé, le pistolet qui récemment encore était utilisé par les forces armées américaines.

D'après le rapport de la police de L.A., on n'avait rien découvert sur le corps de Hopkins, hormis ses habits. *Avais-tu une arme sur toi quand tu es mort ?* se demanda Wes. *Oui ou non, et pourquoi ?*

Un épais album était rangé sous le pistolet. Wes reposa le colt sur le bureau et ouvrit l'album.

Il trouva une enveloppe ouverte adressée à Hopkins, sans le nom de l'expéditeur, un cachet de la poste du Maryland remontant à quelques semaines. L'enveloppe était vide, mais on y avait agrafé un horoscope découpé dans un tabloïd minable de supermarché. L'horoscope datait de janvier 1990. Au dos se trouvait l'histoire d'un prêtre qui avait explosé en accomplissant un exorcisme. Dans la colonne des Béliers, les mots *cœur en mal d'amour* étaient soulignés plusieurs fois en rouge.

D'autres horoscopes provenant de la même revue étaient collés sur les autres pages de l'album par ordre chronologique décroissant. Sur certains, des mots ou des phrases étaient surlignés ou soulignés en jaune fluo, avec des points d'interrogation ou d'exclamation à l'encre dans les marges.

Le grand tiroir en bas à gauche du bureau contenait trois autres albums remplis eux aussi de prédictions astrologiques.

Le grand tiroir de droite renfermait quant à lui deux grenades au thermite, dont une seule aurait suffi à transformer une pièce en véritable enfer.

Une photo encadrée était posée sur le bureau : un garçon incroyablement jeune en uniforme de marin amidonné posait à côté d'un arbre, le bras sur l'épaule d'un vieil homme à l'air solennel, enlaçant avec son autre bras une vieille femme rondouillarde vêtue d'une robe à fleurs. L'objectif l'avait saisie au moment où elle portait la main à sa bouche pour masquer un rire nerveux.

Wes observa la photo, le pistolet sur le bureau, les grenades dans le tiroir, l'histoire tordue scotchée sur les murs.

— De quoi avais-tu peur ? demanda Wes. Que faisais-tu ? Que cherchais-tu ?

Une sonnerie bruyante retentit dans la mallette de Wes. La sonnerie se répéta avant qu'il n'ait le temps d'ouvrir la fermeture Eclair et de décrocher son téléphone portable.

— Allô !

— Bingo ! s'exclama la voix nasillarde de Seymour à Los Angeles. On a repéré l'homme à la moto qui sortait d'un immeuble il y a une demi-heure. Il est allé jusqu'à un distributeur de billets et il est rentré. J'ai envoyé une équipe sur place avant qu'il ressorte, accompagné de la gonzesse à l'air le plus misérable du monde. Elle lui a filé des clés, il est monté dans une Trans Am noire et il est parti. On a deux voitures qui lui filent le train tour à tour, plus une troisième en arrière-garde.

... Hennie a suivi la fille dans l'immeuble. Elle avait l'air soulagé, paraît-il, de voir le type s'en aller.

— Je m'en doute, dit Wes.

— Le nom sur la boîte aux lettres correspond à celui de la propriétaire de la Trans Am que j'ai obtenu au bureau des cartes grises. D'après le gérant de l'immeuble, la fille travaille chez un avocat. Il n'apprécie pas trop son petit ami. Sa moto est dans le garage, à l'emplacement de la fille.

— Où va-t-il ?

— C'est un vrai lapin avec une valise et un sac de marin. Il porte un vieux cache-poussière de cow-boy et il conduit une Trans Am noire.

— Je vous rappellerai de l'aéroport !

Wes raccrocha.

L'appartement. Il regarda les grenades : une seule lancée à l'intérieur avant de claquer la porte et de décamper effacerait toute trace de ce qui s'y trouvait, ce que Wes n'avait pas vu et que personne d'autre ne verrait. Une goupille arrachée, et toute la vie de Mathew Hopkins appartiendrait au passé.

Annie McLeod qui l'attendait à l'étage au-dessus, en faisant du café, n'en sortirait pas indemne. Mais le péché que représentait la destruction des souvenirs du mort l'incita à remettre les armes et les albums dans le bureau, et fermer la porte à clé avant de courir jusqu'à sa voiture.

Il appela Seymour depuis le bureau de location de l'aéroport.

— Il se dirige vers le nord sur la U.S. 15 ! s'exclama Seymour. On le suit de loin à trois voitures, et il ne nous a pas repérés.

— Où va-t-il ?

— Si je le savais ! Il y a environ cinq heures de néant entre lui et Las Vegas.

— Ne le perdez pas surtout, dit Wes, avant de raccrocher.

De l'autre côté du parking, à travers la vitre de la société de location de voitures, il avisa une pancarte : CHARTER AIR.

Deux hommes et une femme étaient en train de rire derrière le comptoir de la compagnie de charters lorsque Wes entra en coup de vent, brandissant sa carte du N.I.S. tel un chasseur de vampires son crucifix. Il sortit une liasse de billets de cent dollars de sa mallette et dit :

— Il me faut un avion pour Las Vegas... immédiatement !

La voiture noire

Jud vit approcher la voiture noire alors qu'il se tenait derrière la vitre de Chez Nora. Comme l'homme de « l'Oasis », la voiture noire semblait déplacée dans ce décor ; comme ce tueur, Jud comprit que la voiture noire était venue pour lui.

Tout d'abord, la voiture ne fut qu'un scintillement à l'horizon, tout au bout de la grande route, un noyau noir qui affleure à la surface d'un lac argenté, là où le ciel s'incurvait pour toucher la terre.

— Nora, chuchota Jud.

— Oui, mon chou, répondit-elle depuis la caisse où elle comptabilisait la recette du déjeuner.

Des volutes de fumée montaient du cendrier.

Carmen était dans la cuisine, en train de regarder la télé. Hormis eux trois, le restaurant était totalement désert cet après-midi.

La voiture noire émergea du mirage. Et approcha. De plus en plus.

— Tu veux quelque chose ? demanda Nora.

Sa Jeep était garée devant chez elle. S'il lui demandait de courir *immédiatement*, si Carmen sortait aussi vite que possible de la cuisine avec sa démarche de canard, et s'il n'y avait pas de problème avec les clés de la Jeep ou le démarreur, Nora avait une chance de s'en tirer, Carmen aussi. S'il restait en arrière. Pour attendre la voiture noire.

Dans sa caravane, un sac en bandoulière bleu d'une compagnie aérienne renfermait désormais l'arme et l'argent qu'il avait volés à L.A., il y a si longtemps — si peu de temps — plus le liquide que lui avait versé Nora. Le sac bleu pendait à une patère derrière la porte de la caravane. S'ils se mettaient tous à courir *immédiatement*, ils pourraient sans doute s'enfuir *avant*.

La voiture noire était à moins d'un kilomètre.

Les mains de Jud tremblaient sur le tablier qu'il enfilait pour faire la vaisselle ; il avait des nausées. Peut-être n'étaient-ce que des démons qui venaient se gausser de lui.

Nora ferma la caisse-enregistreuse.

— Qu'est-ce que tu regardes dehors ?

Trop tard. La voiture noire ralentit : soixante... cinquante kilomètres-heure ; elle longea le parking du restaurant.

Elle passa au ralenti, sans quitter la route, passant devant chez Nora sans s'arrêter, devant la cabine téléphonique sur le bord de la route. La voiture noire accéléra et s'éloigna dans un vrombissement, disparaissant dans une courbe à l'horizon.

Jud éclata de rire.

— Qu'y a-t-il de si drôle ? demanda Nora en le rejoignant derrière la vitre.

Deux berlines américaines crasseuses passèrent à toute vitesse devant le restaurant, l'une derrière l'autre, dans le sillage de la voiture noire.

Jud rit de nouveau.

— Encore des clients de perdus.

— Tu as un curieux sens de l'humour.

— Ouais, dit-il en se retournant vers Nora pour l'embrasser.

Elle plissa le front, mais lui rendit son sourire.

— Quoi ? dit-elle.

Il se contenta de secouer la tête, en la regardant. Elle rougit, et regarda dehors.

— Non, dit-elle, c'est notre jour de chance, on dirait.

La voiture noire avait fait demi-tour. Les pneus crissèrent sur le bitume lorsqu'elle vint s'arrêter devant l'entrée du restaurant. Le moteur se tut. A cause du soleil qui se reflétait sur le pare-brise, le chauffeur à l'intérieur n'était qu'une tache floue de lumière. La portière s'ouvrit.

Et Dean apparut. Avec un cache-poussière clair et un large sourire d'une blancheur d'ivoire.

— C'est pour moi, dit Jud.

Il sortit, laissant Nora regarder à travers la vitre.

— Tu n'as rien à faire ici ! lança Jud à Dean.

Dean leva les bras au ciel.

— Fais-moi un procès ! (Du pouce, il désigna la cabine téléphonique.) Tu ne répondais pas.

— Viens par ici.

Une voiture japonaise sale passa au ralenti ; le chauffeur regarda les deux hommes faire le tour du restaurant.

Alors qu'ils se dirigeaient vers la caravane de Jud, Dean indiqua d'un mouvement de tête l'endroit où il avait aperçu Nora.

— Combien pour ce petit chien dans la vitrine ?

Jud décocha un direct du droit au visage de Dean... mais Dean bloqua son poing.

Dean ouvrit de grands yeux.

— Hé ! qu'est-ce qui s'est passé ici ?

D'une rotation du bassin, Jud libéra son poing de l'étau de Dean.

— Autrefois, je l'aurais jamais vu venir, murmura Dean. Autrefois, quand tu étais le meilleur et que moi j'étais... Qui j'étais ?

Il éclata de rire.

— Merde alors, dit-il, merde alors.

— Qu'est-ce que tu veux ?

Les mains de Jud tremblaient le long de son corps.

— Ce que je veux ? (Dean secoua la tête.) Eh bien,

412

dans l'immédiat... dans l'immédiat, j'en sais rien. A vrai dire, je suis venu en espérant trouver un peu d'action, comme dans le temps, toi le meilleur et moi... Mais on dirait que le bon vieux temps est mort.

... Je veux dire... t'as un chouette tablier. C'est là que t'étais pendant toutes ces années ? demanda Dean. C'est ça que t'es devenu ?

— Ne t'occupe pas de moi, dit Jud.

— Je suis ici parce que je m'occupe de toi. Tu m'as appelé. Bon Dieu, j'attendais cet appel, je l'attendais depuis des années. Tu me laisses tomber comme une merde, ensuite tu m'appelles, comme s'il s'était rien passé, potes comme avant. Tu me demandes de couvrir tes traces, de suivre ta piste comme un chien de chasse, et t'avais bien raison, il y avait un type qui reniflait autour de toi...

— Qui ?

— ... heureusement, Dean s'en est occupé, il lui a réglé son compte. Fini de jouer les avocats.

— Tu n'as pas...

— J'ai fait ce que fait toujours Dean.

— Tu aurais dû l'identifier ! Me prévenir !

— Il m'avait repéré, Jud ! A mon avis, quelqu'un a épluché les relevés téléphoniques de ton pote l'écrivain et Dean s'est retrouvé en première ligne.

C'est donc ça, songea Jud. Le faux pas qui le hantait, la piste qu'il avait laissée depuis la cabine téléphonique, la première nuit. Et maintenant Nick...

— Et maintenant ? demanda Dean. Maintenant que tu es devenu... ce que tu es.

— Tu sais qui je suis, dit Jud.

— Peut-être... Peut-être.

— Que veux-tu ?

— Tu m'es redevable, dit Dean. Tes emmerdes m'ont forcé à quitter L.A. précipitamment. Tu m'es redevable pour ça. Tu m'es redevable pour tout ce que j'ai fait. Tu m'es redevable pour toute cette attente.

413

— Je te filerai tout le fric que j'ai, dit Jud.

— Tu me le *fileras* ?

Dean rit, un gloussement rauque. Il pivota sur lui-même, faisant tourbillonner son cache-poussière.

Il s'immobilisa, avec un sourire que ne lui connaissait pas Jud.

— Je vais chercher l'argent.

Jud se retourna lentement, offrant son dos à Dean, et il se dirigea vers la porte de la caravane, vers le sac bleu.

Dean le poussa violemment des deux mains. Jud le sentit arriver trop tard pour éviter de basculer vers l'avant et de percuter la porte de sa caravane.

— Tu n'es plus le meilleur ! hurla Dean.

Prenant appui sur la porte de la caravane, Jud se retourna brusquement, les bras levés pour bloquer les attaques, pour frapper, l'équilibre mal assuré, et Dean...

Hors d'atteinte, le regard fou, tournant en rond pour éviter l'assaut de Jud, et Jud tournant avec lui, tandis que Dean reculait, glissant les mains sous son cache-poussière...

Pour sortir un fusil à pompe, le canon noir pointé sur Jud.

— PAS UN GESTE ! hurla un homme devant le restaurant. LACHEZ CETTE ARME !

Jud se jeta à terre, roula dans la poussière ; le sol et le ciel se mélangeaient. L'image renversée et mouvante d'un homme en position de tir devant le restaurant ; une arme, une veste sport... *tournoyant...* un homme grand aux cheveux courts.

Des détonations de fusil à pompe et des impacts de chevrotines à l'angle de Chez Nora, tandis que Jud se précipite à quatre pattes vers la porte de la caravane. Dean introduit une autre balle dans le canon.

Wes réapparaît rapidement au coin du bâtiment où se sont enfoncées les chevrotines, et tire deux fois avec le Sig, presque, mais *vite en arrière...*

414

Une détonation de fusil à pompe. Du plâtre jaillit du mur du restaurant.

A l'abri. Jud s'écroule à l'intérieur de la caravane en aluminium...

Le sac bleu... Il s'en empare, passe la lanière autour de son cou tout en plongeant au fond de la caravane, et un coup de feu retentissant fait exploser la fenêtre, verre brisé, rideau qui se soulève.

Dehors, une arme rugit à deux reprises. Des balles s'enfoncent dans le coin droit de la caravane de Jud.

Dean est là-bas, songea-t-il. *C'est là qu'il se cache.*

Une seule issue, la caravane n'a qu'une seule issue.

Dean est caché au coin, sur la droite, se dit-il. Avec un fusil à pompe. Et il y a un inconnu armé d'un pistolet, plaqué contre le mur du restaurant sur la gauche.

Il aurait pu nous abattre tous les deux, songea Jud. *Il ne l'a pas fait. Il a tiré sur Dean.*

Le fusil et le pistolet rugirent. Une autre balle vint se planter dans le coin de la caravane. Jud entendit un craquement. Une ligne brisée en zébrait le miroir bleu. Dans la pénombre, Jud aperçut son image déformée, coupée en deux.

— Je refuse de mourir dans une boîte de conserve, marmonna-t-il.

Le 38 à canon court contenait six balles.

« Ça suffit, se dit-il. Ça suffit. »

Des balles s'enfoncèrent dans le flanc de la caravane. Le miroir bleu se détacha du mur. Le fusil à pompe rugit.

Les coups de feu résonnaient dans ses oreilles, son cœur battait à toute vitesse... il devait « réfléchir ». Des fusillades. Une ruelle à Madrid. Un restaurant à Téhéran. Le Laos. Bong Sot. Grenades et rockets, et ne les laissez pas franchir les barbelés, ne... Non, couchez-vous, restez couchés, reculez. *Cette fois,* dit-il en inspirant à fond, le souffle coupé.

Réfléchis !

Tourne le dos à l'étranger. Il ne t'a pas tiré dessus la première fois, peut-être qu'il ne le fera pas non plus cette fois. Tu sais que c'est Dean le tueur.

Sortir par la porte, *vite.* Foncer droit vers le coin de Dean, sortir, se rapprocher. Tir de barrage. Compte tes munitions. Plie-toi en deux et jaillis au coin, puis.

Puis...

Des projectiles atteignirent sa caravane, et il entendit le rire de Dean.

Lève-toi, soldat. Il se releva. Tenant son arme à deux mains comme il l'avait appris dans les Services Secrets, où on lui avait enseigné à se tenir debout au cours d'une fusillade et à recevoir la balle destinée au meilleur.

Tu n'es plus le meilleur, lui avait dit Dean.

Un rugissement de fusil à pompe.

C'est faux, se dit Jud en s'approchant de la porte.

C'est faux ! Et il ouvrit la porte d'un coup de pied...

Dehors, le soleil, le soleil *aveuglant.* La fumée des armes à feu. Des hommes qui hurlent. Les cris étouffés d'une femme. *Pop !* L'éclair d'une arme à feu derrière le restaurant, une balle qui le frôle à toute allure, *un éclair, une arme, une menace blanche éclatante* : ne réfléchis pas, ne vise pas, ne meurs pas, lève ton arme et « tire ».

Son 38 cracha deux fois vers cette menace qu'il n'avait pas anticipée.

Nora s'effondra contre le mur du restaurant, lâchant le pistolet du propriétaire avec lequel elle avait tiré sur Dean ; deux roses rouges identiques fleurirent sur son corsage blanc.

Morte.

Jud comprit qu'elle était morte dès qu'il la reconnut derrière son viseur, *deux balles de moins.* Il comprit avant qu'elle ne glisse jusqu'au sol, les yeux levés vers le soleil éclatant.

Le clic-clac d'une balle qui glisse dans le canon d'un fusil à pompe sur sa droite, mais « peu importe,

aucune importance ». Une balle qui lui coupe la route
— « aucune importance » — ... il se dirige vers Nora
d'un pas vacillant.

— Jud, couchez-vous ! hurla Wes.

Il tira une balle derrière cet homme hébété qui
traversait en titubant la zone de combat.

Le sang jaillit de l'épaule de Dean, et il plongea à
l'abri derrière la caravane, tandis que Wes changeait
de chargeur.

Où est donc passé Dean ? se demanda Wes.

Jud traînait les pieds. Wes connaissait cette expression, il l'avait déjà vue sur le visage d'un sergent
hagard, un type qui avait disjoncté, *parti depuis
longtemps*, ailleurs, loin du combat, la poussière, le
sang, incapable de riposter, de fuir, de se mettre à
l'abri... *parti*.

Wes savait lui aussi que la femme était morte. Il
savait comment, il savait pourquoi, et il savait ce
qu'éprouvait Jud ; il comprit tout cela en une fraction
de seconde, dans un moment de pureté cristalline volé
au chaos de la bataille.

— A l'abri ! hurla-t-il à Jud, sans quitter des yeux
un seul instant la caravane.

De quel côté s'enfuirait Dean ? Wes hurla la seule
chose qui lui vint à l'esprit pour attirer l'attention de
Jud, pour l'inciter à se coucher, à se mettre à l'abri
jusqu'à ce que.... Peut-être même le pousser à utiliser
son arme... contre Dean.

— Marines ! cria Wes à l'ancien soldat. Force
d'appui !

Jud avançait en titubant vers la femme morte.

Changement de position, se dit Wes.

Il n'y aurait pas de force d'appui pour lui. Les G
qui avaient suivi Dean et dirigé Wes sur cet endroit
étaient arrêtés au bord de la route, à un peu plus d'un
kilomètre de chaque côté du restaurant. Ils suivraient
tous les « objets de surveillance » qui s'en iraient,

mais pas question pour eux d'aider Wes à « établir le contact ». Pas plus qu'ils ne viendraient à son secours.

Immobilise ton ennemi, oblige-le à se réorienter.

L'arme pointée sur la caravane, Wes courut à découvert vers une Jeep garée entre la maison en adobe et la caravane.

Le chemisier de Nora était écarlate. Jud se pencha vers elle. S'immobilisa. Elle était morte. Il l'avait tuée. Il laissa tomber son arme.

Le dégoût l'engloutit telle une tornade.

Partir, il aurait voulu n'avoir jamais existé, pas ici. Partir. Plus rien d'autre n'avait d'importance...

Déjà les mouches bourdonnaient autour de son visage.

Il traversa le restaurant, passa devant Carmen, blottie entre le réfrigérateur et la cuisinière : *Santa Maria, Madre de Dios, ruega...* La porte, la porte d'entrée.

La voiture noire.

A côté, une Chevrolet louée à l'aéroport de Las Vegas. Rouge. La mallette en Gore-Tex de Wes sur le siège avant, une valise jetée à la hâte sur la banquette arrière. Les clés laissées sur le volant pour démarrer plus vite, pour engager la poursuite.

Une seule chose comptait : partir. Sans même s'en rendre compte, Jud se retrouva au volant de la Chevrolet, sur la route.

Derrière le restaurant, Wes entendit un moteur vrombir.

Un hurlement. Dean qui hurle, son manteau qui claque, son épaule qui saigne, son arme qui crache, Dean qui surgit de derrière la caravane en ouvrant le feu...

Vers l'endroit où se trouvait Wes.

Wes lui tira cinq balles dans le corps.

Et l'abandonna mort sur le sable. La femme appuyée

contre le mur... Morte. A l'intérieur du restaurant, des sanglots et des prières hystériques en espagnol.

Wes revint devant le restaurant.

Il n'y avait plus que la voiture noire.

Décès précipité

C'était la troisième fois de sa vie que Jud devait fuir.

La seconde fois, c'était juste quelques semaines plus tôt, après la mort de l'homme à l'Oasis. Jud s'était alors enfui, et il avait trouvé Nora, pour finalement être obligé de s'enfuir une troisième fois, en la laissant morte dans le sable.

La première fois où Jud avait fui, c'était à Miami, en 1978.

Miami, la ville liquide. Brillante, tropicale, la grosse chaleur. Mais la fuite s'était bien passée, car cette première fois, à Miami, en 1978, c'était pour les affaires.

— C'est pourquoi nous sommes ici, avait dit Art Monterastelli à Jud, assis l'un et l'autre autour de la table couverte d'une nappe blanche et chargée de coupes de fruits, d'assiettes d'œufs au bacon.

Art inclina la cafetière en argent pour remplir leurs deux tasses en porcelaine d'un savoureux café cubain.

— Les affaires, dit Art.

Qu'il soit dans la jungle du Sud-Est asiatique, dans le désert d'Iran ou au milieu des plages et des gratte-ciel gorgés de soleil de Miami, le blond Monterastelli ne bronzait jamais, ne prenait jamais de coups de soleil. Il portait ses lunettes noires.

— Ne sommes-nous pas amis ? demanda Jud.

A Miami, Art avait les cheveux longs et ondulés, à la manière d'une idole des années 50. Ce jour-là, il portait une chemise rose par-dessus un pantalon en lin. Il avait forci, il avait davantage de rides.

Ils se trouvaient sur la véranda, derrière la maison d'Art à Miami. Miami Beach pour être précis. Au nord de Bay Road. Ils étaient détendus. Et *pas seuls*.

Dans la pénombre, près de la porte vitrée, était assis Raul, regard terne, costume tropical, teint basané. Raul était le *numero uno* d'Art, et officier du Sigma 77, un groupe paramilitaire anticommuniste qui se consacrait à *la lucha*, la lutte. D'après certaines rumeurs à Miami, le Sigma 77 avait aidé à placer la bombe qui avait explosé en octobre dernier au siège d'un journal cubain à New York qui osait soutenir *el dialogo*, une tentative d'ouverture entre des exilés cubains aux Etats-Unis et Castro. Un policier de Washington s'était même rendu à Miami pour interroger Raul au sujet de cette voiture piégée qui, en 1976, avait coûté la vie à l'ancien ambassadeur de l'éphémère gouvernement marxo-chilien d'Allende, à moins de deux kilomètres de la Maison Blanche.

A Miami où vivaient trois cent mille Cubains issus d'une culture très attachée à l'image romantique de *el exilio* et de *la lucha*, Art avait eu un coup de génie politique en faisant de Raul son *numero uno*. Le fait que Raul parle espagnol constituait un atout inestimable dans les affaires. Il avait perdu son âme depuis longtemps, peut-être depuis que la CIA les avait abandonnés, lui et le reste de la Brigade 2506, sur les plages de la Baie des Cochons, peut-être plus tard dans les prisons de Castro. Quelques réfugiés qui avaient connu Raul enfant à la Havane chuchotaient que c'était déjà un monstre.

A Miami à cette époque, on pouvait trouver Raul en train de discuter à voix basse avec d'autres *exilios* dans un café de Little Havana aux murs couverts de miroirs, ou à bord d'un avion à destination de

Washington, ou du Guatemala. Il avait travaillé pour JM/VAGUE, AM/FOUET et MANGOUSTE, ces opérations de guerre secrète contre Cuba, participé à la préparation des assassinats que la CIA faisait sous-traiter par la Mafia. Il connaissait les Cubains arrêtés au cours du cambriolage du Watergate, des *exilios* comme lui, dévoués à *la lucha*, tous amis avec des types de Washington qui arpentaient les rues du Miami cubain quand ils avaient besoin de guerriers qui ne renâclaient pas à la tâche. Raul connaissait des gens partout, et surtout, il était *connu*, bien que personne ne sache jamais exactement où le trouver à tel ou tel moment : courants à l'intérieur de courants dans le Miami liquide.

Assis dans la pénombre, Raul avait ouvert son veston. Jud remarqua le pistolet glissé dans sa ceinture.

Derrière Jud, appuyé contre la fine balustrade en métal noir de la véranda, se trouvait un ancien motard de Carmel qu'Art avait tiré d'un mauvais pas au Mexique. Dans cette élégante ambiance de Miami, le motard taillait son bouc et portait un veston sport pour cacher ses bras tatoués, et son Uzi en bandoulière.

Par-dessus l'épaule gauche d'Art, dans le coin opposé de la véranda, Jud vit un ancien Ranger sud-vietnamien, sec et nerveux, pelotonné dans un fauteuil en osier. Art l'avait recruté dans un camp de réfugiés en apprenant que l'Asiatique avait réclamé une couchette sur un bateau de transit.

Une vaste pelouse s'étendait de la véranda jusqu'au canal. Une eau verte clapotait contre l'appontement en bois d'Art. A cinq cents mètres en amont sur le canal, les pilotis carbonisés d'un appontement détruit par le feu émergeaient de l'eau tels des doigts noirs tronqués. Raul habitait à côté de chez Art, c'était d'ailleurs le seul Cubain du quartier. L'éminent avocat de Floride qui possédait l'autre maison voisine devait secrètement sa fortune à Art. Une clôture métallique entourait la propriété d'Art. Les vrais systèmes de sécurité étaient invisibles, depuis les caméras à infra-rouge et les détecteurs de mouvements aux mines terrestres qu'Art déconnectait quand le jardinier haïtien venait tondre la pelouse.

Jud sentit plus qu'il ne vit *quelque chose* dans l'ombre du belvédère sur la pelouse, entre le canal et la véranda.

Kerns, songea-t-il. Le seul type de l'organisation, à part lui, capable d'atteindre à coup sûr sa cible à cette distance.

A l'intérieur de la maison se trouvaient un serviteur et deux hommes de main que Jud avait engagés pour Art. Et la maîtresse de Monterastelli, âgée de dix-sept ans.

La chaleur de Miami était épaisse, sucrée, et aussi parfumée que le café qu'ils buvaient à petites gorgées.

— Amis ? répéta Art. Peut-être. Mais le boulot avant tout. La rigolade a pris fin quand vous avez quitté l'ancienne équipe.

— Je ne l'ai pas quittée, dit Jud. Ils m'ont viré. Instable, réduction d'effectifs : choisissez la version que vous préférez.

Art but une gorgée de café.

— Vous auriez dû partir le premier, avant qu'ils ne vous chassent.

D'un air détaché, comme s'il s'agissait d'un petit déjeuner de courtoisie, Art demanda :

— Est-ce que la boîte vous payait bien pour jouer les serruriers à Washington, et cambrioler les ambassades ou autres ?

— Je ne travaillais pas pour eux à l'époque, mentit Jud.

— Qui fréquentiez-vous à Washington ? interrogea Art.

— Vous avez un problème ? demanda Jud. *La meilleure défense, c'est l'attaque.* Vous voulez que je vous branche avec les nanas que j'ai baisées là-bas ou quoi ?

423

— Si le *ou quoi* est important. (Art avait le regard vide.) Est-ce que quelqu'un vous a demandé de me retrouver ?

Jud fronça les sourcils.

— Vous êtes dingue ?

— C'est votre réputation.

Les deux hommes éclatèrent de rire. Le motard derrière eux se joignit à cette gaieté autorisée. Le Vietnamien et Raul restèrent silencieux.

— Je vous ai retrouvé tout seul, dit Jud. Vous avez marché parce que c'était la vérité, parce que c'était logique, et parce que je pouvais assurer la sécurité de votre programme.

— Pourtant, vous renoncez à cet accord lucratif, juste au moment où l'on passe à dix avions d'herbe par mois.

— Je ne suis pas responsable de ce crash, dit Jud.

— Je vous crois, dit Art. Tôt ou tard, il fallait bien qu'un avion s'écrase dans les Everglades. Votre présence à bord était une simple coïncidence. Ou une occasion favorable.

— Je n'ai pas trouvé ça très *favorable*, répliqua Jud.

— La police si. Ils ont découvert votre permis de conduire dans un C-130 vide, avec suffisamment d'herbe pour vous inculper. Ils vous ont épinglé dans votre duplex, pas de problème.

— On ne tue pas les flics, dit Jud, on les achète.

— Ça ne vous a jamais gêné de tuer jusqu'à maintenant. (Art secoua la tête.) Ça vous ressemble si peu : aller sur le terrain sans être « désinfecté », abandonner du matériel compromettant.

Il appuya sur une sonnette en argent. Le serviteur vint débarrasser la table. Art se renversa en arrière, les lunettes noires levées vers le ciel.

— Il fait chaud, dit-il.

— On est à Miami, répondit Jud.

— J'ai discuté avec les Italiens. Ils disent que personne n'a jamais réussi à acheter ce juge.

Jud ressentit des picotements dans la nuque.

— Personne ne lui a jamais offert suffisamment.

— Où avez-vous trouvé un million deux cent cinquante mille dollars ?

— L'avocat s'en est occupé.

— Ah ! les avocats. Que ferait-on sans eux, hein ?

Les deux hommes étaient assis en pleine chaleur. Ils s'observaient.

Art fut le premier à reprendre la parole :

— Tant d'argent est passé entre vos mains, sans jamais y rester. Vous avez dilapidé une fortune : duplex, Porsches, gonzesses.

Jud rit, Art l'imita.

— Je m'en sortirai, dit Jud.

— Vous êtes à sec, mais vous voulez laisser tomber.

— Je ne le veux pas, je n'ai pas le choix.

— *Si*, comme vous le pensez, ces flics sont furieux parce que vous avez foutu le camp. S'ils veulent vraiment se venger.

— Vous croyez que je chercherais à vous rouler ? demanda Jud.

— Je vous pose la question.

Les lunettes noires d'Art restaient levées vers le ciel.

— Je ne suis pas idiot à ce point, répondit sincèrement Jud.

Dans la pénombre, Raul eut un grand sourire.

Pour la première fois de la matinée, Art sourit pour de bon.

— Que penseraient-ils de nous dans l'ancienne équipe, hein ?

Les lunettes noires du blond se posèrent sur Jud.

— On ne sait jamais ce qu'ils pensent, dit Jud.

— Ils sont isolés, dit Art, pas impénétrables.

Raul cracha sur le sol de la véranda.

— Qui dirigeait tout ? demanda Jud.

— Vous l'ignorez ?

Ils rirent de nouveau, refusant l'un et l'autre de céder un pouce de terrain.

— Vous avez de la chance d'être débarrassé de types comme ça, dit Jud.

— Qui a dit que j'en étais débarrassé ?

— Vous aimez trop diriger le jeu, dit Jud. Vous êtes trop impliqué, et trop intelligent pour mélanger les genres.

— Vous savez cela ?

— Oui.

— Mais eux ?

— Quelle importance ? répondit Jud. *Changer de sujet.* Il faut encore que je règle quelques détails. Après-demain, je m'« exfiltre ».

— Où allez-vous ?

— A Boston. (Jud haussa les épaules.) Relations. Sans la chaleur.

— Vous devriez jouer davantage les lézards, dit Art.

— Le gecko, c'est ça ?

— Oui, dit Art, qui se souvenait lui aussi.

Jud se leva, en prenant soin de laisser ses mains en vue. Il ne portait pas d'arme, ni de veste sport par-dessus sa chemise. Art se leva à son tour. Ainsi que le Vietnamien. Raul resta dans son fauteuil.

— Venez déjeuner demain. (Art échangea avec Jud une poignée de main ferme et sèche.) J'aimerais vous filer un peu de liquide pour le voyage.

— Pas besoin, répondit Jud.

— Si tu ne prends pas soin de tes hommes, dit Art, ils ne prennent pas soin de toi.

— Entendu, capitaine.

— Vous vous souvenez de l'ami de Heather ? Le rouquin coincé ? demanda Art avec un large sourire. J'ai fait en sorte de vous expédier avec éclat.

Tous les hommes sur la véranda éclatèrent de rire. Jud les salua d'un geste de la main, et prit son temps pour traverser la maison avec tout son cristal de Baccarat et son art abstrait. Trois dobermans étaient enfermés dans le bureau. Les deux gardes du corps qu'il avait engagés pour Art lui souhaitèrent bonne chance. L'adolescente blonde, trop cool pour avoir été « cheerleader », s'avança d'un pas nonchalant vers la porte-fenêtre donnant sur la piscine. Elle était en maillot de bain.

— A demain, dit-elle.

Tu ne sais pas que tu es une menteuse ? se demanda Jud.

Il ne craignait pas de faire démarrer la Porsche. Garée si près de la maison d'Art, ils n'auraient pas osé la piéger. Même à Miami, en 1978, c'était trop risqué.

Jud roula vers le sud dans Collins, coupa vers Ocean Drive où des vieillards décharnés aux cheveux gris, assis sur les vérandas des villas pour touristes, contemplaient la mer, sans écouter le bavardage des femmes.

Personne ne le suivait dans les rétroviseurs.

Reste calme, se dit-il. *La chaleur te fait perdre la boule. Art ne sait rien. Kerns n'était pas planqué dans le belvédère, tous ces porte-flingue étaient là par hasard. D'ailleurs, dans six heures tu seras parti, un simple coup de fil pour satisfaire la curiosité d'Art : il a fallu que je parte,* sayonara.

Il alluma la radio, balayant les fréquences, passant d'un nouveau genre musical baptisé light rock à la disco latine, puis au jazz ; il resta sur le jazz, un saxophone cool. Il remonta les vitres.

Il n'y a pas de perdants, avait dit Art à Téhéran.

Le trajet entre la maison d'Art et l'hôtel de Jud prenait en moyenne quarante-deux minutes, depuis les demeures chics de Miami Beach, à travers les pâtés de maisons à la gloire passée, les immeubles de verre et d'acier du centre-ville qui abritaient les compagnies aériennes de la CIA et les centres commerciaux où la plupart des habitants de Miami n'avaient pas les moyens de faire leurs courses. La route passait devant les portes surchargées des banques domiciliées à Hong-

Kong, à Manhattan ou en Suisse. Jud avait fait ce trajet une centaine de fois depuis onze mois qu'il habitait à Miami. Art également.

Dans la Cinquième Rue, un père Noël en carton aux couleurs délavées se balançait sur un câble tendu entre un lampadaire et un palmier au bord de l'autoroute.

Dix minutes, se dit Jud. *Je conduis depuis dix minutes.* Il aimait sa Porsche gris métallisé. L'animateur de la radio annonça le morceau d'un groupe nommé Hiroshima.

Si...

Jud se gara le long du trottoir à un bloc de la bretelle d'autoroute.

Si. Art ne s'en chargerait pas lui-même. Trop risqué. Un tir lointain avait une chance de réussir, un *Oswald,* mais Kerns était le seul à pouvoir le faire, et s'il manquait son coup... Raul, le motard ou le Vietnamien ne pouvaient pas le descendre avec des fusils de chasse ou des Uzis ; Jud risquait de les repérer, de tout faire rater. Même chose avec d'autres porte-flingue de l'organisation. Art pouvait engager des tueurs colombiens ou les amis cubains de Raul, mais Art ne faisait pas confiance aux travailleurs à la journée. Il ne sous-traiterait pas avec les Italiens, il ne leur donnerait pas un avantage contre un associé *paesano.* Et ainsi que l'avaient démontré les attaques de la CIA contre Castro, les trucs ésotériques comme le poison étaient juste bons pour les bandes-dessinées.

J'ai discuté avec les Italiens... avait dit Art.

Pourquoi ? Art ne leur aurait rien demandé s'il n'avait pas eu des doutes. Il ne croyait pas qu'on puisse acheter le juge. Il était allé trouver les Italiens pour satisfaire ses soupçons, d'une manière ou d'une autre.

Jud était parti de chez Art depuis douze minutes. La présence de Raul s'expliquait, mais le motard, le

428

Vietnamien, les deux gangsters habituels, plus Kerns dans le belvédère : trop de porte-flingue pour un ami.

Est-ce que quelqu'un vous a demandé de me retrouver ? Art exigeait des certitudes. Il ne croyait pas que Jud puisse le rouler, mais Jud repartait fauché. Comme un perdant, et il n'y a pas de perdants, surtout pas Jud, par conséquent...

— Ça sent le roussi, dit Jud qui se souvenait.

Treize minutes. Personne dans les rétroviseurs. Des souffles d'air chaud faisaient voler les papiers gras sur les trottoirs déserts. Le dossier des Forces Spéciales concernant Art Monterastelli indiquait qu'il possédait une formation de spécialiste en démolitions.

... de vous expédier avec éclat...

Quatorze minutes. Jud descendit de la Porsche et se précipita vers l'entrée d'un bar condamnée par des planches. Merde ! Il avait envie d'un verre... pour passer le temps, se dit-il, pas à cause de ses mains ni de la soif. C'était la fin, le blues du départ, le dernier chorus du sax. Il jouerait la paranoïa jusqu'au bout, et laisserait le temps s'écouler pendant... disons une heure, puis il repartirait en riant au volant de sa voiture, pour récupérer...

L'explosion arracha les portes de la Porsche gris métallisé, pulvérisant les vitres, faisant voler des morceaux de métal ; le réservoir explosa dans une boule de feu orange et rugissante, un nuage noir de plus au-dessus de Miami.

En l'espace de trois heures, Jud avait récupéré son fric planqué, acheté une voiture d'occasion et emprunté la Route 1 jusqu'aux Keys. Repli stratégique. Il se cacha dans un hôtel miteux à mi-chemin de Key West. Les autres chambres étaient occupées par des pêcheurs ; ils ne lui prêtèrent aucune attention. Il transmit son rapport codé : Monterastelli était *uniquement* un trafiquant de drogue, aucun lien ni contact hostiles, aucune trace de fuites concernant la sécurité nationale, rien ne laissait supposer qu'il avait trahi l'équipe. A part mettre à profit son expérience et ses talents perfectionnés aux frais du gouvernement pour exercer le trafic de marijuana, corrompre, faire des bénéfices et assassiner, Art n'avait rien à se reprocher.

Dans son rapport, Jud joignit l'article du *Miami Herald* relatant l'explosion d'une Porsche à proximité de l'autoroute.

Grillé, précisa-t-il. Le juge qui était dans la combine n'avait sans doute rien à craindre ; il était trop en vue et ne représentait aucun danger pour Art, mais *faites-le surveiller, prévenez-le* ; Monterastelli exigeait des certitudes.

Jud se servit du papier à en-tête de l'hôtel. *Qu'ils sachent où je suis, qu'ils viennent me trouver, face à face, qu'ils me disent ce que je dois faire.* Dans son rapport, il réclamait des ordres. Il l'adressa à la poste restante du Maryland, acheta deux flasques de scotch, et resta caché.

Une semaine plus tard, le gérant grisonnant du motel lui apporta une lettre postée à New York.

L'enveloppe renfermait un article du *Herald* indiquant que personne ne se trouvait à bord de la Porsche qui avait explosé, et une feuille blanche avec juste ces quelques mots :

« Option D.P. »

Jud était assis sur le lit défoncé. Art savait donc qu'il n'était pas mort. Art ne croyait pas aux perdants. Art exigeait des certitudes, la certitude contenue dans l'expression « décès précipité ». Jud réfléchit à tout cela. Il songea aux geckos, quand venait le moment de partir, quelle était la meilleure façon de s'en aller ? Juste avant la tombée de la nuit, il froissa son courrier et jeta la boule de papier dans le cendrier en verre. Il l'enflamma avec une allumette du motel.

Pendant deux jours, il parcourut les Keys, achetant son équipement et le testant dans les marais qui bordaient la Route 1. Art connaissait les techniques de Jud, il savait que celui-ci excellait dans les manœuvres

d'approche. Après avoir consulté les prévisions météo-
rologiques et astrologiques, Jud retourna à Miami.

Il attendit qu'il fasse nuit. Jusqu'à minuit. Il n'y
avait pas de lune, aucun orage de prévu.

Vêtu de sa combinaison de plongée, Jud descendit
le canal à bord du canot pneumatique de piscine bleu
marine, longeant les lumières des riches habitations,
les lampes bleues qui signalaient les appontements
privés. Un rire flotta au-dessus de l'eau, un couple
marié se chamaillait, les échos d'un téléviseur, les
voitures. Chaque fois qu'il passait sous un pont,
l'angoisse le saisissait ; mais nul ne le repéra. Tout à
coup, un bateau à moteur qui fonçait vers l'intérieur
des terres, tous feux éteints, passa à moins de quatre
mètres de lui, mais celui qui se trouvait à bord était
trop occupé à guetter d'éventuelles menaces sur les
berges pour remarquer le passage silencieux de Jud.

A une heure trente, il atteignit le groupe de pilotis
tronqués. La dernière planche de l'appontement détruit
par le feu le cachait de la maison de l'avocat. Il amarra
son canot pneumatique et son sac étanche à un pilotis
carbonisé à l'aide de Sandow, avec lesquels il coinça
également le fusil contre le pilier. Jud regarda à travers
le viseur télescopique : les fenêtres de chez Art étaient
éteintes.

L'odeur du bois carbonisé, de la créosote, de l'eau
âcre emplissait les narines de Jud, entouré du clapotis
des vagues. Le courant charriait les détritus. Toute la
nuit Jud se laissa porter par les flots, la tête à peine
sortie de l'eau, juste assez pour respirer l'air humide
et salé, et scruter la berge obscure.

L'aube se leva à l'heure prévue. La chaleur. La
peau de Jud devint moite et tiède dans l'eau. Seule sa
tête dépassait au-dessus des clapotis, simple bosse avec
une cagoule noire près des pilotis tronqués, à quatre
cents mètres de l'appontement d'Art. Depuis la véranda
il était quasiment impossible d'apercevoir un ballon
noir balloté par le courant à côté des morceaux de

bois carbonisés, et la silhouette plate d'un *objet* amarré sur l'eau gris-vert.

La pelouse d'Art montait en pente douce depuis le canal. Sa véranda surplombait l'eau de plus d'une hauteur d'homme. Et la maison avait encore deux étages supplémentaires. A sept heures, Jud vit dans ses jumelles des rideaux flotter au premier étage. Ils s'écartèrent quelques secondes, et il entrevit la fille. Nue. Elle se retourna pour dire quelque chose à quelqu'un dans la chambre.

A 8 h 20, Raul sortit sur la véranda. Jud agrippa le pilotis. Raul rentra.

A 9 h 11, Raul réapparut sur la véranda. Il balaya la pelouse du regard : les mines étaient activées. Il tourna la tête vers le canal ; il ne vit aucun bateau. Il pivota sur ses talons et cria quelque chose dans la maison. Jud noua ses cuisses autour de l'épais pilier, coinça la crosse du fusil contre son épaule, passa son bras derrière le pilotis pour déplacer le canon maintenu par le Sandow jusqu'à ce que le viseur télescopique se fixe sur...

Art Monterastelli, ancien capitaine des Bérets Verts, ancien espion, qui franchissait la porte-fenêtre et se dirigeait vers la balustrade pour rejoindre Raul, tenant à la main une tasse en porcelaine contenant du café cubain.

Le projectile à forte pénétration s'enfonça dans le corps d'Art, une bille qui pénètre dans sa poitrine, une balle de base-ball qui ressort dans son dos et pulvérise la porte-fenêtre ; le sang qui éclabousse les murs blancs avant même que l'écho du coup de feu n'atteigne la véranda.

A travers le viseur, Jud vit la mâchoire de Raul se décrocher. Le Cubain jeta un regard au corps sur la véranda ; il tressaillit comme s'il allait plonger à l'abri.

Mais au lieu de cela, il se figea : il n'y avait pas eu de seconde balle. Un moment s'était écoulé. Le doigt

432

de Jud était moite sur la gâchette en métal, la lunette était pointée sur le cœur de Raul.

Le Cubain regarda vers les pilotis. Dans son viseur télescopique, Jud vit Raul se retourner, hocher la tête en direction du corps, et regarder de nouveau dans sa direction. Avant de hausser les épaules. Et de sourire. Raul prit une cigarette dans sa poche de veste. Il l'alluma et resta debout près de la balustrade, pour fumer : un tir et un contrat sans bavures.

Raul ne bougea pas, même lorsqu'il vit une silhouette noire nager au milieu des pilotis, se précipiter vers la terre ferme et s'enfuir en courant.

Au coucher du soleil, Jud était en Caroline du Nord. A l'aube, il était en Virginie. A midi, le lendemain, il roulait sur le boulevard de ceinture qui entourait Washington.

Nick Kelley était quelque part dans cette ville.

Pourvu qu'on ne se rencontre pas, songea Jud.

Il s'arrêta dans une station-service pour acheter une carte ; il fit courir son doigt sur la liste des villes périphériques du Maryland : Bethseda, Chevy Chase, Rockville... Saunders.

Saunders, État du Maryland, était un classique de l'Amérique : une ville située à une intersection avec deux stations service, une épicerie, une douzaine de maisons, quelques champs de maïs et un bureau de poste en brique et en verre. En cette année 1978, Baltimore et Washington s'étalaient l'une vers l'autre, engloutissant les villes qui se trouvaient au milieu et qui étaient jadis entourées de champs de maïs. Saunders n'avait plus que cinq ans à vivre, avant que plus aucun champ ne la sépare de la capitale.

La station-service en face du bureau de poste était condamnée par des planches, victime du premier embargo pétrolier des pays arabes. Jud parcourut la ville, puis il roula jusqu'à une quincaillerie et puisa dans ses mille derniers dollars pour acheter une échelle, de la peinture, des rouleaux, des pinceaux et un bleu de travail.

En Caroline du Nord, Jud avait posté une carte d'anniversaire dans une enveloppe rouge grand format adressée à la poste restante de Saunders, dans le Maryland. Volontairement, il n'avait pas mis assez de timbres, misant sur la lenteur du courrier.

La vendeuse de l'épicerie de Saunders s'étonna qu'on ait engagé quelqu'un pour repeindre la station-service abandonnée, mais ni elle ni personne d'autre en ville ne poussa plus loin la curiosité, se contentant de quelques remarques laconiques sur cet ouvrier qui travaillait très lentement et regardait plus souvent le bureau de poste que les murs de la station-service.

A huit heures du matin, le troisième jour, un homme d'une vingtaine d'années en costume cravate, avec une coupe de cheveux bien nette, conduisant une berline bleue étincelante immatriculée dans le district de Columbia, s'arrêta sur le parking du bureau de poste. Le jeune homme chaussa des lunettes noires et entra avec ses chaussures impeccablement cirées. Jud escalada l'échelle appuyée contre le mur de la station-service et observa à travers les vitres du bureau de poste Chaussures Cirées qui se dirigeait vers la rangée de postes restantes. Il récupéra quelque chose dans un casier et l'apporta au guichet. L'employé lui remit une grande enveloppe rouge.

Quand Chaussures Cirées quitta le parking au volant de sa berline bleue, l'échelle appuyée contre le mur de la station-service était vide, le rouleau à peinture était posé par terre. Et Jud était dans sa voiture, derrière lui.

Un officier, se dit Jud. *Un lieutenant ambitieux. Un coursier aux mains propres qui cherchait à récolter des bons points.*

Au lieu de se rendre au Pentagone ou à Fort Meade, la berline bleue prit la direction d'Annapolis. Routes de campagne, champs vallonnés, d'autres petites villes qui attendaient de se faire engloutir par les banlieues. Les routes goudronnées se transformèrent en chemins de graviers. Le cœur de Jud cognait dans sa poitrine.

La berline bleue descendit un long chemin de graviers et s'engagea dans une allée. Jud passa devant sans s'arrêter, se gara un peu plus loin et revint en courant, juste à temps pour apercevoir Chaussures Cirées sur le seuil de la maison, tendant l'enveloppe rouge à un homme de petite taille en vêtements civils. Chaussures Cirées regagna son véhicule au pas cadencé et ouvrit la porte arrière.

L'homme au costume civil chaussa ses lunettes. Il ouvrit l'enveloppe et lut le rapport concis et non codé de Jud :

Option D.P. accomplie.

Chaussures Cirées repartit avec l'homme. Caché, Jud observait.

Il attendit jusqu'à ce que la camionnette des postes dépose le courrier dans la boîte aux lettres en fer au bout de l'allée. Personne ne sortit de la maison pour venir le chercher. Personne ne vit Jud s'en emparer.

Des prospectus, des journaux, et une lettre personnelle... tous adressés à celui dont Jud n'avait jamais connu le nom.

Je t'ai trouvé.

Avec beaucoup de soin, Jud ouvrit le courrier personnel. Il s'agissait d'une lettre sur papier à en-tête en relief provenant d'une fondation qui remerciait le général d'avoir accepté de prendre la parole au cours de leur dîner à l'occasion du Jour des Patriotes, évoquant le montant de ses honoraires, et le priant de bien vouloir leur faire parvenir sa biographie officielle et une photo pour leur bulletin, ce qui leur éviterait d'en faire la demande au Pentagone.

Plus tard dans la journée, Jud appela le bureau des relations publiques du Pentagone, expliquant à l'officier qu'il eut au bout du fil qu'il était le rédacteur en chef du bulletin de la fondation et souhaitait recevoir un exemplaire de la biographie et une photo du général, et demandant qu'on les lui fasse porter par coursier « afin qu'on puisse préparer notre une ». Avant la fin de la journée, Jud avait refermé et renvoyé la lettre de la fondation et payé le coursier en échange de la photo et de la biographie de l'homme qui avait dirigé sa vie pendant dix ans.

— Plus jamais, dit Jud au visage souriant sur la photo, assis dans sa voiture.

Le boulevard périphérique était à quelques centaines de mètres de là.

Un téléphone à pièces était fixé au mur d'une station-service. Un appel local suffisait pour joindre Nick Kelley. Un vieil ami. Mais Jud ne voulait pas parler à Nick, il ne voulait pas le voir. Tant qu'il n'était pas tiré d'affaires.

La carte postale achetée à la station-service montrait la pleine lune éclairant le dôme du Capitole et le monument de Washington. Au dos, Jud griffonna simplement : *Sayonara*. Et il signa « Malice ». Il l'adressa à la poste restante de Saunders, dans le Maryland.

Quand Jud glissa la carte postale dans une boîte aux lettres, tout le poids du monde quitta ses épaules : finis les ordres, finis les messages dans les journaux, finis les coups de téléphone, finis les choix illusoires qui se concluaient toujours par un D.P... *Décès Précipité*. Il était libre, il avait fini, il quittait tout. Casper. Et maintenant qu'il connaissait le nom de *l'homme*, Jud savait qu'il n'avait rien à craindre.

— Allez vous faire foutre, mon général. A moi de jouer maintenant.

Il roula vers l'ouest ; il s'enfuit pour la première fois, il s'enfuit vers quelque chose de meilleur.

Douze ans plus tard, en 1990, il s'était enfui une seconde fois. Vers Nora. Puis une troisième fois.

Dans une voiture rouge. Jud s'aperçut qu'il conduisait une voiture rouge. Sur la route.

Nora était morte.

Las Vegas émergea du désert, scintillant de néons en pleine journée. Jud passa devant un casino sur le parking duquel on avait construit un volcan en éruption. Nora avait travaillé dans ces casinos, ces hôtels. Jud avait conclu des arrangements avec des types en costumes stricts dans le même genre de suites où elle avait fait des passes.

L'aéroport. Il pénétra sur le parking de l'aéroport. La première place disponible. Un emplacement réservé aux handicapés. Le sac bleu de la compagnie aérienne contenant son argent pendait toujours à son cou. Il abandonna son tablier blanc sur le siège avant de la voiture rouge, trop perturbé pour songer à fouiller la valise et la mallette que quelqu'un avait laissées dans la voiture.

Jud ne vit pas les deux berlines poussiéreuses pénétrer sur le parking à sa suite, cherchant des places disponibles tandis qu'il franchissait d'un pas chancelant les portes vitrées coulissantes pour pénétrer dans l'air conditionné du terminal.

A la dérive, se laissant emporter par la foule, au milieu des tintements des machines à sous, du bavardage excité des groupes de touristes qui débarquaient, des pas feutrés de ceux qui rentraient chez eux.

Un bar. Jud commanda trois verres de scotch en l'espace de quatre minutes ; il allait en commander un autre lorsqu'il s'aperçut que le barman le dévisageait. *Repéré.* Jud réintégra en titubant le flot des gens de l'aéroport.

Un comptoir, une queue, une femme en uniforme bleu derrière un terminal d'ordinateur qui lui pose des questions.

— Hein... quoi ? bredouilla Jud.

— Vous désirez, monsieur ? demanda-t-elle en le reniflant : scotch et une odeur de brûlé qu'elle ne peut identifier. Vous voulez un billet ?

— Oui.

437

— Pour quelle destination ?

— Le prochain avion.

— L'avion de Chicago ?

— Quand décolle-t-il ?

— Vous avez juste le temps. (Elle pianota sur son clavier, lui demanda sa carte de crédit. Elle secoua la tête en le voyant compter les billets.) Avez-vous des bagages ?

Il la regarda fixement sans répondre.

— Ça s'est mal passé au casino, on dirait. (Elle lui tendit son billet et indiqua une porte d'embarquement.) On vous attend.

A bord, Jud ne put s'empêcher de pleurer, et de trembler. L'hôtesse refusa de lui servir plus de trois verres. Les autres passagers faisaient semblant de ne pas le voir, satisfaits de leur sort.

A Chicago, la nuit était brumeuse. A l'aéroport de Midway, Jud but deux autres verres et fit ensuite la queue pour les navettes conduisant aux grands hôtels tape-à-l'œil de la ville, acheta son ticket à huit dollars et monta dans le minibus.

Quarante minutes plus tard, il errait à travers les canyons de verre et d'acier d'une ville en reconstruction. Il répondit à l'appel de l'enseigne rouge clignotante d'un vieil hôtel en brique et déposa suffisamment d'argent sur le comptoir pour que l'employé de la réception à l'air renfrogné lui donne une clé de chambre. Des types costauds en imperméables de cuir et costumes sur mesure lui jetèrent des regards mauvais lorsqu'il pénétra dans la cafétéria de l'hôtel. Il commanda la première chose qui figurait sur le menu, un ragoût de mouton avec du choux.

Sa chambre était petite, triste et poussiéreuse. Jud contempla le mince couvre-lit à fleurs. Il ressortit dans la nuit.

Il restait quarante-six dollars dans le sac bleu. Huit d'entre eux lui permirent d'acheter une flasque de whisky. Le bouchon était dévissé avant que Jud ne ressorte du bar. Il marcha au hasard dans la ville, se jetant dans l'ombre chaque fois qu'apparaissait la lumière bleue d'une voiture de patrouille. Un métro aérien passa avec fracas. Le monde se mit à tournoyer : il s'appuya contre les planches d'un chantier de construction, et il vomit. Lorsque sa vision s'éclaircit, il vit sa main appuyée sur la planche marron à côté d'un tag de gang des rues en lettres noires : P.V.P et Les Seigneurs du Vice. Un peu plus loin sur la palissade, quelqu'un avait gribouillé : *Le massacreur de flics.*

Une place publique s'étendait presque en face de son hôtel. Dans le brouillard nocturne, au centre de la place en marbre, se dressait un monstre noir en acier rouillé, une créature de Picasso faite de perches, d'ailes et d'yeux.

Jud tituba, sa vision floue remplie de cette créature. Ses tibias heurtèrent une chaîne, et il se retourna : une flamme orange vacillait dans un brûleur encastré dans le sol. La plaque de cuivre dédiait cette flamme éternelle aux morts des guerres de Corée et du Vietnam.

Jud poussa un hurlement ; son angoisse et sa colère résonnèrent à travers la place.

La bête était silencieuse.

Jusqu'à cette nuit, dans les rêves de Jud, elle crachait du feu et le réveillait en sursaut, tremblant, en sueur, et sale ; il comprit alors qu'il ne pouvait rester plus longtemps sans agir, il devait fuir.

Il comprit où il devait aller. Qui il devait voir.

Avant l'aube, il vola une voiture garée dans State Street, et trouva le chemin des autoroutes de l'Amérique.

Le village en flammes

Le matin qui suivit la mort de Nora, Wes fit irruption dans le bureau de Noah Hall au quartier général de la CIA. Noah et la secrétaire particulière de Denton, Mary, levèrent la tête d'un bureau encombré de dossiers.

— Où est le directeur ? hurla Wes.

Noah contourna rapidement la table. Mary se faufila vers une porte.

— Où allez-vous ? lui lança Wes. Je veux...

Noah le saisit par le bras. Wes repoussa la main de Noah, serra le poing et retint tout juste son coup. Noah ne cilla pas.

— *Allons dans le couloir !* chuchota-t-il en portant la main à son oreille et en désignant les murs d'un signe de tête.

Il était 7 h 47. Dehors, un flot ininterrompu de voitures s'arrêtait au poste de contrôle de l'entrée principale ; les guerriers de l'ombre de l'Amérique se présentaient pour un nouveau mardi de travail. Le couloir recouvert de moquette du cinquième étage était silencieux. Désert. A l'exception de Wes et Noah, debout nez à nez.

— Il faut que je voie le directeur, dit Wes. Tout de suite !

— Bon Dieu, qui vous êtes ? cracha Noah. Un directeur adjoint du FBI m'appelle en pleine nuit pour

440

me dire que *notre homme* a utilisé abusivement le personnel du Bureau par l'intermédiaire d'un prêt du N.I.S.

— Noah...

— Ils vous ont repéré dans une cafétéria de East Je Ne Sais Pas Quoi, juste après que des civils se soient fait descendre. D'après le Bureau, vous n'avez même pas pris la peine d'informer les autorités locales...

— Je vous ai couvert ! hurla Wes en enfonçant son doigt dans la poitrine de Noah. J'ai failli l'avoir ! C'était moins une ! Ils l'ont perdu à l'aéroport de Vegas.

— Qu'est-ce que ça veut dire ? répondit Noah. Vous souffrez d'un stress traumatique post-Vietnam ? Vous foutez le feu au village pour le sauver ? On vous file une mission discrète, parfaitement légale, et vous semez le chaos dans toute la Californie !

— Je fais mon boulot, dit Wes.

— En tout cas, répliqua Noah, vous ne faites pas le nôtre.

Un vent glacé sembla balayer le couloir secret et envelopper Wes. Il se sentit très seul brusquement. Nu.

— Je veux voir Denton... *immédiatement.*

— Il est dans un endroit top secret.

Wes prit une profonde inspiration et ferma ses yeux qui le brûlaient. Il n'avait pas dormi dans le vol de nuit qui le ramenait de Vegas.

— Que voulez-vous ?

— On veut que toute cette merde s'arrête. On voulait juste savoir s'il y avait un problème, et bon Dieu, vous en avez créé un. Votre mission est terminée.

— Vous n'avez pas ce pouvoir.

Noah tressaillit

— Denton m'a engagé, lui seul peut me virer. Les pleins pouvoirs, ça va, ça vient. Vous ne lui servirez pas de tampon.

Au bout du couloir, une porte s'ouvrit. Le général

Cochran sortit pour les observer derrière ses épaisses lunettes.

Noah murmura, en montrant ses dents de bull-dog :

— Croyez-le ou non, vous êtes cuit. Et vous vous en tirerez uniquement si on s'en tire sans dommages.

— Si je ne continue pas, *personne* ne s'en tirera sans dommages, menaça Wes.

Billy Cochran remonta les lunettes sur son nez.

Noah se pencha le plus possible vers Wes.

— Si vous ne voulez pas vous retrouver avec un pieu en plein cœur, ne dites rien... *à qui que ce soit !*

La moquette étouffait les pas de Billy tandis qu'il se dirigeait vers eux.

— Messieurs... dit-il avec un signe de tête... un problème ?

— Ne vous inquiétez pas, répondit Noah, les yeux fixés sur Wes. Nous avons la situation bien en main, pas vrai, major ?

Sur ce, il sourit et regagna son bureau.

— Vous êtes bien matinal, dit Billy à Wes.

— Oui, sir.

Wes aperçut le reflet déformé de son visage tuméfié et hagard dans les verres épais de Billy.

— Venez dans mon bureau, dit le numéro deux de la CIA. La cuisine me prépare un délicieux café.

Billy se retourna pour s'éloigner ; il vit Wes hésiter.

— C'est une invitation, major, pas un ordre. Qu'avez-vous à perdre ?

Ils prirent place autour de la petite table dans le coin du bureau de Billy ; Wes assis sur le bord du divan, Billy dans le fauteuil, une cafetière en argent et des tasses en porcelaine disposées entre eux. Le café embaumait l'atmosphère.

— Drôle de temps, commenta Billy.

— Oui, sir. *Que me voulez-vous ?*

— Sir ? La hiérarchie n'a plus aucun sens entre nous. Vous n'êtes pas en uniforme et vous n'appartenez pas à cette structure de commandement.

442

— Ce sont les exigences de ma mission.

— Ce n'est pas le moment de discuter des exigences de votre mission. Je m'inquiète davantage de ses conséquences.

Billy se pencha en avant, les coudes appuyés sur les genoux, une expression de franchise sur le visage.

— Le fait que vous ayez été engagé par M. Denton et M. Hall...

— Je ne travaille pas pour Noah Hall, s'empressa de rectifier Wes.

La voix de Billy était douce.

— Il s'est passé quelque chose près de Las Vegas.

— Je ne suis pas disposé à aborder ce sujet... sir. Mais je vous serais reconnaissant si vous m'indiquiez où je peux trouver M. Denton.

— Il achève un dîner de travail en Allemagne de l'Ouest.

— Merde.

— Le menu est plus stimulant que ça, répondit Billy. La réunification allemande, le sort de l'OTAN, les grondements en Lithuanie... Mais présentement, je m'inquiète pour vous.

... Ici, ce n'est pas comme au Vietnam, ajouta Billy, et Wes se souvint du boitement occasionnel du général, les médailles dans son tiroir. Ce métier manque souvent de clarté.

— La jungle était épaisse là-bas.

— Pas autant qu'à Washington. Voilà pourquoi il existe des procédures. Surtout depuis ces dernières années où des hommes comme nous vont parfois si loin dans leurs missions qu'il se produit des incidents regrettables. Il s'agit de la sécurité nationale. Et le plus important pour la sécurité nationale, c'est que le système perdure.

— Qu'attendez-vous de moi ? demanda Wes.

— Là n'est pas la question, répondit Billy. Le fait d'être hors circuit ne vous accorde pas une carte blanche, ni une amnistie. S'il s'est passé quelque chose,

443

si une crise se prépare, le mieux serait que vous vous déchargiez de ce fardeau... à travers le système.

— Mea culpa, dit Wes.

— Si une confession est nécessaire. (Billy haussa les épaules.) Mais je doute que vous soyez le seul coupable.

— Vous êtes-vous déjà déchargé de cette manière ? demanda Wes.

— Je n'en ai jamais éprouvé le besoin. (Billy secoua la tête.) Regardez-vous. Mal en point. Epuisé. J'en déduis deux choses :

... Premièrement, vous êtes sur une affaire trop importante pour que cela reste confidentiel. Deuxièmement, votre capacité de jugement a été poussé au-delà de ses limites.

... A moins d'utiliser notre système de communication, vous ne pouvez pas adresser un rapport secret à M. Denton. Je suis responsable en second des services de renseignements américains. Très peu de choses échappent à mes compétences. Laissez-moi vous aider. On peut convoquer le Conseil général. Les gens de la sécurité. Vous faites partie d'une bonne équipe, major, soyez-en persuadé.

Au bout d'une minute de silence, Wes demanda calmement :

— Sir, au cours de toutes vos opérations, avez-vous utilisé des hommes des Forces Spéciales, en activité ou à la retraite ?

— Major, votre mission ne consiste pas à enquêter sur mon passé.

— Vous appartenez aux Services Secrets depuis longtemps, sir. Comme vous venez de le dire, très peu de choses échappent à votre compétence.

— Apparemment, vous avez décidé d'être l'exception.

Billy désigna la porte d'un hochement de tête.

La voiture était garée au coin de chez Wes, une

berline grise avec une antenne sur le coffre. Trois hommes en costume étaient assis à l'intérieur.

Wes les aperçut en remontant la rue en voiture ; il ralentit, le temps d'envisager toutes les possibilités. Il accéléra et se gara sur l'emplacement réservé aux livraisons. Il courut vers les portes de l'immeuble, ignorant l'homme qui cria : *Chandler !*

L'escalier, les marches trois par trois. Pendant qu'elle le soignait, Beth lui avait donné la clé de son appartement. Il l'avait conservée, fier qu'elle ne cherche pas à la récupérer. Aujourd'hui, cette clé était sa chance.

Sans frapper, il ouvrit la porte de chez elle, cria son nom, sans obtenir de réponse, pendant qu'il détachait le holster du Sig de sa ceinture, déposait l'arme sur la table près de la porte, laissait tomber sur le sol la mallette contenant l'argent et les documents, avant de ressortir dans le couloir et de refermer la porte à clé.

En bas, les portes de l'immeuble s'ouvrirent.

Les chargeurs. Ils déformaient sa poche de veste. Il s'engouffra dans son appartement. *Ça ne prouve rien. J'ai un permis.*

Il eut le temps d'enregistrer la réalité qui l'entourait.

Des coups frappés à la porte.

— Major Chandler ! Ouvrez ! N.I.S. !

Il ouvrit. Badges à la main, ils entrèrent sans y être invités. Wes ne connaissait pas ces agents.

— Vous ne vous êtes pas arrêté quand on vous a appelé dans la rue, dit l'agent numéro Un.

— Personne n'a crié « Halte, police ! », répondit Wes.

— Où étiez-vous, major ? demanda l'agent numéro Deux.

— J'étais à la CIA... vous voulez les appeler ?

Ils se regardèrent. *Mal joué,* se dit Wes. *Maintenant je sais que vous n'êtes pas sûrs.*

L'agent numéro Trois se dirigea vers la chambre de Wes. Ce dernier l'arrêta.

— Vous avez un mandat ?

— Quel genre de mandat ?

— N'importe lequel, répondit Wes. Sinon, vous devez rester dans le salon.

— Je croyais qu'on faisait tous partie de la même équipe, dit l'agent numéro Deux.

— On m'a confié une mission secrète qui dépasse vos compétences.

— Merde alors, dit l'agent numéro Trois d'un ton sec.

— Où étiez-vous passé, major ? demanda l'agent numéro Un. A Las Vegas ?

— Je vous ai dit qui appeler.

— Où est votre arme ?

— Quelle arme ?

— Celle que vous avez apportée à la salle de tir. Celle que le commandant vous a autorisé à porter.

— Ça ne vous regarde pas.

— Ça vous ennuie si on vous aide à la chercher ?

— Vous avez un mandat ?

Les agents Un et Deux éclatèrent de rire.

— Parle-lui du fric, dit l'agent numéro Un, mais le numéro Trois se contenta de secouer la tête.

— On pourrait s'entraider, dit-il.

— Comment ? demanda Wes.

— Vous êtes un gars de chez nous, peu importe votre « mission secrète », vous faites partie du N.I.S. Merde, vous êtes un Marine, c'est la Navy. C'est nous. Vous foutez la merde, on nettoie. Vous avez besoin d'aide... (Il haussa les épaules). Nous sommes là.

— Si j'ai besoin de vous, je vous appellerai. Si vous avez quelque chose à me demander, passez par Greco, il m'en parlera.

— C'est Greco qui nous envoie, dit l'agent numéro Deux.

Les quatre hommes se dévisagèrent un long moment.

— Vous direz à Frank de poser lui-même ses questions.

— Pourquoi ne pas lui dire vous-même ? répondit l'agent numéro Un. Il est impatient de vous voir.

— C'est lui qui a envoyé les trois mousquetaires pour me chercher ?

— Il savait que vous n'étiez pas dans votre assiette, dit l'agent numéro Un.

— Vous avez une sale tête, ajouta l'agent numéro Deux.

L'Agent numéro Un haussa les épaules.

— Il s'est dit que vous auriez besoin d'un chauffeur.

— Si c'est le cas, je vous préviendrai, répondit Wes. Pour l'instant, je décline votre invitation. Allez-vous en. J'ai besoin de me reposer.

Les agents du N.I.S. échangèrent des regards. L'agent numéro Deux haussa les épaules.

— Faites de beaux rêves, dit-il en entraînant les deux autres vers la sortie.

L'agent numéro Trois fut le dernier à sortir. Avant de s'en aller, il se retourna.

— A votre place, j'irais voir Frank rapidement. Très rapidement.

Ils refermèrent la porte derrière eux.

Combien de temps me reste-t-il ? se demanda Wes. Denton et Noah parlaient dans le vide, redoutant le scandale et cherchant un bouc émissaire, mais si Wes ramenait Jud, s'il *justifiait* le fiasco du désert...

Depuis sa fenêtre, il constata que la voiture grise était toujours là.

Réfléchis !

Mais son esprit était encombré par Beth et les balles qui s'enfoncent dans le corps de Dean, la femme au chemisier inondé de sang étendue derrière le restaurant, la Mexicaine qu'il avait laissée en train de sangloter dans la cuisine, lui planté dans l'aéroport de Las Vegas, se sentant ridicule et inutile, avec les fantassins miteux du FBI qui trépignent à ses côtés, et Beth, bon sang, comme il avait envie d'entendre sa voix.

Wes était au moins sûr d'une chose, il avait tué six hommes :

Une grenade lancée au fond d'un trou d'artilleur où deux Viet-Congs étaient occupés à désenrayer leur mitrailleuse. Un des hommes avait hurlé pendant trente-quatre minutes.

Deux soldats nord-vietnamiens qui avaient surgi des broussailles, aussi stupéfaits que lui d'apercevoir *l'ennemi*, mais moins rapides à pointer leur arme, à ouvrir le feu.

Un tir de loin chanceux dans une rizière, en plein dans l'officier nord-vietnamien qui ramassait une radio pour signaler la disparition du capitaine des Marines que Wes était venu rechercher dans la jungle.

Dean.

Assez. Le mal de tête, les aigreurs d'estomac. *Je vous en prie, assez*.

Beth.

Il décrocha le téléphone mural de la cuisine, écoutant la tonalité pendant qu'il emplissait ses yeux du confort de la *maison*, la sécurité familière de...

Sa balle de base-ball, celle qu'il avait envoyée dans les gradins au cours de ce fameux match, durant sa dernière année à l'Académie, celle que ses camarades de l'équipe avaient tous dédicacée et qu'il conservait précieusement sur un socle à côté d'une rangée de livres sur l'étagère du haut dans le salon.

On l'avait déplacée à l'autre bout de la rangée.

Bip... bip... bip... Wes raccrocha.

Il regarda fixement le téléphone. *Son* téléphone. Dans *son* appartement.

La voiture grise était toujours là.

Beth. Il fut chez elle en une seconde, adossé à la porte d'entrée, le souffle haletant.

Du calme. Du calme.

Son arme dans le holster attendait sur la table près de la porte, sa mallette était couchée par terre. Un téléphone trônait sur le comptoir de la cuisine. Grâce aux renseignements, il obtint le numéro de la Freer Gallery.

— Je regrette, monsieur, lui répondit la standardiste de la galerie, aucune personne de ce nom ne travaille ici.

— Quoi ?

— Nous n'avons personne de ce nom parmi notre personnel.

— C'est impossible... Beth Doyle. D comme Delta...

— J'ai bien compris, monsieur. Elle ne travaille pas ici. Avez-vous essayé le Smithsonian museum ?

— Elle est archiviste. A la Fondation des arts orientaux.

— Cette fondation n'est pas affiliée à la Freer Gallery.

— Vous avez bien une archiviste ?

— C'est un homme, je vais lui poser la question.

Elle éclatera de son rire rauque, songea Wes, elle se moquera des bureaucrates, et fera remarquer que j'ai l'air fatigué.

— Monsieur ? dit la standardiste. Notre archiviste me dit que cette Beth Doyle ne travaille pas pour lui.

Wes raccrocha brutalement.

Les murs étaient rapprochés dans cet appartement qu'elle avait sous-loué à un avocat du ministère public catapulté *quelque part hors de la ville* à la suite d'une urgence. Beth avait emménagé...

Après que Denton ait lancé cette mission.

Wes tressaillit ; il regardait avec ses yeux, non plus avec son cœur.

L'appartement sentait le tabac froid. La table de dessin occupait tout le salon, mais Beth n'était pas encore inscrite dans son école d'architecture, ses cours de technologie étaient des cours du soir pour adultes qui n'exigeaient aucune formation préalable. Sur les murs étaient accrochés les tableaux appartenant à l'avocat, ce poster représentant une queue de baleine plongeant dans les flots était à lui. Ses costumes étaient encore suspendus dans la penderie de la chambre ; elle les avait simplement poussés pour accrocher ses jupes et ses pantalons.

Wes parcourut tout l'appartement. Aucune photo d'elle, ni de sa famille, de ses amis, d'anciens amants ou compagnons de chambre. Aucun souvenir de Thaïlande ou du Népal ; pourtant, il savait qu'elle y était allée, elle ne pouvait avoir inventé tout ce qu'elle lui avait raconté. Aucun souvenir d'Allemagne, et que faisait-elle là-bas ? Elle travaillait dans les discothèques ? Elle lui avait dit qu'elle avait nagé dans la piscine municipale de Berlin, entourée de gens obèses dans le chlore bleu et froid. Pour qui avait-elle travaillé ? Pour qui d'autre ?

Aucune des lettres sur le bureau dans le salon ne lui était adressée. Même la facture de téléphone de ce mois était au nom de l'avocat : inutile d'effectuer un changement tant que les chèques continuaient d'arriver. Wes ouvrit l'enveloppe.

La facture couvrait ses premiers jours dans l'appartement : aucun appel longue distance à une fondation quelconque, une mère, des sœurs, des frères ou un père à son bureau, comme si elle n'avait personne à appeler.

Ses livres étaient rangés sur deux étagères : ouvrages de physique et de technologie, une demi-douzaine de livres de poche, un livre d'art sur l'architecture japonaise, des recueils de poésies d'Emily Dickinson et Carolyn Forche. Il feuilleta chaque livre, rien ne glissa d'entre les pages ; il abandonna les livres là où il les avait laissés tomber.

Des calepins : esquisses, dessins, ébauches de plan, mais peu nombreux, et aucun de très ancien.

Un carnet d'adresses... elle avait un carnet d'adresses qui ne la quittait jamais.

Il ouvrit la penderie : deux valises et un sac en bandoulière avec des étiquettes portant son nom, mais pas d'adresse. Il les lança dans le salon, décrocha les

450

manteaux des cintres et fouilla dans les poches, avant de les lancer sur le lit : menue monnaie, allumettes, les bricoles habituelles.

Durant les missions de reconnaissance, Wes veillait à ce que ses hommes n'aient rien sur eux qui permette de les identifier.

Les tiroirs de la cuisine étaient remplis de couteaux, ceux du bureau ne renfermaient que les papiers de l'avocat, quelques provisions dans le réfrigérateur. Retour dans la chambre, les vêtements de son propriétaire occupaient trois des tiroirs ; Wes déballa ses sous-vêtements, pas de soutien-gorge, uniquement des culottes, douces, roses et blanches. Des chaussettes, deux ou trois paires de collants, deux foulards en soie. Où étaient ses bijoux ? Des pulls sur l'étagère du haut de la penderie ; il les roula en boule l'un après l'autre, et les lança sur le lit. Rien de caché au fond des chaussures. Il les éparpilla à travers la pièce. La table de chevet : des livres, un cendrier, du café figé au fond d'une tasse. Rien sous le lit, sous le matelas. La salle de bains : quelques produits de maquillage, une brosse, un peigne. De l'aspirine dans le cabinet de toilette, un flacon de valium prescrit par un médecin de New York et une boîte de pilules contraceptives.

Un long cheveux châtain au fond du lavabo blanc.

Mais rien qui indique ce qu'elle était, rien qui indique ce qu'elle n'était pas. Peu importe qu'elle lui ait donné sa clé.

La salle de bains était lumineuse : murs blancs, le lavabo et le bac à douche, les tuyaux chromés. Le miroir de l'armoire de toilette refléta son visage, tuméfié, pâle et hagard.

Le couvercle des toilettes était fermé. Wes se laissa tomber dessus.

Et il pleura. Sans bruit tout d'abord, une larme qui coule sur sa joue, puis un sanglot, et impossible ensuite de s'arrêter, tremblant, les bras serrés autour du corps, secoué de frissons, appuyé contre le mur.

Pendant dix, quinze minutes. Il retint son souffle. Il sentit ses joues sécher, il sentit le carrelage contre sa tempe. Le goût salé des larmes et de la morve sur ses lèvres, l'odeur puissante de l'atmosphère parfumée au citron.

Il entendit le déclic de la porte d'entrée.

Il était dans le salon, il la regardait entrer à reculons dans l'appartement, un sac de courses dans chaque main, puis elle se retourna, l'aperçut...

— Wes ! (Elle sourit.) Quand es-tu...

C'est alors qu'elle découvrit ses manteaux entassés sur le divan, les livres par terre, ses esquisses éparpillées sur la table à dessin. Les sacs d'épicerie glissèrent à ses pieds. Elle avait une sacoche à la ceinture en guise de sac à main. Un cartable pendait sur son épaule ; il rejoignit les sacs à provisions. Elle portait un pantalon de velours, un pull, et un long manteau noir. Ses cheveux châtains peignés en arrière laissaient voir son implantation en V ; ses yeux gris n'étaient pas maquillés, elle n'avait pas de rouge à lèvres.

— Que... (Elle secoua la tête.) Que s'est-il passé ?

— Qui es-tu ? murmura Wes.

— Quoi ?

Elle fronça les sourcils, s'approcha.

Le pistolet était posé sur la table juste derrière elle.

— Qui es-tu ? répéta-t-il, plus fort, sans la quitter des yeux.

— Je ne...

Beth s'avança vers lui, en regardant autour d'elle, découvrant le chambardement de son appartement, mais sans remarquer l'arme.

— C'est... c'est toi qui as fait ça ?

— Pourquoi es-tu venue ici ? demanda-t-il.

— J'habite ici. (De nouveau elle secoua la tête.) Qu'y a-t-il, Wes ?

— A toi de me le dire.

Ils étaient tout proches. Elle leva la main pour le toucher. Elle s'immobilisa.

452

— Tu n'habites pas vraiment ici, dit-il. Il n'y a rien de toi ici : pas de photos, pas de lettres, pas de *vie*. Tout est faux. Utilitaire. Fonctionnel. Crédible.

— Tu as fouillé dans mes affaires !

Elle frissonna. Sa main retomba ; elle eut un mouvement de recul.

Tel un officier des Marines, il demanda :

— Pour qui travailles-tu ?

— Tu le sais ! Je...

— J'ai appelé la Freer Gallery. Ils n'ont jamais entendu parler de toi.

— Quoi ?

— Et ils n'ont jamais entendu parler de ta soi-disant « fondation ».

— J'en viens ! Je fais des courses pendant l'heure du déjeuner !

Wes secoua la tête.

— Cette Jeannie, dit-elle, la standardiste... c'est une vraie conne ! Une conne zélée ! Si tu ne lui poses pas exactement la question, elle ne te répond pas ! C'est une folle...

— L'archiviste affirme que tu ne travailles pas pour lui.

— Evidemment ! Je suis stagiaire, et je l'ai vu juste une ou deux fois... Est-ce que tu lui as parlé ? (Comme Wes ne répondait pas, son visage s'éclaira.) Non, même pas ! Si tu lui avais demandé...

— Tu es douée, pas vrai ?

— Douée ? (Elle secoua la tête.) Je t'aime !

— C'était une idée à toi ? Ou bien tu devais juste baiser avec moi ?

Beth plaqua sa main sur sa bouche ; ses yeux étincelaient, il l'entendit refouler un haut-le-cœur.

— Tu as fouillé dans mes affaires pendant que je dormais, dit-il.

— Je... espèce de salaud ! J'ai fouillé dans *tes* affaires ? Et qu'est-ce que tu... Que cherches-tu ?

453

C'est... un truc de dingue, de pervers... Qu'est-ce que tu espérais trouver ? Qu'est-ce que tu veux ?

— Qui te paye ? Combien ? Tu es fonctionnaire ? Payée au contrat ? Ou bien alors tu as eu des ennuis en Thaïlande, en Allemagne ou dans le New Jersey ; ils t'ont tirée d'affaire et maintenant tu payes tes dettes ?

— Bon Dieu !

Elle recula devant cet étranger contusionné. Le feu qui couvait dans ses yeux noirs profondément enfoncés embrasa son visage.

— Tu... Et moi qui pensais... j'avais peur que tu t'en ailles, que tu trouves quelqu'un d'autre, que tu baises avec une autre, peur de te rendre fou...

Elle secoua la tête.

— C'est ça ? demanda-t-elle. Tu es fou ? Un enfoiré de Marine détraqué qui prend son pied en...

... « Salaud ! » hurla-t-elle en se jetant sur lui, pour le gifler, marteler de coups de poing son torse, son visage, ses bras ; il la saisit par les épaules et la repoussa ; elle recula vers la porte en titubant.

— Tu vas me frapper ? demanda-t-elle. Me violer ? Ce n'était pas assez bien quand j'avais envie de toi ?

Le froid envahit Wes, la douleur, le doute ; il tendit le bras vers elle.

— Beth...

Elle recula. Vers la porte.

— Quel est mon crime ? demanda-t-elle. Est-ce ma faute si les photos mentent et si je préfère me souvenir de la vérité dans mon cœur, et non pas ce que capture un appareil photo ? Si les bibelots se perdent, si un voleur de Bagdad s'introduit par la fenêtre pour les dérober, ou bien s'ils brûlent, et après, c'est pire que si on ne les avait jamais possédés ? Est-ce ma faute si ma mère et mes sœurs n'ont pas le temps de m'écrire ? Et mon père, hein ? Il n'a jamais écrit. Oh ! en voilà un péché ! Beth mérite une bonne raclée. Qu'est-ce que j'ai fait ? Je t'ai fait peur ? C'est ça ? L'amour est synonyme de risque, le risque est synonyme de peur et la peur veut dire destruction ?

— Je ne veux pas te détruire ! protesta Wes. Tu...

— Moi ? Non, toi : qui es-tu toi ?

— Que s'est-il passé... commença-t-il, tandis qu'elle regardait autour d'elle d'un air affolé, cherchant un refuge, cherchant une certitude.

Elle aperçut le pistolet.

Wes vit qu'elle l'avait vu, mais il était cloué sur place.

Lentement, elle fit un pas en avant. Elle tendit le bras... Largement le temps, Wes avait largement le temps, mais ses pieds étaient rivés au sol, ses jambes comme paralysées, ses bras trop lourds, tandis qu'elle s'emparait de l'arme.

Elle la sortit du holster.

— C'est ça ? chuchota-t-elle. C'est ça ton métier ?

Elle le regarda, les yeux écarquillés. Elle pointa l'arme vers lui... maladroitement. Le canon était dirigé vers la cuisine. Elle fit un pas vers Wes.

— C'est pour moi ? murmura-t-elle.

Rien. Il essaya, mais aucun mot ne sortait de sa bouche.

Elle était tout près. Suffisamment près pour qu'il puisse s'emparer de l'arme. Il était incapable de bouger. Incapable de parler. Incapable de détacher son regard d'elle.

— C'est ça que tu veux, hein ? demanda-t-elle. C'est pour moi ? De ta part ?

Elle retourna le pistolet.

— Comme ça ? dit-elle en le tenant par le canon, l'œil noir fixé sur elle. C'est comme ça qu'il faut faire ?

... Ici ? dit-elle en faisant remonter lentement le pistolet jusqu'à ce que le canon par où sortaient les balles embrasse son front juste sous la racine des cheveux.

... Comme ça ? C'est ça que tu voulais dire quand tu disais que tu m'aimais ?

... Ici ?

Elle plaça le canon devant ses lèvres, si près que son haleine embuait le métal noir poli par la main de Wes.

... Ici ?

Elle appuya le canon sur son cœur, puis elle baissa le bras, l'acier glissa sur sa poitrine, son ventre.

... Ici ?

Elle appuya le canon contre son sexe.

Lorsqu'elle bougea de nouveau, il eut l'impression qu'une éternité venait de s'écouler. Elle lui colla l'arme dans la main.

— Alors fais-le, murmura-t-elle, les larmes coulant sur ses joues.

Elle pivota sur ses talons et marcha lentement vers la porte.

Elle s'arrêta. Sans regarder derrière, elle dit :

— Tu avais raison. Ce n'est pas ma vie.

Puis elle s'en alla ; la porte se referma dans un déclic.

Lorsqu'il put à nouveau bouger, Wes regagna son appartement.

La voiture grise était toujours stationnée en bas.

Il avait laissé sa valise dans la voiture. Plusieurs contraventions devaient orner le pare-brise, il était resté trop longtemps sur l'emplacement réservé aux livraisons. Il enfila un jean, un pull. Il fourra des vêtements et des affaires de toilette dans un sac marin qu'il pouvait tenir dans la même main que la mallette remplie d'argent et de documents. L'étui du pistolet était fixé à sa ceinture, caché par un coupe-vent noir. Il regarda une dernière fois son appartement.

Quelqu'un d'autre habitait ici.

Wes monta sur le toit.

Il resta baissé, pour ne pas être vu de la rue. Les documents photocopiés semblaient en sécurité.

L'équipe de surveillance comprendrait qu'il avait fui par les toits. Peut-être que *quelqu'un* découvrirait son butin. Peut-être les hommes de Greco. Des amis. Peut-être. Il avança en rampant sur les toits des immeubles jusqu'au bout du bloc, sauta sur le toit d'un garage dans une ruelle et se laissa ensuite glisser jusqu'au trottoir. Puis il s'éloigna.

Il n'avait plus d'autre choix que de continuer à aller de l'avant.

Le détective privé Jack Berns portait une robe de chambre en soie par-dessus son maillot de corps et son caleçon lorsqu'il vint ouvrir la porte en réponse aux coups répétés de Wes.

— Je suis pas là, dit Berns en refermant la porte.

Wes l'enfonça d'un coup d'épaule, faisant reculer le détective privé dans l'entrée.

— Bien sûr que si, dit Wes. Et vous êtes même resté debout toute la nuit, pas vrai ?

— Vous êtes foutu, major ! beugla Berns en refermant sa robe de chambre. Vous appartenez au passé !

— Je suis votre passé, cracha Wes.

— Qu'est ce que vous voulez, bon Dieu ?

— Vous travaillez pour moi, vous vous souvenez ?

— Vous êtes stupide ou quoi ? Vous ne savez pas ?

— Dites-moi tout, répondit Wes en le saisissant par les revers de sa robe de chambre.

— Vous êtes grillé officiellement, dit le détective. Tous vos amis barbouzes vont être avertis aujourd'hui !

— Mais vous, vous êtes déjà au courant. Comment ?

— Je, euh...

— Qui vous a prévenu ? (Comme Berns ne répondait pas, Wes le plaqua contre le mur.) *Qui vous a prévenu ?*

— N... Noah, bafouilla le détective, hier soir, après que... Après s'être fait tirer les oreilles par le FBI. Inventaire des dégâts, vous savez ce que c'est ?

— Je sais beaucoup de choses, dit Wes.

Il poussa le détective à l'intérieur. Berns jeta un coup d'œil vers la table. Une alarme, songea Wes, ou une arme. Mais il savait que Berns ne tenterait rien.

— Descendons dans votre bureau.

— Je viens de vous dire...

— Et moi je vous dis de descendre.

L'homme en robe de chambre se tenait dans son bureau aux murs couverts de livres, tremblant. Wes tourna lentement autour de lui.

— Noah vous a appelé, dit Wes. Mais vous l'avez appelé vous aussi, n'est-ce pas ? Depuis le début. Tout ce que je vous ai demandé, vous lui avez répété.

— Où est le mal, hein ? répondit Berns, en essayant de garder les yeux fixés sur le Marine fou qui avait sans doute tué un homme la veille. C'est votre patron, il...

Wes le bouscula si fort que Berns faillit tomber à la renverse.

— Je vous l'avais interdit !

Berns retrouva son équilibre. Il regarda le fou lui tourner autour comme un requin.

— Ecoutez, dit Berns, il faut bien gagner sa vie.

— Alors vous m'avez vendu à Noah. (L'idée se fit jour petit à petit, tandis qu'il tournait autour du regard inquiet de Berns.) Qui d'autre ?

— Quoi ?

Berns passa la langue sur ses lèvres.

— A qui d'autre m'avez-vous vendu ? Vendu ce que j'avais découvert, et ce que je faisais ?

— Qu'est-ce que vous...

Wes le frappa, l'envoyant dinguer sur la moquette épaisse.

Berns recula en rampant sur le sol jusqu'à ce que son dos heurte le bureau. Il essuya le sang qui coulait de sa lèvre.

— Vous êtes cuit ! éructa-t-il à travers le sang. Foutu ! Vous...

Wes lui décocha un coup de pied dans la poitrine.

458

Le souffle coupé, Berns tenta faiblement de repousser les bras qui le soulevèrent de terre et le couchèrent en travers du bureau.

— *Qui d'autre !* hurla Wes. Trois personnes sont mortes jusqu'à présent. Vous voulez être la quatrième ? *Qui d'autre ?*

— Je connais des gens partout, bafouilla Berns. A l'intérieur, à l'extérieur, des gens dont vous n'avez même pas idée. Des gens capables de vous atteindre. Comptez les jours qui vous restent, major. Comptez les heures.

— Ce n'est pas mon boulot. Mais vous... *votre boulot* : Noah vous a demandé d'être mon garçon de courses... et de m'espionner pour son compte. Mais ça ne vous suffisait pas : vous avez cherché la bonne affaire, vous avez trouvé quelqu'un d'autre que ça intéressait. Ou peut-être qu'ils ont entendu des rumeurs de l'Agence à notre sujet, et ils sont venus vous faire une proposition. Peu importe. Mais je veux savoir *qui*.

— Allez vous faire voir. C'est pas un gentil petit porte-drapeau comme vous qui me tuera, et vous ne pouvez pas me faire grand mal.

L'espace d'un instant, Berns eut tort et tous les deux s'en aperçurent. Un instant seulement. Wes l'arracha du bureau et le projeta contre une étagère.

— Denton et Noah seront fous de joie quand je leur apprendrai que vous les avez trahis, eux aussi.

— Ce sont de grands garçons, ils me connaissent. Je suis trop précieux pour qu'on me perde, et trop glissant pour qu'on m'attrape. D'ailleurs, après le merdier que vous avez foutu, ils cherchent uniquement à étouffer le coup. Une grande gueule comme moi, ils ne m'emmerderont pas.

— Qu'avez-vous fait d'autre ? demanda Wes.

— Estimez-vous heureux, major. (Berns tira sur sa robe de chambre.) Vous sauverez peut-être votre peau. De quoi qu'il s'agisse, vous avez sacrément merdé, mais si Noah écrase l'affaire, vous pourrez peut-être échapper à la prison. Et peut-être même conserver votre uniforme. Si vous la fermez et si vous faites ce qu'on vous dit. Si vous ne choisissez pas de vous foutre davantage dans la merde.

... de quoi qu'il s'agisse...

— Vous ne savez rien, dit Wes. Vous ne savez pas de quoi il s'agit.

Berns haussa les épaules.

— Si vous avez des idées, si vous savez quelque chose... je suis le genre de gars qui peut vous aider à vous tirer d'un mauvais pas.

— Non, dit Wes, nos affaires sont simples désormais.

— C'est terminé pour nous.

— Vous avez approché Nick Kelley ? dit Wes. A quelle distance ?

Berns essuya sa bouche ensanglantée du revers de la main. Il fit non de la tête.

— Vous avez raison, dit Wes en réduisant l'écart qui les séparait. Je ne vous tuerai pas. J'ai le cœur tendre. Mais j'ai l'estomac solide. J'ai déjà abandonné pas mal de remords sur la façon d'atteindre mon objectif, et ce que ça peut coûter à une vermine de votre espèce. Je veux bien croire que vous ne me direz rien. Mais vous êtes un homme d'affaires. Vous me vendrez tout ce que vous avez pour pouvoir acheter ce que vous désirez. Et ce que vous pouvez acheter, c'est beaucoup moins de souffrance.

En voyant Berns éclater de rire, Wes le frappa à l'estomac. Le détective mit une bonne minute avant de pouvoir parler :

— Suffisamment près, je sais qu'il fourre son nez dans cette histoire. Mais il sait que dalle. Impossible.

— Alors vous lui foutrez la paix ?

Berns leva les yeux.

— C'est pas moi qui décide, pas vrai ?

— Allez, dit Wes, vous avez une dernière carte à jouer.

Wes assit Berns à son bureau et lui approcha le téléphone.

— Votre informateur à la compagnie du téléphone, dit Wes. Je veux connaître le détail de tous les appels longue distance de Nick Kelley depuis la dernière fois.

— Impossible. A cette période du mois, il n'osera pas demander...

Wes saisit la main gauche du détective et lui brisa le petit doigt. Berns eut un haut-le-cœur. Il composa le numéro. Après qu'il ait convaincu son informateur d'interroger l'ordinateur, Wes lui arracha le combiné et le repoussa. Il écouta ; on l'avait mis en attente.

Une voix d'homme revint en ligne et énuméra une série de numéros de téléphone que nota Wes : depuis le bureau de Nick Kelley, des appels dans le Nebraska.

Lorsqu'il eut fini de chuchoter la liste dans l'appareil, l'informateur dit :

— Vous avez conscience du risque que je prends ? Si...

— Ne raccrochez pas ! dit Wes. (L'homme à l'autre bout du fil se pétrifia en entendant la voix d'un étranger.) Je suis un agent fédéral et vous venez de violer la loi sur le secret des communications téléphoniques. Cela restera entre nous, mais si vous entrez encore une fois en contact avec Jack Berns pour lui transmettre des informations, je vous envoie en taule.

— Comment... Qui...

— Peu importe, dit Wes. Vous êtes grillé.

Et il raccrocha.

— Vous savez ce que ça me coûte ? s'exclama Berns.

— Un doigt. Pour l'instant.

Il fouilla toute la maison, ôta les plaques vibrantes de tous les téléphones. Il appela un taxi grâce au téléphone de voiture de Berns, puis il brisa l'appareil et ôta la tête de Delco du moteur. Lorsque le taxi vint

461

le chercher, Wes laissa le détective attaché au divan avec la ceinture de sa robe de chambre, jurant et contemplant sa main enflée.

Tous les vols à destination du Nebraska étaient complets, ou bien ils avaient déjà décollé, quand Wes arriva à National Airport. Sous un faux nom, il prit un billet pour Nashville, de là, demain matin, il pourrait s'envoler pour Lincoln. Il vérifia que son arme et l'argent étaient bien dans le sac marin, en misant sur le fait que c'était le genre de bagage que les services de sécurité de l'aéroport ne passeraient pas aux rayons X.

Le ciel défilait derrière le hublot de son avion.

Voiture volée

Jud se trompa de route dans l'obscurité. Il dépassa Gary au ralenti, les aciéries balourdes de l'Indiana et le miroitement sombre des lacs pétrochimiques, avant de s'apercevoir de son erreur. Il quitta la nationale et s'arrêta sur l'asphalte effrité d'une station-service abandonnée. Sous le siège avant de la voiture qu'il avait volée se trouvait un tournevis et une carte routière déchirée.

Il descendit de voiture et urina dans la pénombre qui précède l'aube. Il découvrit dans l'herbe un bidon d'essence rouillé ; à l'aide du tournevis, il découpa le tuyau de la pompe à essence hors d'usage. La plupart des maisons environnantes étaient encore endormies. Il échangea les plaques d'immatriculation avec celles d'une voiture arrêtée à proximité et se servit du tuyau tronqué et du bidon rouillé pour siphonner le carburant.

De retour sur la route, il trouva la U.S.80 West. Les vapeurs d'essence et la bile emplissaient sa bouche. Le whisky de Chicago fit passer le goût. Il devait rester suffisamment sobre pour conduire, et suffisamment ivre pour poursuivre son chemin.

Les villes de l'Illinois défilaient derrière les vitres. Joliet, avec les murs gris de sa prison. La Salle. Annawan. Des relais routiers avec de la tarte aux cerises et du café. Des villes où personne ne répondrait

463

s'il frappait à la porte d'une maison isolée. La porte ne serait pas fermée, il y aurait cinquante et un dollars dans le tiroir d'un bureau, une brosse à dents dans son emballage en plastique. Une Dodge sans bouchon de réservoir de sûreté. Du whisky dans un placard, de la bière, et un reste de roast-beef dans le réfrigérateur.

Continue à rouler, se dit-il. *Tu peux y arriver. Tu peux tout faire. Tu peux affronter n'importe qui. Tu peux y arriver.*

Le Laos et le SOG, l'Iran, le Watergate, le Chili, Miami : tout cela n'était rien, comparé à cette route nationale qui bourdonnait sous les pneus de sa voiture volée. Deux fois seulement dans sa vie Jud avait éprouvé un tel besoin de croire en sa propre invulnérabilité légitime :

La première lorsqu'il vit son père pour la dernière fois.

La seconde lorsqu'il trompa l'Amérique.

Des opéras fantômes flottaient autour de lui comme un brouillard, tandis qu'il s'efforçait de garder la voiture sur la route.

Tu as déjà fait ça, lui avait dit Nora. *Travailler dans un restaurant, je veux dire.*

En 1964, quand il avait seize ans, à Chula Mesa, toujours une longueur d'avance sur les hommes du shérif et les assistantes sociales, Jud travaillait comme aide-serveur dans un restaurant italien miteux, ajoutant ainsi à l'argent de ses petits cambriolages vengeurs, des revenus qu'il pouvait justifier.

C'était en octobre, par une nuit froide pour la Californie du Sud, un mardi. Jud se souvenait de tous les jours qui avaient compté dans sa vie. C'est un mercredi que son institutrice de la maternelle l'avait laissé si longtemps au coin qu'il avait pissé dans son jean. C'est un jeudi qu'il avait tué son premier homme, une sentinelle viet-cong, en lui tranchant la gorge, le sang noir dans la nuit sans lune. La dernière fois où il vit son père, ce fut un mardi d'octobre, en 1964.

Une soirée tranquille à l'Italian Palace d'Enzio. Jud s'entraînait à se rendre invisible pendant qu'il débarrassait les tables et entassait les assiettes sales dans un bac en plastique gris.

— Hé ! toi ! lança une voix de femme nasillarde dans son dos.

Elle avait plus de deux fois son âge, du rouge à lèvres écarlate, des cheveux teints crêpés en un tourbillon cuivré, une robe en imitation soie tendue sur sa poitrine, et encore plus sur ses hanches. Elle portait des chaussures à talons hauts et agitait une cigarette allumée en parlant.

— Ouais, dit-elle lorsque Jud se retourna, je te connais.

— Je ne pense pas, m'dame.

Une partie de Jud craignait qu'elle ne l'ait aperçu au cours d'une de ses fredaines, et la police était juste à côté ; une autre partie craignait/espérait qu'elle vienne le chercher pour le grand mystère.

— Comment tu t'appelles, fiston ?

— Jud.

Elle roula des yeux vers le chandelier en plastique.

— Jud Stuart.

Elle cligna des paupières, et lui fit un grand sourire.

— Sans blague. Viens, je vais te présenter quelqu'un.

— Je m'appelle Myra. (Avec un clin d'œil, elle entraîna Jud vers l'estrade près du mur du fond. Jud avait les yeux fixés sur ses hanches serrées dans une gaine.) Il y avait quelque chose dans tes cheveux, ta façon de marcher.

Elle gravit les trois marches de l'estrade où *quelqu'un* étais assis à la table ; elle se retourna.

— Jud, je te présente Andy.

Et *il* était là : yeux écarquillés, bouche bée, tenant entre ses mains tremblantes un verre de vodka givrée.

— Stuart et Stuart, dit Myra. Le père et le fils.

Jud sentit son estomac se tordre. Un train de marchandises traversa sa tête dans un grondement. Il était moite de la tête aux pieds, frigorifié, le visage enfiévré.

— Alors, vous ne dites rien ni l'un ni l'autre ? gazouilla Myra.

— Ah... alors, dit-il, avec *cette* voix, c'est toi Jud.

— Mais non, imbécile, plaisanta Myra, c'est ton autre fils.

Andrew Stuart avala sa vodka d'un trait. Ses mains tremblaient. Il jeta un regard noir à Myra qui contournait le garçon en tenue blanche de serveur. Elle se rassit derrière le verre qu'elle avait abandonné.

— Je trouve toujours des pièces de monnaie, dit-elle en allumant une autre cigarette. Peu importe où elles roulent. Je pensais que tu t'en souviendrais, Andy. Je pensais que vous auriez envie de vous dire bonjour tous les deux.

La fumée montait de la table. Elle remplit ses poumons quatre fois dans le silence.

— Alors... comme ça... tu travailles ici ? dit le père de Jud.

Jud chuchota, à peine.

— Oui.

— Bien, bien...

L'homme avait des cheveux châtains ondulés. *Comme moi*, songea Jud.

— Chouette boulot ? demanda son père.

— Tu es coiffeur, dit Jud.

— Je fais un tas de choses, fiston.

— Il vend des voitures maintenant, dit Myra. Pas vrai, chéri ?

— Tu es parti quand j'avais trois ans, dit Jud. Tu es monté dans une voiture rouge et tu es parti, c'était il y a longtemps et tu n'es jamais revenu, moi j'ai attendu, tu avais dit qu'on jouerait au ballon. C'était un vendredi.

— Aujourd'hui, on est mardi, dit Myra.

466

— Ecoute... dit l'homme qui était encore beau. (Il avait des veines éclatées sur le nez. Jud avait les jambes en coton.) C'était pas à cause de toi, tu comprends ? Un homme doit faire ce qu'il a à faire, et...

— Tu as un autre fils ? murmura Jud.

— Je ne ferais pas deux fois la même erreur, marmonna Andy.

— J'aime pas les gosses, dit Myra.

— Hé ! mais regarde-toi, dit Andy. Tu es beau, en bonne santé. Tu as un bon boulot. Je n'aurais jamais pu en faire autant pour toi.

— Je vais au collège, dit Jud. Je suis en deuxième année.

— L'éducation, c'est très important, déclara Andy.

— Il dit toujours ça, ajouta Myra.

— Ouais, euh... (Le père jeta un regard à Myra. Un petit sourire se dessina sur ses lèvres. En la regardant, il demanda :) Comment va ta mère ?

— Elle remplit des paperasses pour l'Etat, répondit Jud. (Il pouvait à nouveau respirer. Inspirer, expirer ; il pouvait y arriver, il pouvait respirer.) Elle reste assise sur le canapé avec un pack de bières. Elle regarde la télé.

— Je pourrais pas le supporter, dit Andy. C'est de sa faute si je t'ai abandonné.

— Elle dit qu'elle aurait dû te frapper sans te prévenir.

Andy secoua la tête.

— Je te l'avais dit.

— T'as une petite amie ? demanda Myra en s'adossant contre la banquette rembourrée. Fais gaffe de pas te laisser embringuer par une fille qui est pas faite pour toi.

— Je dois retourner travailler, dit Jud.

— Bien sûr, dit Andy. Je comprends. Un homme doit faire ce qu'il a à faire.

D'un pas mal assuré, Jud retourna vers la table où l'attendait son bac en plastique gris. Il essuya la nappe

467

et remit les chaises en place. Il marcha vers la cuisine en gardant les yeux fixés sur les portes battantes en aluminium.

Il les franchit. Dans la cuisine, Jud déposa l'égouttoir sur le comptoir à côté du chef occupé à découper un poulet. Enzio engueulait le plongeur mexicain. Le propriétaire en smoking noir se tourna vers son serveur pour lui crier après, mais Jud s'enfuit dans la ruelle.

La ruelle sombre et aveugle, avec l'infecte odeur de brûlé de la raffinerie de pétrole et un nuage douceâtre au-dessus de la poubelle.

Pris de vertiges et de nausées, il vomit, sanglota, pleura et martela de coups de poing la poubelle en métal en se laissant glisser sur le sol en terre collant comme du goudron, au milieu des éclats de verre et des papiers gras.

Combien de temps resta-t-il recroquevillé là, il l'ignorait.

Lève-toi, se dit-il. *Tu peux y arriver ! Continue. Tu peux tout faire. Tu peux affronter n'importe qui... qu'ils aillent se faire voir ! Qu'il aille se faire voir ! Tu peux y arriver.*

Le professeur de Hwarang-do de Jud était un émigré coréen qui cherchait à se faire une place. *Sois comme le vent* ordonnait le « sensei » mystique à Jud, pour tenter d'obliger le garçon à canaliser toute son énergie. « Sois comme l'eau ! »

Sois comme la glace, se dit Jud.

Il se releva. Sécha ses larmes.

De retour dans la cuisine, Jud s'empara d'un égouttoir en plastique vide. Il allait retourner dans la salle, il ferait son boulot, il le ferait bien, juste devant les yeux de cet homme. En le regardant en face, sans détourner le regard ; cet homme n'était *rien*. Oblige-le à regarder. Ne lui laisse rien voir. Il poussa les portes battantes.

La table au fond du restaurant était vide.

468

Sur la route, de retour sur la route. Des lettres blanches sur un panneau vert : MOLINE 16 km. L'Iowa n'était plus très loin.

Son père mourut en 1973 ; Jud inventa une enquête du FBI et trouva le dossier. Cancer. Jud ne parla jamais de son père à sa mère. Il lui parla rarement après son année d'enseignement supérieur court, après s'être engagé dans l'armée. Elle mourut en 1975, d'une crise cardiaque, alors que Jud effectuait un rapide boulot de *nettoyage* en Afrique pour couvrir une opération de mercenaires qui avait mal tourné. Il se rendit une seule fois sur sa tombe à Chula Mesa. Pour être sûr.

Dans la voiture volée, Jud entendit le rire de Myra, il sentit l'odeur de sa fumée de cigarette. Il sentit la fumée de Nora, son sourire lui manquait terriblement. Derrière les vitres, le paysage était vert et ondulé, ce n'était pas le désert plat et brun de la Vallée de la Mort. Un marchand d'armes noir africain vêtu d'un costume français était assis au bord de la route, la tête bizarrement penchée sur le côté ; il avait les yeux ouverts, et il vit approcher Jud, contrairement à ce qui s'était passé au Zaïre. Jud continua sans s'arrêter ; ils ne s'adressèrent aucun signe de la main. Un mirage scintilla devant lui sur la route ; au-delà de ce lac, Jud sentait la présence d'Art... étendu sur le dos, la poitrine éclatée, les lunettes noires levées vers le ciel. Jud continua à rouler. Le lac disparut. Il vida la bouteille de whisky ; c'était bon, il en voulait encore, il lui en fallait encore.

Il avait eu besoin d'un verre le jour où il avait trompé l'Amérique. A l'époque, la soif était permanente. Un samedi. Il était incapable de se souvenir des dates, mais il n'oubliait jamais les jours. C'était un samedi, un samedi de l'été 1979, à Los Angeles.

Jud était à L.A. depuis cinq mois, Miami était derrière lui, il ne feuilletait plus les tabloïds de

469

supermarché pour connaître le sort que lui réservaient les astres. Il était entré dans une serrurerie, et après avoir montré ce qu'il savait faire pendant vingt minutes, il avait décroché un boulot. Trois semaines plus tard, on l'avait envoyé dans un salon de coiffure. Il pénétra dans l'atmosphère parfumée de musique rock à plein volume, de cliquetis de ciseaux, et de bavardages insipides, et il vit la fille qui répondait au téléphone : cheveux châtains tombant en cascade, un visage doux avec des yeux comme l'océan, une poitrine gonflée et ferme, la taille fine ; minuscule, fragile... innocente.

— Comment allez-vous ? demanda-t-elle, et le tonnerre gronda dans la tête de Jud.

— Très bien enfin, répondit-il.

Elle avait ri, en déclarant s'appeler Lorri.

Non, avait-il envie de lui dire, *tu es ma récompense.*

En une semaine il l'avait subjuguée, deux jours plus tard, ils louaient une maison dans un quartier ouvrier. Ils riaient et elle écoutait. Il lui racontait un tas de choses, et elle les écoutait, mais pas avec l'oreille avertie de son ami Nick Kelley. Son oreille s'intéressait à Jud, et absolument pas au monde qu'il lui dévoilait. Ils riaient, ils s'aimaient et ils travaillaient dur.

Mais ça ne suffisait pas.

Ce samedi d'été, il avait dû regarder la vérité en face : ça ne suffisait pas, et ce n'était pas juste.

Il faisait des heures supplémentaires pour réparer des portes dans des maisons où il n'avait pas les moyens d'habiter. Il finit son dernier boulot à quatre heures ; Lorri travaillait à une centaine de pâtés de maisons de là, prenant des rendez-vous de beauté pour des salopes qui lui auraient acheté ses cheveux si elle les avait vendus ; leurs maris auraient acheté le reste, s'ils étaient sûrs de ne pas se faire prendre. Jud roula jusqu'à une des rues principales, choisissant par défi un bar chic où les serveurs portaient des chemises blanches et des nœuds papillons. Les clients étaient attifés en joueurs de tennis, ou avec des tenues de plage, jeunes, propres sur eux et pas meilleurs que lui ; leurs regards chuchotaient que son blue-jean et sa chemise de travail n'étaient pas à leur place. Mais ils n'osèrent pas lui refuser une table. Il commanda un scotch et découvrit le monde.

Il avait monté et exécuté des opérations mettant en jeu des centaines d'hommes et des millions de dollars qui écrivaient des épisodes cachés dans les livres d'histoire. Aujourd'hui, il faisait des boulots minables pour une petite entreprise familiale, il recevait des ordres de patrons qui n'avaient jamais décidé qui devait vivre et qui devait mourir. Il avait opéré à la Maison Blanche, il s'était retrouvé face à des grosses huiles qu'on voyait aux infos du soir à la télé. Désormais, des crétins au cou filiforme lui donnaient des leçons de politique dans des bars miteux. A Miami, il roulait en Porsche, habitait un duplex, portait des costumes sur mesure, il s'offrait les mets les plus fins, les putes les plus chères. Maintenant, il conduisait un van déglingué portant le logo de quelqu'un d'autre. Son jean et sa chemise avaient deux ans. Il était en retard pour payer le loyer d'une maison qui ne valait pas mieux que celle qu'avait abandonnée son père. Il était aussi qualifié qu'un diplômé de la fac de droit de Harvard ; ces avocats étaient des putes qui se faisaient appeler Monsieur. Il avait travaillé pour *la sécurité nationale,* le *patriotisme* et *l'honneur*, et désormais, il était Joe Rien du Tout le Chiffonnier. On lui avait tiré dessus, on l'avait tabassé, il avait menti, on lui avait menti, il avait perdu son sang, il était tombé malade là où il ne fallait pas, quand il ne fallait pas. Il avait pris tous les risques. Il avait tué, mon Dieu, combien de fois il avait tué.

Et quand ils le regardaient, les gens ne le voyaient pas.

Que pouvait-il faire ? Rester un déchet, un type qui n'avait jamais existé. Ou alors retourner se placer au bout de leur fouet, en attendant qu'ils le fassent claquer où ils le souhaitaient.

Un homme rit au bar. Il avait l'âge de Jud, des mains douces et un superbe bronzage, *école privée* était inscrit partout sur son visage, alors qu'il prenait du bon temps avec deux petites putes de plage, accoudé au bar en acajou.

Est-ce que j'ai fait tout ça pour toi ? songea Jud. *Pour pouvoir rester assis là à t'idolâtrer en souriant, bien content de faire des heures sup le samedi et de boire du mauvais scotch ?*

Foutue ville. C'était encore pire qu'ailleurs, pire qu'à Miami ou Washington. Ou peut-être que tout était simplement plus flagrant ici. *Los Angeles,* disait son ami Nick, la ville de l'insatisfaction permanente. La ville du *jamais assez.*

Qu'allait-il faire maintenant ? Attendre que Nick l'écrivain le rende célèbre ? Qu'il leur explique *à tous* ? Nick ne pouvait pas faire ça. Même s'il essayait, ce ne serait pas Jud qui se retrouverait sur les affiches ou les écrans, qui recevrait les poignées de main, les applaudissements. Personne ne descendrait du ciel pour donner un prix à tout cela, pas même Nick.

Joe Rien du Tout le Chiffonnier.

Lorri. Combien de temps un simple Joe Rien du Tout pouvait-il la rendre heureuse ? Combien de temps avant que le train-train quotidien n'efface cette lueur si particulière dans ses yeux quand elle le regardait ? Combien de temps avant que le blues du *personne nulle part* n'imprègne son regard et noie son cœur ?

Combien de temps encore pourrait-il supporter tout ce *pas assez* avant d'exploser ? Avant de tordre le cou d'un crétin ou de lui trouer la peau ?

Je ne veux plus supporter les foutaises des pauvres cons, se jura-t-il.

— Vous désirez un autre verre ? soupira un serveur maigre au regard perpétuellement en berne.

— Apportez, dit Jud.

Quand le serveur s'éloigna dans un bruissement, Jud aperçut Wendell au bar.

Il vit Wendell qui l'observait.

Mauvais endroit, mauvais moment, songea Jud. Mais avec un clin d'œil et un hochement de tête, il fit comprendre à Wendell qu'il pouvait approcher, qu'il pouvait s'asseoir.

— Hé ! mec, dit Wendell, ça fait des années lumière que je t'ai pas vu !

Depuis Miami : Wendell était alors un petit dealer à un kilo la semaine en bas de l'échelle hiérarchique instaurée par Art Monterastelli, un type simple que son amour de la came avait conduit à en acheter et à en vendre. En temps normal, Jud n'aurait jamais fréquenté quelqu'un d'aussi insignifiant dans l'organisation, mais l'ambition restreinte de Wendell en faisait quelqu'un que Jud pouvait baratiner sans risque.

Du moins le pensait-il.

— Alors, mec, comment ça va ? demanda Wendell.

— Surpris de te voir ici.

Wendell se pencha vers Jud.

— Je vais jouer franc-jeu avec toi, *amigo,* parce que je t'aime bien, je te connais et tu as marché sur les mauvais pieds.

— Tu as toujours été un gars intelligent, Wendell.

Ce dernier se racla la gorge.

— Ils sont devenus dingues à Miami. Les Colombiens, les fédéraux. T'as eu raison de foutre le camp quand tu l'as fait et que tu pouvais encore le faire.

— Comme toi ?

— La merde volait dans tous les sens. (Wendell passa sa langue sur ses lèvres.) En fait, je me suis réinstallé ici... je savais pas où t'étais parti, et je suis pas stupide au point de poser la question... Je *comprendo* que dalle à tout ce qui s'est passé, et n'essaye pas de m'expliquer, O.K. Mais Raul, les Cubains, ils ont leur monde à eux. Alors, je me retrouve ici. *Pour travailler.*

473

Jud acquiesça.

— Je possède une part du commerce de la cola, expliqua Wendell. Quelques dizaines de grammes par semaine. Ça me rapporte dans les mille dollars. Tiens, une bonne partie de mes clients sont dans ce bar.

— Alors tu ne devrais pas y être, dit Jud. Si jamais ils deviennent imprudents, tu pourrais faire partie des victimes.

— Hé ! mec ! Fallait que je livre à un des mes gars... tu imagines un peu ça : j'emploie des types maintenant !

— Encore pire, dit Jud. Ne reste pas dans les parages quand ils traitent. Les fusibles, Wendell : travaille intelligemment.

— Voilà pourquoi tu es le meilleur, dit Wendell. C'est comme si t'avais appris tout ça à l'école.

— Ouais.

— Ecoute, soyons clairs : tu travailles ici ?

— Oui, répondit Jud.

— Excuse, je savais pas. Si je piétine tes plates-bandes, dis-le moi, je me tire ! Je suis pas stupide à ce point !

Jud sourit.

— La ville est grande.

Wendell lui adressa un large sourire.

— Laisse-moi t'offrir à boire !

Le serveur revint avec la consommation commandée par Jud. Sans lui laisser le temps de poser le verre, Jud dit :

— Chivas Regal.

Le serveur regarda le verre de mauvais scotch sur son plateau.

— Qu'est-ce que je fais de ça ?

— Vous n'avez qu'à le boire.

Jud le renvoya d'un geste de la main.

— Ce monde est fou, dit Wendell.

Ils burent à sa santé.

— Regarde-les, dit Wendell en désignant d'un mouvement de tête le beau monde entassé au bar. Ils ont plus de fric qu'il leur en faut, tout le monde veut être cool, sexy... *dangereux*. Prendre des risques, se faire des émotions.

Wendell leva son verre de bière.

— A la fortune.

Jud l'accompagna.

— Merde, dit Wendell, le bon moment, le bon endroit, le bon produit. Ils en ont marre de l'herbe. De plus, les marges sont tellement réduites dessus, que tu peux même pas en faire venir assez pour que ça rapporte. L'alcool c'est pour les ringards. Non, le truc c'est la coke : ça t'aide à tc surpasser et qui n'en a pas envie ? Ça fait pas de mal. Qui peut interdire ça aux gens ?

C'était cn 1979, après des années de mensonges au nom de l'éducation sur la drogue, après qu'une génération ait atteint la majorité en payant des taxes pour une drogue provoquant une dépendance mortelle nommée nicotine ; après que des milliers d'Américains « privatisent » les expériences sur le LSD entreprises par la CIA dans les années 50 et ne découvrent que tout le monde ne se jetait pas par la fenêtre d'un hôtel comme ce médecin qui ignorait qu'on lui avait injecté du LSD au cours d'une expérience de la CIA. Freud, le gourou de la santé mentale, avait utilisé la cocaïne. Personne ne mourait, personne ne devenait accro : personne en 1979 ne savait que c'étaient des mensonges. En 1979, personne n'imaginait un raffinement bon marché venu de l'enfer et baptisé crack, ni les conséquences politiques de l'achat d'un gramme de poudre, et qu'au bout d'une ligne blanche, il y en avait toujours une autre. Et une autre. Et encore une autre.

— Curieux business, mec, dit Wendell. Là-bas en Colombie, tout le monde s'y met. L'armée, les politiciens, toute la jungle.

— Et les guérillas ? demanda Jud.

— On ne parle pas de l'Afrique !

Ils éclatèrent de rire.

— Ils ont des guérillas là-bas ? demanda Wendell.

— Bien sûr, répondit Jud qui avait oublié le nom : M-19, Sentier Lumineux ou un des autres mouvements latino-marxistes.

— Combattre les cocos, ça a jamais été mon truc, dit Wendell. Je me dis que s'il y a du fric à gagner, tôt ou tard, tout le monde voudra sa part. C'est le capitalisme qui commande, mec, l'essentiel c'est le dollar.

Wendell essuya ses lèvres.

— Ecoute, dit-il, c'est... ne te méprends pas, O.K. ?

— T'en fais pas, dit Jud.

— Je me débrouille pas mal, mais je veux pas devenir le meilleur. Je suis pas fait pour jouer les caïds. Dans notre métier, ça va vite. Tu le sais bien. Regarde-toi : flambeur à Miami, tu te retrouves ici avant le sommet de la vague, organisé, avec discrétion...

... J'ai une *proposition*, dit Wendell. Supposons qu'on s'associe. Je peux doubler mes affaires, ramasser les mêmes bénefs, ou plus, et toi tu touches le surplus.

— Et toi, qu'est-ce que tu gagnes en échange ?

— Toi, répondit Wendell. Les félins qui rôdent dans Miami vont bientôt débarquer dans Sunset Boulevard. J'ai besoin de quelqu'un qui puisse éloigner leurs griffes de mon dos. Quelqu'un qui sache jouer avec la loi. Quelqu'un qui sache observer ce qui se passe. Quelqu'un en qui je puisse avoir confiance.

Les deux vieux amis s'observèrent pendant un long moment.

Le type au bar éclata de rire, et sortit avec les deux filles aux bras. Sans adresser un regard à Jud.

— Faudrait d'abord voir comment tu t'es débrouillé, dit Jud.

— Pas de problème ! Je t'écoute !

— Tu dis que tu peux fourguer quelques grammes de plus par semaine ?

— Facile.

— Montre-moi. Cinquante-cinquante sur ce coup. Pour l'avenir, on verra plus tard. Fais ça bien : pas d'étincelles, pas d'étrangers, pas de magouilles, rien que le boulot.

— Pas de problème. Mon contact prétend que ses hommes sont un vrai pipe-line, pas d'emmerdes avec les livraisons. Il me faudra huit cents...

— Tu te débrouilles seul, ordonna Jud. Je refuse de payer pour ton examen de passage.

Wendell cligna des paupières, et haussa les épaules.

Jud lui tendit un stylo.

— Donne-moi ton numéro de téléphone et ton adresse. Surtout, tu ne leur parles pas de moi, ni de notre accord. Si tu te démerdes, je t'autoriserai à les mettre dans le coup. Si tout se passe bien, tu auras tout ce que tu veux.

— Et pour le serveur ? demanda Wendell avec un sourire.

— C'est ton problème, pas le mien.

— J'ai toujours pensé que c'était dommage.

— Ce sera toujours ainsi, répondit Jud. Prends l'addition, fais-lui un numéro, laisse un gros pourboire...

Ils rirent. Jud se leva.

— Encore une chose, dit-il en se penchant. Tu es un ami. Mais si tu merdes, si tu m'exposes... tu paies la note.

Les yeux de Wendell répondirent qu'il avait compris.

Jud eut du mal à se concentrer pour se rendre en voiture jusqu'au salon de Lorri.

Elle fit la grimace lorsqu'il annonça à son patron qu'ils aimeraient fermer le salon, mais elle ne protesta pas. Elle savait quand il valait mieux se taire.

— Je ne comprends pas, dit-elle dès qu'ils se retrouvèrent seuls. Tu m'as obligée à ne plus prendre des cachets, et maintenant on va vendre de la cocaïne ?

— Rien à voir, dit Jud. C'est du business, pas du

plaisir. C'est le moyen de s'en tirer. De plus, ils me doivent quelque chose. Ce sera leur façon de me rembourser.

— Qui ça « ils » ?

— Ne t'inquiète pas, baby. Tout est O.K. ! Je t'aime.

— Et si on se fait prendre ?

— J'ai tout prévu, dit-il. J'ai tout prévu.

Elle le regarda, et éclata de rire.

— Et puis merde, tout le monde le fait. Même Marie la fille qui s'occupe des permanentes en vend quelques grammes pour se faire de l'argent de poche.

— Tu piges vite, dit Jud, alors que son subconscient envisageait déjà les façons d'attirer Marie dans son giron.

Lorri appela le *L.A. Times* et embobina un rédacteur en chef du week-end en lui expliquant qu'elle avait besoin de détails sur les communistes et les guérillas en Amérique du Sud pour un devoir de fin de trimestre à UCLA. Le type qui s'ennuyait consulta ses fiches et lui lut un article, avant de lui proposer d'aller manger des sushis dans un super endroit sur Sunset. Lorri mentit et accepta de le retrouver là-bas pour dîner, puis elle raccrocha et éclata de rire avec Jud. Ils burent les bières qui étaient dans le frigo du salon. Elle feuilleta des magazines de mode pendant qu'il codait son message :

« Une source généralement digne de la plus haute confiance a informé cet agent de la chose suivante : implication dans le trafic de cocaïne de groupes terroristes communistes, sans doute le M-19, et d'autres, en Amérique du Sud, armés et hostiles aux intérêts U.S. sur le sol national et à l'étranger. Déclenchement, recommande opération, pénétration totale, couverture maximum, réaction d'infiltration, contact minimal, aide minimale. Plan en attente autorisation. »

Juste ce qu'il faut, se dit Jud. Un détecteur de mensonge prouverait qu'il disait la vérité. Il signa *Malice,* le nom de code d'un ancien agent des Services Secrets américains d'une extrême susceptibilité.

— Qu'est-ce que tu as fait ? demanda Lorri après qu'il ait envoyé le message à une poste restante dans une banlieue du Maryland.

— Ne t'inquiète pas, dit-il, mais son cœur frissonnait.

Il le prendra et il saura l'utiliser, songea Jud, en revoyant le visage du général entraperçu des mois auparavant. *C'est trop tentant pour résister.*

Trois semaines plus tard, dans le tabloïd de supermarché, l'horoscope des Gémeaux annonçait : « temps pluvieux ». Mise en route. Contact. Signal du départ.

Il était déjà parti. L'Amérique ne pouvait imaginer jusqu'où.

Jud réintroduisit les bénéfices de Wendell sur le marché.

Les grammes se transformèrent en livres. Marie se joignit à l'équipe de Jud. Wendell et elle recrutaient des clients que Jud faisait passer pour des partenaires.

Les livres se transformèrent en kilos. Marie et Wendell présentèrent Jud à leurs contacts. Quatre mois plus tard, il était leur unique intermédiaire. Cinq mois plus tard, ils travaillaient pour lui. Jud et Lorri démissionnèrent de leurs emplois réguliers et emménagèrent dans une résidence sur la plage. Jud engagea des gérants pour s'occuper des transactions. Il retrouva Dean : à eux deux, ils resserrèrent la discipline dans les rangs, et tous les petits escrocs reçurent le message.

Les kilos devinrent des chargements. Jud était en affaires avec *les gars de l'Illinois,* avec *les gars de Vegas,* avec *les familles de la Côte Est.* Jud traitait avec les motards, les frères des barrios. Des gros pontes de Miami se portèrent garants pour lui. Personne ne posa de questions au sujet d'Art Monterastelli, et Raul lui adressa ses amitiés. Jud forgea des alliances ; là où surgissaient des conflits, les fédéraux faisaient une descente.

Les chargements devinrent des cargaisons. Jud installa des planques ; il engagea un anarchiste fonctionnant à la mescaline dont l'imagination et les talents d'informaticien étaient en avance de plusieurs années lumière sur les budgets de la justice alloués à l'espionnage électronique. Jud s'offrit une participation secrète dans une banque de Floride, deux Mercedes, et une Porsche décapotable. Le jour où il cassa sa Rolex, il la déposa dans la sébile d'un mendiant sur Sunset Boulevard, et s'en paya une autre. Il commandait des bouteilles de vin à cinq cents dollars et des dîners à domicile dans les restaurants français, servis dans des assiettes en porcelaine incrustées d'or qui finissaient à la poubelle. Jud rencontra des hommes qui contrôlaient des avions survolant le golfe du Mexique, des avions traversant la frontière mexicaine, des cargos venus d'Alaska.

Avec Lorri, ils achetèrent une demeure de style espagnol sur une colline qui dominait l'océan. Il y avait des caisses de Chivas dans les placards et une carafe en cristal dans le bureau de Jud. Le téléviseur à écran panoramique restait allumé en permanence. Lorri errait dans la maison, des chambres au jacuzzi et à la télé. Les femmes qu'elle fréquentait ressemblaient à Marie, ou bien c'étaient des femmes lisses comme du cristal, aux bras d'hommes comme Jud. Une domestique mexicaine qui redoutait les services d'immigration et aimait gagner plusieurs centaines de dollars par jour s'occupait de la maison. Lorri pouvait aller où elle le souhaitait avec la Mercedes noire, du moment qu'elle respectait les consignes de sécurité. Elle portait des chemisiers en soie, des jeans moulants, des chaussures à talons hauts, elle gardait toujours son sac avec elle, son poudrier était rempli de poudre blanche au cas où Jud, pris d'une crise d'autorité, déciderait de fermer les réserves de la maison. Des Uzis, des magnums et des 9 mm étaient cachés dans toutes les pièces ; il y avait un système d'alarme, un doberman et un garde du corps qui restait éveillé toute la nuit. Dehors, des paons se promenaient en liberté.

Jud perdit la tête : esclandres dans les restaurants, course de voitures dans les rues, il offrait des cadeaux de mauvais goût à des vendeuses, il flirtait avec elles pendant des semaines, exigeait qu'elles l'idolâtrent, puis il ne les revoyait plus. Il prit du poids, de la graisse autour d'un mur de muscles. C'était un gorille qui déboulait dans les discothèques, seul ou accompagné d'hommes aux regards morts qui riaient seulement avec la bouche. Parfois, Nick venait à L.A. et ils traînaient ensemble ; pendant quelque temps un célèbre metteur en scène de Hollywood qui adorait la cocaïne se joignit à eux, mais les promesses du cinéaste de *contrats* rédempteurs ne se concrétisèrent jamais. Ceux *qui connaissent la réalité* savaient que Jud était une légende, ils pensaient que, d'une manière ou d'une autre, il avait tout *ficelé*, et que, d'une manière ou d'une autre, cette ficelle ne se resserrerait pas autour de leur cou.

— Je tiens tout, confia-t-il un jour à Nick. Tu ne le sais pas. Je le fais, je réussis, je suis couvert, c'est cool et je n'ai pas de remords — je les emmerde — mais tu n'en sais rien.

— Je crois que je n'ai pas envie de savoir, répondit Nick. (Il secoua la tête.) C'est une période de folie.

En novembre 1980, un samedi, Jud épousa Lorri dans une chapelle au bord de la mer, smokings et aucun spectacle d'horreur apparent. Victime d'un accident avec sa Harley, Dean manqua la cérémonie. La famille de Lorri vint du Nebraska sceptique, et repartit effrayée. A l'époque, le sourire de Lorri était un rictus sournois, son teint était pâle, il y avait des trous noirs dans l'océan de ses yeux. Durant la cérémonie, le metteur en scène de Hollywood servit de placeur et Nick Kelley fut le témoin de Jud.

Une fois par semaine, Jud s'enfermait dans son bureau et envoyait un rapport codé à la poste restante du Maryland. Tout d'abord, il ne parla que d'*infiltration*. Il réclamait parfois des informations, il ne fournissait jamais les noms de ses collaborateurs, ni les détails de ses opérations ; *ils* n'avaient pas besoin de savoir, *ils* ne voulaient pas savoir. Jud supposait que lorsqu'un flic entrait son nom dans l'ordinateur, quelqu'un venait le voir et effaçait sa demande. Parfois, une lettre à sa poste restante, dont Lorri elle-même ignorait l'existence, le mettait en garde contre quelqu'un ou quelque chose, ou bien réclamait certaines informations précises.

Neuf mois après son mariage, Jud commença à rencontrer *dans le Sud* les gros pontes du marché qui domineraient bientôt la production de cocaïne en Amérique du Sud. Il commença à rapporter des faits proches de l'hypothèse qu'il avait émise dans son bref Déclenchement d'Opération : livraisons d'armes, guerre et coopération entre les industriels de la cocaïne et les entrepreneurs de la révolution. Il glana des bribes d'informations dans le tourbillon des secrets et des rumeurs du marché noir : quel ministre étranger était aux mains de qui, quel marchand d'armes du Moyen-Orient prospérait au Paraguay, qui courtisait l'attaché cubain à Bogota, ce que faisaient les conseillers israéliens au Panama, quels tankers chinois en Argentine étaient commandés par des capitaines avides.

Chaque fois qu'il se regardait dans le miroir de sa salle de bains surchargée d'ornements, il se disait que cette vie était *justifiée*. Si ce n'avait pas été lui, ç'aurait été quelqu'un d'autre, un indépendant qui ne donnait rien en échange de ce qu'il obtenait, un crétin qui s'en foutait. Dehors, un blizzard blanc déferlait sur son pays. Il se disait que ça n'avait pas d'importance, que les cris qui commençaient à résonner dans les rues brûlées par la neige étaient ceux des perdants qui auraient sombré dans l'alcool, ou l'héroïne, s'ils n'avaient pas eu peur d'une aiguille. Au diable les cigarettes, il avait cessé de fumer. C'était un homme d'affaires qui fournissait un produit ; il n'était pas responsable des abus. Les renseignements obtenus justifiaient les moyens utilisés, en outre ; il était enfin récompensé pour toutes les années de risques insensés. Il avait obtenu une autorisation. Quelle importance s'il s'agissait d'un mensonge.

Ensuite, il se servait un autre verre.

Ils me le doivent, jura-t-il.

Ils commirent une erreur. Trois messages codés lui ordonnèrent de fournir des fonds : 20 000 dollars à chaque fois. Chaque fois, il envoya le liquide à la poste restante du Maryland. La quatrième fois, il envoya l'argent... en exigeant un reçu pour tous les déboursements.

Il ne reçut jamais aucun reçu. Ni aucune demande de paiement.

Je vous ai eu, général, se dit Jud. *Même vous.*

En octobre 1981, Nick vint à L.A. Il demanda à Jud de le rejoindre à l'hôtel où il avait tenu à loger, plutôt que dans la chambre que lui offrait Jud chez lui. Jud n'aimait pas le tremblement dans la voix de Nick. Le soir précédent leur rencontre, il demanda à l'anarchiste d'installer un mouchard sur le téléphone de Nick à l'hôtel. Trois de ses hommes que Nick ne connaissait pas surveillèrent l'écrivain et sa chambre.

Avant de rencontrer Nick, Jud retrouva l'anarchiste.

— Il a appelé le bureau d'un producteur où il a rendez-vous à deux heures, son agent qui n'était pas là, et une gonzesse à Washington qui veut une bague en or, mais ça m'étonnerait qu'elle l'obtienne.

— Je la connais, dit Jud. On ne parlera plus d'elle bientôt.

Nick avait dîné seul. Aucun individu suspect dans les chambres voisines. Il n'avait rencontré personne, il n'était pas surveillé. Pendant que Nick dînait, Jud fouilla sa chambre, sans rien découvrir de compromettant.

Ils se retrouvèrent au restaurant de l'hôtel. Il faisait beau, entre le petit déjeuner et le déjeuner. Nick commanda un café, Jud un bloody mary.

— Ecoute, dit Nick, ce n'est pas facile.

— Ne t'en fais pas, dit Jud. Tout va bien.

Nick secoua la tête.

— Tu me quittes pour une autre ? plaisanta Jud.

Nick fut obligé de rire.

— Je t'aime comme un frère, dit Jud. On a vécu un tas de trucs ensemble. Je sais que ça n'a pas été facile pour toi, mais...

— Tu es mon ami, dit Nick. (Il soupira.) Je n'aime pas ce qui t'arrive.

— Qu'est-ce que tu racontes ?

Cool, Jud était extrêmement cool. Et chaleureux. Nick était le seul type « hors de la réalité » en qui Jud pouvait avoir confiance, autrement dit, le seul en qui il pouvait avoir confiance tout simplement.

— Avant, c'était une ou deux fois par mois, un appel en pleine nuit...

— Je suis désolé, c'est la pression...

— Maintenant, c'est toutes les nuits. Généralement, tu es ivre, complètement fou. Je m'attends à entendre des histoires d'ovnis ! Des conneries surnaturelles !

— Je vis en Californie.

— Peu importe où tu vis, ça prend une mauvaise tournure. C'est en train de te bouffer.

— Je contrôle tout.

— Dans ce cas, tu as perdu le contrôle d'autre chose. Cette saloperie que tu fais : c'est moche.

— Tu ne t'es jamais plaint jusqu'à maintenant, dit Jud. Le produit te plaît.

— Ce sont mes péchés, dit Nick. (Il regarda Jud dans les yeux.) J'ai arrêté de prendre de la coke.

— Tu as rencontré Dieu ?

Nick secoua la tête.

484

— Non. La coke... c'est *grisant*. Excitant. Je ne pense pas que je deviendrais accro comme j'ai vu d'autres personnes le devenir... (Il s'interrompit.) Des gens qu'on connaît.

Jud ne cilla pas.

— Mais surtout, reprit Nick, chaque fois que je me défonce, j'engraisse des crapules, des politiciens véreux et des tueurs, je soutiens des gens et des choses que j'ai combattus ou détestés toute ma vie.

— Comme moi, dit Jud.

Nick resta un long moment silencieux.

— Je ne sais pas ce que tu fabriques ici, dit-il. Je me dis que c'est plus compliqué qu'il n'y paraît. Tu me dis la même chose. Je n'ai pas les moyens de savoir. Si tu es mon ami, je suppose que je devrais m'en contenter. Mais ça ne veut pas dire que ça me plaît.

— Et maintenant ? demanda Jud.

— Je ne sais pas. Mais tu sais où je me situe. Et je ne peux plus être aussi proche de toi qu'autrefois.

Ils se dirent qu'ils étaient toujours amis ; ils jurèrent de garder le contact. Nick insista pour régler l'addition.

A partir de ce jour, jusqu'à ce qu'il devienne un ivrogne, Jud n'appela plus Nick qu'une fois par mois, généralement dans la journée.

Novembre 1981. Le mardi avant Thanksgiving. Derrière les baies vitrées de la grande maison, le soleil était bas et rouge au-dessus de la mer. La télé était allumée. Affalé dans le canapé, Jud passait d'une chaîne à l'autre. Perchée sur le fauteuil en acier, Lorri alluma une cigarette avec le mégot de la précédente.

— Tu fumes trop, lui dit Jud.

— Qu'est-ce que tu veux que je fasse d'autre ?

— Quelque chose ne va pas ? demanda-t-il d'un ton cassant.

Elle rit.

— Tu trouves ça drôle ? Tu as plus que tu n'as

485

jamais désiré. Il y a un million de femmes qui rêveraient d'être à ta place !

— Tu as relevé des noms.

— Inutile, on me les fournit.

— Oh ! c'est vrai, j'oubliais qui tu étais.

— Tu n'as jamais su qui j'étais.

— Vraiment ? Qui d'autre t'a entendu pleurer ?

— C'était ma faute, je suppose.

— Comme tu dis.

Elle renifla, racla le fond de coke dans la soucoupe avec une carte à jouer et aspira par les deux narines.

— Tu n'es qu'une junkie tout juste bonne à baiser, cracha Jud.

— On ne baise plus, rétorqua-t-elle en lui jetant un regard noir.

Elle le regarda qui la regardait passer sa langue sur ses lèvres insensibles.

— Moi du moins.

— Tu vas dire ça à la pute que tu planques sur la plage ? Remarque, je ne me plains pas. Elle m'évite de le faire.

La télécommande en plastique craqua dans sa main. Si elle l'entendit, elle s'en fichait.

— Tes hommes ont trop peur pour me baiser, dit-elle. Ils seraient capables de me tuer, mais pas de me baiser.

Elle se leva et regarda par la fenêtre. Le ciel saignait.

— Pourquoi est-ce qu'on vit comme ça ? demanda-t-elle.

— Tu préfères retourner dans le Nebraska ? Tu veux retourner prendre des rendez-vous chez le coiffeur pour deux dollars de pourboire ?

— Je *préfère* ? Je peux encore choisir ?

Il l'entendit pleurer, mais la seule chose à laquelle il pensait, c'était quand elle allait enfin s'arrêter..

— Je préférerais... commença-t-elle, puis elle perdit le fil de sa pensée, son cerveau débraya. Avec une tristesse rêveuse, elle reprit : j'aurais préféré qu'on ait cet enfant. Tu disais que ce n'était pas le moment, que ce n'était pas prudent. Tu disais que je n'avais pas arrêté de prendre des saloperies depuis assez longtemps, l'enfant serait... Tu disais que tu étais inquiet.

Il ne put se retenir :

— J'étais inquiet au sujet de l'identité du père.

La *prise de conscience* lui fit l'effet d'une claque, elle se tourna vers lui, les traits durcis. Ses joues étaient humides, mais elle avait retrouvé son ton tranchant.

— Tu as tes secrets, dit-elle, j'ai les miens.

— J'ai fait tout ça pour nous ! s'écria-t-il. Et pour d'autres raisons que tu ne peux pas comprendre ! Que tu ne connais pas !

— Quel triste mensonge, chéri. (Elle se retourna brusquement, comme sur la photo que Nick avait prise d'elle. Mais cette fois, son sourire était vide.) Félicitations. Tu es très intelligent. Tu as gagné.

— Qu'est-ce que tu veux ?

— Moi ? (Elle promena son regard sur la maison vide.) Je veux partir. (Elle rit.) Je veux encore de la coke.

Avec un petit sourire tendre, elle se pencha vers lui, son épaisse chevelure cascada, son corps était encore jeune et sensuel.

— Je vais te servir un verre, dit-elle.

Jud lui lança la clé de son bureau où se trouvait la drogue. Il l'entendit monter l'escalier alors qu'il sortait.

La Porsche le conduisit à l'autre bout de la ville. Il s'arrêta deux fois pour boire un verre. Le bureau de poste où se trouvait sa boîte postale était ouverte vingt-quatre heures sur vingt-quatre. Il y avait une lettre dans la boîte.

Il comprit que quelque chose n'allait pas dès qu'il l'ouvrit. L'enveloppe contenait deux feuilles, un petit carré plié, une copie carbone d'un message dactylographié et codé.

Une copie carbone. Il n'aurait jamais dû y avoir aucun double d'aucune sorte ; ce carbone était un message en soi : *L'équipe a perdu son autonomie.* Jud resta planté devant la table du bureau de poste désert, pour décoder le message :

« Autorisation supprimée. Date d'effet 20/12/81 »

Un mois. Ils lui laissaient un mois. Ils exigeaient.

Sortie propre. Préparer rapport final. Identifier indics, cibles, collaborateurs. Restituer matériel et fonds de fonctionnement. Prévoir debriefing. Transmettre toutes informations.

Il s'est passé quelque chose, songea Jud. Il déplia la seconde feuille. Ce message était rédigé à la main, en langage clair, une communication personnelle :

SOUVENEZ-VOUS DE MONTERASTELLI

Coulé, songea Jud, avant de rectifier : *Congédié.*
Il était devenu un handicap... pour le général, ou pour le général du général. Les règles avaient changé. Copies carbones : soudain, ils voulaient des traces écrites pour se couvrir. *Identifier les indics, les cibles, les collaborateurs.* Dénoncez vos collaborateurs. Ils embarqueraient Wendell, Marie et les autres. Ils feraient pression sur eux. Les grosses huiles auraient une ligne de plus dans leurs dossiers, les grosses huiles avaient des avocats et des relations, ils pouvaient tenir les flics à l'écart, quoi que fasse apparaître le démantèlement du réseau de Jud. *Restituer...* tout. Redevenir Joe Rien du Tout le Chiffonnier. Et pour ne rien négliger, on vous passera au détecteur de mensonges, on vous droguera et vous analysera au microscope pour être sûrs.
Autorisation supprimée. S'il décidait de passer outre,

tous les flics qui avaient été écartés, tous les inspecteurs du fisc à qui on avait demandé de s'occuper de leurs affaires seraient lâchés aux trousses de Jud. Sa photo rejoindrait celles des individus recherchés sur le mur de ce bureau de poste.

Et si la justice ne réussissait pas à le coincer...
Souvenez-vous de Monterastelli.

Ne dites rien. Ne nous causez pas d'emmerdes. Ou vous mourrez.

Autre chose. Il examina les deux messages. Envoyer un carbone, lui envoyer ce message personnel, le général s'était forcément dit que Jud comprendrait...

Oui, c'est ça : pas plus que lui, le général et l'équipe ne voulaient que Jud abandonne. Mais quelqu'un, quelque part, avait pris peur ou bien changé d'avis, et tant que Jud était en vie, l'espion dealer renégat, il fallait le faire rentrer dans le rang.

Tant qu'il était en vie, ils devraient essayer.

Joe Rien du Tout le Chiffonnier.

Pour rien, songea-t-il, *j'ai fait tout ça pour rien.*

Il ne conserverait que la mesure de leur vengeance.

Le hurlement jaillit de sa bouche et se répercuta sur les murs verts et les boîtes en cuivre du bureau de poste désert.

Deux heures et cinq verres plus tard, il était de retour chez lui. Le garde du corps ne dormait pas. C'était un Coréen aux papiers douteux. Le doberman l'aimait bien. Jud lui ordonna de faire sa valise.

Lorri gisait inconsciente en travers du grand lit, un flacon de valium à ses côtés. Elle les prenait pour redescendre, afin de pouvoir dormir suffisamment et recommencer ensuite à se défoncer. Pendant qu'elle dormait, Jud remplit deux valises avec les vêtements les plus discrets qu'elle possédait. Il fourra ses propres affaires dans deux sacs, puis se rendit dans son bureau aux murs ornés de la collection de gravures sur bois japonaises du XIVe siècle représentant des samouraïs, qu'il aimait tant.

489

Dans une mallette il rangea son béret vert, un Smith & Wesson 9 mm, et 50 000 dollars en liquide. Son œil exercé estima à environ 70 000 dollars la somme restant dans le coffre. Il en mit 10 000 dans une enveloppe, le reste dans un nécessaire à barbe. Le coffre contenait environ un kilo de cocaïne. Il en versa deux tasses dans un sachet en plastique qu'il laissa tomber dans le nécessaire à barbe.

Il lui fallut une heure pour se charger du reste.

— Allez, viens, dit-il en secouant Lorri plongée dans une semi-torpeur.

Elle était apathique, mais il réussit malgré tout à la descendre jusqu'au garage et à l'installer dans la Mercedes. Le Coréen chargea ses bagages dans le coffre, puis ceux de Jud à bord de la Porsche, avec une caisse de scotch ; il la conduisit à l'extrémité du pâté de maisons et revint à pied.

— Prends ça, lui dit Jud en lui tendant l'enveloppe contenant les 10 000 dollars. Va chez ton cousin à San Francisco, prends ce dont tu as besoin. Si je ne t'ai pas contacté dans deux mois, tout est à toi.

Jud lui lança la clé de la deuxième Mercedes.

— Emmène le chien.

Un petit salut et le Coréen s'exécuta.

— J'ai jamais aimé ce chien, dit Jud tandis que le Coréen s'éloignait au volant de la Mercedes.

Lorri était dans un état de stupeur. Jud conduisit la Mercedes noire jusqu'à l'extrémité du pâté de maisons, là où était garée la Porsche ; plus tard, il l'abandonnerait au profit du Dodge qu'il gardait en réserve dans une planque. Il apercevait la maison. Tout autour, des voisins qu'ils ne connaissaient pas dormaient dans ces palaces sur ce pinacle de la réussite américaine.

— Réveille-toi !

A l'aide de son couteau, Jud lui fit renifler deux rails de coke cachée dans le nécessaire à barbe. Lorri renifla par automatisme.

Elle cligna des paupières, secoua la tête, regarda

autour d'elle et aperçut ses valises, le nécessaire à barbe qu'il avait posé par terre avec l'argent et la drogue, les clés sur le contact de sa Mercedes.

— Qu'est-ce... Mais qu'est...

Elle ouvrit de grands yeux.

Un boîtier noir était posé entre eux sur le siège. Jud désigna derrière lui la grande maison, avec toutes leurs frivolités et leurs beaux atours. Il tourna un bouton sur le boîtier, abaissa un interrupteur.

Les bombes radio-commandées explosèrent simultanément dans son bureau, dans la cuisine, au sous-sol, dans le salon où le téléviseur géant était encore allumé. Chaque charge était reliée à un bidon rempli d'essence. Des boules de feu traversèrent telles des fusées les lambris de chêne : les rideaux, le matériel électronique d'espionnage, les tableaux, les ordinateurs, les armes, les munitions, les vêtements, la drogue, les liasses d'argent liquide abandonnées dans les tiroirs de la cuisine... tout cela alimenta cet enfer.

Pris de panique, les paons en liberté se précipitèrent bêtement vers la maison, tandis que des lumières s'allumaient un peu partout sur la colline.

— Tu voulais partir, dit Jud à Lorri, alors pars ! Fous le camp, vite. Sans te retourner. Tout est fini. Ça n'a jamais existé. Il n'y a plus rien pour toi ici. Dans cette ville. Dans cette vie. Oublie mon nom, mais n'oublie jamais de la fermer !

La maison en flammes se reflétait dans les prunelles noires de ses yeux. Il comprit qu'elle attendait ce moment, qu'elle s'y attendait.

Du bas de la colline monta le bruit des camions de pompier. Des portes claquèrent tout près.

Jud descendit de voiture. Lorri hésita, avant de se glisser au volant de la Mercedes et de démarrer.

Elle ne se retourna pas ; Jud vérifia.

491

* * *

Neuf ans plus tard, au volant d'une voiture volée, il roulait vers l'ouest sur la route nationale qui traversait l'Iowa. En direction du Nebraska.

Il savait où la trouver, un des cousins de Lorri qui continuait à croire que Jud pouvait lui envoyer de l'argent lui faisait de la lèche. Jud l'avait même appelée dans sa caravane un jour, il l'avait entendue dire « Allô ». Il l'avait entendue raccrocher.

La voiture volée bifurqua vers le sud, traversa le fleuve Missouri. Le soleil de l'après-midi traçait des ombres dans les arbres sur le bord de la route. Jud ne s'attendait pas à trouver autant d'arbres dans le Nebraska.

Non pas qu'il ait l'intention de s'y installer. Non pas qu'il espère quoi que ce soit ; il n'avait aucune idée de ce qu'il ferait ensuite. Il savait qu'elle n'aurait pas grand-chose à dire et qu'elle se fichait d'entendre les mots qu'il ne pourrait pas lui dire de toute façon. Mais il fallait qu'il la revoie, juste une dernière fois. Juste pour lui dire une chose.

Une tache blanche fugitive marchant au milieu des arbres ; c'était Nora.

Quand Jud coupa au sud pour contourner Lincoln, le Viet-cong à qui il avait tranché la gorge se tenait sur le bord de la route, en pyjama noir crouté, les yeux vides. Jud s'attendait presque à le voir tendre le pouce comme un auto-stoppeur. Il passa à toute vitesse...

Peux-tu t'excuser auprès de toutes tes victimes ? se demanda Jud.

Lorri lui demanderait peut-être : *Où étais-tu passé ? Où es-tu allé ?*

Bien bas, répondrait-il. Peut-être qu'elle rirait.

Peut-être qu'il lui raconterait tout. Peut-être qu'il le pouvait et qu'elle comprendrait, peut-être qu'ils

492

connaissaient enfin le bon langage. Peut-être qu'elle serait fière de lui :

« Ils m'ont activé une dernière fois après l'incendie, lui dirait-il. Des horreurs d'horoscope. Ils ignoraient jusqu'où j'étais tombé. Automne 1984, je leur ai demandé de me briefer par courrier et je leur ai répondu non. »

Alors ? dirait-elle

Mais peut-être qu'elle dirait : *Quelle importance !* Et elle sourirait.

Et ensuite, peut-être qu'elle le laisserait partir.

Conrad, dans le Nebraska est une vilaine petite ville. Deux cents maisons environ, la moitié de Main Street condamnée par des planches, des silos à grain le long des voies de chemin de fer rouillées où ne s'arrêtait plus jamais aucun train. Plus de graviers que de bitume dans les rues. Des antennes de satellite pour attirer un peu de vraie vie dans les salons sinistres. Des pick-up garés à l'extérieur des deux bars devant lesquels Jud s'obligea à passer sans s'arrêter. Le sac bleu de la compagnie aérienne posé à ses côtés contenait encore trente-deux dollars, largement assez pour une bouteille, peut-être même deux. Mais il pouvait attendre. Il pouvait se forcer à attendre.

La caravane était à l'est de la ville, à environ cinq cents mètres de toute autre habitation. Une rangée d'arbres la protégeait des regards indiscrets. A plus d'un kilomètre de l'autre côté se trouvait la sortie des égoûts. Ils empestaient uniquement les jours de grande chaleur, et lorsque Jud y arriva, le soleil déclinait. C'était quand même le printemps.

Deux chiens errants qui traînaient autour de la caravane se mirent à aboyer en voyant la voiture. Jud n'aimait pas leur tête. Il s'empara du sac bleu. Il descendit de voiture, ankylosé ; il n'y avait rien d'autre à faire qu'à avancer jusqu'à la porte métallique.

Et frapper.

Le chien jaune

Wes découvrit la caravane à la périphérie de Conrad, dans le Nebraska, avant midi le lendemain. Le soleil était chaud, le ciel bleu. Il arrêta sa voiture de location sur la route déserte à une centaine de mètres de la caravane, et à l'aide d'une paire de jumelles, il examina les fenêtres tendues de rideaux, la peinture pastel écaillée sur le métal. Un pick-up rouillé immatriculé dans le Nebraska gisait à côté de ce « mobile-home » désormais immobile.

Trois chiens errants arpentaient le terrain boueux, reniflant et trottinant autour de la boîte en aluminium. Le chien jaune vint gratter à la porte de la caravane. Personne ne lui ouvrit.

Wes caressa sa barbe de plusieurs jours. Il portait un coupe-vent noir, une chemise, un jean noir et des sortes de baskets noires.

Pas l'image officielle, songea-t-il.

Le Sig reposait contre sa hanche droite. Chargé. Prêt. Au cours de son escale à Nashville, il avait dormi d'un sommeil profond, sans faire de rêve.

Rien ne bougeait autour de la caravane. Sauf les chiens.

Midi indiquait sa montre. Pile.

Lentement, il roula sur le chemin de terre jusqu'à la caravane, les yeux fixés sur la porte, la fenêtre

494

masquée par un rideau ; la main droite sur la cuisse, sentant le poids du Sig.

Les chiens aboyèrent, s'éloignèrent pour ne pas recevoir de coups de pied, et recommencèrent à aboyer. Ils observaient cet étranger.

Wes s'arrêta à trois mètres de la porte. Il coupa le moteur.

Les rideaux ne se soulevèrent pas. La porte ne s'ouvrit pas à la volée.

— Hello ! cria-t-il par la vitre de la voiture.

Les mouches bourdonnaient. Le chien jaune aboya.

Wes descendit de voiture. Il tenait le Sig dans son dos.

— Y a quelqu'un ?

Le vent léger faisait voler la poussière à ses pieds. Wes renifla : une odeur sucrée et aigre, comme du jambon avec du choux. Le type de la station-service lui avait précisé que la caravane se trouvait à côté des égouts.

Deux pas de plus.

— Bonjour.

A l'intérieur de la caravane, il entendit un petit rire étouffé. Des gens ?

Non, la télé.

Un chien aboya, mais Wes savait que c'était du bluff et il ne se retourna pas. La porte de la caravane n'était pas fermée.

Il frappa en s'éloignant de la porte.

Pas de réponse.

Il frappa de nouveau.

Wes leva le Sig, fit un pas sur le côté et ouvrit la porte en grand.

Personne ne hurla, personne ne se rua à l'extérieur. Il entra.

Des mouches bourdonnaient au-dessus des barquettes de plats surgelés dans l'évier. Le petit réfrigérateur gémit. Des vêtements, des magazines, des bouteilles de bière et de vin jonchaient le sol. Des pyramides de mégots s'entassaient dans les cendriers.

Les yeux de la femme affalée dans le canapé regardaient fixement l'écran du téléviseur couleur portable installé à l'extrémité de cette boîte en fer ; le concurrent d'un jeu faisait tourner une roue sous les applaudissements d'une splendide animatrice. Bien que pâle et relâché, le visage de la femme sur le canapé avait conservé les traces d'une beauté encore plus grande que sur la photo d'elle que possédait Wes. Ses cheveux châtains s'étalaient autour d'elle comme un châle. Les entailles autour de ses poignets ressemblaient à des bracelets rouge vermillon de mauvais goût.

Ses mains étaient posées sur ses genoux ; une tache sombre s'étalait sous elle, sur son jean, le canapé, et formait une flaque noire qui imbibait la moquette bon marché.

Entre le canapé et la porte se trouvait une table basse en rotin avec un plateau en verre. Sur la table étaient posés une bouteille de vin, deux flacons de comprimés, une boîte d'aspirines, un paquet de cigarettes et un cendrier. Une cigarette abandonnée qui s'était consumée toute seule avait laissé un doigt de cendre sur le bord de la table. Juste à côté se trouvait une lame de rasoir maculée de sang séché. Un pinceau à maquillage baignait au centre d'une tache noire sur la table. Quelques lignes sombres et tremblantes attendaient sur le verre souillé.

Des lettres. Des mots.

« Jud, je pouvais pas attendre que tu
viennes m'achever,
alors ha ! ha !
PS. Nick Ke. »

Le Sig pendait dans la main molle de Wes.

Lorsqu'il put enfin rouvrir les yeux, lorsqu'il put la regarder de nouveau, il chuchota :

— Je ne sais même pas qui tu es !

Trop tard, songea-t-il en secouant la tête. *Trop tard.*

Le pistolet pesait des tonnes. Pris de nausées et de vertiges, Wes ne pouvait faire confiance à ses mains, alors il tourna la tête pour se regarder glisser l'arme dans son holster. Il aperçut par terre un sac bleu d'une compagnie aérienne.

Jud, pensa-t-il en revoyant la première apparition de cet homme dans le désert, en repensant au signalement des G qui avaient perdu la trace de Jud à l'aéroport de Las Vegas.

Le sac abandonné gisait au milieu du fouillis.

Wes se retourna vers la femme. Il avait suffisamment côtoyé la mort pour savoir qu'elle avait cessé de vivre depuis plusieurs jours. Avant l'arrivée de Jud.

Trop tard, songea Wes, *tu es arrivé trop tard, toi aussi.*

Le sac contenait une brosse à dents neuve, très peu d'argent.

— Quand es-tu venu ? dit Wes. Où es-tu allé ? Comment ?

La femme sur le canapé ne répondit pas.

L'intérieur de la caravane sentait le renfermé. La télé diffusait des publicités. Les yeux fixés sur la femme, Wes sentait la sueur couler dans son dos ; il s'obligea à respirer, à réfléchir.

Dehors, les chiens gémirent.

Soudain, Wes sut ce qu'il devait faire.

La grande horloge

Deux jours plus tard, le matin, Nick Kelley, assis sur le canapé dans son bureau de Capitol Hill, relisait les notes qu'il avait prises à partir des glossaires. Il n'était pas plus proche de la sortie de la jungle que le jour où Jud l'y avait balancé avec son coup de téléphone.

Peut-être qu'il n'y a pas de jungle. (Il regarda par la fenêtre.) *Peut-être qu'ils sont partis. Peut-être qu'« ils » n'existent pas.*

Le téléphone sonna.

— Nick, dit une voix qu'il ne connaissait pas, je suis l'ami de Lorri. Je vous appelle au sujet de notre rendez-vous d'aujourd'hui.

Nick ne connaissait aucun des amis de Lorri, et il n'avait rendez-vous avec personne. Mais avant qu'il ne puisse dire quoi que ce soit, l'homme reprit :

— *Réfléchissez* : vous ne détestez pas le téléphone ? On ne sait jamais qui est à l'autre bout du fil.

Les deux hommes écoutèrent leur souffle respectif.

— Comme maintenant, dit enfin Nick.

Il pouvait à peine parler.

— Oui. Mais il était préférable d'appeler plutôt que de venir à votre bureau.

— Oh !

— Il faut qu'on se rencontre avant le déjeuner.

— Quoi ?

— Dans vingt minutes. Union Station.

Nick savait comment s'y rendre, mais l'homme lui indiqua exactement quel chemin emprunter.

— Ne vous retournez pas, ajouta-t-il.

Un déclic : fin de la communication.

Oh ! merde.

Réfléchis ! Un tueur serait stupide de le prévenir. C'était trop compliqué pour un coup monté du genre saisie de drogue. Une ruse destinée à lui faire quitter son bureau pour venir le cambrioler était inutile, car le bureau restait vide toute la nuit. S'ils cherchaient à l'attirer au-dehors pour une raison quelconque, c'était un moyen bien aléatoire.

Nick observa le téléphone. *On ne sait jamais qui est au bout du fil.*

Si sa ligne était sur écoute, ceux qui l'espionnaient avaient entendu l'appel. L'homme n'avait pas voulu venir au bureau de Nick : cela signifiait-il qu'il *savait* que Nick était surveillé.

Ne vous retournez pas.

L'inconnu connaissait le nom de Lorri. Ça voulait dire Jud. D'une manière ou d'une autre. Et peut-être également quelques réponses, un moyen de sortir de cette jungle.

Une seule chose bouge, et tout change. Quoi qu'ait déclenché l'inconnu, si Nick hésitait, les autres joueurs avaient une chance de se regrouper.

Le silence de son environnement oppressait Nick. Il fut pris de vertiges, et de nausées. Mille regrets s'exprimèrent dans son cœur : il aurait dû être plus prudent, il aurait dû rester à l'écart de Jud, il n'aurait pas dû...

Assez ! Les regrets étaient inutiles désormais.

La grande horloge tournait.

Tout le monde savait qui il était. Qu'il se trouvait à son bureau. Sans aucun témoin. S'il n'agissait pas, il se rendait au choix d'un autre.

Un sac à dos en nylon datant de l'époque de la fac

était enfoui au fond du placard. Nick y fourra les glossaires et ses notes, puis il le mit sur ses épaules, en se sentant ridicule : un sac à dos par-dessus un veston sport. Mais ainsi il avait les mains libres.

Sylvia : Nick regarda le téléphone ; il brûlait d'envie d'entendre sa voix. Appeler chez lui, demander à Juanita d'approcher l'appareil de l'oreille de Saul.

C'était risqué. Et pas assez de temps.

Il verrouilla la porte du bureau derrière lui.

Capitol Hill est un quartier ravissant avec des cerisiers et des pommiers sauvages en fleurs, des cornouillers qui poussent sur les boulevards en brique. Le bureau de Nick était situé dans un immeuble bleu de Southeast A Street, à six blocs du Capitole, et quatre blocs de Union Station.

Qui m'attend là-dehors ? se demanda Nick en sortant sur le perron de l'immeuble. *Que me voulez-vous ?*

Le soleil se reflétait sur les voitures en stationnement. Une femme promenait un chien qui jappait, en tenant à la main un parapluie fermé. On ne prévoyait pas de pluie avant ce soir. Un homme descendit d'une Toyota : Nick tressaillit. L'homme s'éloigna dans la direction opposée. A l'ouest se dressait le dos du bâtiment de la bibliothèque du Congrès.

Pas d'homme aux cheveux blancs.

Pas de Jack Berns.

« Décontracté, se dit Nick. Rapide, aux aguets, mais décontracté. »

Il regarda droit devant lui : un flic de la criminelle lui avait expliqué un jour que des demi-mesures vous conduisaient à la mort. Il y a longtemps, le *sensei* de karaté de Nick avait crié à ses élèves : « Si vous agissez, *agissez !* »

L'idée lui vint alors qu'il se trouvait à un bloc de son bureau. Il consulta sa montre, accéléra le pas. Nick avançait en bondissant lorsqu'il atteignit la cabine téléphonique au bout de la rue ; d'une main tremblante, il glissa un *quarter* dans l'appareil.

500

Le répondeur du flic de la criminelle récita une annonce anonyme, suivie d'un bref bip sonore.

— Ici Nick Kelley... (Il donna la date et l'heure.) Je me rends à Union Station pour rencontrer un informateur inconnu au sujet d'une affaire de la CIA. Je crois que mes téléphones sont sur écoute, je vous rappellerai. Si je ne... vous comprenez. Merci.

Il regarda sa montre : il disposait peut-être d'une minute.

Nick appela le bureau du chroniqueur Peter Murphy, et sans laisser à la standardiste le temps de lui passer quelqu'un d'autre, il récita un message quasiment identique à celui qu'il avait laissé au policier.

Puis il raccrocha et s'éloigna à grands pas. Sans se retourner.

En songeant : « Maintenant, je suis dans la partie moi aussi. »

Des nuages gris dérivaient dans le ciel. L'air était frais. Les arbres étaient couverts de bourgeons verts. Deux employés de la bibliothèque du Congrès vêtus du pantalon et de la chemise marron réglementaires éclatèrent de rire au moment où il passait devant eux.

Nick suivit le trajet indiqué par l'inconnu : un bloc vers le nord dans Third Street jusqu'à East Capitol, à gauche face au dôme du Congrès scintillant comme de la glace. Un cardinal rouge descendit la rue à tire-d'aile, pourchassé par un bus crachant du diesel.

Regarde devant toi. Tends l'oreille. Continue d'avancer.

Sans te retourner.

La sirène d'une voiture de pompier gémit derrière lui sur sa droite, fonçant dans l'autre direction à grands coups de klaxon. *Ne te retourne pas !* Il regardait toujours passer les voitures de police aux sirènes hurlantes ; comme son fils... mon Dieu, combien il aimait son fils !

Marchant vers lui, une femme d'un certain âge à la voix puissante conduisait une colonne d'enfants deux par deux. Ils se tenaient par la main. Un Noir faisait office de voiture balai, protégeant l'arrière-garde, et veillant à ce que tous les enfants suivent le bon chemin.

Un garçon adressa un signe de la main à Nick ; une petite fille gloussa.

Arrivé dans First Street, il tourna à droite, passa entre la vaste pelouse du Capitole et les marches de marbre blanc menant aux colonnes de la Cour suprême et au fronton d'ivoire où était gravée la devise *Une même justice pour tous.* Des touristes prenaient des photos avec des appareils à trois sous munis de flashes automatiques superflus en plein jour, et de toute façon inutiles à cette distance.

Il continua d'avancer.

Des taxis et des voitures décapotables, des cars de tourisme bleu et blanc le dépassaient. Sur le trottoir, il croisait des hommes et des femmes en costumes et tailleurs qui lui jetaient un regard et voyaient un homme à l'air inquiet avec des cheveux aux mèches grises et un sac à dos par-dessus un veston sport. Maigre, tendu, pressé, marchant d'un pas vif en suivant un rythme qu'ils n'entendaient pas. A leurs yeux, il était bien près de ressembler à un de ces illuminés qui déblatèrent sur les martiens et la justice, perchés sur les marches du Capitole. Nick avait envie de leur hurler qu'il était sain d'esprit ; qu'il évoluait dans *le monde réel,* qu'eux, avec leurs lourds attaché-cases, ne voyaient même pas.

Sans vous retourner.

Le feu dans Constitution Avenue était rouge.

Vert. Nick passa entre les immeubles administratifs du Sénat. Le trottoir suivait la pente douce de la colline. A environ cinq cents mètres de là, il aperçut Union Station, bâtiment de béton massif et gris, aussi grand qu'un stade de base-ball, enveloppé de drapeaux rouge et blanc pour célébrer sa transformation de dépôt de trains rongé par la dégradation en immense galerie marchande et centre de transports. Il aperçut la courbe de la gigantesque fontaine de marbre blanc devant la gare, les voitures qui passaient devant à toute vitesse.

Avec des jumelles, il aurait pu discerner toutes les caractéristiques du peuple de fourmis appuyé contre le mur de la fontaine.

Nick arriva à la gare dix-sept minutes après le coup de fil de l'inconnu. Il avança sur le tapis en caoutchouc de l'entrée principale. La double porte électronique en bois s'ouvrit en grand devant lui.

Il observa l'entrée sombre.

Il entra.

Union Station ressemble à une cathédrale, avec ses hauts plafonds en forme de dôme, sa lumière tamisée, ses balustrades et ses comptoirs d'information en acajou, le dallage de marbre en damiers, les nappes blanches et les bars à vin, les écrans d'ordinateurs multicolores et les haut-parleurs annonçant les trains. Des passages conduisaient à des boutiques de bijoux fantaisie et de vêtements, une librairie. Des escalators descendaient vers trente stands d'alimentation et neuf cinémas. Nick sentait l'odeur du café, des épices et du détergent parfumé au pin avec lequel l'employé du service d'entretien nettoyait le dallage près des toilettes. Des centaines de personnes se déplaçaient autour de Nick. Avec des mallettes, des appareils photo, des regards inquiets, ou impatients de conclure une bonne affaire.

Prenez les escalators jusqu'au dernier niveau du parking.

Alors que Nick traversait la foule, personne ne l'apostropha.

Bump. Une femme le frôla ; il pivota, levant la main gauche pour parer le coup, serrant le poing droit pour frapper. Mais elle s'était déjà éloignée, cheveux grisonnants, baragouinant sur St Paul avec sa petite-fille qui terminerait ses études au lycée dans quelques semaines.

503

Personne, c'était personne. Une innocente.

Il continua à avancer.

Ne vous retournez pas.

La cacophonie de la gare résonnait dans ses oreilles, il entendait tout et rien, comme s'il s'enfonçait de plus en plus profondément sous l'eau, avec la pression qui s'accroît. Les gens autour de lui se déplaçaient au ralenti. Leurs traits étaient tranchants comme une lame de rasoir. Il faisait frais sous ce magnifique dôme, sa chemise collait à ses côtes, le sac à dos ballottait comme une tumeur cancéreuse. Ses pieds, ses mains et sa tête étaient lourds, pourtant à l'intérieur il se sentait léger, en état d'apesanteur.

Union Station possédait un parking sur quatre niveaux, empilés comme des pancakes de béton géants à l'arrière du bâtiment. Des escalators conduisaient aux différents niveaux, à partir de la sécurité des boutiques et des trains. Chaque niveau était doté de deux escalators pour monter, deux autres pour descendre.

Le premier groupe d'escaliers mécaniques était bondé : des hommes d'affaires, un couple marié qui riait et se tenait par la main, volant quelques heures de travail pour aller au cinéma. Sylvia et lui avaient fait la même chose ; il y avait tellement de films qu'il n'avait pas vus, elle avait la peau si douce. Ils n'avaient jamais organisé de pique-nique. Un troupeau d'adolescents braillards gravit en courant l'escalator parallèle à celui de Nick pour se précipiter dans le parking où les attendait leur car venu du Maine.

Le deuxième groupe d'escalators était moins fréquenté, davantage par des gens qui montaient que par des arrivants qui descendaient. Nick jeta un coup d'œil sur sa gauche : un demi-hectare de voitures garées, prises en sandwich entre un toit et un sol en béton. Une pancarte sur le mur indiquait : EN CAS D'URGENCE APPUYER SUR LE BOUTON ROUGE.

Nick n'avait personne à appeler. Aucune *autorité* ne pouvait venir à son secours.

Le troisième groupe d'escalators était vide quand Nick arriva au pied. Personne ne montait ni ne descendait ; aucun bruit de pas derrière lui.

Une bonne sœur apparut au sommet des escalators. Une bonne sœur en habit de pingouin blanc et noir, les cheveux et le front couverts, les mains enfouies dans les plis noirs. Elle s'engagea sur l'escalier mécanique pour descendre.

Pourquoi elle ne se tient pas à la main courante ?

Ils glissèrent l'un vers l'autre. La bonne sœur se trouvait sur sa gauche. Le côté du cœur. Un vieux visage ridé de carton pâte. Plus près. La bonne sœur regardait droit devant elle, l'air méfiant. Nick savait qu'elle épiait ses moindres gestes. Il avait la bouche sèche, son cœur battait la chamade. Il gravissait l'escalier vers le paradis en s'efforçant de se détendre, pour être prêt, tandis qu'ils se rapprochaient... de plus en plus... Côte à côte.

Ils se dépassèrent.

Aucun objet ne s'enfonça en lui.

Le dernier groupe d'escalators était désert. Sur la droite, à travers les murs percés d'ouvertures, Nick apercevait les immeubles aux couleurs vives de Capitol Hill, un entrelacs de rails de chemin de fer rouillés qui serpentaient depuis le cœur de la ville.

Prends le risque.

Il fixa son regard sur le toit d'un immeuble noir. L'escalator l'emporta. Il tourna lentement la tête...

Un homme vêtu d'un veston sport se trouvait sur l'escalator, à une dizaine de mètres derrière lui. L'homme regardait sa montre. Nick n'apercevait que le sommet de son crâne : une tonsure bordée d'une couronne de cheveux noirs. L'homme avait des mains bronzées.

Fin de l'escalator.

Nick quitta la plate-forme de l'escalier mécanique

pour s'avancer dans le parking. Dans la lumière du soleil, nul ne l'attendait au milieu des voitures stationnées.

Il y a trois cages d'escaliers en béton, lui avait expliqué l'inconnu au téléphone. *Prenez les escalators jusqu'en haut, marchez jusqu'à l'escalier central, descendez.*

La cage d'escalier du milieu était une boîte de béton gris de la taille d'une pièce surmontée d'un ventilateur géant. Nick tourna la poignée de la porte métallique : elle s'ouvrit. Le palier était éclairé par des tubes de néon nus. Un escalier en fer descendait.

La cage était déserte.

Est-ce que le type de l'escalator est derrière moi ? se demanda Nick.

Son estomac était comme de la lave. Il s'engagea dans la cage d'escalier, referma la porte.

Il respira ; il n'entendait rien... de l'eau qui goutte.

A l'étage inférieur, il découvrit une rangée de cônes en plastique orange qui interdisaient l'accès au niveau suivant. Une pancarte ISSUE BLOQUEE était scotchée sur la porte en fer en travers de laquelle on avait coincé une poutre.

Voie sans issue. Pris au piège. Les murs de parpaings se refermèrent sur Nick : *Cours.*

Demi-tour, trois marches à la fois... jusqu'au premier palier, tourner au coin, encore neuf...

La porte métallique s'ouvrit violemment. Le type de l'escalator se précipita, en trébuchant, percuta le mur, et se retourna vers la porte. Il avait le visage ouvert, en sang ; sa main glissa sous sa veste...

Mais l'homme en jean et veste noirs qui l'avait propulsé à l'intérieur était là, agrippant la main du type et lui cinglant le visage avec *du métal noir.* Le type vacilla. L'homme embusqué le frappa de nouveau avec le métal noir.

Un pistolet. Nick reconnut un pistolet.

Qui se braqua sur lui, tandis que le type de l'escalator s'écroulait au sol.

— Non ! hurla l'homme au pistolet. Ne faites pas ça !

Nick garda les mains bien en vue. Il n'avait nulle part où fuir. Il était beaucoup trop loin pour se jeter sur le pistolet. L'homme armé était costaud.

Celui-ci balança un coup de pied dans la jambe du type allongé par terre ; il ne réagit pas.

— Vous ne craignez plus rien ! cria-t-il à Nick. Tout va bien !

— Je vous emmerde ! hurla Nick sans réfléchir.

— Faudra faire la queue.

— Tuez-moi tout de suite ! beugla Nick.

— Fermez-la ! (La voix de l'homme armé résonna dans la cage de béton et d'acier.) Je ne vous veux aucun mal !

— Vous avez une arme !

— Pour lui, pas pour vous.

Du bout du pied, il retourna le type inconscient sur le dos.

— Vous le connaissez ?

— Je ne vous connais pas plus !

— C'est moi qui vous ai appelé, je voulais vous faire sortir pour me débarrasser de celui qui vous collait au cul. Je m'appelle Wes Chandler.

— Tout ce que je sais, c'est que vous braquez une arme sur moi, répondit Nick.

— Exact.

Il rengaina le Sig ; il entendait son souffle haletant dans cette boîte de béton où, à l'aide de quelques cônes fluorescents et d'une planche, il avait tendu cette embuscade. Wes vit Nick avancer discrètement d'un pas ; il vit Nick calculer la distance, ses chances.

— Ne faites pas ça, dit Wes. Même si je n'étais pas armé, vous n'avez aucune chance.

— Bien sûr, dit Nick, pour gagner du temps.

— Si j'avais voulu vous tuer, vous seriez déjà mort.

Nick tressaillit.

— Qui êtes-vous ?

— Je suis votre issue de secours. Votre seule issue.

L'homme qui prétendait s'appeler Wes Chandler lui tendit un Polaroïd, comme s'il lui montrait sa carte d'identité.

Les yeux plissés, gravissant deux marches, Nick découvrit une photo de lui, assis sur un canapé rouge. A côté de Jud.

— Où avez-vous trouvé ça ? murmura-t-il.

Wes désigna l'homme inconscient.

— Il vous suivait

— Pourquoi ? Comment le savez-vous ?

— Parce que j'ai disparu, et ils n'avaient pas d'autre solution, répondit Chandler. Je ne leur ai pas laissé le choix.

Il se pencha pour fouiller le type de l'escalator.

Non, se dit Nick en voyant Wes reporter son attention sur l'homme allongé. *Attends.*

— J'ignorais si la CIA vous avait dans le collimateur, dit Wes.

Il sortit un revolver de sous la veste du type inconscient.

— S'il s'agissait d'une mission officielle, ils auraient envoyé une équipe à vos trousses. Une table d'écoute et une équipe en éclaireur. Ils ne l'ont pas fait. Je vous ai suivi avec des jumelles. Ce type vous filait le train tout seul.

— Il a entendu le coup de téléphone ? Il attendait dehors ?

— Peu importe. (Wes prit le portefeuille du type.) Filature en solo, opération de petite envergure. Qui qu'ils soient, si c'est un truc officiel, c'est du confidentiel.

Le type allongé sur le sol gémit. Sans lâcher le revolver, Wes dit à Nick :

— Allons-nous-en.

Ils quittèrent la cage d'escalier. Wes conduisit Nick

vers une voiture de location ; il se dirigea vers la portière du conducteur.

— Montez.

— Vous me prenez pour un con !

— Je « sais » que vous avez des ennuis. Vous avez perdu pied. Si vous en doutiez avant...

Avec son arme, il désigna l'endroit où l'homme qu'il avait assommé gisait inconscient.

— Je suis dans la même merde, reprit-il. On a une chance de s'en tirer... tous les deux. Seul, vous n'en avez aucune.

— Au moins, je sais où je vais et qui je suis.

— Vraiment ? répliqua Wes.

Le revolver qu'il avait confisqué au type de l'escalator pendait dans sa main. Il le fit glisser sur le capot vers Nick.

— A vous de choisir.

Il monta à bord de la voiture. Nick le regardait à travers le pare-brise.

Il est ma seule chance, songea Nick. Il prit l'arme et monta à son tour.

Ils roulèrent jusqu'au National Arboretum, une réserve de deux cents hectares d'arbres, de buissons en fleurs et de routes pavées désertes, juste derrière Capitol Hill. Ils se garèrent à proximité d'un pavillon japonais où une vieille femme coiffée d'un chapeau à large bord peignait devant un chevalet.

Wes parlait comme une mitrailleuse : il expliqua à Nick qu'il était un Marine détaché auprès de la CIA, chargé d'enquêter sur Jud à la suite d'un coup de fil sur la ligne des urgences de l'Agence. Il lui parla des photos dérobées à L.A. Il lui raconta comment il avait établi le lien entre Nick et Jud grâce aux relevés téléphoniques.

— Il faut que je rencontre Jud, insista Wes. Il est notre seul espoir de nous en tirer. Il le sait, il a la clé, ou bien il est la clé. Je lui laisse le choix des règles. Il

509

sait que je ne lui veux aucun mal. J'ai eu une occasion, dans le désert. Ça a mal tourné.

— Où est-il maintenant ?

— A mon avis, il est dans les parages. Pour vous voir. (Wes déglutit.) Lorri est morte. Suicide. Il l'a découverte, elle avait laissé... une sorte de mot. Elle mentionnait votre nom.

— Je l'ai appelée, murmura Nick. La semaine dernière. Elle était vivante...

— Ne vous en faites pas, dit Wes. J'ai tout nettoyé.

— Hein ?

Nick était pris de vertiges. « Elle est morte. Elle était vivante, puis je l'ai appelée. »

Et elle s'est suicidée. Je lui ai dit que Jud allait venir, j'ai fait irruption dans sa vie. Et elle s'est suicidée.

La nausée et la culpabilité l'envahirent.

— Nous n'avons guère de temps, dit Wes. Je suis grillé officiellement. Le peloton d'exécution est en train de se constituer, et je suis déjà contre le mur. Jud est devenu incontrôlable, ils le colleront contre les mêmes briques.

— Mais « pourquoi » ? C'est vous qui avez tendu une embuscade à ce type, pas Jud !

— Vous êtes dans le même bateau que nous, dit le Marine. Grâce à Jack Berns. A mon avis, c'est comme ça que ce type a retrouvé votre trace. Quoi qu'il en soit, vous êtes la dernière personne vivante du côté de Jud.

La voiture était exiguë, étouffante. Nick posa la main sur la portière.

Wes ouvrit le portefeuille de l'homme à qui il avait tendu un piège.

— Un permis de conduire de Virginie... Norman Blanton... ça vous dit quelque chose ?

— Non, répondit Nick.

Où était Sylvia ? Est-ce que tout allait bien ?

— Des cartes de crédit, des traveller's checks...

qu'est-ce qu'il foutait avec des traveller's ? Pas de carte officielle, pas de... (Il sortit du portefeuille une carte de visite cornée.) Norman J. Blanton, vice-président de PRS « Phoenix Resources and Services. »

— Attendez une minute... dit Nick.

Il sortit de son sac à dos le glossaire des noms.

— Non... aucun Blanton, dit-il en expliquant ce qu'était ce glossaire.

En revanche, « Phoenix Resources and Services » (PRS) figurait en page 9 du glossaire des organismes de la contra iranienne rédigé par les Archives :

Société basée en Virginie et fondée en janvier 1985 par BYRON VARON, un général à la retraite. PRS a servi de petit sous-traitant lors d'opérations officielles et clandestines destinées à venir en aide aux contras : acheminement de fonds, services d'intermédiaires pour de petites ventes d'armes et logistique aérienne.

— Que vient faire une société d'armement là-dedans ? demanda Wes.

— La question n'est pas de savoir « quoi », répondit Nick en sortant le second document photocopié de son sac à dos. Mais *qui ?*

Nick le feuilleta à l'envers :

« VARON BYRON R. Lieutenant général à la retraite. A servi au Vietnam, au Laos, par la suite conseiller pour les programmes militaires en Iran et responsable du groupe d'intervention armée discrète auprès de l'état-major. En sa qualité de président honorifique du AMERICAN LIBERTY MOUVEMENT, Varon a réuni des fonds pour les contras, organisé des achats d'armes et participé à l'élaboration d'opérations clandestines pour le compte de l'équipe secrète de la Maison Blanche. »

— C'est vous le chevalier blanc, dit Nick à Wes. Et maintenant ?

L'homme singe

Ce jour-là, à midi moins dix, le président de la commission du Congrès où travaillait Sylvia entra dans son bureau en désordre alors qu'il se rendait au vestiaire, et lui annonça qu'elle pouvait disposer du restant de sa journée.

Précisément, il déclara :

— Rentrez donc chez vous. Quand les réunions de la commission débuteront la semaine prochaine, je ne veux pas me retourner à minuit et vous avoir assise contre le mur, avec l'air de dire : *Oh ! ma pauvre famille.*

— Dès que j'aurai rédigé notre réponse aux propositions du personnel du Sénat...

— Qu'ils aillent se faire foutre, répondit le président en parlant d'une importante commission de la Chambre. Si vous filez à bouffer aux chiens dès qu'ils aboient, ils commencent à se prendre pour les maîtres.

Il se dirigea vers la porte, en lui adressant un clin d'œil.

— A charge de revanche.

Sylvia rit et décrocha le téléphone.

Elle tomba sur le répondeur de Nick. *Il a dû aller déjeuner de bonne heure.* Après le bip, elle lui annonça qu'elle rentrait à la maison et lui dit de l'appeler.

— Tu veux aller au ciné ? demanda-t-elle au répondeur de son mari.

Tandis qu'elle roulait en direction de la banlieue, les gouttes de pluie frappaient le pare-brise de la voiture, éclaireurs sacrifiés pour les nuages qui attendaient à l'horizon.

Quand elle arriva chez elle, Saul faisait la sieste.

— Il est adorable, dit Juanita. Maintenant, il ne veut plus que marcher. Fini de se traîner à quatre pattes.

Sylvia rappela Nick. Toujours personne. Ils pouvaient encore assister à une séance en fin d'après-midi. Elle repensa au clin d'œil du président.

— Juanita...

C'était un arrangement simple entre deux parties consentantes. En échange de son après-midi, Juanita ferait du baby-sitting vendredi soir.

— Pour une sortie, dit-elle. Une vraie sortie en amoureux, vous et Nick.

— Oui, répondit Sylvia avec un sourire, se réjouissant à l'avance.

En raccompagnant Juanita à la porte, elle constata que le vent avait fraîchi. Les nuages semblaient plus épais, plus gris.

Seule, songea Sylvia. Avec Saul qui ne se réveillerait sans doute pas avant une heure, elle pouvait jouir de la solitude dans une maison calme. A l'exception du gros rottweiler noir qui la suivait de pièce en pièce. Elle pouvait même décrocher le téléphone.

Non, Nick risquait d'appeler. Elle souhaitait presque qu'il n'appelle pas.

Elle monta voir Saul : couché en chien de fusil dans son lit d'enfant, la cage thoracique qui se soulève et retombe doucement, ses petites mains fragiles devant son visage. Elle tira la porte de la chambre pour protéger son sommeil.

En refermant la porte, Sylvia repensa au sourire que son boss avait adressé à un jeune membre du Congrès de l'Ohio, sourire accompagné d'une promesse de ne pas s'opposer à un amendement du jeune député qui accorderait une déduction fiscale de six millions de dollars à sa circonscription. En échange, le bizuth avait donné son aval au boss de Sylvia pour l'adoption finale de la loi. Ce que le jeune politicien ignorait, c'est que le boss de Sylvia avait déjà conclu un marché avec la Commission des Lois pour interdire tout amendement. Son patron avait tenu sa promesse, mais il avait coincé le bizuth. « La procédure l'emporte sur le fond », avait déclaré son boss. Maintenant, s'ils pouvaient pousser les syndicats à faire pression sur le jeune député pour...

Arrête ! s'ordonna-t-elle. *C'est ton jour de congé.*

Dans sa chambre, elle balança ses chaussures et prit un porte-manteau pour son tailleur, ôta sa veste. Elle baissa la fermeture Eclair de sa jupe, l'accrocha au porte-manteau. Il y avait une tache de café sur son chemisier. Elle secoua la tête et le lança dans le panier de nettoyage à sec, encore un accident à 1 dollar 50. Elle fit glisser ses collants et les lança en direction du bureau. Ils flottèrent jusqu'au sol. Elle rit et son regard se posa accidentellement sur le grand miroir de la porte de la salle de bains.

Elle aperçut son reflet. Pour la première fois depuis des mois, elle prit le temps de se regarder « vraiment ».

Des mèches grises striaient ses cheveux noirs. Son soutien-gorge blanc était terne, la dentelle déchirée. L'élastique de sa culotte était distendu, elle apercevait un morceau de fesse à travers le tissu fin.

L'excès de poids dû à la grossesse avait disparu six mois après la naissance, mais ses muscles n'avaient jamais retrouvé leur élasticité. Pas de bourrelets à la taille, mais le ventre gonflé. Ses seins remplissaient les bonnets de son soutien-gorge, mais quand elle l'ôtait, la chair s'affaissait.

— Qu'est-ce t'en penses toi ? demanda-t-elle au chien.

Il ne répondit pas. Sylvia espérait que Nick avait

514

une moins bonne vue que le miroir. La plupart du temps, les femmes de ses romans étaient belles.

Elle remarqua quelques vergetures. Quarante années sans pitié.

— Mais je suis ici tous les lundis matin, dit-elle au miroir.

Songeant au vendredi soir à venir, elle sourit.

Elle enfila avec plaisir son vieux jean, son pull rose à manches longues était confortable. Elle aimait rester pieds nus.

Elle avait un après-midi de libre, et elle était seule.

Un des rares points de désaccord de leur mariage était qu'elle adorait lire au lit, contrairement à Nick. Mais Nick n'était pas là. Tandis que le chien se pelotonnait sur la moquette de la chambre, elle empila les oreillers contre la tête de lit et alluma la lampe de chevet. Blottie dans les oreillers, elle prit la biographie de Martin Luther King qu'elle savourait durant de brefs instants arrachés à ses journées surchargées, et se plongea dans le monde de la politique concrète et des véritables héros.

Le chien se mit à grogner alors que Sylvia lisait l'histoire de cette jeune fille de seize ans qui avait défié les conventions en 1951 et incité ses camarades de classe à briser les chaînes des écoles pratiquant la ségrégation.

— Tais-toi ! dit-elle.

Le rottweiler se coula à ses pieds, une colline qui devient une rivière musclée de fourrure noire, yeux brillants et crocs blancs.

— Il n'y a personne, murmura-t-elle en accrochant son regard aux mots imprimés sur les pages du livre. Saul dort.

Le chien aboya, une explosion rauque et gutturale.

— Non ! Tu vas réveiller...

La sonnette retentit.

Le facteur, songea-t-elle en se levant. *Un colis en*

recommandé, sans doute envoyé par un de ses grand-parents ou sa sœur dans le Milwaukee.

... Mon Dieu, faites que ce ne soit pas l'armée du salut, des vieilles dames avec des chapeaux vendant « The Watchtower », ou des jeunes hommes en chemise blanche et cravate noire qui trimbalent la Bible.

Pourvu que le chien ne les effraie pas... pas trop.

— Entrez ! cria-t-elle en dévalant l'escalier.

Elle saisit le chien par son collier étrangleur pour l'écarter de la porte : 60 kilos, et le vétérinaire disait que ce n'était pas fini.

— Couché !

Bon sang, pourquoi est-ce que Nick n'a pas choisi un cocker !

Leur chien avait reçu un diplôme de l'école de dressage.

« Mais pas avec les honneurs », avait-elle soupiré auprès de Nick.

— Couché !

Elle tira d'un coup sec sur le collier. Le chien se calma suffisamment pour reculer. Il tirait sur son collier étrangleur, le métal sciait les mains de Sylvia, tandis qu'elle ouvrait la porte.

Pour le découvrir, là devant elle.

Grand, l'air d'un fou, les cheveux emmêlés, pas rasé. La chemise tachée de boue. Un jean crasseux. Des baskets éculées. Le vent froid charriait l'odeur de transpiration, la mauvaise haleine et les relents de whisky ; il se tenait devant elle, chancelant.

— Je suis désolé, dit-il.

Cette voix : cinq ou six fois elle avait répondu à ces coups de téléphone nocturne qui semblaient se répéter, malgré ses protestations auprès de Nick.

— Je suis désolé, répéta-t-il. Vous êtes Sylvia. Je suis Jud.

— Je... Bonjour.

Elle lui sourit par automatisme. Mais sa tête et son cœur tournoyaient. Cet homme comptait énormément

516

pour Nick, c'était son ami, un homme dont il avait assumé les problèmes. Et il était là devant sa porte, visiblement en difficulté. Mais personne dans leur existence ne l'inquiétait davantage. Son spectre n'avait cessé de les hanter. En tant que fantôme, il représentait un souci abstrait ; sur son perron, il incarnait des dangers qu'elle n'avait jamais osé nommer. Le collier étrangleur qui lui cisaillait la main avait quelque chose de réconfortant.

— Que faites-vous ici ? demanda-t-elle, bien qu'elle connaisse la réponse.

— Nick... il faut que je voie Nick.

— Il devrait être à son bureau.

— Je ne peux pas m'y rendre, dit-il, et elle comprit qu'il disait vrai. Ma voiture a lâché en Pennsylvanie. J'ai volé un ticket de car jusqu'en Virginie. Un pasteur m'a pris en stop jusque dans le Maryland. Il m'a laissé devant un panneau indiquant Takoma Park. Le reste du chemin, je me le suis tapé à pied. Vous êtes dans l'annuaire, le type de la station-service connaissait votre rue.

... Je n'en peux plus de marcher.

Le chien émit un grognement rauque.

— Je suis désolé... (Le visage de Jud perdit le peu de couleur qui lui restait.) Je ne veux pas vous déranger.

Ses yeux étaient humides. La pluie martelait le trottoir derrière lui, de plus en plus rapide, violente.

— Je peux attendre là, dit-il. (Le perron était couvert.) Mais ils risquent de me voir assis devant chez vous.

Takoma Park dans la banlieue de Washington est un quartier rempli d'arbres, de rues sinueuses, la ville des azalées, avec des hectares de buissons constellés de fleurs roses et rouges. Nul ne les observait derrière les fenêtres closes de leurs voisins. Personne n'était assis dans une des voitures en stationnement. C'était une rue peu fréquentée. Et facile à trouver.

Le sens des convenances et la compassion eurent raison de la prudence de Sylvia.

— Ne dites pas de bêtises, entrez donc. Mais évitez les gestes brusques, le chien n'aime pas les étrangers.

— C'est un chien intelligent, dit Jud en entrant d'un pas traînant, tandis que Sylvia reculait en tenant fermement le collier.

En conservant trois mètres d'écart entre eux, elle le fit pénétrer dans le salon aux murs couverts de livres ; ils passèrent devant la cheminée sur laquelle trônaient toutes ces photos de bonheur, jusqu'à la salle à manger et sa table ronde en chêne.

— Vous pouvez vous asseoir ici, dit-elle.

Jud se laissa tomber sur une chaise.

Le chien tirait sur son collier.

— Du calme... du calme.

Elle le lâcha. Il trottina jusqu'à Jud, le renifla et vint se poster entre sa maîtresse et l'étranger.

— Tant que tout va bien, il ne vous fera pas de mal.

Pourquoi ce ton agressif ? se demanda Sylvia.

Mais en l'observant, elle constata qu'il s'en fichait : le regard de Jud se perdait dans le reflet de la table cirée.

Sylvia laissa la porte de la cuisine ouverte. Jud sortit de son champ de vision lorsqu'elle se dirigea vers le téléphone mural, mais elle voyait encore le chien ; elle saurait si Jud bougeait.

Une fois de plus, elle tomba sur le répondeur de Nick : *Rentre immédiatement à la maison !* dit-elle à la bande.

Juanita. Elle allait chez sa cousine. Sylvia appela chez cette dernière. Un homme décrocha ; Sylvia lui laissa le message : *Digale à Juan que venga à mi casa lo mas pronto que pueda, por favor.*

Elle raccrocha et retourna dans la salle à manger.

— Vous n'avez pas perdu votre espagnol depuis

518

le Mexique, murmura Jud. « Les volontaires de la paix ? »[1]

— Comment le savez-vous ?

— Nick.

— Que vous a-t-il dit d'autre ?

Les bras croisés sur la poitrine, elle sentait le poids d'un regard invisible.

L'épave humaine haussa les épaules.

— Qu'il vous aime.

— Oh !... (Elle secoua la tête, plaqua sa main devant ses yeux.) Ecoutez, je ne veux pas avoir l'air si...

— Paranoïaque. Vous avez raison de l'être.

— Ce n'est pas très rassurant ce que vous me dites là.

— Je ne veux pas vous mentir.

Un frisson courut dans sa nuque.

— Nous ne voulons pas de vos problèmes, lâcha-t-elle.

— Moi non plus. (Pourtant, il répéta :) Je suis désolé. Il faut que je parle à Nick. Il faut que je lui dise... j'ai une mauvaise nouvelle.

— Quoi ?

— Je ne tiens pas à la répéter plusieurs fois.

— C'est tout ce que vous voulez ?

— Je ne veux pas lui faire de mal. Je ne l'ai jamais voulu. A vous non plus.

— Alors peut-être que vous auriez mieux fait de nous laisser tranquilles.

— Ouais.

Pourquoi est-ce que le téléphone ne sonne pas ! Où est Nick ?

— Vous ne pouvez pas rester ici ce soir, dit-elle, se

---

1. « Peace corps » : corps créé en 1961 par le président Kennedy afin de présenter aux pays sous-développés un « nouveau visage de l'Amérique ». (N.d.T.)

haïssant pour ces larmes qu'elle ne comprenait pas, mais ne pouvait ignorer.

— O.K.

Le chien finit enfin par s'asseoir, sans toutefois quitter Jud des yeux.

Soudain, Sylvia se trouva trop cruelle.

— Euh... vous avez soif ?

— Vous avez de quoi boire ?

— Nous n'avons pas d'alcool.

— Oh ! fit-il, et l'un et l'autre savaient qu'il n'était pas dupe.

— Vous parlez espagnol ? demanda-t-elle.

— Je sais commander une bière et dire *gracias*. Tequila *Senora et senorita*.

— Euh... nous n'avons que du lait.

— Du lait ? (Il secoua la tête.) Je boirais volontiers un verre de lait.

Tandis qu'elle déposait timidement un verre de lait froid sur la table, les cris d'un enfant à l'étage flottèrent jusqu'à eux.

— C'est Saul, dit Jud.

— Non ! s'exclama Sylvia. Enfin, je veux dire... ne bougez pas. Je vais... m'en occuper. Restez là.

— Comme vous voulez.

Le chien la suivit. Elle ne savait pas si c'était une bonne chose ou pas.

Saul lui souriait dans son lit. Il portait une salopette et un sweat-shirt de Mickey, avec des chaussettes. Il se tenait debout sans se retenir aux barreaux. Les bras tendus vers maman.

Sans doute était-il mouillé, mais Sylvia ne voulait pas changer ses couches maintenant, et risquer de l'*exposer*. Pas même une minute.

Ils redescendirent tous les deux, précédés du chien. L'animal demeurait entre son bébé et l'étranger.

— Il ressemble à Nick, dit Jud en parlant de l'enfant que la mère tenait dans ses bras.

— Oui. (Saul s'accrocha à son cou. *Qui était ce gars ?*) Il faut que je lui fasse à manger.

— Bien sûr.

— Vous... vous avez faim ?

— Depuis un moment.

Son verre de lait était posé sur la table. Vide.

Merde, se dit-elle. *J'aurais dû lui demander plus tôt, ou je n'aurais rien dû demander.*

Dans la cuisine, l'enfant s'agrippa à ses jambes pendant qu'elle ouvrait des boîtes de thon. Le temps qu'elle verse le thon dans un saladier et commence à préparer une mayonnaise, il avait marché jusqu'au seuil de la cuisine. Sylvia gardait un œil sur son fils qui se tenait au chambranle et regardait fixement cet homme assis sur la chaise de son papa.

Le chien se rapprocha de l'enfant.

— Bonjour, Saul, dit la voix rauque dans la salle à manger. Comment ça va ?

Saul le regardait d'un air ébahi, en bavant.

Jud sourit. L'enfant lui rendit son sourire. Jud fit une grimace de singe, un orang-outang. Saul cligna des yeux. Jud se gratta sous les bras en émettant des bruits simiesques, et en sautant autour de sa chaise. Le sourire timide de l'enfant s'élargit, et il montra du doigt l'homme si rigolo. Jud plaqua sa main sur son visage, regarda discrètement entre ses doigts. Le garçon gloussa. L'une après l'autre, Jud fit claquer ses mains sur son visage, en mimant l'expression du singe étonné.

Saul éclata de rire, en l'imitant. Jud rit avec lui. Excité, Saul courut dans la cuisine, vers maman.

Jud rit de nouveau, en secouant la tête.

Puis il pleura, sans bruit et sans retenue, les larmes coulant sur ses joues, les yeux fixés sur l'encadrement vide de la porte.

Elle m'a certainement entendu pleurer, se dit-il, car elle s'écria : « Voici votre sandwich », mais elle attendit une minute avant de revenir dans la salle à manger en portant un plateau avec deux sandwichs au thon garnis de laitue et de tomate sur du pain complet, des chips et un autre verre de lait.

Un petit garçon qui adorait son papa trottinait derrière sa mère qui les aimait tous les deux.

Jud eut le temps de sécher ses joues.

En posant le plateau, elle demanda :

— Tout va bien ?

— Pas de problème. (Il arracha difficilement les mots, reprit son souffle. Il sentait l'odeur du pain, du thon.) Tout va bien... Je faisais le singe. Pour Saul.

Il regarda les yeux bleus écarquillés derrière les genoux de Sylvia.

— *L'homme singe !*

Jud fit une grimace. Saul pouffa.

Assise à la table, Sylvia se sentait rassurée avec le chien à ses côtés. Elle prit son fils sur ses genoux. Elle lui fit manger du thon avec une cuillère.

— Qui êtes-vous ? demanda-t-elle à Jud.

La nourriture fondit dans sa bouche. Son estomac protestait par anticipation. Le premier sandwich disparut en cinq bouchées.

— Je suis le meilleur ami de votre mari, dit-il.

— Non, ça m'étonnerait.

Il engloutit la moitié du second sandwich ; ses intestins luttèrent contre cette abondance de matières grasses. Ses mains tremblaient ; il se demanda où ils rangeaient les alcools.

— Oui, sans doute, dit-il. Je crois que je rêvais.

— Pas avec ma famille, murmura-t-elle en rougissant de sa colère.

Elle sentait le couteau à éplucher qu'elle avait glissé dans sa poche arrière de jean. Elle se détestait d'avoir fait ça, mais elle se sentait réconfortée par ce contact.

Jud perçut tout l'amour contenu dans ses paroles, il eut envie de pleurer ; il était jaloux de sa dévotion. Il finit son sandwich. Il tendit une chips à l'enfant.

— Tiens, dit-il. (Saul la prit.) Je suis l'homme singe.

L'initié

Wes avait téléphoné juste après avoir quitté Nick, et ils l'attendaient devant l'entrée principale. Une voiture le précéda sur la route qui serpentait au milieu des arbres et contournait le bâtiment imposant, avant de disparaître dans le parking souterrain de la CIA.

Ils traversèrent lentement cette caverne de béton humide. Kramer, le chef de la sécurité, se tenait devant un ascenseur à l'extrémité d'une rangée de voitures. Deux types avec des regards méfiants et des costumes amples l'accompagnaient. Le chauffeur de la voiture d'escorte fit signe à Wes de se garer.

— Laissez les clés sur le contact ! lui lança Kramer tandis que Wes descendait de voiture.

Il tenait à la main son attaché-case contenant l'argent et les documents.

— Donnez-moi votre arme, dit Kramer.

— Ça ne fait pas partie de notre arrangement, répondit Wes.

Sans quitter des yeux ce costaud qui lui faisait face, Kramer adressa un signe de tête à ses deux acolytes.

— Vous n'aurez même pas le temps de voir bouger les mains d'Andy.

— Je ne le regarderai même pas.

— On n'a pas besoin de son aide pour lui prendre son arme, dit un des types en costume.

— Peu importe, répondit Kramer. Le major est peut-être stupide, mais ce n'est pas un fanatique.

Tous les quatre montèrent dans l'ascenseur qui les conduisit au dernier étage. Le couloir moqueté de la direction était désert. Kramer pilota Wes jusqu'à la porte marron sans aucune plaque. Il frappa. Ils entrèrent.

Le général de l'Air Force et directeur adjoint de la CIA, Billy Cochran, était assis derrière son bureau. Il les observa à travers ses épaisses lunettes.

— Il est passé au détecteur électronique, déclara Kramer. Il porte une arme, mais ni micro ni magnétophone.

— Merci, monsieur Kramer, dit Billy. Vous vous chargez du reste ?

— Personnellement. Et mes hommes sont derrière la porte.

Kramer les laissa seuls.

— Où est le directeur Denton ? s'enquit Wes.

— Cette question fait-elle partie de notre arrangement ? dit Billy.

— Répondez-moi.

Wes s'assit dans un fauteuil en face du bureau.

— Il assiste à une conférence au département d'Etat, avec sa secrétaire. Noah Hall a reçu un appel urgent de la Maison Blanche juste avant votre arrivée. Une crise politique l'a obligé à s'absenter.

— Joli travail.

— Ces hommes sont vos supérieurs... pas moi. Vous avez rejeté mon aide autrefois. Pourquoi venez-vous me proposer cet « arrangement » maintenant ?

— Ce sont des politiciens, mais ils jouent en seconde division : tout pour la carrière, sans prendre de risques.

— Et moi là-dedans ? Et vous alors, qui êtes-vous ?

— Je suis un soldat.

Le ton de Billy était lourd de sarcasmes :

— L'altruisme au service de votre pays.

— Vous avez accepté cet arrangement, dit Wes.

524

— J'ai suspendu les ordres de mise en quarantaine et l'état d'alerte pour vous laisser entrer. Mais comme toute ordonnance de surseoir, mon intercession peut être annulée. Vous évoluez dans un monde de problèmes.

— Vous êtes bien placé pour le savoir. C'est votre monde, *sir*.

— Je n'assassine pas les gens dans le désert.

— Vraiment ? Bah, ça n'a plus d'importance maintenant. Denton et Noah ne m'ont pas fait confiance. Ils m'ont entubé, et ils ont déserté sous le feu. Mais j'aurais dû m'y attendre quand j'ai accepté leur travail. Peut-être que j'y ai songé, et peut-être que je m'en foutais. Je ne m'en souviens plus, et peu importe. J'avais besoin d'une mission, ils m'en ont fournie une. Maintenant, il faut la terminer, et ils en sont incapables. Même s'ils le pouvaient, ils ne le feraient pas. Je suis venu vous trouver, car vous êtes un homme de l'intérieur, et c'est là que se trouvent les réponses.

— A quel sujet ? Votre fantôme blessé, Jud Stuart ?

— Il ne s'agit pas de lui. Ce n'est que le cadavre dans le sac.

— Où est-il ?

— D'après notre marché, vous deviez demander à Kramer de me fournir des renseignements sur trois personnes.

— On vous a donné tout ce qui existait sur Jud Stuart à l'intérieur du système.

— Passons sur ce mensonge.

— Je ne mens pas.

Une phrase tranchante et dure comme un sabre.

— Mais vous êtes très doué pour modeler la vérité. Que signifie *à l'intérieur du système* ?

— Allez-y, donnez-moi vos noms, dit Billy en décrochant le téléphone pour appeler Mike Kramer qui attendait devant un écran d'ordinateur connecté au plus important réseau d'informations de toute l'histoire.

— Beth Doyle, dit Wes.

Il confia à Billy tous les renseignements la concernant dont il se souvenait ; le général les transmit à Kramer, avant de raccrocher.

— Ça va prendre du temps. Maintenant...

— On peut attendre.

Ce qu'ils firent, en silence.

Wes se lassa d'observer les lunettes épaisses de l'homme assis derrière son bureau. Sur les murs était accrochée la collection de gravures japonaises sur bois de Billy, des œuvres datant de l'époque des empereurs. Des gravures magnifiques : guerriers farouches brandissant leur épée, ou assis avec sagesse pour travailler leur calligraphie, l'épée au fourreau.

Vingt-deux minutes plus tard, le téléphone sonna. Un télécopieur se mit à bourdonner derrière Billy. Celui-ci décrocha, écouta sans rien dire. Il raccrocha, arracha la feuille qui venait de sortir de son télécopieur et la tendit à Wes par-dessus le bureau.

Une vieille photo de passeport.

— Oui, c'est elle.

— Il existe des tas de Beth Doyle, dit Billy. Mais nous l'avons identifiée grâce aux autres renseignements. Aucun casier judiciaire ni mandat. De nombreux voyages à l'étranger : des visas pour l'Asie, l'Europe.

— A qui appartient-elle ?

Sèchement, Billy répondit :

— D'après le dossier, elle est célibataire.

— Vous m'avez très bien compris : est-ce qu'elle travaille pour vous ?

Billy ne répondit pas immédiatement.

— Rien n'indique qu'elle ait jamais travaillé pour aucune agence de la sécurité gouvernementale, des renseignements ou de la justice, dit-il. Aucune trace de contact, pas d'enregistrement chez les agents en activité, ni rien d'autre, si ce n'est dans les archives courantes des douanes et du département d'Etat.

— Et à part ça ?

— Qui voulez-vous qu'elle soit ? demanda Billy en

écartant les bras. Tous ces voyages ? Elle pourrait être employée par une agence étrangère.

— Sans intérêt dans cette affaire.

— Mais si c'est une possibilité, insista Billy, les gens du contre-espionnage et du FBI devraient en être avertis.

— Aucun risque. Laissez-la en dehors de leurs dossiers.

— Dans ce cas, il ne fallait pas nous demander des renseignements sur elle.

Wes secoua la tête et soupira :

— Est-ce que cela apparaîtrait si elle travaillait pour un détective privé nommé Jack Berns ?

Billy nettoya ses lunettes avec un mouchoir en papier.

— Nos dossiers enregistrent toutes les licences de ce type. Rien n'a été signalé, mais je crois savoir que la régulation de cette *profession* laisse quelque peu à désirer.

— Non, dit Wes, je doute qu'elle travaille pour lui.

Son cœur se libéra d'un poids énorme, aussitôt remplacé par un autre.

— Donnez-moi le deuxième nom, demanda Billy.

Wes lui tendit le permis de conduire de l'homme qui avait suivi Nick Kelley, l'homme à qui Wes avait tendu une embuscade à Union Station.

Le numéro deux de la CIA fronça les sourcils. Il transmit par téléphone à Kramer les informations figurant sur le permis de conduire de l'Etat de Virginie.

Durant les dix minutes d'attente, Wes ferma les yeux. Il repensait à Beth, ses cheveux, sa bouche, son goût de fumée. Son regard lorsqu'elle tenait son arme, avant de s'en aller. Il entendit son rire et se souvint comment il emplissait son cœur.

Le téléphone sonna.

— Oui ? (Billy écouta la voix à l'autre bout du fil. Ses yeux se retirèrent derrière ses épaisses lunettes.) Je vois... merci.

Après avoir raccroché, Billy plissa le front, recula son fauteuil, tourna le dos à Wes et marcha jusqu'à la fenêtre. Aujourd'hui, son boitillement était visible. A travers la vitre il observait le ciel chargé de pluie et la cime des arbres dans la forêt de Virginie.

— Vous ne me demandez pas le troisième nom ? demanda Wes.

Il attendait tel un joueur de champ, les yeux fixés sur le lanceur.

— Jusqu'où tout cela est-il allé ? demanda Billy.

— Trop loin pour s'arrêter.

— Vous avez fait du bon travail, major. Vous devriez être fier.

— Allez-vous faire foutre, *sir*.

L'insulte fit se retourner Billy.

— Si nous étions en uniforme, dit-il d'un ton neutre, je pourrais vous le faire payer très cher.

— Oui, sir, dit Wes à l'homme qui se découpait sur le fond du ciel.

— Je respecte les uniformes, dit Billy. Comme vous, je suppose. Pour leur précision. Leur sentiment de finalité. Ils représentent le prolongement de nos institutions, et nos institutions sont ce que nous avons de mieux. Elles sont notre salut.

— Vous ne voulez pas connaître le troisième nom ? demanda Wes.

— Je ne pensais pas faire toute ma carrière dans le renseignement, avoua l'espion le plus respecté d'Amérique. Dans l'armée, oui. Mais ici...

D'un geste large, il balaya son bureau.

— Je déteste le HUMINT. Les agents infiltrés, les légendes à la place des identités, les indics, les types payés au contrat... les agents secrets. Les opérations clandestines. Tout cela engendre une culture et un état d'esprit qui nuisent à la précision des institutions. Les moyens peuvent devenir des fins. Des hommes peuvent se laisser abuser par tout cela, et s'y perdre. Comme Jud Stuart peut-être.

— Ne pensez plus à lui. Vous connaissez le troisième nom.

— Varon... général Byron Varon. A la retraite.

— Que savez-vous sur lui et Jud Stuart ?

— Savoir est un terme précis, major.

— Ne jouez pas au con avec moi, *général*. Je suis avocat. J'en connais un rayon sur la précision et les belles phrases, et je sais que seul Dieu peut se dissimuler derrière l'ignorance. Nous ne parlons pas de lois ici. Nous parlons de vérité.

— La vérité, c'est que notre tâche est de protéger ce pays, répondit Billy. La démocratie repose sur ses institutions.

— Elle repose sur tout son peuple, répliqua Wes. Je vous ai dit que tout cela était allé trop loin pour s'arrêter en route.

— Mais pas trop loin pour éviter d'autres dégâts. Pas trop loin pour entreprendre une chasse aux sorcières.

— Je ne suis pas au courant.

— Moi si, dit Billy. Ce métier est basé sur le secret, et le secret engendre les fantasmes, même chez les esprits les plus brillants. Que n'ai-je entendu ! Les gens croient tellement de choses ! *Les grands complots.* Il n'existe pas de grands complots. Juste de petits tourbillons.

Il regagna son bureau, prit un dossier vierge dans le tiroir du haut et le tendit à Wes.

— Depuis quand êtes-vous en possession de ça ? demanda ce dernier.

— Ce n'est pas un dossier de l'Agence. Il est à moi. J'ai travaillé pour l'état-major avec le général Varon. Il servait là-bas à son retour du Moyen-Orient, avant de travailler pour le Pentagone. Son expérience dans les Forces Spéciales en faisait un atout pour les opérations de petite envergure comme la seconde mission de secours avortée destinée à libérer les otages en Iran, ou certains programmes de coopération.

...Varon était très doué pour accomplir ce que certaines personnes souhaitaient voir exécuter sans oser s'en charger elles-mêmes. En outre, il était *politiquement acceptable,* ouvertement anti-communiste, avec juste ce qu'il faut d'écume aux lèvres. En plus de ses missions officielles, il commandait quelques agents, une équipe qu'il avait tenue à l'abri après le Vietnam. Un appareil clandestin. Jamais reconnu ni inscrit à l'intérieur du système... effacé même à vrai dire.

... J'ai appris tout cela presque par hasard. Mes préjugés envers ce genre de choses sont bien connus, et l'on m'en a volontairement cachées certaines. Différents projets lui ont permis de récolter des fonds, ses besoins étaient limités. Il s'appuyait sur des patriotes persuadés que toutes les opérations irrégulières qu'ils entreprenaient servaient leur pays. Peut-être versait-il quelques pots-de-vin. Ici et là, il apportait son aide, sans que je puisse toutefois en avoir la preuve. Il fournissait son produit à quelques agences sélectionnées comme le DEA, le FBI, ainsi que la CIA, le DOD. [1]

— Alors vous avez constitué un dossier sur lui.

— Il évoluait entre les mailles du processus institutionnel, expliqua Billy. Un homme possédant un programme indépendant et une force d'intervention personnelle. Ça me paraissait plus prudent.

— Et Jud Stuart ?

— Il est hors circuit depuis le milieu des années 70. Grillé, foutu. Mais pas n'importe qui apparemment. Quand j'ai lu ces rapports, consulté ses dossiers... Il est fort probable qu'il ait été un des hommes de Varon.

— Combien sont-ils ?

— Aucune idée. Le type du permis de conduire est lié à une des affaires de Varon. Il a été agent

1. Department of Defense. (N.d.T.)

contractuel pour différents organismes officiels par le passé. Cette compagnie a été mêlée à la contra iranienne... Tout comme Varon, de plusieurs façons.

Cochran secoua la tête.

— Au début des années 80, Varon a quitté l'armée avec la honte au front. Un scandale de ventes d'armes de surplus. Le procureur chargé de l'enquête n'a pu réunir suffisamment de preuves pour l'inculper.

— Merde !

— Oui. Depuis, quelles que soient ses activités, elles sont restées en dehors de notre domaine. Vous m'interrogez sur les associés de Varon ? Nous voguons sur une mer profonde, mais étroite. Ce sont toujours les mêmes poissons qui évoluent dans ces eaux. Il faut apprendre à attendre. Observer. Ecouter. J'ai entendu dire une fois que Varon avait engagé un détective privé pour l'aider dans une affaire.

— Jack Berns, dit Wes. Noah Hall était-il au courant ?

— Noah travaille dans les arrière-chambres électorales. Il n'en sait pas autant qu'il le croit. (Billy haussa les épaules.) Vous attelez le cheval que vous connaissez. Et Berns veille à se faire connaître.

— Berns aurait-il pu être au courant de l'existence du réseau de Varon ?

— J'en doute. Mais le métier de Berns, c'est de récolter des informations. Il savait que Noah et Denton s'intéressaient à Jud Stuart, et que cet intérêt ne passait pas par les canaux habituels. Peut-être a-t-il proposé à d'autres clients la confiance qu'on lui octroyait.

— Berns est fou de les doubler.

— Seulement s'il se fait prendre. Et seulement s'ils parviennent à lui faire payer sa trahison.

— Qui d'autre est mêlé à tout ça ? demanda Wes.

— Je l'ignore.

Lentement, Wes ouvrit le dossier. Des feuilles simples sans en-tête. Tapées sur différentes machines à écrire. Des paragraphes bien nets de suppositions, d'analyses

531

d'opérations clandestines et d'informations fournies à diverses agences par des sources inconnues. Les détails se mélangeaient devant ses yeux : Iran, Chili, cocaïne.

— Vous avez ça depuis le début, murmura-t-il. (Il lança un regard noir à l'homme aux épaisses lunettes.) Vous saviez depuis le début !

— Je ne *savais* rien ! (Billy se pencha vers Wes.) Ma première recommandation était de ne pas réveiller les chiens endormis. C'est de l'histoire ancienne, Varon est un vieux monsieur. Malade, paraît-il. Il n'a plus aucun pouvoir. Sa compromission dans le scandale de la contra iranienne était son second faux pas, et il sait qu'un troisième lui serait fatal. Je savais qu'il ne servirait à rien de chasser des fantômes et de déranger des spectres. Jud avait peut-être compté jadis, mais ce n'était plus qu'un disque brisé, sans aucune valeur pour le travail légitime de l'Agence.

... Mes supérieurs n'étaient pas d'accord, reprit-il. Bien. C'est ainsi que fonctionnent les institutions. Mais ont-il suivi la procédure ? Ont-ils poursuivi leur objectif en utilisant les canaux habituels ? Non, ils ont fait appel à vous. Ils m'ont mis sur la touche et ils ont fait appel à vous.

Il se renversa dans son fauteuil.

— Ceci est *mon* dossier, *mes* spéculations officieuses. Les ordres étaient de rester en dehors de tout ça. Je les ai contournés, j'ai proposé de vous aider, mais vous avez refusé. Comme Varon et ses hommes, vous étiez hors du coup, hors de vue, hors d'atteinte. Un cow-boy. Je suis en dehors de tout ça.

— Vous êtes en plein dedans, *général* ! Vous et vos institutions ! Je me fous de savoir si vous avez couvert vos arrières, mais quelque part, vous et les vôtres êtes responsables. Il y a des cadavres à travers tout le pays et...

— Ils sont sur votre route, semble-t-il, major.

— Exact ! (Wes pointa le doigt sur le bureau de Billy.) Et ma route m'a conduit jusqu'ici !

Billy ôta ses lunettes pour s'éponger le front.

— Jud est peut-être un disque brisé, dit Wes, mais il connaît une chanson qui intéresse sacrément Varon. Quelque chose qui a déclenché toute cette merde. Quelque chose qui a poussé un marin qui travaillait pour la Maison Blanche — et faisait partie de l'équipe de Varon je suis prêt à le parier — à quitter San Francisco pour L.A. J'ignore pour quelle raison. Mais Varon le sait. Et dans tous les cas, il ne s'agit certainement pas d'histoire ni d'institutions, il s'agit du présent.

— Je m'occupe du présent, dit Billy. Ce dossier, Varon, Jud : tout cela a modifié le monde. Le Mur de Berlin n'existe plus ! Le KGB fait visiter son quartier général à des journalistes américains ! Mais le rôle de cette institution, de ma CIA, reste le même : les guerres commerciales, le terrorisme, la prolifération nucléaire... J'ignore dans quelle direction nous devrons aller, mais si nous sommes ébranlés par un nouveau scandale, par les péchés de bonnes intentions ou les mauvaises opérations clandestines que symbolisent Jud Stuart et Varon... c'est le présent qui en pâtira. Et l'avenir.

— Rien à foutre, lâcha Wes.

— Quel beau geste de votre part de contracter cette dette pour votre pays.

— Mettons fin à toutes ces conneries.

— Comment ?

— Je vous amène Jud. Vous le protégez. Vous lui procurez l'immunité, tout ce qu'il faut.

— Vous êtes avocat, vous savez bien que je ne peux pas.

— Bien sûr que si. Un simple coup de fil.

— Quoi d'autre ?

— Quoi qu'ait pu faire Varon, coincez-le. J'ai perdu trop de choses pour laisser filer ce fils de pute.

— Vous ? Je croyais qu'on parlait de l'Amérique.

— Je suis un Marine des Etats-Unis.

— Qui a agi de manière douteuse.

— Traînez-moi en justice.

— Il existe d'autres remèdes.

— C'est une voie à double sens, dit Wes. Je connais un écrivain qui a des intérêts personnels à défendre. Il est déjà impliqué. Je peux l'aider d'un tas de façons.

— Que tirerez-vous de tout ça ?

— Je m'en tirerai, tout simplement, répondit Wes.

— Et ?

— C'est tout. (Wes marqua un temps d'arrêt.) Si ça continue, je me retrouve enlisé pour de bon.

Le général Billy Cochran se pencha au-dessus de son bureau.

— Major, vous êtes déjà enlisé. La question c'est de savoir jusqu'où, et si vous essayez de me baiser, et si vous échouez...

— Je sais quelles sont mes chances, dit Wes.

— Soyez prudent dans vos choix, dit Billy. Et le directeur Denton ?

— Vous l'aurez par la ruse, dit Wes. C'est vous l'homme de l'intérieur, le pro. Il veut rester au sommet de l'échelle, puissant et aimé, sans la moindre ombre au tableau. A vous de trouver un moyen de le satisfaire. Ou de lui foutre suffisamment la trouille pour l'empêcher de nous attirer des emmerdes.

— Quand pouvez-vous m'amener Jud Stuart ?

— Dès que possible. Si vous ôtez vos chiens de mes pattes.

— Je peux juguler l'intérêt des agences fédérales, à condition que vous ne m'ayez rien caché et que vos péchés ne soient pas plus abominables que vous ne le laissez entendre. Mais aucun groupe ne vous aidera. Je ne peux vous offrir l'aide de cette agence sans l'autorisation de Denton, et il ne me la donnera pas. Noah lui dira que je les ai trahis en annulant votre quarantaine, que j'ai conspiré contre eux en vous recevant.

...Vous pouvez prendre soin de vous. Quand cette

534

affaire sera terminée, tout cela n'aura plus aucune importance.

...Votre sort est entre vos mains, major. N'oubliez pas : Varon est un brillant stratège qui mérite ses médailles de guerre.

Le Marine se leva.

— Vous ferez simplement votre travail, reprit le directeur adjoint de la CIA qui tissait déjà une nouvelle toile d'araignée sous une lumière épurée. Celui que vous a confié Denton. Amenez-moi Jud Stuart. Et vite. On s'arrangera.

Billy tendit la main.

— Ce dossier m'appartient.

La chemise vierge en papier bulle ne pesait rien dans la main de Wes, remplie de notes qu'il brûlait d'envie de consulter. C'était un dossier qu'aucune commission d'enquête ne découvrirait jamais, un dossier que Billy ne conserverait pas dans son bureau. Combien en existait-il de semblables ailleurs ?

— Que vouliez-vous en faire ? demanda Wes. Qu'auriez-vous fait si je n'avais pas mis à jour les activités de Varon, et si je ne vous avais pas proposé ce marché ?

— Ce que je jugeais nécessaire et prudent, répondit Billy.

Il tendait la main dans le vide. Attendant le dossier.

Wes le laissa tomber sur le bureau.

Le tunnel

Nick ne désirait qu'une seule chose : rentrer chez lui.

Coincé dans les embouteillages de l'après-midi, le dôme du Capitole dans son rétroviseur, il se foutait pas mal de Wes Chandler, du corps des Marines des Etats-Unis. Il se foutait de Jud, de la CIA, et des méchants qui trahissaient la confiance de l'Amérique. Il voulait rentrer chez lui, entendre le rire de sa femme, sentir son étreinte, regarder son fils traverser le salon d'un pas titubant. Le chien viendrait lui lécher la main. Il avait envie d'appeler sa mère dans le Michigan, de l'écouter parler du temps qu'il faisait là-bas, de sa partie de bridge du lundi soir, de ses tantes complètement folles. Il aurait aimé que son père soit encore de ce monde. Nick était vidé et abattu, il voulait juste rentrer chez lui.

Le trafic était dense ; les gens se hâtaient d'aller là où ils voulaient se rendre avant que l'orage n'éclate, que les chaussées ne deviennent glissantes.

Leur Jeep était garée dans l'allée : *Sylvia était rentrée de bonne heure.*

Le chien aboya lorsque Nick remonta le trottoir. *Il aboie toujours.* Sylvia ouvrit la porte, l'air grave. Nick se précipita vers elle pour lui dire que tout irait bien. Il espérait ne pas mentir.

— *Il est ici !* chuchota-t-elle alors qu'il sautait sur le perron.

— Quoi ?

— *Jud...* il est à l'intérieur.

— Papa !

Saul s'élança dans le sillage de son cri de joie aigu, et s'accrocha aux jambes de Nick, par amour et pour garder son équilibre.

— Papa !

Le chien arriva en trottinant derrière l'enfant. Pour s'assurer que c'était bien son maître à la porte. Puis il tourna la tête vers l'intérieur de la maison.

— J'ai essayé de te joindre toute la journée ! dit Sylvia pendant que Nick prenait Saul dans ses bras.

— Je...

— Je lui ai dit qu'il ne pouvait pas rester.

Elle éprouvait une gêne égale à la pression du couteau à éplucher dans sa poche arrière. Nick était là, tout allait bien. Elle lui adressa un sourire timide, mais le regard de son mari n'exprimait ni joie ni soulagement.

Son fils dans ses bras, son épouse à ses côtés, précédé du chien, Nick entra dans la salle à manger.

Jud était assis à table. Devant lui se trouvaient une tasse de café et une peau de banane.

— Ça fait un bail, vieux.

Jud sourit. Sa voix était fatiguée.

— Comment es-tu venu jusqu'ici ? murmura Nick.

— Du mieux que je pouvais, soupira Jud. Je n'ai personne aux trousses.

— Si, justement.

— Bon, d'accord, avoua Jud. Mais personne ne m'a suivi jusqu'ici.

Nick s'assit devant la table de la salle à manger, Jud était à sa droite, Sylvia prit place à sa gauche. Saul s'agitait dans les bras de son père ; il regardait les grandes personnes, les yeux écarquillés, la tête appuyée contre le torse de Nick.

— Vous avez une mauvaise nouvelle, paraît-il, dit Sylvia en s'adressant à Jud.

Les deux hommes la regardèrent ; elle les dévisagea sans ciller.

— Je suis concernée aussi, dit-elle.

— Je t'écoute, Jud, dit Nick.

— Lorri est morte.

— Je sais.

Difficile de dire qui était le plus étonné : Jud ou Sylvia.

— Comment est-ce... dit Jud.

Nick l'interrompit.

— Comment est-elle morte ?

— Elle... suicide. Je l'ai découverte. Dans le Nebraska.

— Mon Dieu, chuchota Sylvia.

La peur s'infiltra dans sa salle à manger.

— Tu es sûr ? demanda Nick.

— Pourquoi tu demandes ça ?

Sylvia observait son époux d'un air hébété.

Sans oser la regarder, ce dernier répéta sa question :

— Tu en es sûr, Jud ?

— Elle s'est tuée. Seule. (Il secoua la tête.) Mais c'est moi qui ai placé le rasoir dans sa main, il y a longtemps. Je suppose que c'est moi qui l'ai tuée.

— Non, dit Nick. Pas tout seul.

— Peu importe. Ça n'efface pas mes fautes.

— De quoi parlez-vous tous les deux ? intervint Sylvia. Jud, je ne la connaissais pas, mais je suis désolée, je... (Son regard s'élargit pour inclure les deux hommes.) De quoi parlez-vous ?

— Comment tu l'as su ? demanda Jud à son vieil ami.

Nick se tourna vers Sylvia, Jud l'imita.

— Non, dit-elle.

— Ma chérie...

— *Non !* Tu es mon mari. C'est mon fils que tu tiens dans tes bras ! C'est notre vie... et *tous les deux,*

538

vous n'avez pas le droit de la mettre en danger avec vos conneries de machos...

Maman criait, alors Saul se mit à pleurer. Le chien se leva.

— Sylvia, laisse-moi juste... comprendre où on en est, ce qui...

— On est dans notre *maison* ! Avec tes foutus secrets ! Je suis ton épouse, ça me donne des droits. On ne peut pas m'obliger à témoigner...

— Je ne m'inquiète pas pour ton témoignage.

Nick berçait son fils secoué de sanglots.

— Alors, qu'est-ce qui t'inquiète ?

— Ce serait mieux si tu nous laissais seuls un moment, Jud et moi.

— Mieux pour qui ?

— Pour tout le monde, répondit Nick. Dès que je le pourrai, je te raconterai tout, et tout ira bien. Fais-moi confiance.

— Comme tu me fais confiance en ce moment ?

L'enfant hurla.

— Ce n'est pas le problème, dit Nick.

Sylvia se leva et prit Saul dans ses bras.

— Non, dit-elle d'un ton cassant. (Du menton, elle montra leur fils.) C'est lui.

Elle lança un regard noir à cet étranger qui avait introduit sous leur toit des histoires de mort ; puis elle foudroya son mari.

— *Le renoncement à tous les autres,* c'est bien ça ? On aurait mieux fait de s'en tenir aux serments traditionnels au lieu de rédiger les nôtres.

La mère monta à l'étage en emportant son enfant. Les cris de Saul s'éloignèrent. Assis autour de la table de la salle à manger, les deux hommes écoutaient le tic-tac de la pendule à balancier dans le salon. Le chien resta en bas, avec eux.

— Elle me plaît bien, commenta Jud.

— Moi aussi, répondit Nick à voix basse.

— Comment tu as su pour Lorri ?

Nick hésita.

— Tu dois me faire confiance, dit Jud. Je ne t'ai jamais trahi.

Nick lui parla alors de Jack Berns et du Marine nommé Wes, de l'embuscade à Union Station. Sans mentionner la contra iranienne, ni un certain général Varon aujourd'hui en retraite.

— Comment tu peux savoir que ce Wes est bien celui qu'il prétend être ? demanda Jud.

— A part sa carte d'identité ?

— Tu sais combien de personnes différentes j'ai été, avec chaque fois une nouvelle carte d'identité ? Alors, pourquoi est-ce que tu lui fais confiance ?

— Il avait une arme. (Nick ne parla pas du revolver récupéré sur le type de Union Station et qui se trouvait maintenant dans son sac à dos.) Il n'était pas obligé de me laisser partir.

— Ce n'est pas aussi simple, répondit Jud. Tu as oublié tout ce que je t'ai appris ?

— L'embuscade n'était pas bidon.

— Tu crois qu'un quelconque héros n'accepterait pas de recevoir quelques coups, juste pour te prouver la bonne foi de ce Marine ? Comme ça, il peut découvrir exactement ce que tu sais, avant de te liquider.

— Il en sait suffisamment, répondit Nick. Et il ne m'a pas liquidé. Alors je lui fais confiance... un peu du moins.

— Que sait-il ? Et toi, que sais-tu ?

— Non...

Nick sentit le courant s'inverser entre eux.

— Pendant toutes ces années, dit-il, c'est toi qui as mené la barque. Je n'ai jamais exigé des réponses que tu ne voulais pas donner. Et c'était très bien ainsi, car j'étais là uniquement pour apprendre les règles du jeu. Je n'en faisais pas partie. Du moins, je le croyais.

... Mais plus maintenant, reprit Nick. La dernière fois où tu m'as appelé, tu m'as entraîné dans la partie.

Et c'est comme ça que tout le monde m'est tombé dessus. Peu importe que je n'aie rien fait, ils avaient besoin de moi pour t'atteindre. Tu as fait de moi un joueur, et je n'ai pas l'intention de subir les événements.

— Qu'est-ce que tu veux ? demanda Jud.

— M'en sortir sain et sauf, mais tu ne peux rien faire pour moi.

— Peut-être que...

— Il n'y a pas de peut-être. Je connais ce type. Ce n'est pas un *peut-être* qu'on peut contrôler.

Jud soupira, en se massant le front.

— Pourquoi es-tu venu ici ? demanda Nick.

— Lorri... Elle...

— Oui, je suis au courant pour le... message. Tu as placé le rasoir dans sa main, je l'ai prévenue que le moment était venu de s'en servir. Je sais aussi que je suis certainement le dernier ami qui soit prêt à t'aider sans chercher à vendre ta peau. Mais à part ça, pourquoi revenir à Washington ?

— Tu n'es pas une raison suffisante ?

— Avec toi, dit Nick, ce n'est jamais aussi simple qu'il y paraît.

La pendule égrenait les secondes. Nick croyait entendre des battements de cœur.

— Il faut que je rencontre celui qui a tout déclenché, dit Jud.

— Ton officier de liaison. Le chef de l'équipe dont tu faisais partie.

— Toutes ces étiquettes concordent, dit Jud.

— Pourquoi ?

— C'est ce que je dois découvrir, dit Jud.

— Mais tu crois déjà le savoir.

Le regard de Nick arracha la réponse.

— Il voulait que j'exécute un certain travail, expliqua Jud. En 85 ou 86... à cette époque, parfois... j'avais commencé à picoler sérieusement et...

— Je sais, dit Nick. Je comprends.

— J'ai refusé, dit Jud. Ça ressemblait à un coup monté, et je ne suis pas un imbécile.

— Quel travail ? demanda Nick.

— Non... Si je te le dis... alors tu sauras.

— Peut-être que je sais déjà... La contra iranienne.

— Ce n'est pas parce que tu es dans les gradins que tu connais le jeu.

— S'ils ont envoyé quelqu'un te chercher à L.A., si le boulot que tu as refusé était un coup monté... où est-ce que tu penses mettre les pieds maintenant ? S'ils te courent après, pourquoi aller te jeter dans leurs bras ?

— Où veux-tu que j'aille ? Que veux-tu que je fasse ? D'ailleurs, ils ne savent pas quand je vais venir. Ils ne savent pas que je sais qui c'est.

— Qui est-ce ? interrogea Nick. Que peut-il t'apporter ?

— Je dois le voir, répondit simplement Jud.

— Va voir le Marine, dit Nick. Wes Chandler. Il acceptera tes conditions. Parle-lui. Laisse-le t'aider... nous aider.

— Il est dans leur camp, répondit Jud. Même s'il joue franc jeu avec toi, il est dans leur camp. C'est peut-être lui l'Effaceur.

— Le quoi ?

— Quand ils veulent effacer un problème, faire le ménage, buter quelqu'un, ils ont une petite discussion avec le Dr Gunn, le spécialiste. Et après, ils envoient l'Effaceur. (Le feulement qui glaçait le sang de Nick réapparut dans la voix de Jud.) Je ferais mieux de le savoir.

— Ce n'est pas l'Effaceur, dit Nick. Si c'était le cas, il m'aurait collé au train jusqu'à ce que tu te montres. Il savait que tu viendrais me trouver tôt ou tard. Il aurait fait surveiller la maison. Il aurait... terminé sa mission à cette heure.

D'une main tremblante, Jud caressa sa barbe de plusieurs jours autour de sa bouche sèche. Il passa la

542

langue sur ses lèvres. Peut-être que Nick lui donnerait à boire.

— Il n'y a pas un grand « eux », dit Nick. Je sais qui est ton « il ». Wes Chandler également.

— Quoi ?

Jud cogna la tasse à café contre la soucoupe.

— Varon, dit Nick. Le général Varon.

Jud ne put empêcher la vérité d'apparaître sur son visage.

— Ce n'est pas Dieu, reprit Nick. Il n'est ni invincible ni invisible.

— Qui te l'a dit ? Qui a enfreint les règles de sécurité ?

— C'est lui, répondit Nick. Quand il a commencé à travailler pour son propre compte.

— Ton Marine, il est au courant ?

— Oui. Et il continue à enquêter.

Nick se pencha par-dessus la table pour saisir le bras de son ami.

— Tout est en train de s'écrouler, dit-il. Ta seule chance c'est de venir avec moi. Chandler veut conclure un marché avec la CIA à ton sujet.

— Oh ! *merde*.

Jud se leva. La salle à manger octogonale, avec sa baie vitrée, ses rideaux de dentelle et sa table en acajou verni, cette vitrine à porcelaine et ses tableaux, cette maison dans un quartier paisible de banlieue : tout cela tournoya autour de lui. Il reprit son équilibre, aperçut la porte de la cuisine, le réfrigérateur, et il s'y rendit, et trouva deux bouteilles de bière. Il en vida la moitié d'une sans respirer. Le choc froid et amer éclaircit sa vision. Il retourna dans le salon, une bouteille dans chaque main.

Adossé au montant de la porte, il termina la première bouteille d'une traite.

— Quand va-t-il leur proposer son marché ? demanda Jud.

— En ce moment même.

543

— Merde !

Il lança la bouteille vide dans une poubelle sans couvercle dans la cuisine. *Deux points*, songea-t-il, alors que la bière réchauffait son ventre, enflammait son sang.

— Avec qui ? demanda-t-il. Cet enfoiré nommé par le président ?

— Non. Avec le général Cochran, le numéro deux. Le pro.

— *Merde !* (Cette fois, le juron fut prononcé sur un ton languissant, et non plus plaintif.) Billy C. Quand il était au N.S.A. et à l'état-major... (Jud secoua la tête.) Billy C. sait conclure un marché.

— Mes téléphones sont sur écoute, expliqua Nick. Les hommes de Varon. Mais on pense qu'ils ne sont pas nombreux. Dès que Wes aura conclu le marché, il appellera et...

— Je ne serai plus là.

— Tu ne peux pas passer ta vie à fuir !

— J'ai fini de fuir, répondit Jud.

— Viens avec moi. Viens voir Wes.

— Finis les arrangements aussi.

— C'est toi qui m'as entraîné dans cette histoire, dit Nick. Tu me dois bien ça.

Le seul qui reste, songea Jud. *Nick est le seul qui reste.*

— O.K., dit-il. Je te le dois. J'irai voir ton Marine. Après Varon.

— Ce n'est pas...

— C'est la seule solution ! Je n'ai rien à foutre d'un *marché* avec la CIA ! Qu'est-ce qu'ils ont à m'offrir ? Est-ce qu'ils peuvent recoudre les poignets de Lorri ? Ressusciter Nora ? Est-ce qu'ils peuvent me redonner tout ce que j'ai gâché, et tout ce qu'on m'a volé ?

... Tu ne comprends donc pas ? Si je ne le fais pas moi-même, si je ne l'affronte pas moi-même, ils restent les maîtres du jeu, et je suis foutu, tout ça pour rien.

— Si tu fais ça, il va... Tu ne peux pas...

Jud haussa les épaules.

— De plus, s'il a encore un peu de pouvoir, et si je laisse tomber ce sera moi le traître.

— Tu sais bien qu'il n'agit pas légalement.

— Aucun de nous n'a jamais agi légalement.

— Ne fais pas ça.

Jud sourit.

— Je t'aime comme un frère.

— Alors traite-moi et fais-moi confiance comme un frère.

— Toi, je te fais confiance. Mais il ne s'agit pas de toi. (Jud fit un clin d'œil.) Ne t'inquiète pas : il ne peut pas m'avoir.

— Il peut te tuer.

— Non, impossible.

On sonna à la porte.

Le chien aboya.

Les pas de Sylvia résonnèrent dans l'escalier ; le rire de Saul se rapprocha.

La poignée de la porte tourna...

Nick et Jud se précipitèrent dans l'entrée. Nick se saisit de son sac à dos par terre ; au même moment, il vit Sylvia descendre l'escalier, avec Saul dans ses bras, tandis que la porte s'ouvrait...

— *Holà !* s'exclama Juanita en se précipitant à l'abri de la pluie. *Sylvia !* Soy...

... C'est moi, dit-elle en passant à l'anglais en voyant Nick.

Le chien lui lécha la main. Nick fit signe à Jud de reculer.

— Ma cousine m'a dit que vous aviez appelé, dit Juanita, visiblement inquiète.

— Emmenez Saul, dit Sylvia en enfilant un ciré jaune par-dessus la tête du bébé, et serrant la capuche, avant de l'embrasser sur le front. *Por la noche.*

— Sylvia, murmura Nick, qu'est-ce que...

— Je fais ce que j'ai à faire.

545

Apercevant la silhouette massive de Jud qui disparaissait dans la salle à manger, Juanita chuchota :

— *Senora, tu quieres la policia ?*

— Non, répondit Nick.

— *Gracias, no,* dit Sylvia.

Juanita observa ses amis, les parents de son *amorcito.* Elle serra Sylvia dans ses bras. Plus timidement, elle étreignit Nick.

Les parents s'agenouillèrent pour embrasser leur fils perplexe et le serrer contre eux avec tendresse. Juanita prit sur son épaule un sac de couches.

— Tout va bien se passer, mon chéri, dit la mère. Maman et papa t'aiment beaucoup. A très bientôt.

Saul fit un grand sourire ; il adorait monter en voiture.

Sylvia pleura en regardant Juanita emmener l'enfant en ciré jaune sous la pluie.

— C'est la première fois qu'il va dormir loin de nous, chuchota Nick. Il va avoir peur.

Le regard que lui jeta Sylvia aurait pu geler la pluie.

— Mon enfant ne sera pas mêlé à tout ça !

Nick posa sa main sur son épaule ; son épouse était sur les nerfs, mais elle ne se recula pas. Ils refermèrent la porte.

Ils retournèrent dans le salon qui paraissait désert et glacial. Jud les attendait devant la cheminée où étaient posées les photos de Saul dans ses langes, Saul exécutant ses premiers pas, Saul se faisant lécher par le chien.

— Qu'allez-vous faire maintenant ? leur demanda Sylvia.

— Je dois aller voir un type, dit Jud. Puis Nick veut me présenter quelqu'un.

Dehors, il pleuvait.

— Comment allez-vous y aller ? interrogea Sylvia.

— Je vais l'y conduire, répondit Nick.

— *Hein ?* s'exclamèrent en chœur Sylvia et Jud.

— Oui, dit Nick.

— Non, dit sa femme.

— Je peux vous emprunter de l'argent pour prendre un taxi et...

— Si tu disparais, dit Nick, il ne leur restera plus que moi.

Le couple se foudroya du regard.

Jud se racla la gorge.

— Ecoutez, je n'ai pas de vêtements propres, mais...

— Attendez une minute, dit Sylvia.

Après qu'elle soit montée rapidement à l'étage, Nick dit à Jud :

— Ne discute pas.

— O.K. Mais c'est moi qui commande.

— Mon cul, dit Nick.

Sylvia redescendit.

— Vous trouverez des serviettes et une brosse à dents dans la première salle de bains. Les pantalons de Nick seront trop petits, mais une de ses tantes lui a envoyé pour ses quarante ans une chemise qui devrait vous aller. Il y a également des chaussettes propres et des sous-vêtements oubliés par un de nos amis qui est...

— Gros, dit Jud.

— Et aussi du savon et du shampooing, dit-elle en regardant Nick.

— Tu n'as pas le droit de nous faire ça, dit-elle à son mari lorsque Jud eut refermé la porte de la salle de bains à l'étage.

— Je le fais pour nous justement.

— Et *nous* qu'est-ce qu'on va y gagner ? Une veuve et un orphelin ?

— J'ai tout prévu, répondit Nick. Ce n'est pas le moment de t'expliquer...

— Il est sous la douche !

— Si je suis soumis au détecteur de mensonges, je ne veux pas échouer aux questions du genre « Qui est au courant ? »

— Je suis ta femme. L'avocate. Le test du détecteur

547

de mensonges n'est jamais obligatoire. Qui allez-vous voir ?

— Personne, j'espère. A cette heure-ci demain...

— Aujourd'hui ! (Elle étouffa un sanglot. La peur prit le dessus sur la colère et elle s'effondra dans ses bras en pleurant.) Mon enfant est parti, et toi tu t'apprêtes à faire une bêtise dont tu ne veux même pas me parler, et je ne peux pas...

— Calme-toi, souffla-t-il. Tout va bien se passer.

— Comment le sais-tu ?

— Je l'accompagne voilà tout, et ensuite je le confie à un gars que je connais. Un fonctionnaire qui...

— Qui a intérêt à nous en débarrasser !

Nick lui souleva la tête.

— Il fera ce qui doit être fait. Et nous n'aurons plus rien à voir là-dedans. Je te le promets.

— C'est ce que tu souhaites. On ne peut pas toujours avoir raison.

— Cette fois, j'en suis sûr.

Un millier de pensées tourbillonnaient dans sa tête, mais elle pouvait juste le serrer dans ses bras et sangloter, en lui disant qu'elle l'aimait.

Jud toussota avant de descendre l'escalier. Son torse et son ventre tendaient une chemise de cow-boy à boutons-pression.

— Mon anorak bleu en Gore-Tex devrait t'aller, dit Nick.

Il alla le chercher dans la penderie et troqua sa veste contre un coupe-vent rouge foncé.

— On risque de ne pas rentrer avant demain matin, dit Nick à son épouse, convaincu d'être de retour à minuit, mais ne voulant surtout pas l'inquiéter s'il avait du retard.

— Pas de problème, dit Jud.

— Pour vous, rétorqua Sylvia, regrettant aussitôt ses paroles.

— Le téléphone... dit Nick, et il se souvint qu'il devait rappeler son flic de la criminelle pour lever l'alerte de Union Station et l'avertir de ce qu'il allait faire... Surtout, ne dis rien au téléphone.

Le visage marbré de larmes de Sylvia pâlit.

— C'est quoi cette histoire ?

— Une simple virée entre copains, dit Nick.

Jud sortit des poches de l'anorak bleu tous les bouts de papier, tout ce qui permettait d'identifier son propriétaire.

— Où allez-vous ? demanda Sylvia.

— Il vaut mieux que vous l'ignoriez, dit Jud.

— Allez au diable tous les deux !

— On aura peut-être besoin d'une carte, dit Jud.

— J'en ai une dans le bureau, répondit Nick en le précédant dans l'escalier, laissant Sylvia seule dans l'entrée.

Attendant qu'ils disparaissent, elle monta ensuite l'escalier sur la pointe des pieds. Plaquée contre le mur, elle entendit leurs murmures :

Jud : « ... allé une fois. Sur la Route 50 près d'Annapolis... »

Nick : « ... dizaine de sorties. »

Jud : « Les multiples... souviens-toi, les multiples... Quatre cent vingt-quatre. Route 424. »

Elle les entendit replier la carte.

Sylvia dévala l'escalier et atteignit le canapé du salon juste à temps pour qu'ils la voient se lever. *Comme si j'étais restée assise là, à attendre.*

Jud la regarda ; il secoua la tête.

— Euh... je crois que je n'ai pas grand-chose à vous dire, à part au revoir.

Et il sortit sous la pluie.

Nick la serra dans ses bras.

— Je t'aime. Je reviendrai.

Et il sortit à son tour.

L'heure de pointe sous la pluie. Lorsqu'ils atteignirent le boulevard périphérique, les voitures roulaient à quarante kilomètres-heure, pare-chocs contre pare-chocs, une chaîne de phares jaunes avançant au ralenti sur une route luisante comme un miroir. Ils avaient pris la Jeep familiale de Nick. Les vitres étaient baissées pour chasser la buée du pare-brise. Les essuie-glaces battaient au rythme d'une marche rapide.

— Tu n'as jamais rencontré Varon ? demanda Nick.

— Non. Normal. La sécurité, pas besoin de savoir. Dénégation.

— J'ai des documents dans mon sac à dos.

Jud découvrit le revolver ; il jeta un regard étonné à son ami l'écrivain.

— On l'a piqué au type de Union Station, expliqua Nick. Tu devrais le prendre.

L'arme était un poids familier dans la main de Jud.

— Non.

Jud feuilleta les documents des Archives.

— Le Marine les a vus ?

— Oui. (Nick mit son clignotant gauche et se glissa dans une file où les voitures avançaient un peu moins lentement.) Il dit que tu sais que tu peux lui faire confiance à cause de ce qui s'est passé dans le désert ; il aurait pu te tuer et il ne l'a pas fait.

Le regard de Jud se perdit au-delà du pare-brise.

— Raconte-moi, demanda Nick.

Avant il n'aurait jamais insisté.

— Dean...

— Merde ! cracha Nick.

Encore un accroc à sa conscience.

— Tu as fait ce que tu devais faire, dit Jud. On a tout organisé. Dean a tout balancé par-dessus bord.

Les essuie-glaces battirent dans le silence pendant presque un kilomètre. Les larmes marbraient les joues de Jud.

— Que s'est-il passé dans le désert ? demanda Nick.

Jud secoua la tête, sécha ses larmes.

— Si je te dis ce que j'ai fait, c'est terminé. Donne un nom à une chose, tu meurs avec.

— Et Dean ?

— Si le Marine s'en est tiré, Dean est mort.

Un camion venant en sens inverse aspergea la Jeep.

— Tu connais la vérité fondamentale sur nos rapports ? demanda Jud.

Nick ne répondit pas, il attendait.

— Tu as toujours rêvé d'être à ma place, dit Jud. Un espion, un dur à cuire comme dans un de tes bouquins. En première ligne. Le chevalier noir luttant pour une bonne cause. Un type *dangereux*.

Jud rit.

— Quel baratin romantique.

— Et moi, j'ai toujours rêvé d'être toi, ajouta Jud. Un type sans embrouilles, avec sa propre personnalité. Que les gens connaissent. Des parents qui te protègent, les mains propres, le sommeil paisible, une épouse, un gosse... Une vie.

— Et toi pour ami, dit Nick.

— Je t'ai placé dans mon collimateur. (Les paroles de Jud étaient pleines de glace, de chaleur également.) Ma mission était de ferrer les informateurs de ton boss, le chroniqueur. Tu étais là. Tu avais écrit un bouquin sur mon monde, tu étais journaliste, tu avais une sorte d'immunité juridique. J'ai tracé ton profil, je t'ai pris sous mon aile... Je me suis dit que tu serais mon...

— Ton rédempteur, dit Nick. Que j'écrirais quelque chose parce que je te connaissais, et ce serait ta rédemption.

— Tu y as pensé toi aussi ?

— Non.

Ils rirent.

Jud secoua la tête.

— Tu étais mon confesseur. Et je t'ai fait découvrir l'enfer. Mais tu n'as jamais exaucé ton vœu, *M. Dangereux*. Félicitations.

Ils roulèrent en silence pendant un moment.

— Moi non plus, ajouta Jud.

— C'est ça que tu veux ? demanda Nick. Une vie bien rangée ?

— J'ai cessé de désirer l'impossible depuis le Nebraska.

— Et maintenant ? Tu ne peux pas poursuivre cette vie. Tu y as déjà laissé ton estomac. Si les jeux d'espions ne te tuent pas, l'alcool s'en chargera. Deux sales façons de mourir. Qu'est-ce que tu veux ?

Jud resta silencieux pendant une quinzaine de kilomètres.

— Durant toutes ces années, demanda enfin Nick, combien de fois m'as-tu vraiment dit la vérité ?

— Je ne sais pas, répondit Jud, en toute sincérité.

Ils suivaient les phares de Nick et la boussole de la mémoire de Jud. La carte était dépliée entre eux. Leur itinéraire contournait Washington en direction d'Annapolis. La circulation était dense ; tous les banlieusards empruntaient le couloir Washington-Annapolis-Baltimore. La sortie 424 débouchait sur une route à deux voies qui traversait des champs de maïs et des plantations d'arbres. Il y avait trop de maisons aux lumières scintillantes pour que ce soit vraiment la campagne, trop peu d'habitations pour former une banlieue ou une ville à part entière.

Le rétroviseur était vide.

— Tu es sûr de connaître le chemin ? demanda Nick.

Si jamais ils se perdaient, il pourrait convaincre Jud de faire demi-tour, pour aller voir Wes.

— Il y a un bar un peu plus loin.

Les bandes blanches sur la chaussée tournaient vers la gauche. Un néon rouge luisait au bord de la route, à un peu plus d'un kilomètre à la sortie du virage.

— On ne s'arrête pas pour boire, dit Nick.

— C'est juste un point de repère.

Ils dépassèrent le bar, devant lequel étaient garées quatre voitures.

— Pourquoi veux-tu parler à Varon ? demanda

Nick. (Comme Jud ne répondait pas, il ajouta :) Et s'il n'est pas chez lui ?

— Il n'a nulle part où aller lui non plus.

— On pourrait... commença Nick, mais il croisa le regard de Jud. Non... soupira-t-il, on ne peut pas.

— Là-bas, dit Jud. Tourne à gauche à l'épicerie.

Un peu plus tard, ils tournèrent de nouveau à gauche, puis encore une fois, puis à droite, mais Jud se ravisa. Ils revinrent au précédent croisement, et cette fois, ils tournèrent à gauche.

La boussole sur le bracelet en Velcro de Nick tournoyait.

Le marquage de la route à deux voies était irrégulier. A chaque croisement, Jud demandait à Nick de ralentir pour scruter les environs à travers la pluie et l'obscurité.

— C'est là, dit-il enfin. Je reconnais le terrain de basket avec le lampadaire qui éclaire la route.

Un vieux panneau vert indiquait AULDEN DRIVE. Ils quittèrent la route goudronnée pour un chemin de graviers cahoteux.

— C'est tout droit, dit Jud. A environ six ou sept kilomètres d'ici. La maison est sur la droite. Il y a une boîte aux lettres.

Le chemin était un tunnel au milieu des sycomores vacillants ; les phares éclairaient des troncs noirs et gris clair. Des ombres de pins et de broussailles dansaient derrière les sycomores. La pluie traversait des nappes de brume.

— La baie de Chesapeake est tout près, dit Nick. Quand j'étais au cours moyen, on devait sans cesse la dessiner en cours d'histoire.

— Arrête-toi, dit Jud.

Une boîte aux lettres montait la garde au bord de la route. Nick s'arrêta, éteignit les lumières. Les essuie-glaces poursuivirent leurs battements de cœur. Il appuya sur un bouton, et la vitre électrique s'abaissa. L'air frais sentait la chlorophylle, l'humidité et le

553

gravier. La pluie dans la forêt ressemblait à un millier de torrents fougueux.

A travers la végétation, Nick distinguait des lumières. Une allée de gravillons conduisait vers la maison au milieu des arbres.

— C'est à environ trois cents mètres de la route, dit Jud. Les arbres ont poussé par ici. Je vais continuer à pied. Rentre chez toi, je...

— Non, répondit Nick. On a passé un marché.

— Je tiendrai parole. Mais je ne veux pas que tu m'accompagnes, ce serait ridicule. Dès que j'en aurai terminé, je prendrai un taxi et...

— Un taxi ? Ça c'est ridicule ! Les taxis ne...

— Rentre chez toi, Nick. Tu en as assez fait.

— Je ne suis pas venu jusqu'ici pour repartir. Je veux bien que tu y ailles seul, mais moi je reste ici. Sur la route. A t'attendre.

Jud observa son vieil ami ; il comprit qu'il était inutile d'insister.

Nick lui tendit le revolver.

— Prends-le.

— Non. Pas maintenant.

— Tu vas aller sonner à la porte comme ça ?

— Le dos au mur. (Jud ouvrit la portière de la Jeep.) Reste dans la voiture.

Il rit.

— Si ça tourne mal, faut que quelqu'un aille prévenir les Marines.

— Bien sûr.

— A plus tard, dit Jud.

Et il s'éloigna ; silhouette massive qui remonte l'allée d'un pas lourd sous la pluie. Nick tendit l'oreille et plissa les yeux : à travers l'orage et les arbres, il crut entendre une sonnette, il crut voir un trait de lumière s'échapper dans l'obscurité tandis qu'une porte s'ouvrait. Il imagina qu'il entendait des voix, des questions, des réponses. Puis la lumière disparut ; il se retrouva seul dans le tunnel avec le bruit de la pluie.

Le serpent jaune

Wes se retrouva coincé par les embouteillages sous la pluie ; il mit une heure pour rejoindre le district de Columbia, et encore une demi-heure pour traverser la ville et trouver cette banlieue du Maryland. Le boulevard de ceinture lui aurait permis de contourner la ville, mais il préférait avancer en ligne droite, même si ce n'était pas le chemin le plus facile.

La maison paraissait splendide, même dans l'obscurité : grande, avec plein de coins et de recoins. Des pignons, une véranda vitrée. Des chênes. Un jardin pour les enfants. *Est-ce que Beth aimait ce genre d'endroits ?* Il s'arrêta, prit son attaché-case, et remonta précipitamment le trottoir sous la pluie.

Comme un mari qui rentre chez lui après une dure journée de travail, songea-t-il.

Un chien aboya à l'intérieur de la maison. Un gros chien.

Elle ne répondit pas à son premier coup de sonnette. Ni au second. Comme il ne repartait pas, il l'entendit qui faisait taire le chien derrière la porte en bois.

— Que voulez-vous ? demanda-t-elle d'une voix étouffée.

— Je suis un ami de Nick ! répondit Wes. Je vous en prie, ouvrez la porte, apparemment votre chien est capable de me tenir en respect, et je ne veux pas que tous les voisins entendent ce que j'ai à dire.

555

La porte s'ouvrit en grand. Elle était jolie : cheveux noirs, des rides d'expression sur un visage crispé. Elle tenait le rottweiler d'une main ferme.

— Qui êtes-vous ?

— Wes Chandler, un ami de votre mari.

— Je ne vous connais pas.

— C'est récent. Il est ici ?

— Il va revenir d'un instant à l'autre. Mais vous ne pouvez pas l'attendre !

« D'un instant à l'autre ? » Nick lui avait dit qu'il rentrerait chez lui, et attendrait.

— Où est-il parti ? Cela a-t-il un rapport avec Jud ?

— Je ne sais pas de quoi vous parlez. (Son visage indiquait qu'elle mentait.) Maintenant, allez-vous-en, je vous en prie.

— Il faut me faire confiance, madame Kelley.

— Pourquoi ?

— Je suis un Marine, également avocat et...

— Moi aussi je suis avocate. La belle affaire.

Elle saisit la poignée de la porte ; il était en train de la perdre.

— Vous travaillez pour un membre du Congrès ! lâcha Wes. Nick me l'a dit !

Elle s'immobilisa, le front plissé.

— Supposons que celui-ci se porte garant de moi ? ajouta Wes.

— Si vous le connaissiez, je vous connaîtrais.

— Attendez... (Wes sortit son téléphone portable de son attaché-case.) On ne peut pas utiliser le vôtre.

Il la vit tressaillir.

— Comment s'appelle votre patron ? (Comme elle ne répondait pas, il dit :) Je peux passer un coup de fil et connaître votre poste dans l'annuaire du personnel.

Elle lui donna le nom.

Wes appela un numéro qu'on lui avait donné des semaines plus tôt.

— Général Butler, ici Wes Chandler. Il y a quelque

temps, vous avez dit que si j'avais besoin d'aide, vous enverriez quelques fusées éclairantes.

— D'après ce que j'ai entendu dire, vous n'avez eu besoin de personne pour enflammer le ciel, répondit le Marine, mentor de Wes.

— Pas suffisamment, sir. Il y a eu un peu de confusion ces derniers jours. On m'a déclaré déserteur. Le rapport a été rectifié.

— Sale affaire, major.

— Oui, sir. Et je suis en train de prendre feu. Envoyez les fusées éclairantes.

— Comment ?

— Il faut que vous appeliez un membre du Congrès... maintenant. Pour se porter garant de moi.

— Qu'est-ce que vous foutez, Wes ?

— *Semper fidelis*.

Le général Butler soupira.

— Auquel de ces salopards vous voulez parler ?

Sylvia le fit attendre sur le perron. Ils n'essayèrent pas d'échanger quelques mots. Le chien attendait à leurs côtés, la gueule ouverte, les yeux fixés sur Wes.

Dix-sept minutes plus tard, le téléphone portable sonna.

— Qui est à l'appareil ? grogna une voix lorsque Wes répondit.

— Vous êtes bien...

— Je sais qui je suis, et vous, qui êtes-vous ?

— Un instant, monsieur.

Sylvia hésita, puis elle prit le téléphone.

— Allô !... Oui... Je vous en remercie... Non... Je ne peux pas vous expliquer maintenant... Non, vous ne serez pas inquiété... Merci... O.K.

Elle redonna le téléphone à Wes.

— Il veut vous parler.

— Major, déclara le membre du Congrès d'un ton tranchant. Sam Butler vient de m'appeler à votre sujet. J'ignore à quoi vous jouez, mais je connais votre nom, votre grade et votre matricule ; je vous donne ma parole que s'il arrive quoi que ce soit à Sylvia, même une simple contrariété, je vous enterre si profondément à coups de bulldozer que vous ne vous souviendrez plus d'avoir vu le soleil !

Fin de la communication.

— Vous pouvez entrer, dit-elle à Wes.

Ils s'arrêtèrent dans l'entrée, le chien dressé entre eux.

— Où est Nick ? demanda Wes.

— Il est parti. (Elle passa sa langue sur ses lèvres.) Avec quelqu'un.

— *Jud Stuart ?* Il est venu ici ?

Sylvia acquiesça.

— Pourquoi est-ce qu'ils n'ont pas attendu ?

— Nick voulait qu'il attende... il fait ce qu'il croit être bien ! Il ne sait rien et il n'a jamais participé activement à...

— Je ne suis pas un juge, dit Wes.

— Qui êtes-vous alors ?

— Où sont-ils allés ?

— Je n'en sais rien. Ils sont partis avec la Jeep. Jud voulait aller voir quelqu'un, ensuite il acceptait de rencontrer un ami de Nick : « vous » ?

— Savez-vous qui ils allaient voir ?

— Ils n'ont pas voulu me le dire.

Elle hésita, se mordit la lèvre.

— Madame Kelley, si vous savez quelque chose...

— C'est comme ça que ça commence, hein ? (Elle secoua la tête.) Je les ai « espionnés ». Je suis montée sans faire de bruit, j'ai écouté... Ils devaient se rendre chez quelqu'un. Jud y était déjà allé. Ils ont pris la Route 50, je les ai entendus parler de la sortie 424...

... Maintenant, je suis comme vous tous, n'est-ce pas ? chuchota-t-elle.

— La sortie 424 pour aller où ? demanda Wes qui avait été élève à l'Académie navale non loin de là.

— Je ne connais pas l'adresse.

— Quelqu'un la connaît.

Wes appuya sur la touche « bis » de son téléphone. Une fois son appel terminé, il demanda :

— Vous m'avez entendu mentionner le général Varon ?

Elle acquiesça.

— S'il arrive quelque chose...

— *Quoi ?*... De quoi parlez-vous ? Quel genre de...

— N'oubliez pas. Général Byron Varon. S'il arrive quoi que ce soit, appelez votre boss, dites-lui qu'il s'agit de Varon. Et dites qu'il lui faudra un bulldozer géant.

— Qu'allez-vous faire ? Nick... Quand va-t-il...

— Donnez-nous jusqu'à l'aube.

Puis il repartit.

Sylvia fit le tour de la maison, en allumant toutes les lumières. Le chien la suivit. Après le départ du Marine, elle avait laissé sortir le rottweiler pour faire ses besoins. Maintenant, la maison sentait le chien mouillé. Elle verrouilla les portes et les fenêtres. La chambre d'enfant était vide ; elle laissa le singe en peluche déchiré de Saul là où il l'avait fait tomber au milieu du tapis représentant les cinquante États. Leur matelas était trop mou pour Nick. Elle avait projeté d'en acheter un nouveau. *L'endroit où je rêve à côté de mon mari.* Elle redescendit rapidement.

Ses membres étaient flasques et pesants ; elle était parcourue de frissons et avait envie de vomir. Elle n'alluma pas la télé ni la radio, elle avait besoin d'entendre les craquements et les plaintes de la maison. Trois des chaises de la salle à manger étaient éloignées de la table. *Sont-elles encore chaudes ? Peut-on deviner que quelqu'un s'est assis dessus ?* Elle s'empressa de les remettre en place, et de déposer les couverts sales de Jud dans le lave-vaisselle pour faire disparaître ses empreintes.

La pendule à balancier poursuivait son tic-tac comme si tout était normal. Partout, des visions de sa vie ;

elle recula jusqu'à ce que ses épaules heurtent un coin de la salle à manger.

Les « Volontaires de la paix » au Mexique lui avaient montré la futilité du passé et du futur, l'aspect aléatoire et implacable du destin. Elle avait appris ce qu'ignoraient les facs de droit : les lois sont des vaisseaux vides alimentés par le sang qu'on y déverse. Au Capitole, elle avait vu des forces invisibles réécrire les meilleurs plans. Pourtant, elle continuait à croire, à espérer. Elle avait confiance. Elle ne demandait que ce qu'elle méritait. Pour finalement en arriver là : elle était prisonnière dans sa maison, la nuit et l'orage tenaient entre leurs mains ce qu'elle aimait le plus au monde.

Un flot de larmes coula de ses yeux qu'elle s'obligeait à garder ouverts. Elle se laissa glisser le long du mur jusqu'au plancher. Il y avait des moutons sous la vitrine à porcelaine. Le couteau dans sa poche arrière s'enfonça dans sa hanche. Elle le déposa à côté d'elle ; la lumière faisait scintiller la lame. Un téléphone était posé sur une table basse. Elle le tira jusqu'à elle : appareil perfide, ligne de sauvetage inutile. Le chien vint se coucher à ses pieds, énorme et mouillé.

Elle s'affala sur le plancher, le dos calé dans le coin. Elle attendit. Elle pleura.

Un serpent jaune de phares de voiture rampait dans le rétroviseur de Wes. La circulation devint plus fluide lorsqu'il atteignit le boulevard périphérique. La plupart des gens étaient déjà chez eux, en train de dîner ou de regarder le journal télévisé, de gronder leurs enfants ou de s'inquiéter à cause de la pluie, alors qu'ils s'apprêtaient à sortir pour dîner en ville ou aller au cinéma. Il ne se souvenait pas du dernier film qu'il avait vu, il se demanda si Beth...

Ne pense plus à elle !

Quand il quitta le périphérique pour la Route 50,

seules quelques voitures l'imitèrent. Il y avait peu de circulation sur cette route.

Quand a débuté ce voyage ? songea-t-il. *Etait-ce il y a vingt jours quand Denton m'a convoqué ? Ou était-ce il y a vingt ans ?*

Combien de temps me reste-t-il ?

Vingt minutes plus tard, il aperçut la sortie 424. Tandis qu'il prenait la direction de l'est sur cette route à deux voies, il vit dans son rétroviseur deux paires de phares emprunter cette même sortie, et suivre la même route, à un peu plus d'un kilomètre derrière lui.

Ça ne peut pas être pour moi.

En quittant le siège de la CIA, il avait fait tout un tas de détours au milieu des embouteillages. Aucune équipe de surveillance n'avait pu le voir tourner au dernier moment derrière un bus, ni le rattraper par hasard quand il avait grillé les feux rouges.

Sans doute de jeunes membres de professions libérales, songea-t-il. *Des postes importants à Washington, une heure de voiture chaque jour pour regagner leur domicile près de la baie.*

Il était sur le territoire de sa fac : il repensa aux excursions d'une journée, loin du campus, de la pression de l'enseignement et de la discipline. Le général Butler lui avait donné l'adresse, mais Wes tenait à vérifier sur la carte dans la boîte à gants. Il ne pouvait pas la consulter en conduisant.

Un peu plus loin, sur le côté gauche de la route : une enseigne électrique rouge. Un bar. La pluie martelait les quatre véhicules garés à proximité de la porte. Wes quitta la route et vint s'arrêter à côté d'une Porsche noire, de deux Toyota et d'un vieux pick-up cabossé, le coffre pointé vers la porte du bar, le pare-brise faisant face à la route obscure. Il éteignit ses phares et déplia la carte sur le volant.

Mais il garda les yeux fixés sur la route.

Ils vont passer dans une minute. Deux voitures, des banlieusards qui rentrent chez eux. Ils ne sont qu'à deux kilomètres au maximum, et il n'y a pas de croisement jusqu'ici. Ils vont passer dans une minute.

Deux minutes. Quatre. Six.

Il ne croyait pas à une crevaison, des Bons Samaritains. Ils étaient quelque part par là, arrêtés au bord de la route. A attendre.

Le Sig reposait contre sa hanche, les chargeurs de rechange étaient dans son blouson. Il prit l'attaché-case dans sa main gauche, la main qui lui servait à tirer était libre lorsqu'il ouvrit la portière et sortit dans la nuit pluvieuse.

Huit minutes. Aucun phare en vue. Il resta planté près de sa voiture sous la pluie, baigné par la lueur rouge du néon sur le toit du bar. Neuf minutes.

Il ouvrit le coffre. *Rien.*

Une voiture passa... dans l'autre sens.

A quatre pattes dans les graviers et la boue, il fit courir sa main sous le châssis. Il la découvrit dissimulée sous le pare-chocs arrière : deux petits points rouges lumineux sur une boîte aimantée de la taille d'un livre de poche. Une petite antenne.

Un suiveur électronique. Ils n'avaient pas besoin de le voir avec leurs yeux pour le filer.

Il saisit le boîtier... et s'immobilisa.

Il y en a forcément un autre. Ils ont placé celui-ci pour que je le découvre... si j'étais assez malin. Ils ont eu tout le temps pendant que je m'entretenais avec Billy. Impossible d'espérer découvrir les autres émetteurs maintenant. Si j'arrache celui-ci, ils sauront que je sais.

Agenouillé dans la boue, Wes fut submergé par un sentiment de trahison. Il se releva péniblement et balança une poignée de graviers sur la route déserte.

La pluie continuait à le frapper.

La lumière à l'intérieur du bar était jaune et tamisée. Le barman regarda entrer Wes, puis il reporta son attention sur le match de basket à la télé. Les tables étaient vides. Un couple s'enlaçait dans un box. Ils sursautèrent lorsque Wes entra, mais la vision de sa simple silhouette trempée les rassura. Ils se reprirent la main. Wes devina que leurs alliances n'étaient pas identiques.

Un homme parlait au téléphone près des toilettes. Il portait un veston sport criard et une cravate. Sa coupe de cheveux lui avait coûté cinquante dollars.

— ... comme si ça suffisait pas que je me fasse emmerder par la Commission de l'Urbanisme, disait-il. Avec leurs règlements à la con. Je viens dans ce trou paumé sous cette putain de pluie pour faire visiter une maison, et mon enfoiré de client décide qu'il a pas envie de se mouiller !

Dehors, derrière les vitres du bar, la route était toujours déserte.

« Que vais-je faire ? » se demanda Wes.

— Ah ! me parle pas de fric ! se lamenta l'agent immobilier. Le marché de l'immobiler s'effondre et moi je reçois le plafond sur le coin de la gueule !

A la télé, une sonnerie annonça la fin du temps mort.

— Au jour le jour ? dit l'agent. Je travaille sur l'année dernière ! Je décroche le téléphone aujourd'hui, c'était le vendeur de bagnoles. Il m'adorait quand je suis venu lui faire gagner sa commission, maintenant il me menace parce que j'ai quelques semaines de retard ! Bon Dieu les primes d'assurance de la Porsche me coûtent la peau du cul, et lui qui me réclame ses saloperies de mensualités !

Quel que soit leur programme, songea Wes, *ils se foutent pas mal de moi. Ou de Jud. Ou de Nick. La seule chose qu'ils veulent, c'est ne pas salir leurs murs de marbre.*

— J'ai bien envie d'appeler notre ami à Baltimore, ajouta l'agent immobilier. Pour lui dire où il peut trouver la Porsche, laisser la compagnie d'assurances rembourser le vendeur, et empocher la monnaie.

Billy m'a dit la vérité, songea Wes. *Dans ce qu'il*

m'a dit. Mais il ne m'a pas fait confiance. Il m'a
tendu un piège, il a envoyé ses types à mes trousses.

— Faut bien vendre, non ? dit l'homme au
téléphone. Faut se déplacer, faut vendre. Mais merde,
personne veut rien acheter !

Le type prit son verre de scotch sur la table voisine
et le vida d'un trait.

— Putain, qu'est-ce qui faut faire ?

Les glaçons tintaient dans son verre. Il le reposa
derrière lui à tâtons. Quelque chose tomba avec un
bruit sourd près de sa main.

Une liasse de billets était posée à côté de son verre.
L'agent immobilier leva les yeux. Il découvrit un grand
type avec un blouson en nylon noir, les cheveux
dégoulinants, coupe bon marché. Il refermait un
attaché-case et contemplait la liasse de billets avec un
sourire... Merde ! Cinq ou six cents dollars à première
vue ! Encore plus en dessous !

— Hé ! Lewis, dit l'agent immobilier, je te rappelle.

* * *

Assis derrière le volant de sa Jeep, le moteur arrêté,
Nick observait la maison derrière les arbres qui se
balançaient. Il avait laissé les fenêtres ouvertes pour
éviter la buée, et pour entendre. Le revolver était dans
sa main.

Jud était parti depuis sept minutes.

« Derrière ! » Un bruit sous la pluie : un moteur...
qui s'approche. Les graviers qui crissent. De plus en
plus près.

Aucun phare dans le rétroviseur de la Jeep. Nick
passa la tête par la vitre : la pluie qui l'oblige à cligner
des yeux, la nuit, les arbres qui se balancent...

Derrière lui : une forme noire. Qui se rapproche.

Reste dans la voiture, lui avait dit Jud.

Cible facile.

Nick se glissa hors de la Jeep... *J'ai oublié que le plafonnier s'allume quand la porte s'ouvre !* A quatre pattes, il traversa la route de graviers glissante, tandis que la forme noire se rapprochait en gémissant. Nick courut, trébucha, perdit l'équilibre et tomba, roula dans le fossé de l'autre côté de la route, à six ou sept mètres derrière son véhicule.

Un coupé noir, tous feux éteints, s'arrêta à quelques mètres de la Jeep. Le moteur toussota et se tut.

Le visage ruisselant d'eau et de sueur, Nick pointa son arme tremblante sur le coupé, sur la silhouette qui se découpait derrière le volant. Nick avait le ventre en feu, son doigt posé sur la détente lui faisait mal. Il arma le chien et essaya d'inspirer l'air chargé d'arbres mouillés et de pluie, de graviers et de peur.

Un millier de battements de cœur, une pincée de temps.

La voix de l'homme transperça la pluie.

— Nick, je vous ai vu sortir. C'est Wes. Je sais que vous êtes là. Je suis seul.

C'est sa voix. Nick passa la langue sur ses lèvres, il déglutit. Il garda le revolver pointé sur la Porsche.

— Je vais ouvrir la portière.

Le plafonnier de la Porsche s'alluma, éclairant le Marine, un blouson noir ouvert, les mains vides, tandis qu'il sortait sous la pluie.

— C'est O.K., Nick.

Il parlait d'une voix feutrée, mais ferme.

L'arme braquée sur le coupé, Nick se releva. Wes le laissa approcher et regarder à l'intérieur de la Porsche.

Personne. Nick baissa son arme.

La pluie tombait sur eux.

— Jud est ici ? dit Wes en désignant la maison d'un mouvement de tête.

— Depuis une dizaine de minutes, confirma Nick.

Wes s'essuya le visage.

— Nous n'avons guère de temps. J'ai faussé compa-

565

gnie à la CIA, mais ils ne vont pas tarder à piger le coup, ils feront le rapprochement entre l'endroit où ils m'ont perdu et la direction que j'ai pu prendre, et ils vont rappliquer. Et les hommes de Varon ?

— J'ignore qui se trouve à l'intérieur.

— On est à découvert ici, déclara le Marine. Il y a un terrain de basket à l'embranchement de la route principale. Avec un parking juste à côté, au milieu des arbres, sans lumière. Suivez-moi jusque là-bas et planquez la Jeep. Vous savez conduire une Porsche ?

— J'en ai conduite une une fois, mais...

— Vous me ramènerez ici, dit Wes. Et vous retournerez m'attendre là-bas.

— C'est à plus de six kilomètres, dit Nick. Je ne servirai à rien là-bas.

— C'est le seul endroit où vous pouvez servir à quelque chose. (D'un signe de tête, Wes désigna le revolver dans la main de Nick.) Ce n'est pas votre job.

— Il ne s'agit pas d'un travail.

— Non, c'est une question de devoir. Le vôtre se trouve là-bas. Jud et moi vous rejoindrons à pied. Si nous ne sommes pas revenus à l'aube, si ça tourne mal... Quelqu'un doit rester pour tout régler.

— Ce n'est pas mon boulot.

— Vous n'avez pas le choix, répondit Wes. Il ne reste plus que vous.

Battement de cœur

Jud baissa la capuche de son anorak bleu lorsqu'il arriva devant la maison. La pluie martelait son crâne. Il observa longuement la porte blanche avant de sonner.

L'homme qui vint lui ouvrir, perdit son sourire. C'était un homme trapu, avec des cheveux gris coupés en brosse et des yeux marron ternes. Il portait un cardigan vert sur une chemise blanche, un pantalon noir et d'horribles pantoufles noires. Le doute traversa son visage. Puis son sourire revint, son regard se durcit.

— *Jud Stuart.* (Il avait une voix grave.) Ravi de vous rencontrer.

Les mains de Varon pendaient le long de son corps ; puissantes, vides, poilues.

L'entrée derrière lui était vide. Quelque part dans la maison, un orchestre radiophonique exécutait *New York, New York* avec un son de casserole.

— Il pleut, dit Varon, entrez donc.

— Comme ça ? chuchota Jud.

— Vous avez sonné, je suis venu vous ouvrir. Je suis seul... et vous ?

— Je sais qui vous êtes.

Jud restait sur le perron.

— Si vous ne le saviez pas, vous seriez indigne de la confiance que j'ai placée en vous. De votre

567

entraînement. De vos cicatrices. Allez, venez vous mettre à l'abri, soldat.

Varon tourna le dos à Jud et s'éloigna. Jud hésita, puis il s'exécuta. *Je suis venu pour ça,* songea-t-il.

— N'appuyez sur aucun bouton, l'avertit Jud en repoussant la porte.

Il l'entendit se refermer.

Varon rit.

— Qui pourrais-je alerter ? Je suis en retraite.

— Conneries.

Ils passèrent devant un escalier conduisant à un premier étage silencieux.

— Oui, comme vous dites.

D'un mouvement de tête, Varon indiqua à Jud une pièce ouverte, avec des canapés. Jud sentit l'odeur du feu de bois.

— ... Les gratte-papier du Pentagone. Les cireurs de pompes de la CIA, bien que j'ai encore quelques amis là-bas. Les politiciens du département de la Justice qui tremblent devant les imbéciles du Congrès. Ce sont eux qui m'ont foutu dehors.

— Et la Maison Blanche ?

— Ils ne servent plus à rien maintenant. Les vieux souffrent d'amnésie et les nouveaux se complaisent dans l'ignorance.

La radio invisible joua ensuite *Theme from a Summer Place*. La tête de Jud s'emplit d'images en Celluloïd des années 60, celles d'une fille blonde, pas blonde comme Nora, pas aussi belle que Lorri...

D'un clignement de paupières, il revint au présent. Une porte ouverte dans le couloir laissait voir une salle de séjour vide ; une autre s'ouvrait sur une salle de bains vide.

A pas lents, Varon entraîna Jud vers les profondeurs de la maison.

— Aux dernières nouvelles, dit-il, vous avez échappé à une embuscade de la CIA dans le désert près de Las Vegas. Comment êtes-vous venu jusqu'ici ?

— J'ai volé une voiture, répondit Jud.

— *Approprié,* rectifia le général. Un soldat au combat ne vole pas, il s'*approprie.*

— Je ne suis plus soldat.

Les mains de Jud tremblaient.

— Personne ne vous a relevé de vos fonctions.

Le couloir conduisait à un living-room en contrebas où des canapés et des fauteuils entouraient une table basse. Une vieille mallette en cuir éraflée était ouverte à côté de la table en bois sombre, sur laquelle étaient disposés des dossiers et des documents juridiques, ainsi que des verres et une bouteille de scotch.

Un feu crépitait dans la cheminée.

— J'aime faire du feu, dit Varon. C'est peut-être le dernier de la saison.

D'un pas nonchalant, il descendit dans le living-room.

— J'allais me servir un verre, dit-il. Vous voulez un scotch ?

Les flammes dansantes se reflétaient sur la bouteille remplie de liquide ambré. Jud sentait dans sa gorge la brûlure de l'alcool. Malgré tout, il fit non de la tête.

Le mur derrière Varon était en verre. Des projecteurs éclairaient la pelouse qui descendait en pente douce jusqu'à la lisière des arbres. Au-delà, la nuit semblait s'écarter ; là-bas, à travers la pluie, Jud apercevait un long scintillement obscur.

En se versant un verre, Varon suivit le regard de Jud.

— Le fleuve est juste là. Si la pluie était moins dense, on verrait la lumière bleue au bout de l'appontement de mon voisin.

Un des murs était couvert de décorations et de photos dédicacées montrant Varon en compagnie de présidents et de rois, de l'ex-Shah d'Iran, de télévangélistes. Plus d'une douzaine de citations militaires : Corée, Vietnam. Récompenses décernées par des groupes patriotiques. Des photos d'un Varon jeune, dans la jungle.

— Pour vivre aussi bien, commenta Jud, vous avez dû vous *approprier* un joli paquet au combat.

— Je n'ai pas eu *la moitié* de ce qu'on me doit ! répliqua Varon d'un ton cassant.

— Qui vous le doit ?

— Tous ceux qui m'ont envoyé au combat, répondit le général en retraite. Tous ceux pour qui j'ai envoyé des types courageux tuer ou se faire tuer. Tous ceux pour qui j'en ai pris plein la gueule. Ils nous le doivent... à vous et à moi.

— Combien ? murmura Jud.

— Combien peut-on obtenir ?

Jud secoua la tête.

— Combien vous avez amassé ?

— Suffisamment. *Merde !* (Varon jura en regardant le verre qu'il tenait dans la main.) J'ai oublié que vous ne vouliez rien boire. J'avais déjà rempli ce verre sur la table.

Le liquide ambré tournoyait dans le verre que tenait Varon.

— ... Une fois que c'est versé, on ne peut pas le remettre dans la bouteille... Voilà ce qu'on va faire. Je vais boire celui-ci et laisser l'autre verre sur la table. Au cas où vous changeriez d'avis.

Jud sentait l'odeur de l'alcool dans toute la pièce et...

Et Varon s'était déplacé ; il se tenait près du mur à gauche, le dos tourné, tendant la main vers une table...

— *Ne faites pas ça !* hurla Jud.

Varon se figea. Les yeux de Jud se fixèrent sur les mains du général : l'une tenait son verre, l'autre était posée sur une radio FM. Varon tourna un bouton. La musique se tut.

— C'est mieux comme ça, dit Varon. C'est peut-être à cause de la musique que je ne vous ai pas entendu arriver.

... Vous êtes venu directement du Nevada ? demanda le maître de maison en revenant au milieu du cercle de canapés et de fauteuils. Cet écrivain... vous lui avez parlé depuis ?

— Il n'est pas dans la partie, murmura Jud.

— Nick Kelley. (Varon s'assit dans un canapé.) Sait-il que vous êtes ici ?

— Pourquoi avez-vous envoyé quelqu'un pour me tuer ? demanda Jud.

— Je n'ai jamais envoyé d'agent pour vous tuer.

— Cet homme dans le bar à L.A.

— Mathew Hopkins.

Hopkins. Jud se souvenait du nom sur le permis de conduire trouvé sur le cadavre derrière le bar.

— C'est vous qui l'avez envoyé.

— Oui, répondit Varon. Mais c'était votre faute.

— *Quoi ?*

— Vous ne répondiez à aucun de mes avis de mise en service. Les alertes dans les horoscopes. Je me faisais du souci.

— J'avais décidé de laisser tomber toutes vos conneries !

— Vous n'avez jamais eu cette possibilité. (Varon haussa les épaules.) C'était une erreur d'envoyer Hopkins, malheureusement mes moyens sont limités désormais.

— Il faisait partie de l'ancienne équipe.

— Comme vous, mais il venait de la Navy. Il était à la retraite. Il avait accepté une pension d'invalidité, un contrat pour payer sa dette, comme celui que vous avez refusé.

— Pourquoi vous l'avez envoyé ?

— Pour vous retrouver. Pour m'assurer que vous alliez bien.... C'était une erreur. Ces dernières années, Hopkins avait commencé à exiger des mises au point. Il devenait paranoïaque, il avait un programme ou je ne sais quoi. Mais c'était mon seul homme sur la Côte Ouest alors... S'il a essayé de vous tuer, c'était de son propre chef. Je n'ai pas osé faire le ménage derrière lui, de peur de lui donner de l'importance.

Le feu tourbillonnait dans le cerveau de Jud. Pris de vertiges, il s'appuya contre le bras d'un fauteuil.

— Sa mission consistait à vous observer à distance, reprit Varon. Pas de contact. S'il s'est approché suffisamment pour que vous puissiez le tuer...

— Je ne l'ai pas tué. (Jud se laissa tomber dans le fauteuil.) Je ne voulais pas.

— J'ignore ce qu'il cherchait pour s'approcher si près de vous.

Dans le miroir de son âme, Jud comprit la vérité.

— Il n'en pouvait plus, murmura-t-il. Ne pas savoir qui il était, ni ce qu'il avait fait, ni pourquoi. Vous refusiez de lui donner des réponses. C'est moi que vous lui avez donné à la place. Avec assez d'informations pour lui faire comprendre que nous étions l'un et l'autre à vos ordres. Comme une famille. Il ne voulait pas me tuer. Il voulait me parler. Il voulait que je l'aide à trouver les réponses.

— Alors, c'était un poids mort, contrairement...

Varon s'interrompit.

— Contrairement à moi ? (Jud secoua la tête.) Pauvre type paumé. Encore un que j'ai... Encore un.

Jud s'empara du verre de scotch.

— Pourquoi vous vous êtes intéressé à moi tout à coup ? demanda-t-il.

Varon le regarda boire une longue gorgée.

— Nous devons veiller sur votre sûreté, répondit l'ex-général.

— Pas nous : *vous.*

Jud vida son verre de scotch. Il se pencha, prit la bouteille et remplit son verre.

— Quelqu'un vous a dans sa ligne de mire, déclara Jud.

— Ces connards n'utilisent jamais d'armes ! Sinon, je pourrais...

— Donc, c'est la justice.

Le scotch réchauffait le sang de Jud. Il sentait ses pensées se clarifier. Son cœur ralentit... et se refroidit.

— Vous avez trébuché sur votre queue, général. La contra iranienne.

— Ils sont venus me trouver ! s'exclama Varon. J'étais le plus qualifié pour ce boulot, et ils le savaient parfaitement ! Oubliez ce rapport de l'inspecteur général qui m'a obligé à quitter le Pentagone, *ils avaient besoin de moi !* Je dirigeais des opérations clandestines à l'époque où ces poules mouillées de la Maison Blanche étaient encore au collège ! Je connaissais l'Iran, même ce producteur de cacahuètes de Jimmy Carter a eu l'intelligence de faire appel à moi pour la seconde mission de sauvetage ! Personne n'est meilleur que moi : ni Dick Secord, ni Ollie North, ni Poindexter... ou Casey, et il le savait ! Il savait que j'étais capable de faire ce boulot !

... Où est le mal si j'ai gagné du fric ? Moi je ne me contente pas de quelques belles paroles comme certaines collégiennes pucelles !

— Qu'avez-vous fait ?

— Mon putain de boulot ! J'ai réuni du fric ! J'ai organisé des ventes d'armes ! J'ai rencontré quelques saloperies d'Iraniens... ne faites jamais confiance à un type qui monte des chameaux... J'ai...

— Assez, dit Jud. Je picole depuis des années, mais je peux très bien imaginer. Vous n'étiez pas au sommet, vous ne tomberez pas de très haut. Vous n'avez fait qu'obéir aux ordres.

... C'est la mission que j'ai refusée.

— L'idée venait d'eux, insista Varon. Pas de moi. Je leur ai simplement dit que c'était possible, que je pensais connaître un moyen. Un homme.

— Moi. (Jud secoua la tête.) Vous croyiez que j'étais assez stupide pour vous aider à coincer le gouvernement nicaraguayen pour trafic de coke ?

— C'était dans vos compétences, dit Varon. Les

contacts, la bonne foi. Si vous étiez seulement la moitié de ce que vous étiez...

— Vous m'auriez grillé, dit Jud. Vous m'auriez jeté en première ligne. Vous n'auriez pas eu le choix. Je suis un alcoolique : on m'utilise et on me jette ensuite. Comment vous vous seriez arrangé ? Une embuscade dans une ruelle ? Un accident de voiture ?

— Ils n'auraient jamais accepté, dit Varon.

Jud vida la moitié de son verre de scotch.

— Oui, certainement. Ils avaient sans doute déjà pris peur devant vos jeux d'horreur avant que je dise non.

— Vous filez un grand bureau à un type, et il oublie ce qu'il faut faire pour arriver là et exécuter le boulot.

— Pourquoi Mathew Hopkins était-il chargé de me retrouver ?

— Le grand jury et le procureur sont encore là, expliqua Varon. Ils exigent toujours du sang... le mien ou le vôtre.

— Il reste un problème, dit Jud. Un truc grâce auquel n'importe quel enquêteur minable du gouvernement risque de remonter jusqu'à moi. Un problème chez vous... dans les carnets ou les ordinateurs de North, quelque part.

... Si je parlais, vous seriez accusé de trafic de cocaïne et impliqué dans la contra iranienne. Bon Dieu, si je perdais la boule pour de bon : le Laos, le Watergate, le Chili, Monterastelli... De quoi inciter les fédéraux à enquêter sur vos *appropriations*. Vous vous souvenez du fric de la coke que vous m'avez réclamé ? Vous avez acheté cette baraque avec, pas vrai ? Grâce à moi, un procureur pourrait planter un pieu dans toutes vos médailles.

La pièce était chaude autour de Jud. Il se sentait détendu, fluide.

— Ils vous veulent pour de bon, ajouta-t-il. Et vous le savez. Mais vous ne saviez pas dans quel état j'étais, alors vous avez envoyé ce pauvre Hopkins tourmenté pour le découvrir.

Jud s'esclaffa.

— Le paumé qui recherche le boiteux... Il n'était pas censé m'éliminer, mais s'il vous avait rapporté que je n'étais pas juste un poivrot sans aucune crédibilité...

Varon remit de l'ordre parmi les dossiers sur la table. Une mallette ouverte attendait près du fauteuil. Dossiers, documents juridiques, stylos sur la table. Des verres et une bouteille de scotch sur un plateau... trois verres. Jud tressaillit.

— Vous attendez quelqu'un, dit-il. Vous tuez le temps en attendant quelqu'un.

— Quelqu'un qui peut nous aider.

Jud lança son verre à travers la pièce ; il se brisa contre la cheminée.

— Epargnez-moi votre cinéma, dit Varon. Vous êtes venu ici pour chercher de l'aide. L'Agence est à vos trousses, la police de L.A. également. Hopkins a fait de vous un meurtrier. Qui sait ce qu'ils peuvent encore vous coller sur le dos depuis ces dernières semaines. Vous avez besoin de moi.

Il versa du scotch dans un autre verre, le poussa vers Jud.

— Comme vous avez besoin de ça, dit-il en riant. Si vous me faites des emmerdes, je vous balance aux Marines.

— Chandler... murmura Jud. Wes Chandler.

— Comment connaissez-vous ce nom, bordel ?

Jud saisit le verre plein dans sa main ferme.

— Vous avez des amis, moi aussi.

— Vous n'avez personne !

— Alors, qu'est-ce qui vous inquiète ?

Garé dans l'obscurité, là où la route goudronnée croisait le chemin de graviers de la maison de Varon, Nick laissait tourner le moteur de la Porsche, les phares éteints. La Jeep attendait un peu plus loin au fond des bois. La pluie traversait le cône de lumière jaune du lampadaire au-dessus de l'intersection. Le froid, l'humidité et le souffle du moteur de la Porsche le submergeaient par les vitres ouvertes. Il sentait l'odeur de la pluie dans les arbres, la terre humide ; il sentait l'odeur de sa sueur.

Le temps avait perdu toute proportion : il était là depuis trois minutes, il était là depuis un battement de cœur, il était là depuis toujours.

Ils n'ont rien à craindre. Je vais bien. Bientôt, je serai chez moi. A l'abri. Sylvia, Saul : qui apprendra à Saul que...

Les phares d'une voiture transpercèrent sans bruit le rideau de pluie sur la route, à droite de Nick ; un faisceau étroit qui s'élargit, s'intensifia...

Et tourna.

Les graviers crissèrent sous les roues d'une Cadillac qui s'engagea dans le chemin privé de Varon. La longue voiture noire traversa le cône du lampadaire en une seconde, mais le temps avait perdu toute proportion, et dans son élasticité, Nick vit la Cadillac exécuter un tête-à-queue sur les graviers mouillés, il aperçut les deux points rouges des feux stop, il vit le chauffeur contrebraquer et s'engager dans le tunnel où s'étaient enfoncés Jud et Wes.

Où ils ne se doutaient de rien.

Nick ne savait pas comment, ni pourquoi, la Cadillac se trouvait là, mais il savait qu'elle représentait un danger pour les hommes qu'il avait laissés au bout du tunnel, un danger qui se propageait jusqu'à lui, jusqu'à sa famille. Il le comprit en un battement de cœur, car dans cette éternité élastique le lampadaire éclaira le chauffeur de la Cadillac :

Jack Berns. Le détective privé renégat. Qui avait posé sur Nick des mains glacées en croyant qu'il ne les sentirait pas : filatures, micros.

A côté de Berns dans la Cadillac : un homme dont le visage était un bandage blanc flou. Nick le reconnut

576

immédiatement, intuitivement, sans aucun risque d'erreur : le type tombé dans l'embuscade de Union Station, dont le revolver était maintenant coincé entre les cuisses tremblantes de Nick.

Il y aurait d'autres armes : dans la Cadillac, pour plus tard.

Dans un second battement de cœur, Nick sut ce qu'il devait faire.

La Cadillac disparut dans le tunnel végétal.

Une Porsche sortit des bois au croisement et fonça dans le sillage de la Cadillac.

Nick. Roulant sans lumière. Les feux arrière rouges dans le regard.

S'il avait été poète, Nick aurait peut-être éprouvé alors un sentiment de fatalité, de karma. Il se serait souvenu de ses rêves de virilité abstraite lors de ses nuits d'errance dans le Michigan ; l'apprentissage d'une centaine de concours d'accélération sur des routes désertes ; les frissons acérés des jeux d'adolescents, penché sur le volant de la Chevrolet de son père, une Impala blanche de 64, roulant à toute allure sur une route de campagne vers des phares qui fonçaient droit sur lui sous les ordres d'un autre adolescent tout aussi fou. Un poète aurait pu apprécier cet ultime maillon de la chaîne qu'avait forgée Nick lorsqu'il cherchait la magie dans les ombres, une chaîne qui, s'il ne faisait rien maintenant, voulait dire qu'il condamnait ses amis, et faisait courir un risque à lui-même et à sa famille. Il aurait pu connaître une prodigieuse transcendance, *la vérité absolue* sur les héros et les méchants, la pureté du choix ultime ; l'ironie qui consistait à faire le mal pour de bons motifs.

Mais Nick n'éprouvait que le poids écrasant de la peur.

Le feu faisait rage dans sa bouche, la lave jaillissait dans ses tripes, et l'électricité faisait vibrer tout son corps. Le monde défilait à toute vitesse et au ralenti. Un monstre rugit dans sa tête. Son cou et ses épaules brûlaient comme de l'acier ; il percevait l'odeur et la saveur des gaz d'échappement et du métal de la Porsche. Sa chemise était trempée. A travers les vitres baissées, les gouttes de pluie frappaient son visage comme des rafales de mitraillette glacées. Le moteur gémissait, le gravier crissait sous les pneus. Et tandis que les feux arrière rouges de la Cadillac se rapprochaient à toute allure de son pare-brise, Nick s'accrochait à une prière muette.

Plus vite, il accéléra.

Le revolver : il rentra le ventre, le glissa dans son pantalon. Il tira sur sa ceinture de sécurité et l'enclencha.

Les feux arrière, comme deux yeux rouges qui le regardent, à quatre cents mètres droit devant ; à cinq kilomètres de la maison.

Sans lumières, sous une pluie battante : même si Berns regardait dans son rétroviseur, il n'apercevrait pas Nick.

Deux cents mètres. Berns et le type de Union Station se découpaient devant les phares de la Cadillac et la lueur du tableau de bord. La Cadillac roulait en plein milieu de la route.

Peut-être entendraient-ils le rugissement du moteur de Nick, peut-être pas : s'ils parlaient, si la radio était allumée, les vitres fermées.

A une centaine de mètres, un terrain de football.

Quelques secondes plus tard, cinquante mètres. La Cadillac était une forme solide, en plein sur le trajet de la course fracassante de Nick.

La Porsche réagissait aux moindres gestes de Nick, machine docile. Obéissante. Puissante.

La Cadillac roulait légèrement sur la gauche de Nick, à quarante mètres. Trente. Vingt. A deux longueurs de voiture.

Nick donna un brusque coup de volant sur la gauche en écrasant l'accélérateur.

La Porsche bondit, masse compacte de muscles en

acier bandés qui percuta de biais le pare-chocs arrière gauche de la Cadillac plus grosse et plus lourde.

La physique imposa sa loi.

La Cadillac exécuta un tête-à-queue, l'arrière enfoncé fit une embardée sous le choc, les phares pivotèrent vers la droite jusqu'à ce que la voiture dérape latéralement sur le chemin de graviers à soixante-dix kilomètres-heure et...

La Porsche trembla sous l'impact et rebondit ; les pneus qui dérapent sur la chaussée mouillée, l'arrière qui chasse vers la droite, le côté passager...

Et percute le flanc de la Cadillac, deux mains d'acier qui applaudissent dans la nuit.

Un fracas métallique.

La nuit qui tournoie, défile devant les yeux de Nick, le volant qui lui échappe des mains, la Porsche qui fait un tête-à-queue et recule en zigzagant, heurte le bas-côté, l'essieu arrière qui se brise net. Le pare-brise qui explose, Nick arrosé d'une pluie d'éclats de verre.

La Cadillac dérapa, braqua et tournoya comme une toupie, puis elle décolla de la route, par-dessus le bas-côté, pour finalement s'écraser contre une rangée d'arbres.

Un liquide poisseux coulait sur le front de Nick. Il regarda à travers le trou du pare-brise pulvérisé. Ses bras, ses épaules et sa nuque le faisaient souffrir, et son genou qui avait cogné la colonne de direction l'élançait. Mais il sentait la douleur et c'était bon signe. Il pouvait bouger. Il descendit de la Porsche.

Il ne sentait pas la pluie.

La moitié du terrain de football le séparait de la route où il avait percuté l'autre voiture. La Cadillac était vingt mètres plus loin, l'arrière enfoncé dans le fossé, devant un bosquet d'arbres mutilés. De la vapeur s'échappait de sous le capot froissé.

Mon Dieu, se dit Nick. Il ne savait pas s'il devait se réjouir ou se sentir coupable.

Le revolver était toujours glissé dans sa ceinture. Il

s'en empara, le pointa sur la Cadillac et, accroupi, s'en approcha à pas feutrés sous la pluie battante.

Il les entendit gémir, pousser des jurons. Jack Berns qui sanglote : *Ma jambe, ma jambe, ma jambe !*

La porte du côté passager s'ouvrit en grand. Un homme tomba. Sous la pluie et dans l'obscurité, Nick ne pouvait distinguer tous les détails, mais il aperçut la blancheur des bandages, un bras gauche ballant que soutenait le bras droit. Les pieds de l'homme glissèrent et il dévala dans l'herbe mouillée du fossé.

Viens m'aider ! gémit Jack Berns à l'intérieur de la Cadillac. *Viens m'aider ! Ma jambe, j'ai la jambe cassée !*

Nick entendit la voix de l'homme étendu au fond du fossé.

— J'peux pas... j'peux pas.

— Merde ! beugla Berns. Merde !

— Qu'est-ce qui s'est passé ? s'écria l'homme dans le fossé. Qu'est-ce qui s'est passé ?

Ils ne m'ont pas vu ! se dit Nick. *Ils ne m'ont toujours pas vu ! Ils ne savent pas !*

Cette découverte le rassurait davantage que le revolver dans sa main. Le plus discrètement possible, il retraversa la route et s'allongea à plat ventre dans le fossé opposé, les yeux et l'arme fixés sur la Cadillac, convaincu que les deux hommes étaient hors d'état de nuire pour la nuit.

Et qu'ils ne pourraient pas se venger de Nick, car ils ne l'avaient pas vu.

S'ils ressortaient du fossé...

On verrait à ce moment-là, se dit Nick.

Mais il savait qu'il possédait l'avantage ; il avait le revolver, il avait la discrétion. Et même s'ils réussissaient à revenir sur la route, ils n'étaient plus une menace pour Jud et Wes.

Pour Sylvia et Saul.

Il y avait un téléphone dans la mallette de Wes restée dans la Jeep. Il pouvait appeler des secours pour les deux hommes à tout moment, anonymement. Ils n'étaient que blessés. Nick se dit qu'ils méritaient leurs souffrances, qu'ils étaient coupables... plus coupables que lui.

Wes et Jud : quand ils auraient terminé... ce qu'ils avaient à faire dans cette maison à moins de deux kilomètres d'ici, ils repartiraient à pied. Nick se trouvait entre la maison et les deux hommes blessés dans le fossé. Il rejoindrait Wes et Jud avant qu'ils n'arrivent sur les lieux de l'accident, et il les emmènerait discrètement loin de là, loin des types de la Cadillac. Encore des secrets. Pour plus de sécurité.

Quand ils auraient terminé ce qu'ils avaient à faire.

La pluie nettoyait le sang sur le visage de Nick allongé sur le ventre. Il voyait le monde derrière une mire. Des pierres lui rentraient dans la peau, la boue l'aspirait ; il percevait le goût et l'odeur de la terre, plus réelle, plus solide que jamais. Son souffle ralentit, il sentait le froid de la nuit, la répercussion de ce qu'il avait fait. Il avait exercé la magie noire, et soudain, il découvrait ce qu'il s'était demandé pendant si longtemps : il était puissant. Dangereux.

Cette constatation était vaine et amère, inoubliable.

Nick souffrait de l'intensité et de la damnation de cet instant. De tous les fleuves qui coulaient en lui, celui qui recherchait la magie et le poussait à écrire lui avait toujours semblé le plus profond ; aujourd'hui il découvrait des courants encore plus profonds ; il songea à Sylvia, à Saul, le flot de visions de ce qui devrait être. Il se dit alors que cet instant — allongé dans un fossé, une arme à la main — était trop écrasant pour qu'il puisse jamais le décrire avec des mots, trop sacré pour être sculpté et offert au public. Puis il comprit que c'était un mensonge, et dans ce mensonge se trouvait sa rédemption.

Il resta couché sous la pluie. Prêt. Il attendait.

A moins de deux kilomètres de là, Varon, assis dans le canapé, fronça les sourcils.

— Vous avez entendu ?

— Non, mentit Jud.

Il agrippa le bras du fauteuil et hurla en silence : *Nick !*

— Peu importe ce que vous entendez, dit Varon. Je vais vous dire ce que vous avez besoin de savoir. Je prendrai soin de vous. Comme je l'ai toujours fait.

— Pourquoi ? demanda Jud.

— Parce que c'est ce que vous vouliez. Et vous avez eu la chance de naître au bon endroit au bon moment.

— Ce n'est pas bien, dit Jud.

— C'est suffisant.

Le monde entier oppressait Jud. Il s'enfonça dans son fauteuil, pris de vertiges, de nausées. Le martèlement dans sa tête l'empêchait de réfléchir. Il entendait mal, il ne voyait rien. Il était sur un radeau flottant sur une mer de scotch, poussé par le flot régulier des paroles du vieil homme qui l'observait depuis le canapé.

— Je me suis donné à vous, dit Jud.

— Pour une bonne cause, se défendit Varon. Pour le pays. Pour ce qui devait être fait et ne pouvait l'être que par des hommes qui comprenaient les exigences d'une vie qui vaut d'être vécue.

Jud plaqua ses mains sur son front. Les yeux fermés.

— Avez-vous déjà vu vos tests d'aptitude ?

Varon passa la langue sur ses lèvres. Il déposa son verre sur la table basse et laissa ses mains, ses mains couvertes de poils noirs, planer au-dessus des dossiers.

— Nous sommes allés jusqu'à consulter vos dossiers scolaires, nous vous avons fait subir des tests conçus par des psys... bien que je n'avais pas besoin d'eux pour reconnaître en vous un type bien. Ils confirmèrent ce qu'on m'avait dit : intelligent et tenace. Motivé.

... Je crois qu'ils sont quelque part par là, dit Varon.

Il chercha parmi les dossiers, en ouvrit un portant la mention « SUISSE ».

Il observa l'homme affalé dans le fauteuil qui ne bougeait pas, ne regardait pas.

— Non, ce n'est pas ça, dit Varon. (Il déplaça d'autres dossiers sur la table.) Il est peut-être là-dedans...

Le général plongea la main gauche dans la mallette ouverte par terre.

Il en sortit un automatique 45 de l'armée ; le pistolet décrivit un arc de cerle au-dessus de la table, à la recherche de...

Le canon cogna contre la bouteille de scotch.

Jud ouvrit les yeux : *une arme*. Des milliers d'exercices de réflexes — l'armée, les Forces Spéciales, l'académie des Services Secrets, les écoles d'espionnage, les arts martiaux — aucune pensée, aucun désir : *réflexe*. Se retourner dans le fauteuil, faire l'effort de se lever, bouger, avancer...

L'arme gronda.

De la main gauche, la mauvaise main, Varon qui recule devant la cible soudain éveillée — *pas assez ivre* — essayant de se lever entre le canapé et la table basse, cherchant à viser après avoir cogné la bouteille de scotch, avec la *mauvaise main*.

La première balle frôla la tête de Jud en hurlant.

L'arme qui se cabre, vise de nouveau, change de main tandis que Varon se relève...

Et que Jud pousse d'un coup de pied la table basse dans le tibia du vieil homme.

L'arme rugit ; la seconde balle passa plus loin que la première, et déjà Jud plongeait vers le vieil homme. Varon abattit violemment le revolver sur la joue de Jud, et recula au fond du canapé. Jud se coucha sur la table et tendit le bras...

Un étau se referma sur la main qui tenait l'arme.

Grimpé sur le dossier du canapé, le général décocha un coup de pied dans la tête de l'homme qui lui broyait la main. De sa main libre, il voulut crever les yeux de Jud... sans y parvenir. Jud tira, poussa et rampa sur Varon.

Le canapé bascula en arrière, projetant les deux hommes à terre.

Ne jamais abandonner. Jud roula, saisit le poignet, immobilisa l'arme qui balayait frénétiquement la pièce, à la recherche de sa cible. Les deux hommes se relevèrent précipitamment. Varon voulut décocher un coup de pied dans le bas-ventre de Jud, il atteignit la cuisse.

Le général avait soixante-quatre ans. Vingt ans qu'il avait quitté la jungle. Fort. Pour un homme de son âge qui ne s'entraînait jamais. Le stress de ces derniers mois avait alimenté son taux d'adrénaline. Son corps enclencha la vitesse surmultipliée. Ses doigts étaient écrasés contre l'arme. Il fut traversé d'un tremblement. Le cœur battant à toute allure, il frappa le fou ensanglanté qui se jetait sur lui. Après être sorti de West Point, Varon avait appris les techniques de commando. Mais il n'avait jamais dépassé le programme standard ; il savait que son arme la plus redoutable était son cerveau. Il enfonça mollement l'épaule dans le torse du gorille qu'il avait jadis commandé, il se retourna et tenta de le faire basculer par-dessus son épaule.

Deux bras puissants se refermèrent autour du torse de Varon. Son poignet se tordit... et se brisa net. Le 45 tomba sur la moquette. Le général poussa un hurlement. Il avait les bras plaqués le long du corps. Un poing s'enfonça dans son sternum, tandis que deux courroies d'acier se resserraient autour de ses côtes.

Toutes les ruses échouèrent : Varon frappa Jud dans les tibias, il lui écrasa les pieds. L'étau du fou se resserra. Les mains du général ne pouvaient atteindre aucun nerf. Il sentait le visage rugueux de Jud contre sa joue, il l'entendait hurler dans son oreille :

— Vous m'avez sacrifié !

Jud souleva le vieil homme de terre et se mit à le

584

faire tournoyer comme un cavalier exécutant une danse folle.

Des vagues, des éclairs de couleur jaillissaient devant les yeux de Varon, son cœur palpitait, ses côtes craquaient, il manquait d'air, les murs défilaient tandis qu'il tournoyait encore et encore, tourbillonnant, pour finalement s'arrêter... devant lui, la baie vitrée donnant sur la nuit, la nuit noire, un mur de ténèbres...

Qui explose...

Un millier d'éclats de diamant volèrent dans la maison.

Varon traversa la pièce, heurta un mur, puis le sol.

Jud trébucha, tomba à plat ventre, roula et regarda l'immense trou aux bords acérés dans la baie vitrée. Les derniers morceaux de verre se détachèrent du cadre.

Une chaise de jardin en acier blanc, dégoulinante de pluie, gisait près du canapé.

Dehors, sous l'orage, se tenait un homme en blouson noir, une arme pointée à l'intérieur de la maison.

Sur Jud.

Haletant, essayant de reprendre son souffle, Jud s'écria :

— Entrez, monsieur l'Effaceur ! Je vous attendais ! Vous êtes en retard, vous avez plusieurs putains d'années de retard !

— Je suis Wes Chandler ! hurla le type armé en franchissant le trou qu'il avait fait dans la vitre. (Son regard naviguait entre les deux hommes couchés sur le sol.) Je suis un ami ! Nick Kelley...

— Il n'y a personne d'autre, dit Jud. Juste moi. Venez. Venez.

Pas à pas, l'arme levée, Wes s'approcha de Varon : regard vitreux, mâchoire tombante. Un filet de sang au coin de la bouche grande ouverte. Wes posa la main sur la poitrine du vieil homme : le sternum était mou sous les doigts, éclaté. La peau autour du cœur ressemblait à une baudruche remplie d'eau.

— Il est mort, annonça Wes.

— Un de plus, murmura Jud. Il aurait dû être le premier. Il aurait dû mourir avant que je naisse, avant de me créer.

— Venez, ordonna Wes.

Jud éclata de rire : un rire profond et grondant qui gravit les octaves jusqu'au rire aigu et hystérique, un gémissement, un sanglot.

— Le temps presse. Nick nous attend dehors, seul.

— Laissez-le repartir.

— Ce n'est pas dans le contrat, expliqua Wes.

— Quoi alors ?

Wes resta planté là, l'arme pointée sur le sol, sans rien dire.

— Ils vous ont baisé, hein ? dit Jud.

— Pas autant que...

— Qu'allez-vous faire, Marine ? (Jud secoua la tête.) J'étais un soldat autrefois. (Il s'assit et contempla le cadavre tout près de lui.) Son soldat. *Mon* soldat.

— Nous trouverons un arrangement, dit Wes. J'ai tout vu à travers la fenêtre. Il avait une arme... Légitime défense.

Jud rit de nouveau.

— Et tous les autres ?

— Ce n'est pas à moi de répondre.

— Bien sûr que si. C'est vous qui tenez l'arme.

Le Sig pendait dans la main de Wes.

— La CIA, dit-il, le Pentagone... le Congrès, tous les autres : on les obligera à trouver un arrangement.

— Pourquoi ?

Une fois de plus, Wes n'avait pas de réponse.

— C'est à nous de jouer, Marine. Nous sommes en première ligne. D'ailleurs, ils n'ont aucune envie de faire ça.

— Vous devez me suivre.

— Où ça ? A la CIA ? Qu'est-ce qu'ils vont faire à votre avis ? Au sujet de Varon et du bordel qu'il a déclenché ? Qu'est-ce qu'ils vont faire de moi à votre avis ? M'envoyer dans un établissement de désintoxication ? M'enfermer quelque part ? Ils m'ont appris à m'enfuir de partout, et ils le savent. Une lobotomie ? Que voulez-vous qu'ils fassent de moi ?

— Ils veulent savoir...

— Vous leur faites confiance pour faire ce qu'il faut ?

Wes tressaillit.

— Vous ne pouvez pas me laisser repartir, poursuivit Jud. Ils n'abandonneront pas avant d'être certains que je suis hors d'état de nuire. Combien d'autres personnes vais-je encore écraser avec leur parade ? L'alcool m'a eu. Les fantômes m'ont eu. Vous avez découvert Lorri. Vous avez vu ce que j'ai fait à Nora.

— C'était au cours d'un affrontement...

— Et alors ?

Jud se releva péniblement. Il chancela, tituba, mais se planta face à Wes.

— Que voulez-vous ? demanda celui-ci.

— Je ne veux pas que ces enfoirés gagnent. Je veux être libre. Je ne veux plus faire de mal à personne. Je veux les avoir. Je ne veux plus faire de mal.

— Si...

— Il n'y a pas de « si », ni de « et » ni de « mais ». (Jud sourit.) Vous le savez.

— On peut gagner du temps pour...

— Le temps est écoulé. Et il n'y a plus d'autre endroit. (Il pointa son doigt sur Wes. Comme une arme.) Ils vous tiennent vous aussi.

— Non.

— Si. Vous croyez que s'ils gagnent la partie ils vous laisseront repartir comme si de rien n'était ?

La pluie entrait dans la maison. Wes recula d'un pas.

— La pendule tourne, major. Pas d'endroit où fuir, pas de temps à perdre.

— Allons-y.

— Non. Vous non plus vous ne pouvez pas. Si vous

partez maintenant, si vous m'emmenez avec vous, si vous me livrez... ce sont eux qui gagnent. Et ensuite, vous leur appartenez. Je le sais... Faites ce que vous êtes censé faire.

— Ce n'est pas mon travail.

— Bien sûr que si. C'est ce qui doit être fait. Faites-le pour moi. Si je le fais moi-même, ça veut dire que j'ai perdu. Si vous ne le faites pas, ils gagnent. Vous devez...

— Assez !

— Si vous le faites, reprit Jud, je suis libre. Nick n'a plus rien à craindre... sans moi, il n'est pas en mesure de leur causer des ennuis, et ils le savent. Si vous le faites, ne dites rien, ils ne sauront jamais que vous les tenez, et ils vous laisseront en paix. Bon Dieu, si vous le faites, ils se retrouvent éclaboussés par leur propre merde ! Que tout le monde apprenne la vérité ! Passez un coup de fil en partant, que les abrutis du coin nous découvrent Varon, moi, et ses dossiers. Putain, téléphonez au *Post*. Mais ne leur donnez pas votre nom. Laissez une baraque pleine de questions. Ça ne changera pas la face du monde, mais faites en sorte que toute cette merde remonte jusqu'au sommet et explose sur les murs de tous les espions. Les obliger à nettoyer est la seule façon d'arriver à quelque chose, mais on peut pas le contrôler. Bon Dieu, faites-le pour ce putain de pays ; il a besoin d'un peu d'exercice.

— Vous êtes fou !

— Et après ? Ils vous ont choisi, ils vous ont expédié sur le terrain, ils vous ont entubé : à qui devez-vous quoi que ce soit ?

— Je ne vous dois pas ça.

— Dans ce cas, c'est moi qui paierai ma dette. (Jud éclata de rire.) Je vous rembourserai. Si vous le faites, vous êtes libre. Si je meurs, ils ne s'intéresseront plus à vous. C'est la seule façon de terminer votre travail. C'est la seule façon de vous en tirer. Oubliez-moi, oubliez Nick, ce qui pourrait arriver. Faites-le pour vous.

... Vous savez comment je vais vous rembourser ? Je vais vous fournir un prétexte. Je vais me battre avec vous, pour vous obliger à me liquider. Vous faciliter la tâche. Et toujours, vous vous demanderez si vous n'auriez pas pu me battre d'une autre façon. Je sais ce que c'est. Vous commencez à vous excuser auprès de vos fantômes. Vous commencez à payer vos dettes. Et après, vous leur appartenez, et vous êtes foutu. Il n'y a pas de « peut-être » : c'est ma façon de vous rembourser. Choix évident, aucune question. Je vais vous obliger à faire ça *comme il faut*.

... Une seule chose.

Jud s'avança en traînant les pieds.

Wes était paralysé. Incapable de parler. Incapable de sentir ; et pourtant, il était tellement *là-bas* qu'il était parti dans un autre endroit, à un autre moment.

Arrivé à une longueur de bras, Jud s'arrêta. Il se pencha. Il referma les doigts autour du canon du Sig et le leva lentement au bout du bras tendu de Wes. Jusqu'à ce que le canon embrasse sa poitrine.

— Une seule chose, répéta Jud en tenant l'arme contre lui. Je ne veux pas mourir à genoux.

Les battements de cœur de Jud vibraient à travers l'arme jusque dans le bras de Wes, le faisant trembler à chaque pulsation. Chaque battement était un clou de vérité. Wes savait que s'il ramenait Jud, la CIA envelopperait Jud dans le voile de la nuit, disparu à jamais, jamais connu, jamais jugé. Wes fermerait le voile de ses propres mains. Il serait leur instrument. Varon deviendrait une note de bas de page qu'on cache, un nom dans une nécrologie. Wes songea à Noah Hall et au directeur Denton, à Billy Cochran les yeux de chouette : tous sans exception, à un moment, ils avaient trahi leur devoir, ils l'avaient trahi lui, ils avaient braqué leur mire sur lui. Il ne leur devait rien. Il devait une vérité essentielle à Nick, il devait à Beth une confession sincère qu'elle pourrait comprendre, une confession dont il devrait assumer les conséquences. Cet homme debout devant lui, ce cœur battant qui ébranlait tout l'être de Wes : il lui devait ce que Wes souhaiterait pour lui-même. Le cœur de Jud continua à battre contre Wes, et ce fut comme s'ils s'étaient fondus en un seul être avec deux vies : ils ne formaient plus qu'un, et l'espoir et la douleur éprouvés par Jud devinrent le seul espoir qu'avait Wes de mettre fin à la douleur, de se libérer, de faire ce qui devait être fait, et son doigt se crispa sur la détente.

Rivages/noir

Rivages/mystère

Achevé d'imprimer en février 1994
sur les presses de l'Imprimerie Hérissey
27000 Évreux
Dépôt légal : février 1994
N° d'imprimeur : 64525

"À MINUIT MOINS SEPT, UN DIMANCHE D'HIVER À LOS ANGELES, JUD STUART REGARDA DANS LE MIROIR DU BAR ET COMPRIT QUE LE TYPE DÉCHARNÉ À LA VESTE ÉCOSSAISE AVAIT ÉTÉ ENVOYÉ POUR LE TUER. PAS TROP TÔT, SONGEA JUD."

AINSI COMMENCE *LE FLEUVE DES TÉNÈBRES* QUI RACONTE LA LONGUE TRAQUE D'UN AGENT VIEILLISSANT DE LA CIA, QUI A PARTICIPÉ À TANT DE COMPLOTS, COUPS D'ÉTAT, MEURTRES ET TRAFICS EN TOUS GENRES – LE TOUT OCCULTÉ DANS LES DOSSIERS OFFICIELS DE LA COMPAGNIE – QU'IL NE SAIT MÊME PAS QUI A ORDONNÉ SA PROPRE ÉLIMINATION.

JUD PREND LA FUITE. ET DÈS QU'IL COMMENCE À COURIR, LUI REVIENNENT EN MÉMOIRE SES VINGT-CINQ ANS DE SERVICES SECRETS ET LES SCÉNARIOS INSENSÉS AUXQUELS IL A PARTICIPÉ : IRAN, VIETNAM, AMÉRIQUE DU SUD, ÉTATS-UNIS. IL PLONGE DANS LES EAUX TROUBLES DE CE FLEUVE QUI, AU NOM DE L'ÉTAT, CHARRIE DES MILLIERS DE MORTS, DE TRAHISONS ET DE SECRETS ET QUI RISQUE, UN JOUR, D'EMPORTER LA NATION DANS SES REMOUS.

JOURNALISTE ET ENQUÊTEUR POLITIQUE, JAMES GRADY EST L'AUTEUR DU BEST-SELLER INTERNATIONAL, *LES TROIS JOURS DU CONDOR.*

"BRUTAL, BOULEVERSANT... CE LIVRE EXIGE VOTRE ÂME ET LA CLOUE AU MUR." JAMES ELLROY
"UN CHEF-D'ŒUVRE." ANDREW VACHSS

RIV
COLL
PAR

Champigny
(514) 844-2587
* 6 3 8 1 6 *
FLEUVE DES TENEBRES (LE)
18,95$
06/94 302431
POC   68   :   2 622123

9 782869 307544

CODE SEUIL : 22086
CATÉGORIE 10